D0717724

Québec

1999

Sous la direction de
Roch Côté

Québec
1999

LE DEVOIR   FIDES

Les photos contenues dans ce livre proviennent du
Centre de documentation du *Devoir*.
Elles sont signées, pour la plupart,
par Jacques Grenier et Jacques Nadeau

Couverture et maquette : Gianni Caccia
Typographie et montage : Julie Dubuc, Cyclone Design Communications

---

Données de catalogage avant publication (Canada)

Vedette principale au titre :

Québec 1999
Publ. en collab. avec : *Le Devoir.*
Annuel.
ISSN 1204-5748

ISBN 2-7621-2045-4

1. Québec (Province) - Politique et gouvernement - 1994-   – Périodiques. 2. Québec
(Province) - Conditions économiques - 1991-   – Périodiques. 3. Québec (province) -
Conditions sociales - 1991-   – Périodiques. I. Côté, Roch. II. Devoir (Montréal, Québec).

FC2925.2.Q41   971.4'04'05   C96-300312-7 rév.
F1053.2.Q41

Dépôt légal : 3ᵉ trimestre 1998
Bibliothèque nationale du Québec.

© Éditions Fides, 1998.
Imprimé au Canada par Transcontinental

Les Éditions Fides remercient le ministère du Patrimoine canadien du soutien qui
leur est accordé dans le cadre du Programme d'aide au développement de l'industrie
de l'édition. Les Éditions Fides remercient également le Conseil des Arts du Canada
et la Société de développement des entreprises culturelles du Québec (SODEC).

Sommaire

PROFIL DU QUÉBEC

LES ÉVÉNEMENTS DE L'ANNÉE

VIE POLITIQUE ET SOCIALE

VIE ÉCONOMIQUE

VIE CULTURELLE

MONTRÉAL ET SA RÉGION

PANORAMA DES RÉGIONS DU QUÉBEC

Présentation

Quelques changements méritent d'être signalés dans cette édition de l'annuaire Fides–*Le Devoir*. Au chapitre de la nouveauté, deux sections attirent particulièrement l'attention : celle des événements et celle des régions.

Dans les éditions antérieures, des chronologies ouvraient les grandes parties de l'ouvrage – politique et affaires sociales, culture et économie. Après quatre années d'expérience, il nous est apparu que cette classification, si utile demeure-t-elle, ne nous permet pas de tenir compte de certains événements généraux, souvent des faits divers, qui marquent l'histoire immédiate d'une société : par exemple, en 1997, l'aventure tragique du navigateur Gerry Roufs qui a tenu en haleine tout le Québec pendant plusieurs jours. Nous avons donc créé une nouvelle section intitulée « Les événements » qui englobe toutes les chronologies, enrichies de faits généraux, et qui rend compte de certains événements majeurs. Nous avons retenu cette année le grand verglas de l'hiver 1998 et la tragédie routière des Éboulements.

Cette édition innove également dans la section consacrée aux régions du Québec. Le lecteur y trouvera encore un article de fond consacré à la politique québécoise en matières locale et régionale mais il pourra aussi prendre connaissance des principaux événements survenus dans les régions. Une équipe de quinze journalistes dresse un véritable panorama de la vie régionale au cours de l'année écoulée. La métropole et sa région continuent de faire l'objet d'articles détaillés.

La première partie de l'ouvrage dont le sociologue Simon Langlois assure la recherche et la rédaction s'est enrichie de nouvelles données sur les grandes tendances de la société québécoise. Elle comporte entre autres 28 graphiques et 30 tableaux dans une présentation améliorée facilitant la consultation.

Enfin, fidèle à sa tradition, l'annuaire Fides-*Le Devoir* propose une étude sur un aspect particulier de la vie québécoise. Cette année, Stéphane Baillargeon, qui a suivi l'actualité religieuse pendant quelques années pour *Le Devoir*, fait la synthèse des données disponibles sur l'état de la religion au Québec.

Ces quelques nouveautés n'épuisent évidemment pas toute la richesse documentaire que cette publication continue d'offrir en plus de 400 pages aux chercheurs, professeurs, étudiants, journalistes et à toute personne désireuse de connaître la société québécoise dans tous ses aspects.

Un grand souci d'exactitude, d'équilibre et d'honnêteté préside à la réalisation de cet ouvrage. Nous croyons qu'il offre au lecteur ce qu'il peut trouver de mieux, en un seul volume, sur l'état actuel du Québec.

Roch Côté

Les auteurs de *Québec 1999*

(par ordre alphabétique)

Stéphane Baillargeon, journaliste au quotidien *Le Devoir*.

Camille Beaulieu, journaliste indépendant.

Michel Bélair, journaliste au quotidien *Le Devoir*.

Gérard Bérubé, journaliste au quotidien *Le Devoir*.

Blandine Campion, professeur de littérature au Collège de Maisonneuve et collaboratrice au quotidien *Le Devoir*.

Paul Cauchon, journaliste au quotidien *Le Devoir*.

Rémy Charest, journaliste au quotidien *Le Devoir*.

Martin Chiasson, journaliste à l'hebdomadaire *La Sentinelle* (Chibougamau).

Marie-Andrée Chouinard, journaliste au quotidien *Le Devoir*.

Mario Cloutier, correspondant parlementaire au quotidien *Le Devoir*.

Sylvain Cormier, journaliste indépendant et collaborateur au quotidien *Le Devoir*.

Manon Cornellier, correspondante parlementaire au quotidien *Le Devoir*.

Serge Côté, professeur en sociologie et en développement régional à l'Université du Québec à Rimouski.

Bernard Descoteaux, rédacteur en chef du quotidien *Le Devoir*.

Robert Dutrisac, journaliste au quotidien *Le Devoir*.

Louis-Gilles Francœur, journaliste au quotidien *Le Devoir*.

Paul Gaboury, journaliste au quotidien *Le Droit*.

Hervé Guay, journaliste indépendant et collaborateur au quotidien *Le Devoir*.

Judith Lachapelle, journaliste au quotidien *Le Devoir*.

Louis Lafrance, journaliste indépendant et collaborateur au quotidien *Le Devoir*.

André Lafrenière, journaliste à l'hebdomadaire *L'Expression* (Joliette).

Bernard Lamarche, journaliste indépendant et collaborateur au quotidien *Le Devoir*.

Simon Langlois, professeur au département de sociologie de l'Université Laval et coordonnateur du groupe international de recherche Comparative Charting of Social Change.

Serge Laplante, recherchiste au bureau parlementaire du quotidien *Le Devoir* à Québec.

Louise Leduc, journaliste au quotidien *Le Devoir*.

Koceïla Louali, journaliste indépendant.

Andrée Martin, journaliste indépendante et collaboratrice au quotidien *Le Devoir*.

Michel Morin, journaliste au quotidien *La Tribune*.

Benoît Munger, journaliste au quotidien *Le Devoir*.

Carol Néron, éditorialiste au *Quotidien* de Chicoutimi.

Steeve Paradis, journaliste au quotidien *Le Soleil*.

Isabelle Paré, journaliste au quotidien *Le Devoir*.

Pierre Pelchat, journaliste au quotidien *Le Soleil*.

Marie-Claude Petit, journaliste indépendante et collaboratrice au quotidien *Le Devoir*.

Henri Prévost, journaliste à l'hebdomadaire *L'Écho du Nord* (Saint-Jérôme)

Gérald Prince, journaliste au quotidien *La Tribune*.

Denis Poissant, journaliste au quotidien *La Voix de l'Est*.

Pierre O'Neill, journaliste au quotidien *Le Devoir*.

Marc Rochette, journaliste au quotidien *Le Nouvelliste*.

Robert Saletti, professeur de littérature au Collège Édouard-Montpetit et collaborateur au quotidien *Le Devoir*.

Jean-Robert Sansfaçon, éditorialiste au quotidien *Le Devoir*.

Carl Thériault, journaliste au quotidien *Le Soleil*.

Odile Tremblay, journaliste au quotidien *Le Devoir*.

Nathalie Truchon, journaliste à l'hebdomadaire *La Sentinelle* (Chibougamau).

Claude Turcotte, journaliste au quotidien *Le Devoir*.

Michel Venne, éditorialiste et correspondant parlementaire au quotidien *Le Devoir*.

Profil du Québec

Tendances
de la société québécoise,
1999

SIMON LANGLOIS

L'analyse des grandes tendances du changement social met en perspective le bilan annuel que propose *Québec 1999*. Par tendances, il faut entendre un diagnostic posé sur l'évolution de certains segments de la société québécoise[1]. Bien qu'elles puissent aussi être dégagées à partir d'observations qualitatives et à partir de théories – pensons aux deux tendances majeures des sociétés modernes observées par Alexis de Tocqueville au siècle dernier : progression de l'égalité et concentration du pouvoir politique – nous nous limiterons ici à dégager quelques grandes tendances caractérisant la morphologie du Québec à partir de séries statistiques et d'observations standardisées.

Québec 1999 s'inscrit en continuité avec un ouvrage de même facture publié depuis quelques années. Nous avons augmenté pour la présente édition le nombre des tendances qui seront analysées et toutes les séries statistiques ont été mises à jour. Les aspects suivants ont été retenus : principales tendances démographiques et macroéconomiques, éducation, emplois et activité professionnelle, revenus, pauvreté et inégalités, consommation. De nouvelles sections ont été ajoutées : aspects démolinguistiques, familles et modes de vie, les autochtones ; d'autres ont été élargies et nous avons tenu compte des données du Recensement de 1996 qui sont maintenant accessibles. Le champ couvert dans ce chapitre introductif est donc cette année encore plus large.

Il faut considérer une assez longue période afin de faire ressortir les changements de fond qui sont les plus marquants, car se limiter à un horizon de quelques années paraît insuffisant pour en mesurer toute la portée. Des séries statistiques portant sur une vingtaine d'années, si possible, s'imposent. Les commentaires qui suivent seront nécessairement brefs. Nous laissons au lecteur le soin de faire une lecture plus détaillée des tableaux publiés ci-après. Plutôt que de décrire systématiquement leur contenu, nous préférons attirer l'attention sur les évolutions les plus significatives.

Enfin, la présentation des tableaux a été allégée et nous avons ajouté plusieurs graphiques afin de mieux visualiser les tendances. Cependant, le lecteur intéressé par la consultation des données complètes pourra les retrouver sur un site Internet (voir encadré). On y trouvera des séries statistiques plus longues et plus détaillées, qui seront mises à jour à mesure que de nouvelles données paraîtront. Il est encore trop tôt pour dire quelle place occuperont dans l'avenir les publications électroniques. Sans doute ne remplaceront-elles pas l'imprimé – livres ou journaux – pas plus que la télévision n'a remplacé la radio. Elles proposent plutôt, croyons-nous, une nouvelle façon de diffuser des connaissances dont les caractéristiques se préciseront à l'usage. Dans le cas présent, le site sur les tendances sera un complément documentaire au présent ouvrage, susceptible d'intéresser le lecteur à la recherche d'informations chiffrées.

Aspects démographiques

Croissance continue de la population totale mais diminution du poids relatif du Québec au sein du Canada

Le Québec comptait plus de sept millions quatre cent mille personnes en 1998. Les chiffres de la population tiennent compte des résidants non permanents (tableau 1 et graphique 1). Malgré une population toujours en croissance – en hausse d'environ 42 % depuis 1961 – le poids relatif du Québec au sein du Canada ne cesse de diminuer parce que la population canadienne progresse encore plus vite. La part de la population québécoise est tombée pour la première fois dans l'histoire en bas de 25 % de l'ensemble canadien en 1994. À moins d'une hausse significative de l'immigration au Québec – non prévue en ce moment, cependant –

cette diminution ne pourra que se poursuivre, au rythme de un dixième de un pour cent environ chaque année. La population du Québec comptait pour 24,4 % de l'ensemble du Canada en 1998.

Moins de jeunes et plus de personnes âgées

Le poids relatif des différents groupes d'âges est en changement rapide et profond (tableau 2). La part des jeunes âgés de 0 à 14 ans a fortement diminué, passant de 35,4 % en 1961 à 19,4 % de l'ensemble en 1997, et celle de la population ayant atteint l'âge de la retraite est en forte croissance, notamment parce que l'espérance de vie augmente. Le Québec n'a pas encore une population vieille, mais la tendance au vieillissement est nettement présente. Cette tendance va s'accélérer au début du

---

DONNÉES SUR INTERNET

Toutes les données contenues dans ce chapitre, de même que les tableaux (en version intégrale) ayant servi à la construction des graphiques, sont accessibles en format PDF (*Portable Document Format* / Acrobat Reader) sur Internet à l'adresse suivante :

http://www.soc.ulaval.ca/tendances/

Tableau 1
Population du Québec en nombre, en indice et en % du Canada,
1961-1998

Année	Nombre*	Indice	en % du Canada
1961	5 259 211	100,0	28,8
1966	5 780 845	109,9	28,9
1971	6 155 600	117,0	27,9
1976	6 420 500	122,1	27,3
1981	6 568 000	124,9	26,4
1986	6 733 800	128,0	25,7
1991	7 079 569	134,6	25,2
1992	7 164 006	136,2	25,1
1993	7 235 479	137,6	25,0
1994	7 296 225	138,7	24,9
1995	7 348 702	139,7	24,8
1996	7 396 727	140,6	24,7
1997	7 430 997	141,3	24,6
1998 p	7 449 225	141,6	24,4

*: données révisées pour tenir compte des résidants non-permanents. Tous les chiffres sont en date du
1er juillet, sauf pour 1998 (1er avril).
p: données provisoires.
Source: BSQ, La situation démographique au Québec, édition 1997 et BSQ, données non publiées.

XXIᵉ siècle de façon rapide, comme l'indiquent les projections de population faites par le Bureau de la Statistique du Québec : la part de la population âgée de 65 ans et plus va passer de 12,9 % en 1997 à 20,5 % en 2021, alors que la part de la population des jeunes (0-14 ans) va se stabiliser (graphique 2). L'âge médian de la population – l'âge qui départage la population entre deux groupes égaux – fera un bon considérable, passant de 36,7 ans en 1997 à 43,7 ans en 2021. Cela signifie que la moitié de la population aura moins de 43,7 ans cette année-là. Rappelons que la moitié de la population avait moins de 25 ans en 1951, et moins de 34 ans en 1991. L'image classique de la pyramide pour représenter la distribution de la population selon l'âge devra être remplacée par celle d'un cottage anglais : plusieurs étages de proportions qui vont tendre à devenir égales surmontés d'un toit prononcé. Quand on évoque les changements démographiques en cours, tous pensent

Graphique 1
Population du Québec et du Canada en millions d'habitants
1961-1998

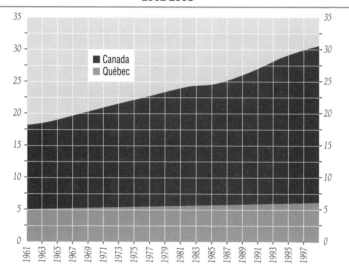

Source : BSQ, La situation démographique au Québec, édition 1997 et BSQ, données non publiées.

Tableau 2
Population du Québec (en %) selon l'âge et l'année,
1961-1997

Année	0-14 %	15-19 %	20-24 %	25-29 %	30-39 %	40-49 %	50-54 %	55-59 %	60-64 %	65- et + %	total %
1961	35,4	8,9	7,0	6,9	13,9	11,1	4,5	3,6	2,9	5,8	100,0
1966	33,0	9,6	8,1	6,5	12,7	11,1	6,3	3,7	3,0	6,0	100,0
1971	29,6	10,3	9,1	7,9	12,3	11,6	4,7	4,2	3,4	6,9	100,0
1976	24,9	10,7	9,6	8,9	13,6	11,3	5,2	4,3	3,8	7,7	100,0
1981	21,7	9,6	10,0	9,1	15,7	11,0	5,3	4,8	3,9	8,8	100,0
1986	20,2	7,2	9,4	9,8	17,1	12,2	5,0	4,9	4,4	9,8	100,0
1991	19,8	6,5	7,1	8,9	18,0	14,4	5,1	4,7	4,4	11,0	100,0
1997	19,4	7,1	6,8	7,1	18,2	12,3	6,7	5,1	4,4	12,9	100,0

Source: Statistique Canada, Estimations de la population.

Graphique 2
Structure de la population québécoise par groupe d'âge, 1951 à 1997 et projections (hypothèse moyenne) jusqu'en 2021

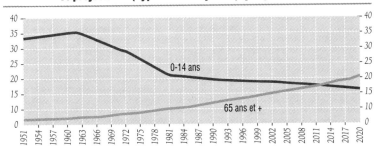

1997 : au 1ᵉʳ juillet 1997

Source: BSQ, La situation démographique au Québec, *édition 1997 et www.bsq.gouv.qc.ca/donnees/tab201.htm, 15 juin 1998.*

Tableau 3
Structure de la population par âge, rapport de dépendance et âge médian de la population du Québec, 1951 à 1997 et projections 2006-2021

Année	Proportion 0-14	15-64	65 +	Rapport de dépendance	Âge médian (année)
1951	33,7	60,6	5,7	0,650	24,8
1961	35,4	58,7	5,8	0,702	24,0
1971	29,3	63,9	6,8	0,565	25,6
1981	21,5	69,8	8,7	0,433	29,6
1991	19,8	69,2	11,0	0,446	34,0
1997	19,4	67,7	12,9	0,447	36.7
2006	16,9	69,3	13,8	0,443	40,3
2011	15,9	68,5	15,7	0,460	41,7
2016	15,4	66,8	17,9	0,497	42,7
2021	15,1	64,5	20,5	0,551	43,7

Rapport de dépendance: (0-14 ans + 65 ans et plus/15-64 ans)

1997: au 1ᵉʳ juillet

2006-2021: Projections, hypothèse moyenne.

Source: BSQ, La situation démographique au Québec, *édition 1997 et www.bsq.gouv.qc.ca/donnees/tab201.htm, 15 juin 1998.*

Tableau 4
Population, variation de la population et accroissement
selon les régions administratives,
Québec, 1971-1997

Régions	Population					Variation de la population 1991-1997	Accroissement 1991-1997
	1971 %	1981 %	1991 %	1997 %	1997* N		
Gaspésie/ Îles de la Madeleine	1,9	1,8	1,5	1,4	107 005	–1,4	–1 498
Bas St-Laurent	3,5	3,3	3,0	2,8	208 535	–0,7	–1 478
Saguenay/ Lac St-Jean	4,4	4,4	4,1	4,0	296 537	1,1	3 290
Québec	8,8	9,0	8,9	8,9	659 858	4,3	27 104
Chaudière-Appalaches	5,1	5,4	5,3	5,3	390 098	3,5	13 073
Mauricie/ Bois-Francs	7,1	7,0	6,7	6,6	489 473	2,5	11 905
Estrie	4,0	4,0	3,9	3,9	289 645	5,3	14 576
Montérégie	13,8	16,5	17,5	17,9	1 326 265	7,3	90 371
Montréal	32,5	27,3	25,7	24,7	1 833 085	0,6	10 739
Laval	3,8	4,2	4,6	4,7	350 401	8,7	27 989
Lanaudière	2,9	4,0	4,8	5,3	394 684	15,0	51 481
Laurentides	4,0	4,8	5,5	6,1	453 276	15,6	61 270
Outaouais	3,6	3,8	4,1	4,3	319 054	9,4	27 523
Abitibi-Témiscamingue	2,4	2,3	2,2	2,1	157 966	1,3	2 095
Côte-Nord	1,7	1,8	1,5	1,4	106 532	0,6	660
Nord du Québec	0,5	0,5	0,5	0,5	37 476	0,5	186
Total	**100**	**100**	**100**	**100**	**7 419 890**	**4,8**	**339 286**

* *Données de Statistique Canada, légèrement différentes de celles du BSQ*

Source: BSQ, La situation démographique au Québec, *édition 1997 et www.bsq.gouv.qc.ca/donnees/tab203.htm, 15 juin 1998.*

spontanément à la baisse de la natalité et au vieillissement de la population ; il faut aussi avoir en tête que le centre de la distribution se gonfle à mesure que vieillit la génération du baby-boom.

Tableau 5
Population par régions métropolitaines de recensement
et variation en %,
Québec, 1986-1997

Régions	Population*			Variation (en %)	
	1986	1991	1997	1986-91	1991-97
Montréal	3 032 022	3 213 207	3 384 233	6,0	5,1
Québec	619 079	663 067	700 197	7,1	5,3
Hull	205 623	232 722	256 461	13,2	9,3
Chicoutimi-Jonquière	162 415	165 014	167 515	1,6	1,5
Sherbrooke	133 561	142 729	150 742	6,9	5,3
Trois-Rivières	132 063	139 763	142 085	5,8	1,6
Reste du Québec	2 449 019	2 524 102	2 618 657	3,1	3,6
Total	**6 733 782**	**7 080 604**	**7 419 890**	**5,2**	**4,6**

* Données de Statistique Canada, légèrement différentes de celles du BSQ
Source: BSQ, La situation démographique au Québec, édition 1997 et www.bsq.gouv.qc.ca/donnees/tab3p5.htm,
15 juin 1998.

Le rapport de dépendance – qui est mesuré par le rapport du nombre des jeunes et des personnes de 65 ans ou plus sur la population âgée de 15 à 64 ans – va aussi augmenter vers l'an 2011, mais sans atteindre le haut niveau observé dans les années 1950 et 1960. Ce rapport de dépendance doit être interprété avec précaution, notamment parce qu'une partie des personnes ayant dépassé l'âge de la retraite pourront rester actives sur le marché du travail ou encore effectuer des travaux non rémunérés, à titre de bénévoles par exemple.

Inégale croissance démographique des régions

Plusieurs régions administratives du Québec ont vu leur importance relative diminuer depuis vingt-cinq ans (tableau 4). Deux régions ont connu une diminution de leur population depuis 1991 : la Gaspésie-Îles-de-la-Madeleine et le Bas Saint-Laurent. Quatre autres régions éloignées – le Saguenay/ Lac-St-Jean, l'Abitibi-Témiscamingue, la Côte Nord et le Nord du Québec – maintiennent leur place relative avec une croissance modeste. La région administrative de Montréal ne compte plus que le quart de la population du Québec et la diminution qui l'affecte s'explique par le déplacement de population vers la banlieue de la métropole et les régions qui l'entourent, qui sont en forte croissance démographique : la Montérégie, Laval, Lanaudière, les Laurentides. L'Outaouais a connu une croissance plus importante que celle de l'ensemble du Québec. Les régions de Québec, de Chaudière-Appalaches, de l'Estrie et de la Mauricie-Bois-Francs ont maintenu leur part relative dans l'ensemble du Québec depuis 25 ans.

Graphique 3
Population par régions métropolitaines de recensement,
en millions d'habitants,
1986-1997

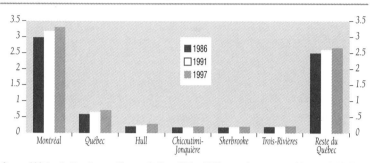

Source: BSQ, La situation démographique au Québec, édition 1997 et www.bsq.gouv.qc.ca/donnees/tab3p5.htm, 15 juin 1998.

Une population de plus en plus urbanisée

La population québécoise se concentre davantage dans les grandes régions métropolitaines, qui connaissent toutes (sauf celles de Chicoutimi-Jonquière et de Trois-Rivières) une croissance démographique plus forte que celle de l'ensemble du Québec (tableau 5 et graphique 3). Ce dernier est de plus en plus urbain et un peu moins de la moitié de toute sa population se retrouve dans la grande région montréalaise. C'est la région de Hull qui croît le plus vite au Québec depuis dix ans.

Trois phénomènes démographiques affectent la taille de la population totale et l'équilibre entre les groupes d'âge, et jusqu'à un certain point la répartition entre les régions : la natalité, l'immigration internationale et les migrations interprovinciales. Nous en examinerons brièvement les évolutions.

La chute de la natalité s'accélère

Le nombre de naissances et le taux de natalité sont en baisse depuis 1990, après avoir connu un certain redressement à la fin des années 1980 (tableau 6). Une nouvelle tendance à la baisse des différents indicateurs de fécondité existe nettement depuis sept ans (graphique 4). Il faut signaler que la chute du nombre de naissances est importante depuis 1992, ce nombre étant maintenant inférieur à 80 000 depuis 1997.

Le taux de fécondité a diminué de façon importante dans le groupe des jeunes femmes (20-24 ans), mais non dans le groupe des femmes âgées de 30 ans et plus (tableau 7). Plus scolarisées qu'auparavant, les jeunes femmes reportent à plus tard la venue des enfants, comme le montre l'augmentation de l'âge moyen à la naissance. Elles attendent aussi d'être établies professionnellement avant de devenir mères. Or, les études

Tableau 6
Divers indicateurs de fécondité,
Québec, 1960-1997

Année	Naissances	Taux de natalité	Indice synthétique de fécondité	% naissances hors mariage rang 1	rang 2	total*
1960	141 224	27,5	3,86	–	–	3,6
1965	123 279	21,7	3,07	–	–	5,2
1970	96 512	16,1	2,09	–	–	8,0
1975	96 268	15,2	1,75	–	–	8,8
1980	97 498	14,9	1,62	20,7	8,3	13,8
1985	86 008	12,9	1,39	34,5	18,0	24,7
1986	84 579	12,6	1,37	37,3	19,6	27,2
1987	83 600	12,3	1,35	39,8	22,5	29,9
1988	86 358	12,6	1,41	43,2	25,9	33,1
1989	91 751	13,2	1,50	45,9	29,0	35,6
1990	98 013	14,0	1,63	48,4	31,8	38,1
1991	97 348	13,7	1,65	50,3	34,6	40,8
1992	96 054	13,4	1,65	54,1	37,6	43,4
1993	92 322	12,8	1,61	57,1	40,8	46,3
1994	90 417	12,4	1,61	58,6	44,1	48,5
1995	87 258	11,9	1,58	59,8	47,1	50,6
1996	85 130	11,5	1,57	62.3	48,9	52,8
1997p	79 900	10,8	1,50	63,2	50,9	54,7

* Le total comprend toutes les naissances hors mariage.
p: donnée provisoire, 16 février 1998 et 2 avril 1998
Source: BSQ, La situation démographique au Québec, édition 1996, tableau 412; www.bsq.gouv.qc.ca/donnees/tab401.htm et www.bsq.gouv.qc.ca/donnees/tab402.htm, 15 juin 1998.

montrent que plus l'âge à la première naissance augmente, plus la probabilité d'avoir un autre enfant par la suite diminue.

La désaffection vis-à-vis du mariage est liée à la dénatalité – les couples vivant en union libre ont moins d'enfants que les couples mariés – mais cette désaffection vis-à-vis du mariage n'est pas la cause de la baisse de la natalité. Le mariage et la décision d'avoir plusieurs enfants sont plutôt deux phénomènes reliés qui dépendent d'un ensemble de facteurs. Il en va de

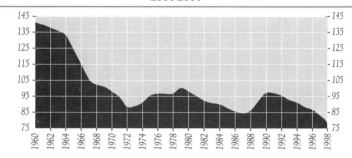

Graphique 4
Nombre de naissances par année, Québec, en milliers,
1960-1997

Source : BSQ, La situation démographique au Québec, édition 1996, tableau 412 ; www.bsq.gouv.qc.ca/
donnees/tab401.htm et www.bsq.gouv.qc.ca/donnees/tab402.htm, 15 juin 1998.

même pour la diminution de la pratique religieuse, elle-même associée à la baisse de la natalité par plusieurs chercheurs[2]. La désaffection vis-à-vis de la pratique religieuse, la désaffection vis-à-vis du mariage et la dénatalité sont en fait trois tendances qui révèlent des changements culturels encore mal connus.

Deux facteurs semblent par ailleurs liés à la chute de la natalité. Le premier est sans doute l'insécurité économique qui frappe plus durement les jeunes ménages – précarité, taux de chômage élevé, revenus de travail en baisse – empêchant l'élaboration de projets d'avenir au cœur desquels le désir d'enfants – bien présent, les études le montrent – ne peut pas se concrétiser. Les jeunes couples reportent à plus tard la venue des enfants qu'ils désirent, au risque de ne jamais passer à l'acte. Le second facteur est la difficulté qu'ont les jeunes mères surtout, mais aussi de plus en plus de pères, à concilier l'occupation d'un

emploi et le soin des enfants, surtout les 2e et 3e. Si les places en garderies sont maintenant plus accessibles, il faut souligner que les entreprises et les employeurs sont encore réticents à mettre de l'avant des mesures favorisant la conciliation des activités professionnelles et familiales des parents. Le conflit entre le gouvernement fédéral et le gouvernement du Québec au sujet de la réforme des congés de maternité – dont on a fait état en 1998 mais qui n'est toujours pas réglé – empêche la mise en place d'un volet important de la politique familiale qui serait sans doute susceptible d'aider les couples à concilier leurs responsabilités familiales et professionnelles et de les aider à avoir les enfants qu'ils désirent.

La mesure de la descendance finale d'une cohorte de femmes donne une mesure plus fiable du remplacement de la population que l'indice synthétique de fécondité (tableau 8). Nous pouvons estimer avec assez de justesse quel a été le nombre total

Tableau 7 Taux de fécondité selon le groupe d'âge[1], 1960-1997						
Année	**Groupe d'âge**					
	15-19[2] %	**20-24** %	**25-29** %	**30-34** %	**35-39** %	**40-44** %
1960	34,1	204,6	226,0	162,1	102,8	38,2
1965	28,6	176,2	183,4	123,0	74,2	26,2
1970	22,7	122,5	137,8	80,6	40,4	12,2
1975	19,8	97,2	135,6	68,2	22,7	5,2
1980	15,4	89,1	130,8	67,7	18,7	2,8
1985	13,7	71,1	113,6	60,0	16,7	2,1
1990	18,1	79,1	128,0	75,2	22,0	2,8
1991	17,7	79,3	128,8	78,0	22,7	3,0
1992	18,3	76,0	128,2	80,6	23,6	3,3
1993	17,5	74,7	122,1	80,4	23,9	3,5
1994	17,5	73,8	120,3	81,2	25,0	3,6
1995	17,2	72,0	115,5	81,4	25,5	3,8
1996	16,4	71,3	114,4	80,4	26,7	3,8
1997p	15,0	66,0	110,0	79,0	26,0	4,0

p: Donnée provisoire, 16 février 1998
1: Les taux par groupe d'âge sont la somme des taux par année d'âge divisée par 5.
2: Comprend les naissances des mères de 14 ans et moins.
Source : BSQ, www.bsq.gouv.qc.ca/donnees/tab402.htm, 15 juin 1998.

d'enfants mis au monde par les femmes nées avant le milieu des années soixante, puisqu'elles ont maintenant passé l'âge d'en avoir d'autres. La mesure de descendance finale décline chaque année depuis 1921, date à partir de laquelle chaque cohorte annuelle de femmes a eu un peu moins d'enfants que la précédente. La cohorte des femmes nées en 1943 a été la première à avoir eu moins de 2,1 enfants par femme, soit le nombre nécessaire pour assurer le remplacement naturel de la population. La diminution de la descendance finale semble s'être arrêtée en 1955, pour se stabiliser à 1,6 enfant environ dans les cohortes de femmes nées entre 1955 et 1965. Seul l'avenir dira si elle se maintiendra à ce niveau, mais les indices synthétiques donnent à penser qu'elle diminuera.

Graphique 5
Taux d'interruption volontaire de grossesse par groupe d'âge,
Québec, 1980-1996

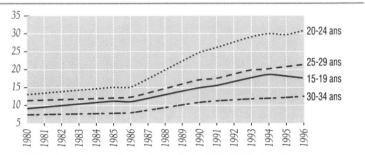

Source: BSQ, La situation démographique au Québec, édition 1997 et RAMQ et www.bsq.gouv.qc.ca
N.B. Le taux d'interruption se lit comme suit : en 1996, 19,3 femmes âgées de 15 à 19 ans sur 1000 ont
interrompu volontairement leur grossesse.

Hausse des interruptions volontaires de grossesse

Le nombre d'interruptions volontaires de grossesse est étonnamment élevé et il est en hausse : il s'établit à 27 184 en 1996, dernier chiffre disponible (tableau 9). L'interruption volontaire de grossesse n'est pas seulement répandue chez les adolescentes et les jeunes femmes, mais elle est également fréquente chez les femmes plus âgées, groupe dans lequel le phénomène est même en croissance (graphique 5). Selon quelques experts consultés en santé publique, ce nombre élevé est difficile à expliquer, compte tenu de l'accessibilité des différents moyens de contraception et de l'information donnée en la matière dans les écoles, les institutions de santé et la famille. L'interruption volontaire de grossesse serait-elle devenue un moyen de contraception, marquant ainsi l'échec relatif des autres moyens disponibles?

Diminution du nombre d'immigrants

Le nombre d'immigrants qui se sont établis au Québec a été de 27 420 en 1997, en baisse par rapport au nombre approximatif de 50 000 en 1991 et 1992 (graphique 6). La diminution est importante. Le Québec n'a accueilli que 12,3 % du nombre total d'immigrants qui ont choisi de vivre au Canada en 1997, ce qui contribue fortement à l'affaiblissement de son poids démographique. Les niveaux d'immigration internationale retenus pour les deux prochaines années ne laissent pas entrevoir de changement à cette situation.

Le solde migratoire total est en baisse depuis 1993

Le Québec avait un solde migratoire négatif jusqu'en 1980. Cette tendance avait été renversée par la suite, le solde migratoire étant largement positif jusqu'en 1993. Depuis cette date, il est de nouveau

Tableau 8
Descendance finale à l'âge de 45 ans,
selon l'année de naissance de la mère,
Québec, 1920-1966

Année de naissance	Taux %
1920-21	3,59
1925-26	3,48
1930-31	3,35
1935-36	2,82
1940-41	2,36
1945-46	1,94
1950-51	1,69
1955-56	1,60
1960-61	1,60*
1965-66	1,60*

* Estimation.

Source: BSQ, La situation démographique au Québec, édition 1997.

Tableau 9
Divers indicateurs d'interruption volontaire de grossesse,
Québec, 1976-1996

Année	Interruptions	Rapport par 100 naissances	Âge moyen
1976	7 139	7,3	27,3
1980	14 288	14,7	26,5
1985	15 702	18,3	26,2
1990	22 219	22,7	25,8
1991	23 261	23,9	25,8
1992	24 619	25,6	25,8
1993	26 106	28,3	25,6
1994	26 131	28,9	25,8
1995	26 072	29,9	25,8
1996	27 184	31,9	25,8

Source: BSQ, La situation démographique au Québec, édition 1997 et ramq et
www.bsq.gouv.qc.ca

Graphique 6
Nombre d'immigrants, en milliers,
Canada et Québec, 1960-1997

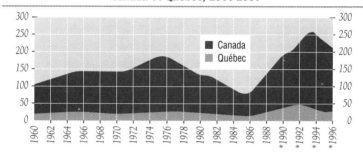

* 1990 à 1996: données révisées le 10 juin 1998.
Source: BSQ, La situation démographique au Québec, édition 1996. Pour le Canada (1990 - 1997), CANSIM,
D125625.

Graphique 7
Solde migratoire net, en milliers,
Québec, 1990-1997

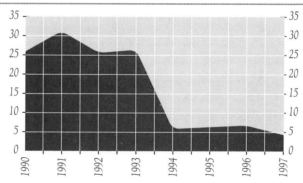

Source : BSQ, La situation démographique au Québec, édition 1996. Pour le Canada (1990 - 1997), CANSIM,
D125625. Données révisées le 10 juin 1998.

en baisse, tout en restant positif (graphique 7). Peut-on parler d'un revirement de tendance à la baisse ? Il est encore trop tôt pour l'avancer, mais le phénomène mérite d'être signalé[3].

Le solde migratoire interprovincial se détériore

En fait, c'est le solde migratoire interprovincial qui se détériore. Celui-ci avait toujours été négatif depuis les années 1960. Ce solde négatif avait même augmenté de façon importante après l'élection en 1976 du premier gouvernement péquiste, et ce

jusqu'en 1983, avant de régresser par la suite. Il est de nouveau en hausse depuis le début des années 1990, le Québec ayant connu une perte nette de 17 625 personnes dans ses échanges de migrants avec les autres provinces canadiennes en 1997 (tableau 10).

Les migrations d'une province à l'autre sont fort importantes au Canada, et il en va de même dans le cas du Québec. Ainsi plus d'un million de personnes ont quitté le Québec entre 1972 et 1997 afin d'aller vivre ailleurs au Canada et presque 660 000 personnes sont venues s'établir au Québec. En 27 ans, le Québec a perdu 426 120

Tableau 10
Migrations interprovinciales, entrants et sortants du Québec en % et solde migratoire selon la région, Québec, 1975-1997

| | Année | | | | | Total* | |
	1975	1980	1990	1996	1997	N	%
Entrants au Québec à partir de							
Atlantique	16,4	16,9	14,2	14,1	14,8	110 048	15,5
Ontario	66,1	61,3	68,6	67,7	66,2	449 925	63,4
Prairies/T. N.-O.	9,2	14,1	10,9	8,7	8,3	90 629	12,6
C.-B.	8,3	7,8	6,3	9,5	10,7	59 254	8,3
Sortants du Québec à partir de							
Atlantique	19,4	9,5	10,6	9,8	10,5	133 474	11,8
Ontario	58,8	59,6	66,5	63,8	64,3	742 451	65,4
Prairies/T. N.-O.	13,1	20,9	11,7	11,4	12,3	143 248	12,6
C.-B.	8,7	10,0	11,2	15,1	12,9	116 843	10,2
Solde migratoire interprovincial							
Total	-12 340	-24 283	-9 567	-15 154	-17 625	-426 120	

Le total cmprend 25 années, soit de 1972 à 1997.

Source : BSQ, La situation démographique au Québec, édition 1996. Pour le Canada (1990 - 1997), CANSIM, D125625. Données révisées le 10 juin 1998.

personnes dans ses échanges de population avec le reste du Canada. Rappelons que d'autres provinces canadiennes ont aussi eu un solde migratoire négatif important au cours de la même période, de même que plusieurs États américains de taille comparable à celle du Québec dans leurs échanges de population avec d'autres États. Outre l'incertitude qui entoure l'avenir du Québec, bien d'autres facteurs expliquent les mouvements de population d'une région à l'autre.

L'Ontario est de loin le principal partenaire des échanges de population avec le Québec et la Colombie-Britannique attire de plus en plus de citoyens du Québec

Où vont les Québécois qui migrent ailleurs au Canada ? Un peu moins des deux tiers se sont établis en Ontario en 1997, suivi de la Colombie-Britannique (12,9 %), des Prairies (12,3 %) et de la région Atlantique (10,5 %) (tableau 10). Il y a un très net changement dans la destination choisie par les personnes sortant du Québec depuis 1975 : la part de la Colombie-Britannique a augmenté et celle des provinces de l'Atlantique a régressé de moitié. Il faut signaler un ralentissement des départs vers la Colombie-Britannique en 1997 et 1998, sans doute dû à la crise de l'emploi qui a touché cette province dans la foulée de la crise asiatique. L'Ontario d'abord, puis la Colombie-Britannique, sont les deux provinces qui attirent maintenant la majorité des personnes qui quittent le Québec (77,2 % de tous les sortants en 1997), suivies de l'Alberta.

D'où viennent les Canadiens qui migrent vers le Québec ? Cette fois encore, l'échange de population avec l'Ontario domine largement : celle-ci a fourni les deux tiers des personnes nouvellement établies au Québec en 1997 en provenance d'une autre province. Les provinces de l'Atlantique suivent avec 14,8 % de l'ensemble, la Colombie-Britannique avec 10,7 % et les Prairies avec 8,3 %. La provenance des entrants a été assez stable depuis vingt ans, contrairement à ce qui s'est passé pour les sortants qui se concentrent en large majorité dans deux provinces. Il faut aussi noter une certaine progression de la proportion des personnes entrant au Québec en provenance de la Colombie-Britannique, qui reste cependant loin derrière l'Ontario. Celle-ci demeure la première province avec laquelle se font les migrations interprovinciales qui impliquent des Québécois.

Hausse continue de l'espérance de vie

L'espérance de vie continue de progresser (graphique 8). D'après le dernier chiffre disponible (année 1997), elle est de 75,3 ans pour les hommes et de 81,5 ans pour les femmes. On observe une réduction de l'écart qui sépare hommes et femmes, qui est maintenant de 6,2 ans. La différence après 65 ans est cependant moindre, soit un peu plus de 4 ans. S'ils se rendent jusqu'à 65 ans, les hommes peuvent espérer vivre encore environ un peu moins de 16 ans et les femmes, encore un peu plus de 20 ans (graphique 9).

Aspects démolinguistiques

L'arrivée massive de nouveaux immigrants au Canada (et dans une moindre mesure au Québec) nous amène à analyser

Graphique 8
Espérance de vie à la naissance selon le sexe,
Québec, 1930-1997

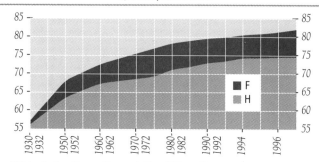

Source: BSQ, La situation démographique au Québec, *Édition 1996 et www.bsq.gouv.qc.ca*

Graphique 9
Espérance de vie à 65 ans selon le sexe, en nombre d'années,
Québec, 1930-1997

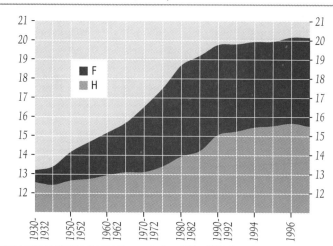

Source : BSQ, La situation démographique au Québec, *édition 1996 et www.bsq.gouv.qc.ca*

Tableau 11
Langue maternelle des citoyens selon la région au Canada,
1951 et 1996

Région		Langue maternelle*			Total	
		Anglais	Français	Autre	%	N
Nouveau-Brunswick	1951	63,1	35,9	1,0	100	515 697
	1991	65,1	33,6	1,3	100	723 895
	1996	65,5	33,1	1,4	100	729 625
Québec	1951	13,8	82,5	3,7	100	4 597 542
	1991	9,8	82,1	8,1	100	6 895 960
	1996	8,5	82,2	9,3	100	7 045 080
Ontario	1951	81,7	7,4	10,9	100	4 597 542
	1991	76,4	5,0	18,6	100	10 084 880
	1996	73,8	4,6	21,6	100	10 642 790
Canada sans Québec	1951	77,6	7,3	15,1	100	9 953 748
	1991	79,0	4,8	16,2	100	20 400 895
	1996	77,2	4,5	18,3	100	21 483 130
Canada	1951	59,1	29,0	11,9	100	14 009 429
	1991	61,5	24,3	14,2	100	27 296 855
	1996	60,2	23,7	16,1	100	28 528 125

* Les réponses multiples (français/anglais) ont été réparties au prorata de leur poids en 1991 et 1996.
  Le français ou l'anglais et une autre langue ont été classés avec la langue officielle.
Source: Statistique Canada, Annuaire du Canada, 1993 et www.statcan.ca

les aspects démolinguistiques selon de nouvelles approches. L'indicateur langue maternelle est appelé à perdre de son importance au profit des indicateurs langue parlée à la maison et connaissance de l'anglais et du français susceptible de permettre la participation à la vie civique commune dans les sociétés d'accueil. Il faut en effet accorder plus d'attention aux choix linguistiques que font les immigrants. À quelle communauté linguistique les nouveaux arrivants vont-ils s'intégrer ? Cette question est particulièrement importante pour le Québec, mais aussi pour les minorités de langue française dans le reste du Canada. En d'autres termes, un tout nouveau contexte linguistique se dessine qui nécessite l'examen de plusieurs indicateurs démolinguistiques différents. Nous en avons retenu trois : la langue maternelle, la langue

parlée le plus souvent à la maison et la connaissance de l'anglais et du français.

*La proportion de personnes de langue
maternelle anglaise régresse au Québec
et en Ontario*

Considérons d'abord la langue maternelle. La proportion de personnes de langue
maternelle française est stable au Québec
depuis le début du siècle à environ 82 %
de l'ensemble (tableau 11). Par ailleurs, la
proportion de Québécois de langue maternelle anglaise a connu une chute importante depuis 1951, chute qui s'est accélérée
dans les années 1970 et 1980 à cause du
départ d'une proportion importante de la
communauté anglo-québécoise. La part des
personnes n'ayant déclaré ni le français ni
l'anglais comme langue maternelle augmente

par ailleurs, celle des francophones restant
assez stable.

Soulignons au passage que l'on observe
le même phénomène en Ontario, où la proportion de personnes de langue maternelle
anglaise est aussi en régression, mais pour
des raisons différentes : l'immigration internationale massive dans cette province
affecte le poids relatif des anglophones
établis depuis longtemps.

*La langue parlée à la maison: le français
domine et l'anglais a attiré jusqu'à présent
plus de nouveaux locuteurs que le français*

Le français comme langue d'usage à la
maison est un indicateur plus significatif en
terme de comportements. La majorité des
Québécois (84 %) parlent le français à la
maison (tableau 12). L'anglais a attiré jusqu'à

Tableau 12
Langue parlée à la maison selon la province de résidence, en pourcentage, 1996

Langue parlée à la maison	Québec	Nouveau-Brunswick	Ontario	Autres	Canada total
Français	81,9	30,1	2,7	0,8	22,3
Anglais	10,1	68,4	82,4	89,5	66,7
Autres langues	5,8	0,5	12,4	8,1	9,0
Français et anglais	0,9	0,8	0,3	0,1	0,4
Français et autres	0,7	–	–	–	0,2
Anglais et autres	0,4	0,2	2,1	1,5	1,4
Anglais, français et autres	0,2	–	–	–	–
Total	**100**	**100**	**100**	**100**	**100**
Français (au total)	**83,7**	**30,9**	**3,0**	**0,9**	**22,9**

Source: Recensement du Canada, 1996, Données-échantillons (20 %), www.statcan.ca

présent plus de nouveaux locuteurs que le français chez les immigrants, puisqu'au total la proportion des personnes qui parlent l'anglais seulement à la maison (10,1 %) est plus élevée que la proportion des personnes de langue maternelle anglaise. Les transferts linguistiques ont donc permis à la communauté anglo-québécoise d'augmenter ses effectifs, contrant ainsi l'impact négatif de la migration en dehors du Québec d'une partie de ses membres.

Nous avons estimé, dans le tableau 13, quelle a été l'ampleur des tranferts linguis-tiques en comparant la langue maternelle et la langue parlée à la maison, ce qui permet de construire un indice de continuité linguistique. Au total, on peut estimer d'après cet indicateur que la communauté anglophone a augmenté ses effectifs au Québec de 24 % grâce à l'intégration de personnes ayant adopté l'anglais comme langue d'usage à la maison, soit un apport de 158 330 personnes. Par ailleurs, 108 215 personnes ont adopté le français comme langue parlée à la maison. Au total, 40 % des transferts linguistiques ont été faits vers

Tableau 13
Langue maternelle, langue parlée à la maison
et indice de continuité linguistique (français et anglais),
selon la province,
1996

		Langue maternelle (1)	Langue parlée à la maison (3)	Transferts linguistiques (3-1)	Indice de continuité linguistique (3/1)
Québec	F	5 784 635	5 892 850	108 215	1,02
	A	659 210	817 540	158 330	1,24
Ontario	F	520 860	327 245	– 193 615	0,63
	A	7 861 600	9 029 250	1 167 650	1,15
Nouveau-Brunswick	F	245 095	225 545	– 19 550	0,92
	A	479 540	506 145	26 605	1,05
Canada sans Québec	F	1 005 030	649 675	– 355 355	0,65
	A	16 598 115	18 745 590	2 147 475	1,13
Canada total	F	6 789 665	6 542 525	– 247 140	0,96
	A	17 257 325	19 563 130	2 305 805	1,13

* *Chaque case de ce tableau comprend aussi les réponses multiples. Par exemple, langue maternelle française au Québec: (F) 5 700 150 + (F, A) 50 585 + (F, autres) 28 140 + (F, A, autres) 5 760, soit au total 5 784 635.*

Source: Recensement du Canada, 1996, Données-échantillons (20 %), www.statcan.ca

le français. Il y a cependant lieu de noter qu'il y a ici un important effet de génération – bien dégagé dans les travaux du démographe Charles Castonguay[4], les immigrants les plus âgés ayant opté plus fréquemment pour l'anglais. La situation est en train de changer chez les plus jeunes à cause des lois linguistiques qui les amènent à apprendre le français.

Il faut souligner au passage les pertes importantes d'effectifs que connaissent les communautés francophones en dehors du Québec qui, à cause des transferts linguistiques, sont en train de perdre le tiers de leur population d'après les données du dernier Recensement. En 1996, il y avait un million de personnes de langue maternelle française en dehors du Québec. Or, seulement 650 000 d'entre elles affirment parler français à la maison, ce qui est un indicateur de l'assimilation en cours.

Le français, langue commune de la société québécoise

Langue connue par 94 % de la population, le français est devenu la langue commune des Québécois (tableau 14). Une majorité d'entre eux ne connaissent que le français (56,1 %) et 37,8 % se déclarent bilingues dans le Recensement de 1996. C'est au Québec que le taux de bilinguisme est le plus élevé, car il tourne autour de 10-12 % dans le reste du Canada, cette proportion étant plus élevée en Acadie.

Environ le tiers des nouveaux immigrants au Québec connaissent le français

Une faible proportion des nouveaux immigrants venant de l'étranger ont le français comme langue maternelle (10,5 % en 1997), mais cette proportion est en hausse depuis 1990 (tableau 15). La connaissance du français est cependant plus répandue chez

Tableau 14
**Distribution de la connaissance des langues officielles
dans les différentes régions du Canada,
1996**

Langues	Québec	Ontario	Canada sans Québec	Canada Total
Anglais	5,1	85,7	87,4	67,1
Français	56,1	0,4	0,6	14,3
Anglais et français	37,8	11,6	10,1	17,0
Ni anglais ni français	1,0	2,3	1,9	1,6
Total	100	100	100	100
Français (au total)	93,9	12,0	10,7	31,3
Anglais (au total)	42,9	97,3	97,5	84,1

Source: Recensement du Canada, 1996, Données-échantillons (20 %), www.statcan.ca

les nouveaux immigrants (35,8 % en 1997) et 31,2 % d'entre eux connaissaient l'anglais.

*Les francophones canadiens
se concentrent davantage au Québec.*

Il ressort des données présentées plus haut que le Canada est un pays polarisé sur le plan linguistique à l'aube de l'an 2000. La proportion des francophones hors Québec régresse dans l'ensemble du pays (à signaler au passage que la communauté acadienne maintient cependant son poids démographique relatif au Nouveau-Brunswick, où elle a aussi acquis plus de pouvoir politique et économique) et les francophones du Canada se concentrent de plus en plus au Québec d'après l'indicateur langue maternelle (tableau 16). La concentration est encore plus forte d'après l'indicateur langue parlée à la maison, à cause de l'importance des transferts linguistiques en milieux francophones canadiens.

Deux raisons expliquent cette polarisation. Même si les communautés francophones en dehors du Québec sont dynamiques, elles connaissent un taux élevé de transferts linguistiques vers l'anglais, particulièrement en Ontario et dans l'Ouest du Canada. Mais surtout, l'importance de l'immigration au Canada est telle qu'elle contribue fortement à la croissance du nombre des anglophones – puisque la grande majorité des 225 000 nouveaux arrivants qui s'installent dans le reste du Canada chaque

Tableau 15
Langue maternelle des immigrants et connaissance des langues, Québec, 1980-1997

| Année | Langue maternelle | | | Langues parlées | | | |
	Français	Anglais	Autres	Français seulement	Français et anglais	Anglais seulement	Autres
1980	12,0	10,9	77,1	20,7	8,2	18,0	53,1
1985	9,9	9,8	80,3	24,5	13,5	25,2	36,9
1990	5,8	3,7	90,5	19,5	17,4	21,2	41,8
1991	6,8	3,7	89,5	20,9	16,6	23,2	39,2
1992	8,8	4,0	89,2	21,2	14,9	24,5	39,5
1993	9,7	5,6	84,7	18,9	13,0	23,3	44,8
1994	10,8	4,9	84,4	20,6	11,1	21,8	46,5
1995	14,5	4,4	81,2	25,3	11,7	20,5	42,5
1996*	10,9	3,8	85,4	27,3	11,5	22,0	39,2
1997*	10,5	3,0	86,5	25,0	10,7	20,5	43,8

* Données préliminaires.

Source: BSQ, La situation démographique au Québec, édition 1997 et mrci (www.immq.gouv.qc.ca)

Tableau 16 Distribution des francophones (définis d'après la langue maternelle) selon la province et l'année, 1951, 1991 et 1996			
Province	**1951**	**1991**	**1996***
Québec	82,2	85,3	85.2
Ontario	8,4	7,6	7,7
Nouveau-Brunswick	4,6	3,7	3,6
Autres	4,8	3,4	3.5
Total %	100	100	100
(000)	4 069	6 643	6 551

* *Comprend les personnes qui ont identifié le français comme langue maternelle en même temps qu'une autre langue.*
Source: Statistique Canada, Annuaire du Canada, 1993, p. 128; données échantillons du Recensement du Canada 1996 (20 %); www.statcan.ca. Calculs de l'auteur.

année adopte l'anglais – affectant ainsi le poids relatif des francophones en dehors du Québec.

Si le reste du Canada devient de plus en plus anglophone d'après l'indicateur de la langue parlée à la maison, le Québec de son côté affirme son caractère francophone, notamment avec la politique de francisation des immigrants qui s'y installent, bien qu'une partie d'entre eux optent finalement pour l'anglais dans leur vie privée.

Deux lectures de la place du français au Canada

La publication des données du recensement de 1996 sur les langues officielles a donné lieu à plusieurs débats publics en 1998. Deux lectures de la situation s'opposent. La première, véhiculée par Patrimoine Canada et le Commissariat aux langues officielles, insiste sur la progression du nombre absolu de francophones en dehors du Québec et sur les progrès du français comme langue seconde au Canada anglais et de l'anglais langue seconde au Québec, présentées comme deux tendances marquantes de l'évolution de la connaissance des langues officielles. Les travaux du ministère du Patrimoine canadien minimisent l'importance de l'assimilation des francophones hors Québec. L'auteur de l'une de ces études écrit, en commentant l'analyse des transferts linguistiques (proportion des personnes de langues maternelle française qui parlent le plus souvent anglais à la maison : «*Finalement, il est bon de rappeler que la grande majorité de ces soi-disant francophones assimilés peuvent encore parler le français*»[5]. Soit, mais si le français cède ainsi la place à l'anglais dans le foyer, n'est-ce pas le prélude à l'assimilation ou à l'anglicisation de la génération suivante ? L'auteur ajoute : « *Toutefois, le débat sur la vitalité des communautés ne peut ni ne devrait se réduire à une simple question de chiffres. L'esprit, la détermination et le sentiment d'identité d'une communauté, voilà ce qui fait son dynamisme et pas uniquement le nombre de ses membres* » (p. 58). Fort bien, mais il faut rappeler que l'assimilation et les transferts linguistiques sont moins élevés dans les régions où la concentration des francophones est la plus forte. Le nombre est donc important...

La seconde perspective insiste sur la régression du poids *relatif* des francophones au Canada. Trois facteurs l'expliquent : l'assimilation et la baisse de la natalité des francophones d'un côté, mais surtout l'importance de l'immigration venant de l'étranger, qui a comme effet de faire baisser la proportion relative des francophones, puisque la très forte majorité des nouveaux arrivants s'intègrent à la majorité de langue anglaise. Le Canada est en ce moment le pays occidental développé le plus ouvert à l'immigration internationale. L'une des conséquences de cette forte immigration, non voulue explicitement mais bien réelle, est de marginaliser les communautés francophones hors Québec, dont le poids relatif diminue. Dans ce contexte, l'attrait de l'anglais devient presque irrésistible, principalement dans les milieux où les francophones sont les plus minoritaires, d'où une assimilation plus forte comme on le voit dans les Prairies.

Autochtones et minorités visibles

Le nombre d'Amérindiens et d'Inuits augmente

Le Québec comptait environ 72 000 personnes déclarant une identité autochtone, soit environ 1 % de sa population totale. Les autochtones sont moins nombreux au Québec qu'ailleurs au Canada, où ils comptent pour 3,4 % de la population dans le reste du Canada (leur poids total dans tout le Canada incluant le Québec étant de

Tableau 17
Répartition de la population d'identité autochtone, Québec et Canada, 1996

Identité autochtone		Québec	Reste du Canada	Canada
Indiens de l'Amérique du Nord		66,1	69,0	68,8
Métis		22,3	26,5	26,1
Inuits		11,6	4,5	5,1
Total	**% vertical**	**100**	**100**	**100**
	% horizontal	8,9	91,1	100
	N	71 975	733 585	805 560

Source: www.statcan.ca, 17 février 1998

2,8 %) (tableau 17). Le nombre total d'autochtones est en hausse à cause de la forte fécondité des familles, mais aussi à cause de la hausse du nombre de personnes qui ont déclaré une ascendance autochtone dans les derniers recensements, à la suite de la nouvelle affirmation identitaire des Amérindiens, Inuits et Métis.

Le tableau 18 présente la distribution de la population autochtone entre les diverses nations que l'on retrouve au Québec. Les Mohawks (20,2 %), les Montagnais (18,8 %) et les Cris (17,2 %) sont les communautés les plus populeuses.

Les Amérindiens du Québec vivent en majorité dans des réserves (70,7 %) et cette proportion est plus élevée qu'au Canada où elle est de 58 % (tableau 19).

Tableau 18
Population des nations autochtones et inuits du Québec,
en effectifs et en proportions,
1984 - 1997

Nation	1984		1994 / 95**		1997	
	N	%	N	%	N	%
Abénaquis	779	1,7	1 811	2,7	1 869	2,6
Algonquins	4 030	9,0	7 323	10,9	7 838	10,8
Attikameks	3 201	7,1	4 461	6,6	4 835	6,7
Cris	8 417	18,7	12 017	17,9	12 475	17,2
Hurons-Wendat	1 250	2,8	2 648	3,9	2 270	3,1
Malécites	–		469	0,7	553	0,8
Micmacs	2 655	5,9	4 068	6,0	4 326	6,0
Mohawks	10 495	23,3	13 154	19,6	14 638	20,2
Montagnais	8 090	18,0	12 952	19,3	13 615	18,8
Naskapis	415	0,9	529	0,8	698	1,0
Non-affiliés	–		221	0,3	188	0,3
Inuits	5 650	12,6	7 840	11,7	8 625	11,9
Total	**44 982***	**100,0**	**67 272**	**100,0**	**72 430**	**100,0**

* *On estime qu'il y a environ 15 000 autres personnes d'ascendance autochtone au Québec qui ne sont pas comprises dans les chiffres de 1984.*

** *Les données sur les Amérindiens ont été compilées en 1994 tandis que celles sur les Inuits datent de 1995.*

Source: Secrétariat aux affaires autochtones (www.saa.gouv.qc.ca).

Tableau 19
**Population d'Amérindiens inscrits dans les réserves
et hors réserve, Québec et Canada,
1982-1996**

Année	En réserve (%) Québec	En réserve (%) Canada	Hors réserve (%) Québec	Hors réserve (%) Canada	Total (N) Québec	Total (N) Canada
1982	85,3	70,9	14,7	29,1	33 145	332 178
1987	77,2	64,6	35,4	35,4	41 227	415 898
1988	74,3	61,7	24,8	36,4	44 111	443 886
1989	72,2	60,0	27,8	40,0	45 742	466 337
1990	71,6	59,8	28,4	40,2	48 551	490 177
1991	70,9	59,5	29,1	40,5	50 728	511 791
1992	70,8	59,2	29,2	40,8	52 562	533 461
1993	70,6	59,0	29,4	41,0	54 273	553 316
1994	70,5	58,7	29,5	41,3	55 848	573 657
1995	70,9	58,7	29,1	41,3	57 223	593 050
1996	70,7	58,0	29,3	42,0	58 640	610 874

Source : Données ministérielles de base 1997, www.inac.gc.ca, 25 juin 1998.

Les minorités visibles: concentrées à Montréal, mais moins nombreuses que dans le reste du Canada

Une nouvelle question dans le Recensement de 1996 demandait aux répondants s'ils appartenaient à l'un des groupes de minorités visibles tels que définis dans la loi (11 groupes étaient donnés en exemple). La Loi canadienne sur l'équité en matière d'emploi définit les minorités visibles comme étant «*les personnes, autres que les Autochtones, qui ne sont pas de race blanche ou qui n'ont pas la peau blanche*». Que l'État mesure ainsi l'appartenance raciale de ses citoyens paraît bien étrange aux citoyens d'autres pays, en Europe principalement, où le souvenir de telle catégorisation des citoyens selon la race a laissé de fort mauvais souvenirs. Le but poursuivi par cette opération est très différent au Canada : il s'agit d'évaluer quelle est l'égalité des chances des citoyens qui se démarquent de la majorité par leur apparence physique.

Le Canada compte maintenant 11,2 % de sa population qui s'identifient comme faisant partie d'une minorité visible, ce qui reflète les mutations récentes de l'immigration internationale vers le Canada (tableau 20). Cette proportion est inférieure au Québec, qui ne compte que 6,2 % de sa

Tableau 20 Minorités visibles (telles que définies par le Recensement) en % de la population totale et répartition au Canada selon la région, 1996		
Région	En % de la population totale	Répartition au Canada (en %)
Québec	6,2	13,6
Ontario	15,8	52,6
Autres	10,0	33,8
Montréal	12,0	13,0
Toronto	32,0	42,0
Vancouver	31,0	18,0
Autres	–	27,0
Canada	11,2	100,0

Source: www.statcan.ca, 17 février 1998.

population se plaçant elle-même dans cette catégorie, presque toute concentrée à Montréal, où les minorités visibles représentent 12 % de la population. Montréal se situe donc dans la moyenne canadienne, mais loin derrière Toronto et Vancouver, où le tiers de la population fait partie d'une minorité visible. Au total, les trois quarts des minorités visibles de tout le Canada se retrouvent dans les trois plus grandes villes et 42 % de ces personnes se concentrent à Toronto même.

Familles et modes de vie

Désaffection vis-à-vis du mariage comme institution

Le nombre absolu de mariages est tombé de moitié depuis 1970, alors que la population augmentait par ailleurs (graphique 10). Moins de 24 000 mariages ont été célébrés en 1997, contre 51 690 en 1975. L'âge moyen au premier mariage a nettement augmenté en cinq ans, atteignant 27,2 ans pour les femmes et 29 ans pour les hommes en 1996. On peut en fait parler d'une véritable désaffection envers le mariage, qui apparaît de moins en moins comme une institution normative aux yeux des nouveaux couples. D'après le Recensement de 1996, le quart de tous les couples québécois (24,4 %) vivaient en union libre contre 19 % en 1991. Cette proportion dépasse un couple sur deux dans les jeunes ménages. Fait à signaler, la désaffection vis-à-vis du mariage est beaucoup plus prononcée au Québec qu'ailleurs au Canada.

**Graphique 10
Nombre de mariages et divorces, en milliers,
Québec, 1975-1997**

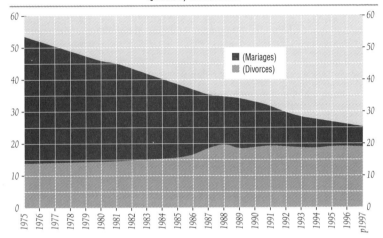

Source: BSQ, La situation démographique du Québec, *édition 1996 et www.bsq.gouv.qc.ca*

*De plus en plus de naissances
hors mariage*

La proportion de naissances hors mariage a continué de s'accroître, au point de dépasser une naissance sur deux (54,7 % en 1997, voir le tableau 6 plus haut). Cette proportion est encore plus élevée pour les naissances de rang un (63,2 % en 1997). Il faut noter la forte progression de ce phénomène en moins de dix ans et il s'agit ici d'une mutation majeure et radicale, parallèle à la désaffection vis-à-vis du mariage dont on parlera plus loin. Une étude de Louis Duchesne révèle d'importantes variations régionales dans la proportion des naissances hors mariage[6]. En Abitibi-Témiscamingue, en Gaspésie et sur la Côte-Nord, plus des deux tiers des

naissances sont issues de parents non mariés et dans la région de Montréal, cette proportion, qui est stable depuis 1990, se situe à 39 % seulement. Les différences sont encore plus considérables entre les municipalités, le phénomène étant moins marqué dans celles où se trouve une forte présence anglophone, notamment à l'ouest de Montréal, là où l'union libre est aussi beaucoup moins répandue.

Hausse tendancielle du divorce

Le nombre total de divorces tourne autour de vingt mille depuis dix ans (tableau 21). En fait cette relative stabilité en nombre absolu est trompeuse, car l'incidence du divorce augmente très nettement d'une génération à l'autre. Le tableau 22 est très

Tableau 21
Distribution des divorces selon l'année du mariage, Québec, 1985-1996

Année du mariage		1985	1990	1995	1996
0-4		14,71	18,13	18,74	16,98
5-9		26,47	22,23	21,05	21,46
10-14		22,19	19,55	16,21	16,92
15-19		15,11	16,08	15,41	14,87
20-24		9,28	11,25	13,29	13,22
25 et +		12,20	12,34	14,65	16,14
non déclaré		0,03	0,42	0,66	0,40
Total	**%**	**15 814**	**20 398**	**20 133**	**18 078**
	N	**100**	**100**	**100**	**100**

Source: BSQ, La situation démographique au Québec, *éditions 1987, 1991/92 et 1997 et données non-publiées. Calculs de l'auteur.*

révélateur de cette tendance : quelle que soit la durée du mariage, le taux de rupture d'union augmente de façon régulière d'une cohorte annuelle de mariés à l'autre. Considérons un exemple. Quelle est la proportion des couples mariés en 1973 qui n'ont pas fêté leurs noces d'argent en 1998 ? Environ 32 %, soit plus précisément 319 sur mille. Cette proportion était plus faible pour la cohorte des couples mariés en 1964, soit 21 % après 25 ans de mariage. Les diverses colonnes du tableau 22 montrent clairement qu'à mesure qu'on se rapproche des années récentes, les chances de divorcer augmentent. Ainsi, cette tendance est particulièrement évidente pour les jeunes couples qui divorcent plus fréquemment après cinq ans de mariage, par exemple, soit 13 % des couples mariés en 1991.

Plus de la moitié des divorces survenus en 1994 ont eu lieu après moins de quinze ans de mariage, alors que cette proportion était plus élevée dix ans auparavant. Ce résultat révèle un phénomène culturel important et un effet de génération. Au cours des années qui ont suivi l'adoption de la Loi qui a légalisé le divorce en 1969, il semble que les ménages formés de conjoints plus âgés ou mariés depuis plusieurs années aient eu moins tendance à rompre leur union que les jeunes ménages. Au fil des années, le divorce est devenu plus fréquent dans tous les groupes d'âge, ce qui explique la hausse observée après une durée de mariage plus longue. Ce résultat est congruent avec l'observation précédente d'une hausse tendancielle du taux de rupture des unions conjugales.

Tableau 22
Proportion (‰) des mariages rompus par un divorce
à certaines durées depuis le mariage selon l'année du mariage (1964-1991),
Québec

Année du mariage	Durée depuis le mariage				
	5	10	15	20	25
1964	1,3	39,8	109,0	163,8	209,9
1965	4,9	55,6	123,8	179,2	227,3
1966	8,4	65,9	131,3	188,1	238,6
1967	11,4	78,1	146,1	203,1	254,5
1968	15,1	86,2	151,7	209,1	259,8
1969	19,3	93,2	163,6	223,7	274,1
1970	23,9	98,6	171,9	235,0	285,0
1971	31,2	108,6	182,6	246,6	296,9
1972	33,9	120,4	197,3	262,7	**311,9**
1973	39,0	128,2	206,5	271,1	**319,4**
1974	43,2	135,8	211,6	274,8	**322,6**
1975	46,9	144,2	226,7	291,3	**338,7**
1976	54,0	151,5	236,4	297,7	**343,9**
1977	57,5	156,4	238,5	**297,7**	
1978	62,5	164,8	248,1	**307,6**	
1979	65,3	172,7	256,6	**316,0**	
1980	60,5	172,7	256,2	**314,8**	
1981	60,5	177,7	257,4	**314,6**	
1982	69,5	182,2			
1983	78,0	192,4			
1984	87,1	201,4			
1985	94,3	208,2			
1986	105,5	214,3			
1987	108,6				
1988	108,2				
1989	117,8				
1990	125,2				
1991	127,4				

Source : BSQ, La situation démographique au Québec, édition 1996, p. 26.

Tableau 23 Proportion du type de familles, Québec, 1991 et 1996		
Types	1991	1996
Familles époux - épouse	85,7	84,1
Couples mariés	69,5	63,6
Couples union libre	16,2	20,5
Familles monoparentales	14,3	15,9
Total %	100	100
N (000)	1 883	1 950

Source: Statistique Canada, Le Quotidien, Cat. 22-001F, 14 oct. 1997 et www.statcan.ca

Les types de familles changent

La proportion de familles monoparentales est en légère hausse et elles comptent maintenant pour 16 % de l'ensemble des familles. Les changements les plus significatifs sont sans doute la hausse marquée des familles formées par des couples vivant en union libre (tableau 23) et la réduction de la taille des familles, celles qui ne comptent qu'un seul enfant étant en hausse. L'historien E. Shorter qualifie ces familles de triades, pour bien montrer que la position de l'enfant change alors radicalement, celui-ci étant minoritaire devant deux adultes et sans interaction avec un frère ou une sœur, avec un nombre limité de cousins.

Le couple sans enfant présent à la maison: catégorie de ménages en croissance.

Les types de ménages changent dans le temps. Avant les années 1930, les ménages multi-familiaux représentaient une proportion non négligeable des ménages et très peu de personnes vivaient seules. Les célibataires vivaient avec d'autres personnes ou encore en communauté. La famille nucléaire s'est imposée avec l'avènement de la société de consommation et l'urbanisation accélérée. Puis on a assisté à la croissance du nombre de ménages formés de personnes vivant seules dans les années 1960 et 1970, les mutations dans l'espace habité, l'enrichissement et l'extension de l'État-providence rendant possible ce mode de vie. Avec les années 1990 s'impose un nouveau type de ménage qui gagne en importance et croît plus vite que tous les autres : le couple sans enfant présent à la maison. L'allongement de l'espérance de vie et la baisse de la natalité sont les deux facteurs qui ont causé la forte croissance de ce type de ménage. À côté des personnes vivant seules et des familles avec enfants présents à la maison s'impose donc une nouvelle catégorie modale de ménages qui a des comportements de consommation et des habitudes de vie différents des autres

Graphique 11
Diplômes universitaires décernés, en indice,
selon le type de diplômes,
Québec, 1970-1997

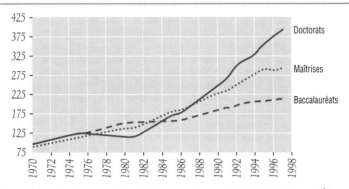

Source: S. Langlois (dir.), La société québécoise en tendances, IQRC, 1990; Ministère de l'Éducation, Les diplômés du système scolaire.

dont on commence à découvrir les caractéristiques.

Éducation

Ralentissement de la croissance
du nombre de diplômés universitaires
dans les années 1990

Le nombre de diplômés universitaires a continué d'augmenter. Le Québec a franchi la barre des 1000 diplômés au doctorat par année en 1995 et les universités en ont décerné 1143 en 1997 (graphique 11). Le nombre de maîtrises est plus élevé : 6 514 en 1997, dernière année disponible. Les diplômés au baccalauréat sont plus nombreux, et leur nombre a progressé de manière régulière entre 1970 et 1993. Depuis cette date, ce nombre plafonne autour de 28 000 à 29 000 par année, malgré une hausse du taux de fréquentation universi-

taire. Enfin, le nombre de certificats a beaucoup progressé depuis vingt-cinq ans, mais il tend lui aussi à plafonner. « *Selon les comportements observés en 1995, plus du quart des jeunes Québécois et Québécoises (27,7%) peuvent espérer obtenir un baccalaréat. Depuis quelques années, les femmes ont progressé davantage que les hommes en ce qui a trait à l'accès aux études universitaires et à l'obtention d'un baccalauréat[7]* ».

L'examen de ces données nous amène à formuler l'hypothèse qu'une nouvelle tendance se dessine dans la deuxième moitié des années 1990 : celle d'un ralentissement – et même d'un plafonnement – du nombre de diplômés universitaires, sauf au niveau du doctorat. Il semble que le Québec marque le pas dans la production de diplômés universitaires, après des années de croissance.

Le nombre de doctorats décernés chaque année peut paraître élevé, mais en chiffres absolus les 1 100 nouveaux docteurs ne sont-ils pas trop peu nombreux pour une société qui compte plus de sept millions d'habitants et qui investit une part importante de ses ressources publiques dans le système d'éducation ?

Hausse de la scolarité moyenne de la population

La scolarisation de la population âgée de 15 ans et plus a profondément changé en 25 ans. En 1971, seulement 5 % des Québécois de 15 ans et plus possédaient un diplôme universitaire ; cette proportion est aujourd'hui (1996) de 20 % (tableau 24). Ces diplômes universitaires sont cependant eux-mêmes hiérarchisés, du certificat au doctorat.

Macroéconomie

Croissance continue du PIB, mais la part du Québec dans l'économie canadienne tend à régresser

Le Produit Intérieur Brut a connu une croissance importante depuis 1981. Après un ralentissement au début de 1990, le PIB a augmenté de nouveau à partir de 1994. La part du Québec dans l'ensemble de l'économie canadienne a fléchi lentement de décennie en décennie depuis les années 1960. Elle était de 25,9 % en moyenne pour les années 1960 et de 24 % pour les années 1970[8]. Celle-ci a reculé à environ 22 % au début des années 1980 et elle est de nouveau en baisse (graphique 12).

Le revenu personnel par habitant a été stagnant durant les années 1990

Le revenu personnel par habitant en dollars constants avait beaucoup augmenté durant les années 1970. La tendance à la

Tableau 24
La scolarisation de la population du Québec de 15 ans et plus en proportion, 1971-1996

Niveau atteint	Année			
	1971 %	1981 %	1991 %	1996 %
Primaire (8ᵉ et -)	40,9	27,2	20.1	18.1
Secondaire (9 à 13 + métier)	38,7	40,0	41.5	39.4
Postsecondaire	15,9	25,8	20.3	22.3
Universitaire	4,6	7,1	18.1	20.2
Total N	4 208 270	4 975 830	5 433 245	5 673 405
%	100	100	100	100

Source: Statistique Canada, cat. 93-328, 93-110, 13-579 et données non publiées.

Graphique 12
Produit intérieur brut du Québec
en pourcentage du Canada,
1961-1997

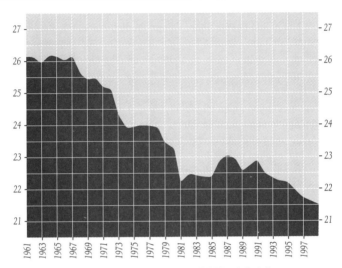

Source: CANSIM (matrices #D31530, D24010, D31600 et D24070), calculs de l'auteur.

hausse s'est maintenue durant les années 1980, mais elle a été moins prononcée. Cette tendance s'est encore ralentie durant les années 1990, alors que la croissance du revenu personnel par habitant a été moins forte (graphique 13).

L'État prélève une part toujours grandissante des revenus personnels en impôts directs et autres contributions

L'État – que ce soit l'État fédéral, l'État provincial ou les diverses administrations publiques – prélève une part toujours plus grande des revenus personnels en impôts directs et transferts courants aux administrations publiques. Les prélèvements directs par les administrations publiques continuent d'augmenter même dans le contexte d'une réduction des dépenses publiques. Cette proportion était de 16,9 % en 1970, de 20,8 % en 1980 et de 26,6 % en 1996 (graphique 14). Il s'ensuit que la hausse du revenu disponible a été moins forte que celle du revenu brut. Le revenu disponible représente, en 1997, 73,4 % du revenu personnel contre 83,1 % en 1970 (graphique 15).

Les sources du revenu personnel sont stables depuis plus de dix ans

Depuis dix ans, la part relative des sources du revenu personnel varie peu. La

Graphique 13
Revenus personnel et disponible par habitant,
en milliers de dollars de 1997,
Québec, 1981-1997

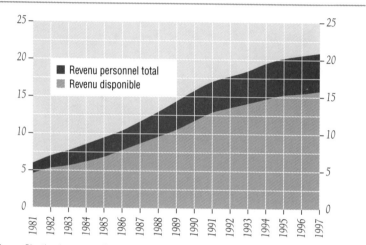

Source: Direction des comptes économiques, BSQ. Calculs de l'auteur.

Graphique 14
Transferts de l'État aux individus et des individus à l'État,
en % du revenu personnel par habitant ($1997),
Québec, 1981-1997

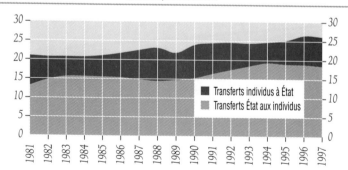

Source: Direction des comptes économiques, BSQ. Calculs de l'auteur.

Graphique 15
Rapport entre le revenu disponible et le revenu personnel,
en pourcentage,
Québec, 1981-1997

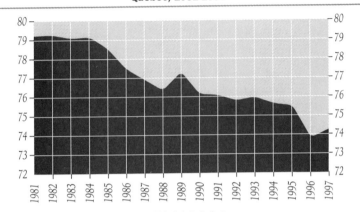

Source: Direction des comptes économiques, BSQ. Calculs de l'auteur.

Tableau 25
Sources du revenu personnel en pourcentage, Québec,
1970-1996

Année	Salaires et traitements	Revenus des autonomes	Revenus des placements	Transferts de l'État aux individus	Autres transferts aux individus	Total
1970	73,0	8,7	7,3	10,5	0,5	100
1975	70,4	6,9	8,2	14,1	0,4	100
1980	68,8	5,5	10,5	14,7	0,4	100
1985	63,2	6,5	12,4	17,4	0,6	100
1990	62,6	5,8	14,4	16,8	0,4	100
1995	62,4	6,0	11,8	19,4	0,4	100
1996	62,9	6,0	11,3	19,4	0,5	100

Source: Statistique Canada, Système de comptabilité nationale, Comptes économiques provinciaux, 13-213
et BSQ, Comptes économiques des revenus et des dépenses du Québec, édition 1997, p, 30-31. Calculs
de l'auteur.

proportion des salaires et traitements est restée stable à environ 62-63 % de l'ensemble des revenus personnels et elle est encore de loin la principale source de revenus de la population (tableau 25). La proportion respective des trois autres sources est elle aussi stable, après avoir varié de façon importante dans les années 1970 et 1980. En nette hausse depuis le début des années 1970, la part des paiements de transferts plafonne en ce moment autour de 19 % et celle des revenus de placements est en régression à cause de la baisse majeure des taux d'intérêts. La part du revenu total qui va aux entreprises individuelles et aux travailleurs autonomes n'a pas beaucoup bougé depuis le début des années 1990, malgré l'augmentation du nombre de personnes actives travaillant à leur compte, sans doute parce qu'il y a dans ce groupe de plus en plus de travailleurs ayant de plus faibles revenus.

Emplois et activité professionnelle

Baisse du taux d'activité de la population en âge de travailler et féminisation du marché du travail

Après avoir connu une hausse continue pendant des années à cause de l'entrée massive des femmes sur le marché du travail, le taux global d'activité de la population en âge de travailler régresse quelque peu depuis 1990, surtout parce que moins d'hommes sont actifs, ce qui n'est pas le cas des femmes. Il y a ici une tendance qui se confirme : pendant que les femmes maintiennent leur présence sur le marché du travail – autour de 54 % depuis huit ans – les hommes s'en retirent quelque peu, leur taux d'activité passant de 75 % à 69,7 % au cours de la même période (graphique 16).

Ce sont surtout les hommes âgés de plus de 55 ans qui quittent le marché du travail, alors que la proportion des femmes actives

Graphique 16
Taux d'activité de la population âgée de 15 ans et plus, selon le sexe, Québec, 1975-1998

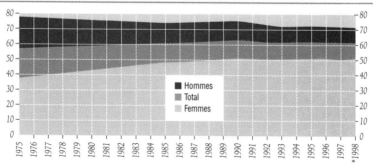

* *Avril 1998.*

Source: Statistique Canada, Moyennes annuelles de la population active, *cat. 71-529, CANSIM et* Écostat, *juin 1998.*

dans ce groupe d'âge est quelque peu en hausse (graphique 17). Les deux récessions économiques du début des années 1980 et du début des années 1990 ont touché plus durement les industries productrices de biens. «*Comme ces industries embauchent beaucoup d'hommes, ces derniers ont subi les effets immédiats et prolongés de la réduction de l'effectif dans des secteurs* » (Statistique Canada, cat. 71-259, p. 15). Les mutations du marché du travail – notamment l'emploi salarié dans les grandes entreprises industrielles – ont affecté le niveau d'emploi des hommes âgés de plus de 50 ans, sans parler de l'usure de la force de travail qui marque ce groupe de travailleurs, dont plusieurs sont actifs depuis l'adolescence. Ensuite, les cohortes de femmes plus âgées, qui ont eu historiquement un taux d'activité plus bas, sont en ce moment remplacées par de nouvelles cohortes de femmes qui restent

actives et pour cette raison le taux de participation des femmes au marché du travail continue de croître. Il s'ensuit une féminisation accrue du marché du travail.

Une étude récente de l'économiste Georges Mathews a montré que la prise en compte de ce taux de participation plus faible au marché du travail impliquait une augmentation de la distance qui se crée entre l'économie québécoise et celle du reste du Canada[9].

Augmentation de l'emploi à temps partiel

L'emploi à temps partiel occupe une part grandissante de l'emploi total, comptant pour 17,8 % de l'ensemble en 1997, en nette hausse depuis 1987, dernière date pour laquelle les données révisées ont été calculées[10] (graphique 18). Un peu plus du quart des femmes en emploi travaillent à

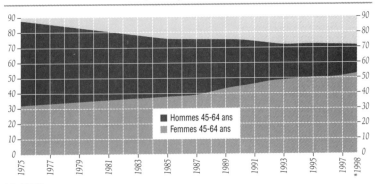

Graphique 17
Taux d'activité de la population âgée de 15 ans et plus, selon le sexe et le groupe d'âge, Québec, 1975-1998

■ Hommes 45-64 ans
■ Femmes 45-64 ans

* Avril 1998

Source: Statistique Canada, Moyennes annuelles de la population active, *cat. 71-529, CANSIM et Ecostat, juin 1998.*

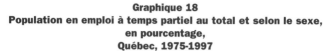

Graphique 18
Population en emploi à temps partiel au total et selon le sexe,
en pourcentage,
Québec, 1975-1997

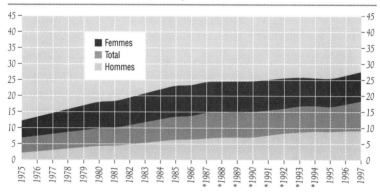

* Données révisées. À partir de 1996, données calculées selon la nouvelle définition du travail à temps partiel.
Source: 1975 à 1985, Statistique Canada, Moyennes annuelles de la population active, cat. 71-529; 1987 à
1995, données révisées de Statistique Canada selon la nouvelle définition du travail à temps partiel.

temps partiel (27,3 %), contre 10,6 % chez les hommes. Ces proportions sont en hausse depuis 1987, tant chez les hommes que chez les femmes. Les hommes occupent maintenant 31,2 % de l'ensemble de ces emplois. Les femmes sont cependant encore largement majoritaires dans ce type d'emplois, comptant pour un peu plus des deux tiers de l'ensemble depuis vingt ans (68,8 % en 1997).

Baisse du taux de syndicalisation et diminution des conflits de travail

Le taux de syndicalisation a décliné de façon importante depuis 1990, passant de 46,9 % à 41,7 % en 1997. On observe aussi une nette diminution des conflits de travail mesurés par différents indicateurs qui sont tous en baisse : moins de conflits de travail,

moins de travailleurs touchés et moins de jours-personnes perdus (graphique 19). Les années 1990 ont été nettement moins troublées par des conflits de travail que les années 1980, et surtout les années 1970. Cette tendance se maintiendra-t-elle ? Plusieurs indices donnent à penser que les syndicats seront plus combatifs et revendicateurs dans les années à venir, compte tenu de la faiblesse des augmentations de salaires obtenues au cours des dernières années, de la reprise économique et de la fin des compressions budgétaires effectuées par les gouvernements fédéral et provinciaux.

Le taux de chômage régresse
après une longue période de hausse

Le taux de chômage évolue de manière cyclique. Après avoir atteint un sommet en

Graphique 19
Jours-personnes perdus lors de conflits de travail, en millions,
Québec, 1980-1997

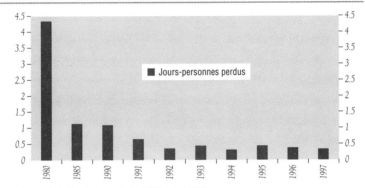

Source: Le marché du travail, *janvier-février 1995 et mai 1998.*

Graphique 20
Taux de chômage selon le sexe,
Québec, 1975-1998

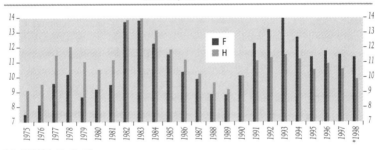

* *Avril 1998 (estimations).*
Source: Statistique Canada, Moyenne annuelle de la population active, *cat. 71-529 et CANSIM, Écostat, 1998.*

1983 (13,9 %), il a décliné jusqu'en 1989 (9,3 %), pour ensuite remonter jusqu'en 1993 (13,2 %). Il régresse de nouveau depuis cette date (graphique 20).

Cependant, deux changements majeurs se sont produits depuis vingt ans dans la composition du groupe des chômeurs qui n'est plus tout à fait le même. Tout d'abord, les hommes chôment plus que les femmes au cours des années 1990; c'était le contraire au début des années 1980. Ensuite, il y a une hausse du taux dans la dernière moitié de la vie active, après 45 ans, comparé aux chiffres du début des années 1980. Cette dernière évolution est sans doute liée à la hausse du taux de chômage chez les hommes. La situation s'est nettement améliorée dans le groupe des travailleurs plus âgés en 1997 et 1998, après plusieurs années de détérioration. Même s'ils ont toujours connu un haut taux de chômage, les jeunes sont quant à eux moins affectés dans les années 1990 qu'ils ne l'ont été au cours des années 1980 (graphique 21). Le taux de chômage des jeunes de 20-24 ans reste cependant beaucoup plus élevé que celui observé dans les autres groupes.

Revenus, pauvreté et inégalités

L'analyse de l'évolution des revenus et du niveau de vie est complexe, parce que les indicateurs le plus souvent retenus mesurent des aspects différents qui ne sont pas toujours bien distingués.

Les gains hebdomadaires réels des travailleurs salariés reculent au Québec et l'écart s'agrandit avec les salariés de l'Ontario

Considérons un premier indicateur : les gains hebdomadaires des salariés. Ceux-ci comprennent l'ensemble des revenus gagnés par les personnes salariées, y compris les revenus tirés du travail supplémentaire. Cet indicateur mesure à la fois les revenus gagnés et les heures travaillées. Ces gains, exprimés en dollars courants, sont en hausse depuis 1983, mais il s'agit en fait d'une illusion puisque, transformés en dollars constants de 1997, ils sont en réalité en recul de 4,9 %, étant en effet passés de 595 $ en 1983 à 566 $ en 1997 (graphique 22).

Cette absence d'augmentation réelle des gains a été maintes fois décrite comme un trait typique du marché du travail contemporain. Si nous comparons la situation du Québec avec celle de l'Ontario, il ne semble pas que tel soit le cas puisque, dans la province voisine qui sert souvent de référence privilégiée, l'évolution contraire s'est produite, les gains réels des salariés progressant de 9,4 %, soit de 588 $ à 643 $ en

**Graphique 21
Taux de chômage selon le groupe d'âge,
Québec, 1975-1998**

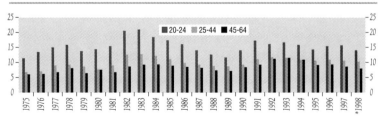

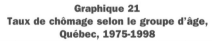

* *Avril 1998 (estimations).*

Source: Statistique Canada, Moyenne annuelle de la population active, *cat. 71-529 et CANSIM, Ecostat, juin 1998.*

Graphique 22
Gains hebdomadaires des salariés en dollars constants (1997),
Québec et Ontario, 1983-1997

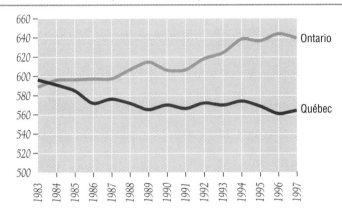

Source: *Statistique Canada,* Emploi, gains et durée du travail 1998, *cat. 72-002-XPB (tableau 9). Calculs de l'auteur.*

Graphique 23
Rapport des gains hebdomadaires des salariés
québécois et ontariens, en pourcentage, 1983-1997

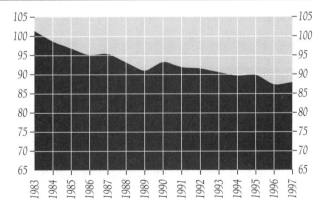

Source: *Statistique Canada,* Emploi, gains et durée du travail 1998, *cat. 72-002-xpb (Tableau 9). Calculs de l'auteur.*

dollars de 1997. L'écart entre le Québec et l'Ontario s'est agrandi de façon marquée en une douzaine d'années, comme le montre le ratio des gains dans les deux provinces, les salariés québécois gagnant en moyenne 88 % des gains des salariés ontariens en 1997, alors qu'il y avait parité relative entre les deux groupes 14 ans plus tôt (graphique 23).

L'écart de revenu entre hommes et femmes travaillant à temps plein diminue

Les femmes qui travaillent à temps plein gagnent maintenant 76 % du revenu moyen des hommes, contre 61 % en 1973 (graphique 24). La tendance à long terme d'une réduction de l'écart de revenu entre hommes et femmes actifs à temps plein se maintient. Le revenu réel moyen des hommes travaillant à temps plein a peu augmenté depuis vingt ans, alors que celui

des femmes travaillant aussi à temps plein a progressé plus vite, réduisant ainsi les écarts.

Cet écart de revenu moyen entre hommes et femmes est, faut-il le rappeler, l'une des statistiques les plus connues et les plus citées. Ce ratio de 0,76 est souvent présenté, dans les débats publics, comme une mesure de l'iniquité des revenus entre hommes et femmes. Cette lecture doit être nuancée. En fait, plusieurs raisons expliquent un tel écart. Outre l'iniquité salariale – salaires moindres pour les emplois majoritairement occupés par les femmes et équivalents à d'autres emplois majoritairement occupés par des hommes –, il faut aussi prendre en considération les différences dans le capital humain (les hommes plus âgés sont souvent plus scolarisés et ils ont plus d'ancienneté que les femmes), les différences dans les modes de vie et les

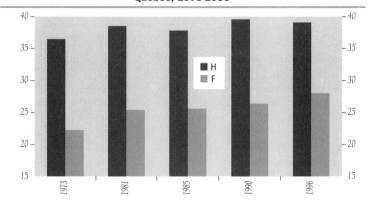

Graphique 24
Revenu annuel moyen des hommes et des femmes
travaillant à temps plein,
Québec, 1973-1996

Source: Statistique Canada, cat. 13-217 (tableau 2). Calculs de l'auteur.

Graphique 25
Revenus moyens brut et disponible des familles,
en milliers de dollars constants (1996),
Québec, 1973-1996

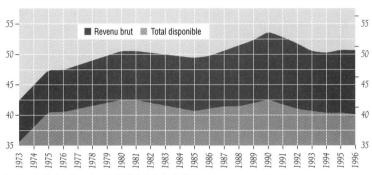

Source: Statistique Canada, cat. 13-210. Calculs de l'auteur.

préférences pour le temps de loisir. Les femmes employées à temps plein travaillent moins d'heures que les hommes également employés à temps plein, notamment parce que celles-ci consacrent plus de temps aux tâches domestiques et les hommes, plus de temps au travail salarié. Le nombre moyen d'heures travaillées par les personnes employées à temps plein est rarement pris en compte dans les débats sur les écarts de revenus entre les sexes. Tous ces facteurs combinent leurs effets pour créer un écart de revenus entre hommes et femmes. Rappelons enfin que les différences de revenus entre hommes et femmes célibataires sont beaucoup moins marquées, ce qui confirme que le mode de vie exerce aussi un important effet sur les revenus, en plus des caractéristiques associées au monde du travail.

Après avoir augmenté rapidement jusqu'en 1990, le revenu familial réel moyen stagne; le revenu disponible régresse

Du milieu des années 1970 au milieu des années 1980, le revenu familial brut total a augmenté notamment à cause de l'avènement du double revenu dans les couples, mais cette hausse a cependant été plus faible durant les années 1980 et nulle durant les années 1990. Le revenu familial moyen exprimé en dollars constants reste à environ 51 000 $ depuis 1992 (graphique 25).

Le revenu familial disponible (après impôts directs) s'est élevé encore moins vite et il a régressé dans les années 1990. En fait, les contributions payées à l'État et les impôts directs ont continué leur progression alors que la croissance des revenus réels était fortement ralentie. Depuis 1980, l'État prélève une part plus grande des revenus réels des ménages. Ce résultat va dans le sens des observations faites plus haut à partir de l'examen de la comptabilité nationale.

L'impôt et les paiements de transferts réduisent les inégalités de revenus

On observe une augmentation des inégalités de revenus bruts entre les ménages comprenant deux personnes ou plus[11] (tableau 26). Les profonds changements qui ont marqué le marché du travail ces dernières années ont sans conteste contribué à faire augmenter les inégalités socioéconomiques, sans oublier les mutations qui marquent les modes de vie, comme le divorce et le travail salarié des deux conjoints. Le double revenu étant devenu la norme, les ménages qui ne comptent que sur un seul pourvoyeur (les familles monoparentales, par exemple) sont distancés par les autres.

Les ménages formés de personnes vivant seules sont plus inégaux entre eux que ne le sont les ménages de deux personnes ou plus, comme l'indiquent les coefficients de GINI qui sont systématiquement plus élevés.

L'impôt sur le revenu et les paiements de transfert aux individus réduisent considérablement les inégalités entre les ménages. Cette observation est importante, car elle montre que ces deux grands mécanismes de réduction des inégalités, caractéristiques du mode de fonctionnement de l'État-providence, continuent de fonctionner. Les changements importants observés dans les politiques publiques (abolition des allocations familiales, remise en cause de l'universalité du programe de sécurité du revenu de la vieillesse, faible indexation de l'aide de dernier recours, modifications radicales au programme de l'assurance-

emploi, etc.) et surtout les baisses d'impôts qui sont annoncées (déjà en vigueur dans plusieurs provinces et discutées au Québec) risquent d'accroître la hausse des inégalités dans les années à venir.

Les ménages à faibles revenus: une proportion assez stable depuis quinze ans, mais une tendance à la hausse se dessine

Statistique Canada ne propose pas de mesure officielle de la pauvreté. L'organisme statistique construit plutôt un seuil de faible revenu (SFR) qu'il ne faut pas confondre avec une mesure de la pauvreté. Sur le long terme, le seuil de faible revenu est resté assez stable dans le cas des ménages formés de deux personnes ou plus, soit autour de 16 %, évoluant un peu à la hausse ou à la baisse selon la conjoncture économique avec un creux en 1990. Par ailleurs, la proportion de ménages à faible revenu est en hausse depuis 1990 chez les personnes vivant seules, après avoir régressé durant les années 1980.

Au total, on peut estimer qu'un peu plus de 21,4 % de l'ensemble des personnes vivent dans une situation de faiblesse du revenu au Québec, et cette proportion est en hausse depuis 1990.

Il existe une autre mesure de faible revenu, le MFR, qui se rapproche davantage d'une définition opératoire de la pauvreté qui est maintenant employée par un grand nombre de pays aux fins de comparaisons internationales[12]. La tendance qui caractérise la mesure de faible revenu (MFR) suit de près le seuil de faible revenu analysé plus haut dans le cas des ménages d'une seule personne où la pauvreté apparaît en baisse (un tiers de ménages

Tableau 26
Coefficients de GINI de l'ensemble des ménages,
des ménages ayant deux personnes ou plus
et des personnes seules
selon des concepts de revenus différents, Québec,
1981-1996

	Revenus avant transferts (1)	Revenus totaux (2)	Revenus après Impôts (3)	Rapport 3/2 (4)
	ensemble des ménages			
1981	0,459	0,381	0,351	0,92
1985	0,483	0,382	0,348	0,91
1990	0,490	0,391	0,350	0,90
1991	0,506	0,398	0,355	0,89
1992	0,496	0,383	0,342	0,89
1993	0,503	0,378	0,338	0,89
1994	0,513	0,396	0,348	0,88
1995	0,512	0,399	0,353	0,88
1996	0,520	0,406	0,356	0,88
	2 personnes et plus			
1991	0,434	0,337	0,290	0,86
1992	0,419	0,318	0,274	0,86
1993	0,423	0,314	0,269	0,86
1994	0,439	0,334	0,282	0,84
1995	0,487	0,337	0,285	0,85
1996	0,441	0,344	0,290	0,84
	personnes seules			
1991	0,594	0,399	0,338	0,85
1992	0,606	0,398	0,337	0,85
1993	0,609	0,383	0,327	0,85
1994	0,602	0,393	0,326	0,83
1995	0,587	0,390	0,327	0,84
1996	0,607	0,396	0,331	0,84

Source: Statistique Canada, Revenu après impôt, répartition selon la taille du revenu au Canada, *Ottawa, cat. 13-210.*

Graphique 26
Pourcentage de ménages formés de deux personnes et plus
sous le seuil de faible revenu (SFR)
et la mesure de faible revenu (MFR) de Statistique Canada,
Québec, 1980-1996

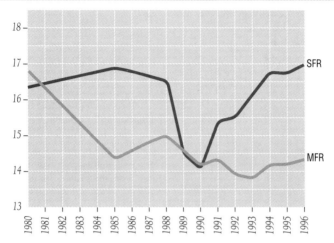

N.B.: *Le seuil calculé sur la base 1992 a été révisé en 1995, ce qui explique l'existence de quelques écarts avec les données déjà publiées antérieurement par l'organisme. Le seuil MFR a aussi été révisé.*
Source: *Statistique Canada,* Répartition d'un revenu au Canada selon la taille, *Ottawa, cat. 13-207 et données non publiées.*

pauvres en 1995 contre 42,2 % en 1980). La situation est un peu différente dans le cas des ménages de deux personnes ou plus, marqués par une certaine réduction de la proportion des ménages pauvres (de 16,4 % en 1980 à 14,7 % en 1996). Une tendance à la hausse est visible depuis 1993 (graphique 26), ce qui donne à penser que la pauvreté – et non seulement la faiblesse du revenu – serait en hausse.

Les pauvres, une population mouvante

La population des pauvres est mouvante. Selon une étude publiée par Statistique Canada en 1997, effectuée à partir de données d'enquête par panel menées en 1993 et 1994, un peu moins de la moitié des ménages pauvres ne l'étaient plus après deux ans, ayant été remplacés par un contingent à peu près équivalent de nouveaux pauvres. La pauvreté est donc un état temporaire ou transitoire pour une proportion importante des ménages. Il ressort aussi de cette étude que l'incidence de la pauvreté est importante puisque plus de ménages peuvent être pauvres à un moment ou à un autre au cours d'une certaine période.

Pour un tiers des ménages, l'entrée dans l'état de pauvreté a été causée par la perte d'un membre à la suite d'un divorce ou d'une mortalité. La même proportion de ménages a pu quitter l'état de pauvreté à la suite de l'arrivée d'un nouveau gagne-pain. L'autre facteur déterminant est l'entrée ou la sortie du marché du travail. Cette étude montre bien que les changements qui marquent le mode de vie sont à peu près aussi importants que la participation au marché du travail pour expliquer la sortie ou l'entrée dans l'état de pauvreté.

Après six ans de croissance, la dépendance vis-à-vis de l'aide de dernier recours régresse, suivant les cycles économiques

La progression continue depuis 1989 du nombre de personnes vivant de l'aide sociale s'est arrêtée en 1997 et le nombre des personnes dépendantes de l'aide de dernier recours est maintenant inférieur à 700 000 (mai 1998). La diminution a été de 11 % entre mars 1996 et mars 1998 (graphique 27). Les personnes qui vivent de l'aide sociale représentent 10,8 % de la population âgée de 0 à 64 ans.

Au total, 447 476 ménages recevaient l'aide de dernier recours au 31 mars 1998, soit 9 % de moins que le sommet atteint en 1996 (graphique 28). Sur une longue

Graphique 27
Nombre de personnes bénéficiaires de l'aide sociale (au 31 mars),
en milliers, Québec, 1970-1998

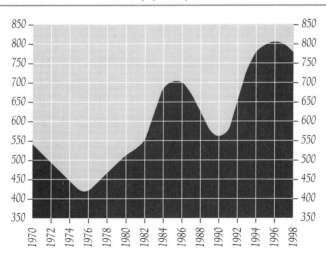

Source: Gouvernement du Québec, Guide descriptif des programmes de sécurité du revenu, *éditions 1989 et 1993*; ministère de la Main-d'œuvre et de la Sécurité du revenu. Calculs de l'auteur.

période, la croissance du nombre de ménages recevant de l'aide sociale est importante, tant en indice (+116 % en vingt-cinq ans) qu'en proportion. Au total, 16,1 % des ménages ont reçu l'aide de dernier recours en 1998, contre 11,2 % en 1975. On le voit, l'augmentation du nombre de ménages vivant dans cette situation de dépendance (+116 %) a été beaucoup plus rapide que l'augmentation du nombre de personnes (+36 %), ce qui s'explique par la multiplication des petits ménages, essentiellement formés de personnes seules et de familles monoparentales.

Environ les deux tiers des ménages qui ont reçu de l'aide sociale sont formés de personnes vivant seules (tableau 27). Les familles monoparentales constituent le second type en importance de ménages qui bénéficient de cette aide. On le voit, environ 85 % des ménages qui reçoivent l'aide directe de l'État ont à leur tête un seul adulte, ce qui est bien révélateur que la dépendance va de pair avec un certain isolement social. La vie en couple ou la vie de famille donnent aux individus sans ressources propres le support matériel pour vivre, mais lorsque survient une crise dans le couple ou la famille, bon nombre d'individus ne peuvent subvenir seuls à leurs besoins et ils doivent alors compter sur l'aide de l'État. Celle-ci permet à des personnes en difficulté de vivre seules, ce qui était à peu près impossible avant 1970.

Plus des deux tiers des bénéficiaires de l'aide de dernier recours étaient des adultes

Graphique 28
Nombre de ménages bénéficiaires de l'aide sociale (au 31 mars), en milliers, Québec, 1970-1998

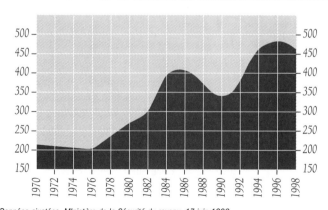

* *Données ajustées, MInistère de la Sécurité du revenu, 17 juin 1998.*

Source: Gouvernement du Québec, Guide descriptif des programmes de sécurité du revenu, *éditions 1989 et 1993; ministère de la Main-d'œuvrre et de la Sécurité du revenu, données non publiées. Calculs de l'auteur.*

Tableau 27 Ménages et personnes bénéficiaires de l'aide sociale selon le type de ménages, Québec, 1998				
Types de ménages	Ménages*	Adultes	personnes Enfants	Total
personnes seules**	287 155	287 155	–	287 155
	(65,4)	(39,6)	–	(39,6)
couples sans enfant	24 678	49 356	–	49 356
	(5,6)	(6,8)	–	(6,8)
couples avec enfants	40 092	80 184	81 756	161 940
	(9,1)	(11)	(11,3)	(22,3)
familles monoparentales	87 325	87 325	139 892	227 217
	(19,9)	(12)	(19,3)	(31,3)
Total N	439 250	504 020	221 648	725 668
%	(100)	(69,4)	(30,6)	(100)

* *Données officielles non ajustées.*
** *Comprend 1261 conjoints d'étudiants.*
Source: Ministère de la Sécurité du revenu, calculs de l'auteur.

et 30,6 %, des enfants, soit 221 648 au 31 mars 1998. Les deux tiers de ces enfants vivaient en majorité dans des familles monoparentales.

Consommation

La proportion de ménages propriétaires de leur logement continue d'augmenter lentement

L'accès à la propriété progresse lentement et la proportion de propriétaires de leur logement a augmenté à 55,8 % en 1997 (tableau 28). Le taux de propriétaires est plus élevé dans les petites villes et à la campagne que dans les grands centres.

Diffusion rapide de nouveaux biens durables

L'équipement de base nécessaire à la vie quotidienne est maintenant à peu près présent dans tous les ménages : système de chauffage, chauffe-eau, cuisinière, frigidaire, machines à laver et à sécher le linge, téléphone, radio, téléviseur couleur font partie de l'équipement standard, y compris dans les jeunes ménages et les ménages à faible revenu. Ce constat passe aujourd'hui pour une évidence, mais il faut se rappeler qu'il était loin d'en être ainsi il y a vingt ans encore.

De nouveaux équipements ménagers et de nouveaux biens durables continuent de

Tableau 28
Taux de possession du logement
et de certains équipements dans le ménage,
Québec,
1986-1997

Items possédés	1986	1990	1997
% de propriétaires	53,6	55,2	55,8
Lave-linge	81,2	84,9	85,7
Lave-vaisselle	39,6	43,0	48,5
Four à micro-ondes	26,7	65,5	84,7
BBQ au gaz	16,2	34,9	45,5
Appareil climatiseur	13,7	13,3	16,0
Lecteur disques compacts	*	13,7	54,5
Magnétoscope	34,1	63,2	80,4
Caméscope	*	4,9	13,8
Télé-couleur			
une	58,4	57,6	48,7
deux ou plus	*	39,4	50,6
Câble	56,2	63,2	66,3
Micro-ordinateur	8,7	12,4	27,7
Auto			
une	53,5	54,5	51,6
deux ou +	19,1	21,6	18,7
Camion et minivan	12,6	13,8	21,3

* Ne s'applique pas ou article non mentionné dans le rapport d'enquête.

Sources: Statistique Canada, Équipement ménager selon le revenu et d'autres caractéristiques, *cat. 13-218, 1997 (Tableau 1.5).*

se répandre dans les foyers. Le four à micro-ondes est devenu un bien essentiel en moins de dix ans, alors que le lave-vaisselle s'est répandu moins rapidement. En dix ans le BBQ au gaz s'est retrouvé dans presque la moitié des ménages, mais sa diffusion ne dépassera sans doute pas la proportion de propriétaires de leur logement, pour des raisons de sécurité (les locataires n'ayant généralement pas l'espace nécessaire ni l'autorisation d'avoir un tel équipement).

Le taux de possession d'une voiture n'augmente plus depuis 10 ans mais la proportion de ménages équipés d'un camion ou d'une fourgonnette (minivan) est en nette hausse. Si les ménages ont acquis de nombreux biens d'équipement ménager durant les années soixante et soixante-dix, ils se sont massivement équipés d'une grande panoplie d'équipements électroniques reliés aux loisirs durant les années 1980 dont la consommation était encore en hausse en 1997. Presque tous les ménages ont la télé-couleur et la moitié d'entre eux ont même deux postes ou plus, le magnétoscope est présent dans 80 % des ménages, la moitié des ménages ont un lecteur de disques compacts et le câble est présent dans les deux tiers des foyers. Ces biens font maintenant eux aussi partie de l'équipement de base de ces derniers.

L'ordinateur personnel est présent dans un foyer sur quatre d'après Statistique Canada et dans un foyer sur trois d'après l'enquête sur les pratiques culturelles du ministère de la Culture du Québec. Après un lent départ, le taux de possession d'un micro-ordinateur à la maison est en nette progression chaque année. D'autres biens, tels que les fours à micro-ondes, les magnétoscopes et les BBQ au gaz, pour ne citer que trois exemples, se sont répandus plus rapidement parce qu'ils avaient trouvé une utilité immédiate dans le foyer. Le micro-ordinateur a tardé à trouver la sienne aussi vite. Sans doute est-ce la *communication* avec l'extérieur qui va lui permettre de trouver son véritable créneau dans le foyer. Les loisirs, la vie quotidienne, les activités d'apprentissage et les relations sociales, sans oublier le travail au foyer, exigent de communiquer avec l'extérieur et il est possible d'utiliser l'ordinateur pour chacune de ces activités. Deux facteurs contribuent à la hausse du taux de possession d'un ordinateur domestique : la simplification de la manipulation et le développement de nouveaux usages. L'apprentissage des micro-ordinateurs s'avère plus long et plus complexe que celui d'autres biens durables. Mais le développement de nouveaux logiciels conviviaux a simplifié son utilisation et on peut entrevoir le jour où il deviendra sans doute aussi simple de faire fonctionner un ordinateur que de téléphoner (compte tenu que l'utilisation du téléphone se complexifie de son côté !). Par ailleurs, le nombre de personnes qui ont une connaissance pratique des ordinateurs sur le marché du travail augmente, sans oublier les jeunes générations qui se familiarisent tôt avec cet appareil.

Le cinéma, divertissement toujours plus populaire

Le cinéma est, avec la télévision, l'une des industries culturelles les plus développées. L'auditoire des cinémas et ciné-parcs a connu une forte croissance au Québec durant les années 1990, plus rapide que l'accroissement de la population (tableau 29). Les salles de cinéma du Québec ont connu plus de 23 millions d'entrées en 1997, soit une hausse de 11 % par rapport à l'année précédente. Cette croissance est étonnante et il faut parler d'un véritable engouement pour le 7e art, comme en témoigne l'ouverture de complexes géants de salles de cinémas à Québec et Montréal. Les Québécois âgés de 12 ans et plus ont vu en moyenne 3,1 films en salle en 1997, soit un film de plus en moyenne par année en cinq ans.

L'industrie du cinéma est largement dominée par les grandes sociétés commerciales américaines, qui controlent à toutes fins pratiques la production et la commercialisation

**Tableau 29
Auditoire des cinémas et ciné-parcs et projections de films
au total en indice, et proportion en français, Québec,
1991-1997**

		Auditoire			Projections	
Année	(000)	Indice	% en français	N	Indice	% en français
1991	14 255	100	57,4	297 268	100	58,7
1992	15 305	107,4	59,9	340 375	114,5	61,3
1993	17 257	121,1	63,6	363 297	122,2	64,8
1994	18 383	129,0	64,1	407 548	137,1	65,6
1995	19 023	133,4	62,6	471 670	158,7	64,4
1996	20 875	146,4	62,6	535 069	180,0	65,9
1997	23 119	162.1	63.4	577 807	194.4	63.4

Source: BSQ, Indicateurs d'activités culturelles au Québec 1997; *Statistiques sur l'industrie du film et*
www.bsq.gouv.qc.ca

**Tableau 30
Auditoire des cinémas et projections de films
selon le pays d'origine des films, Québec,
1995-1997**

Pays	Auditoire			Projections		
	1995	1996	1997	1995	1996	1997
U.S.A.	84,7	87,1	84,1	83,2	86,0	84,5
France	4,4	4,7	4,9	4,5	4,6	5,5
Autres pays	6,2	4,9	7,0	6,7	5,4	6,5
Québec	2,8	2,7	3,7	3,0	3,3	3,0
Canada*	1,9	0,7	0,3	2,6	0,7	0,5
Total %	100	100	100	100	100	100

* Excluant le Québec
Source: BSQ, Statistiques sur l'industrie du film, *1997*

des films (tableau 30). En 1997, 84,1 % de tous les films vus par les clients des cinémas étaient d'origine américaine (chiffre qui inclue les coproductions). Les films venant de France suivent loin derrière avec 4,9 % de l'auditoire, et la part des films du Québec a été de 3,7 % (0,3 % pour les films canadiens).

La proportion des films projetés en version française a augmenté au début des années 1990, et elle se situe à environ 64 % de l'ensemble depuis 1993. ○

L'auteur remercie David-H. Mercier pour l'aide apportée dans la mise à jour des données de la présente édition des tendances et pour la préparation des tableaux et graphiques.

Notes

1. Nous renvoyons le lecteur à l'ouvrage dont nous avons coordonné la rédaction, *La société québécoise en tendances 1960-1990* (Québec, Institut québécois de recherche sur la culture, 1990). Les données de ce chapitre reprennent quelques-unes des séries statistiques qu'on trouve dans cet ouvrage, qui couvre par ailleurs l'ensemble des domaines que l'on nous reprochera peut-être de ne pas aborder ici.

2. Selon une étude de Statistique Canada publiée en 1998 donnant les résultats d'une enquête faite auprès des Québécoises.

3. Le solde migratoire est établi à partir des déclarations d'impôt sur le revenu, avec deux ans de retard. Le solde calculé chaque année à partir du fichier des allocations familiales surestime les départs du Québec et les deux statistiques ne peuvent être comparées. Lorsque le solde estimé est publié chaque année, il s'ensuit une distortion si on le compare au seuil définitif de l'année précédente mesuré à partir d'une autre base. La surestimation qui résulte de la comparaison de données venant de deux sources a donné lieu à des manchettes alarmistes ces dernières années, surtout dans la presse anglophone.

4. Charles Castonguay, « Évolution de l'assimilation linguistique au Québec et au Canada entre 1971 et 1991 », *Recherches sociographiques*, 3, 38, 1997 : 469-490.

5. Michael O'Keefe, *Minorités francophones : assimilation et vitalité des communautés*, Ottawa, Patrimoine Canada, 1998, p. 37.

6. Louis Duchesne, « Naître au naturel : les naissances hors mariage », Statistiques. Données socio-démographiques en bref, BSQ, juin 1997.

7. Ministère de l'Éducation, *Indicateurs de l'Éducation 1996 et 1997*, Québec, 1997.

8. Voir Statistique Canada, *Système de comptabilité nationale. Comptes économiques provinciaux*, édition historique 1961-1986, cat. 13-213, p. xxii.

9. Georges Mathews, « L'essoufflement de l'économie québécoise face à l'économie canadienne », *Recherches sociographiques*, 2-3, 1998 : 363-391.

10. Statistique Canada a modifié la définition du travail à temps partiel. Certains emplois réguliers occupés moins de trente heures par semaine (pilotes d'avion, par exemple) sont inclus dans les emplois à temps plein. Les données ont été révisées à partir de 1987. Avant cette date, elles ne sont pas strictement comparables.

11. L'inégalité est mesurée par le coefficient de GINI, qui est une mesure classique. Plus les riches reçoivent une part élevée des revenus, plus le coefficient de GINI est élevé.

12. La Mesure de Faiblesse du Revenu (MFR) définit comme pauvres les ménages qui reçoivent moins de la moitié de la médiane du revenu disponible par unité. Cette mesure, plus facile à calculer, est maintenant de plus en plus utilisée dans les comparaisons internationales de la pauvreté.

Le taux de criminalité continue de fléchir au Québec

L a remarquable diminution du taux de criminalité enregistrée depuis 1993, après le sommet record de 1992, s'est poursuivie en 1997. C'est au chapitre des infractions avec violence que cette diminution est la plus prononcée.

Les chiffres ont baissé en quantité absolue mais surtout il ont diminué lorsqu'on tient compte de l'évolution de la démographie. Ainsi, les infractions avec violence sont passées de 6,75 délits par 1000 habitants en 1988 à 6,32 en 1997. Ils avaient atteint 8,28 en 1992.

Même constat pour ce qui concerne les délits contre la propriété. Leur taux était de 43,73 par 1000 habitants en 1988, il a grimpé à 51,14 en 1992 et se situe aujourd'hui à 41,51. Seule exception à la règle générale : les vols de véhicules à moteur dont le taux par 1000 habitants est nettement plus élevé qu'il y a dix ans.

La catégorie « autres infractions » accuse une diminution régulière mais modérée depuis 1993 ; elle se situe tout de même à un niveau inférieur à celui de 1988. Les statistiques de certains délits (prostitution, jeux et paris...) sont ici plus susceptibles qu'ailleurs de refléter l'intensité variable de l'activité policière plutôt que l'état réel de la délinquance.

Enfin, la catégorie résiduelle « autres infractions au Code criminel », après avoir connu un sommet en 1993 – 12,20 par 1000 habitants – demeure en 1997 à un niveau nettement plus élevé qu'en 1988. Les délits rangés sous cette catégorie sont, entre autres, l'incendie criminel, l'enlèvement, la fausse monnaie, l'évasion, les infractions aux lois sur le cautionnement. Des crimes comme l'enlèvement et la contrefaçon de monnaie ont connu une hausse marquée au cours des dernières années. ○

Tableau 1
Évolution des infractions au Code criminel, aux autres lois fédérales et au lois provinciales[1], Québec, 1988 à 1997

Catégorie d'infraction	1988 Nombre réel	1988 Taux par 1000 h	1990 Nombre réel	1990 Taux par 1000 h	1992 Nombre réel	1992 Taux par 1000 h	1993 Nombre réel	1993 Taux par 1000 h
CORPS DE POLICE MUNICIPAUX, SÛRETÉ DU QUÉBEC ET GENDARMERIE ROYALE DU CANADA								
Crimes avec violence	44 129	6,75	50 312	7,29	57 190	8,28	53 309	7,72
Homicides	149	0,02	178	0,03	162	0,02	163	0,02
Tentatives de meurtre	254	0,04	345	0,05	398	0,06	416	0,06
Infractions d'ordre sexuel	507	0,08	663	0,10	880	0,13	886	0,13
Voies de fait	32 703	5,00	37 285	5,41	42 846	6,20	41 105	5,95
Vols qualifiés	10 370	1,59	11 683	1,69	12 743	1,85	10 609	1,54
Enlèvements	146	0,02	158	0,02	161	0,02	130	0,01
Délits contre la propriété	285 991	43,73	327 031	47,41	353 192	51,14	324 709	47,01
Introductions avec effraction	103 774	15,87	112 834	16,36	124 764	18,06	115 708	16,75
Vols de véhicules à moteur	27 728	4,24	40 158	5,82	49 337	7,14	47 653	6,90
Vols[2]	154 489	23,62	174 039	25,23	179 091	25,93	161 348	23,36
Autres infractions	144 394	22,08	159 185	23,08	168 309	24,37	175 176	25,36
Recel	2051	0,31	2286	0,33	2881	0,42	2 933	0,42
Fraudes	27 802	4,25	27 018	3,92	23 117	3,35	19 799	2,87
Prostitution	2310	0,35	2333	0,34	1984	0,29	1 709	0,25
Jeux et paris	351	0,05	157	0,02	211	0,03	198	0,03
Armes offensives	1438	0,22	1170	0,17	1466	0,21	1 443	0,21
Vandalisme (méfait)	65 516	10,02	72 211	10,47	75 149	10,88	64 866	9,39
Autres infractions au Code criminel	44 926	6,87	54 010	7,83	63 501	9,19	84 228	12,20
TOTAL-CODE CRIMINEL	474 514	72,55	536 528	77,79	578 691	83,79	553 194	80,10
LOIS FÉDÉRALES -DROGUES	8656	1,32	9121	1,32	10 688	1,55	11 167	1,62
AUTRES LOIS FÉDÉRALES	6967	12,07	2803	0,41	10 303	1,49	11 231	1,63
LOIS PROVINCIALES	7652	1,17	5335	0,77	4016	0,58	4789	0,69

Source: Ministère de la Sécurité publique Québec.

1. *Excluant les infractions relatives à la conduite des véhicules et à la circulation.*
2. *Depuis le 15 février 1995, le Code criminel fait la distinction entre les vols de plus de 5000$ et ceux de 5000$ et moins, alors que la ligne de démarcation se situait auparavant à 1000$. L'unique façon de considérer l'évolution des vols simples entre 1988 et 1997 consiste alors à additionner les données relatives aux deux catégories.*

Catégorie d'infraction	1994 Nombre réel	1994 Taux par 1000 h	1995 Nombre réel	1995 Taux par 1000 h	1996 Nombre réel	1996 Taux par 1000 h	1997 Nombre réel	1997 Taux par 1000 h
Crimes avec violence	52 700	7,31	49 253	6,83	47 669	6,62	45 124	6,32
Homicides	128	0,02	138	0,02	160	0,02	123	0,02
Tentatives de meurtre	353	0,05	327	0,05	302	0,04	266	0,04
Infractions d'ordre sexuel	844	0,12	915	0,13	918	0,13	993	0,14
Voies de fait	41 454	5,75	38 443	5,33	36 437	5,06	35 469	4,97
Vols qualifiés	9785	1,36	9300	1,29	9749	1,35	8171	1,14
Enlèvements	136	0,02	130	0,02	113	0,02	102	0,01
Délits contre la propriété	293 861	40,78	296 128	41,08	309 101	42,93	296 458	41,51
Introductions avec effraction	102 563	14,23	102 835	14,27	105 832	14,70	103 764	14,53
Vols de véhicules à moteur	43 400	6,02	44 011	6,11	50 217	6,97	51 518	7,21
Vols[2]	147 898	20,52	149 282	20,71	153 052	21,26	141 176	19,77
Autres infractions	158 609	22,01	155 888	21,63	150 371	20,89	148 410	20,78
Recel	2878	0,040	2835	0,39	3007	0,42	2501	0,35
Fraudes	18 119	2,51	17 153	2,38	18 208	2,53	17 728	2,48
Prostitution	1406	0,20	1624	0,23	1232	0,17	882	0,12
Jeux et paris	70	0,01	63	0,01	130	0,02	77	0,01
Armes offensives	1540	0,21	1446	0,20	1218	0,17	1018	0,14
Vandalisme (méfait)	59 310	8,23	58 848	8,16	63 148	8,77	58 323	8,17
Autres infractions au Code criminel	75 286	10,45	73 919	10,26	63 428	8,81	67 881	9,50
TOTAL-CODE CRIMINEL	505 170	70,10	501 269	69,55	507 141	70,44	489 992	68,60
LOIS FÉDÉRALES -DROGUES	11 693	1,62	12 193	1,69	13 961	1,94	13 655	1,91
AUTRES LOIS FÉDÉRALES	4889	0,68	4222	0,59	2867	0,40	3663	0,51
LOIS PROVINCIALES	6852	0,95	7985	1,11	6586	0,91	7288	1,02

Tableau 2
Évolution de la criminalité, Communauté urbaine de Montréal

	1993	1994	1995	1996	1997	%
Crimes contre la personne	23 955	24 695	21 694	21 321	19 337	–9,3
Homicides	74	52	60	55	49	–10,9
Tentatives de meurtre	240	198	164	140	116	–17,1
Agressions sexuelles	1341	1264	1222	1254	1397	11,4
Voies de fait	15 746	16 435	14 232	13 537	12 885	–4,8
Vols qualifiés	6554	6313	6016	6335	4890	–22,8
Crimes contre la propriété	122 996	112 166	106 150	112 208	108 424	–3,4
Introductions par effraction	36 651	32 199	31 336	32 234	33 084	2,6
Vols véhicules à moteur	21 767	19 478	18 589	20 939	21 628	3,3
Vols simples	64 578	60 489	56 225	59 035	53 712	–9,0
Autres infractions au Code criminel	47 701	46 441	43 635	44 329	38 104	–14,0
Possession de biens volés	727	707	654	590	469	–20,5
Fraudes	6382	6191	5685	6258	4984	–20,4
Prostitution	1394	1106	1338	1043	650	–37,7
Jeux et paris	96	35	19	104	31	–70,2
Armes offensives	359	437	348	300	251	–16,3
Autres infractions	38 743	37 965	35 591	36 034	31 719	–12,0
Délits et infractions au Code criminel - Total	**194 652**	**182 869**	**171 479**	**177 858**	**165 865**	**–6,7**
Drogues	2728	2607	2475	2503	2074	–17,1
Autres statuts fédéraux	32	2	9	19	9	–52,6
Statuts provinciaux	1099	1021	2106	1509	736	–51,2
Règlements municipaux	7119	1795	746	260	84	–67,7
GRAND TOTAL	**205 630**	**188 294**	**176 815**	**182 149**	**168 768**	**–7,3**

Depuis 1993, la criminalité est en baisse sur le territoire de la CUM. Bien qu'elle ait connu une hausse en 1996, la criminalité a diminué à nouveau en 1997, atteignant son plus bas niveau en cinq ans. Cette baisse est, en effet, de 7,3 % par rapport à 1996 et de 18 % en regard de 1993.

La baisse de la criminalité en 1997 est attribuable aux crimes contre la personne qui ont diminué de 9,3 % et aux crimes contre la propriété, où l'on constate une baisse de 3,4 %. Par contre, les introductions par effraction et les vols de véhicules à moteur sont en hausse de 2,6 % et 3,3 % respectivement en 1997.

Les crimes avec violence ou les voies de fait graves ne cessent de diminuer depuis 1993, passant de 3776 à 2903, soit une baisse de plus de 23 %. Ces crimes sont par ailleurs nettement en hausse sur le nombre recensé en 1988 qui était alors de 2318.

Ainsi donc, dans l'ensemble, la tendance générale à la baisse des infractions au code criminel observée depuis 1991 s'est poursuivie et résulte, en 1997, en un volume de criminalité le plus faible depuis 1984.

La Communauté urbaine de Montréal se compare favorablement à la ville de Toronto au plan de la criminalité, puisqu'en 1996 le taux d'infractions au Code criminel était moins élevé ici qu'à Toronto, soit de 10 015 infractions par 100 000 résidants contre 10 538.

Source: Communauté urbaine de Montréal.

Les nombres des noms de Dieu

STÉPHANE BAILLARGEON

Les statistiques religieuses, comme toutes les autres, exigent de la retenue critique. Le dénombrement des affiliations, des croyances et des pratiques, par l'intermédiaire de recensements ou de sondages, demeure d'un intérêt certain, mais limité, malgré la sophistication croissante des méthodes d'enquête. Ces enquêtes au Québec ne pullulent pas malgré la place centrale historiquement occupée par le catholicisme. Que peut-on dire actuellement de l'état de la religion dans la belle province?

La pratique du recensement est liée à l'événement fondateur du christianisme, celui de la naissance de Jésus. L'Évangile (Luc, 2, 1-7) raconte que César Auguste avait ordonné un grand décompte de la population *«de toute la terre»* et chacun alla donc s'enregistrer *«dans sa ville»*, c'est-à-dire sur son lieu de naissance. Joseph *«monta de Galilée, de la ville de Nazareth pour se rendre en Judée, dans la ville de David appelée Bethléem, car il était de la maison et de la lignée de David, afin de se faire inscrire avec Marie, son épouse, qui était enceinte»*. La suite est connue...

Des recensements ont eu lieu dans l'imperium, mais César Auguste n'a jamais commandé de décompte universel. Surtout, en toute logique, les Romains exigeaient un enregistrement de leurs sujets sur leurs lieux de résidence, comme n'importe quel État contemporain. Si Luc introduit cette loufoque règle administrative, c'est uniquement pour faire naître Jésus de Nazareth à Bethléem, la ville de David, qui devait, selon l'Ancien testament, redonner un messie au peuple élu. Encore une fois, les faits sont adaptés pour servir le mythe. La même prudence herméneutique doit guider l'interprétation des données tirées des sondages ou des recensements plus récents, sur les pratiques et les croyances religieuses. Ainsi, il y aurait maintenant plus d'un milliard et demi de chrétiens dans le monde, dont les deux tiers de catholiques, un autre bon milliard de musulmans, plus de 300 millions d'athées. Le christianisme se porte-t-il bien pour autant? Un bloc islamique homogène et compact existe-t-il vraiment? Peut-on amalgamer les mille et une manières de ne pas croire en Dieu, ou ce qui en tient lieu ici et là dans le monde, même si l'importance croissante de l'agnosticisme et de l'athéisme compose une situation historique inédite ?

Justement, il y a vingt ou trente ans à peine, des sociologues tenaient pour moribondes les religions alors qu'au contraire, elles reviennent hanter les sociétés contemporaines avec une vigueur certaine. Les intégrismes et les fondamentalismes multiformes se redéploient, surtout dans le tiers-monde, en se présentant comme des options terroristes et totalitaires face aux échecs réels ou perçus de la modernisation. En Occident, des formes nouvelles de religiosité, inspirées des traditions orientales ou totalement inédites, tirées de la science-fiction par exemple, obligent à penser le religieux non plus contre, mais dans la modernité. Qu'en est-il dans la société québécoise ? Quel portrait les données empiriques sur les croyances et les pratiques religieuses des Québécois permettent-elles de brosser ? Surtout, dans quelle mesure ces statistiques, recueillies lors des recensements ou des sondages, permettent-elles aussi de parler d'une recomposition contemporaine du champ religieux dans l'ancienne *priest ridden province* ?

Trois idées-phares

Les constats concernant les religions au Québec en général – et le catholicisme qui y domine en particulier – oscillent autour de trois idées-phares[1] :

• d'abord l'affaiblissement des pratiques et des appartenances traditionnelles, ce qui n'exclut pas la persistance sinon d'une religiosité culturelle, du moins d'une référence

identitaire aux institutions religieuses traditionnelles ;

• en corollaire, la rupture entre les grandes institutions et la masse des « croyants » ;

• enfin, l'expansion d'un marché du sens multiforme et combinatoire.

On peut documenter ces observations en utilisant les données fournies par quelques enquêtes récentes[2]. On constate d'abord que le groupe religieux catholique demeure le plus important au Canada et l'est encore plus au Québec, selon les informations fournies par les répondants au dernier grand recensement décennal. Les données de Statistique Canada de 1991 montrent que 46 % de la population canadienne (une baisse de 1 % par rapport à 1981), mais plus de 85 % de la population québécoise s'identifient encore comme catholiques. Par contre, les confessions protestantes ont subi une assez forte baisse au Canada, de 41 % de la population totale en 1981 à 36 % dix ans plus tard – le Dominion de 1921 comptait 56 % de protestants. Au Québec, les protestants ne comptent plus que pour environ 6 % de la population. Comme ailleurs au pays, cinq des six plus importantes confessions protestantes (les Églises Unie, anglicane, baptiste, presbytérienne et luthérienne) ont connu des diminutions de leurs memberships. La saignée a été particulièrement importante du côté des anglicans (de 132 000 en 1981 à 96 000 en 1991) et de l'Église Unie (de 126 000 à 62 000), deux groupes malmenés par l'exode ou le vieillissement de la communauté anglo-québécoise et par des crises internes, autour de l'ordination des femmes et des homosexuels notamment. Les pentecôtistes, eux, ont accru le nombre de leurs membres de près des deux tiers en dix ans (ils sont environ 30 000 dans la province).

Cependant, tout compte fait, ces données montrent que les grandes religions traditionnelles conservent de loin la majorité. Au Québec, l'addition des personnes se réclamant toujours de l'une ou l'autre des confessions catholiques, protestantes, orthodoxes ou juives (près de 100 000 personnes dans ce dernier cas) totalise plus de 93 % de la population. La grande majorité des Québécois conservent donc une forme d'attachement identitaire à une religion traditionnelle et pour la plupart d'entre eux l'héritage judéo-chrétien demeure encore un point de référence culturelle fondamental.

Le portrait est tout autre si l'on considère les pratiques. Comme partout ailleurs en Occident, la pratique religieuse est en déclin perpétuel au Québec. Au Canada, selon l'Enquête sociale générale de 1994 réalisée par Statistique Canada, 40 % de la population affirmaient encore fréquenter un lieu de culte au moins une fois par mois. La pratique dominicale (la messe du dimanche) est ramenée en deçà de la barre des 20 % et il semble inéluctable que d'ici quelques années le niveau de fréquentation des lieux de culte aura ici chuté près des 5 %, comme dans certains pays scandinaves. Selon les données du recueil *Croyances et incroyances au Québec*, à peine 25 % des Québécois revendiquent un statut de membre effectif d'un groupe religieux ou d'une paroisse et ce taux chute à 7 % chez les jeunes catholiques de 15 à 24 ans.

Fidélité à certains rites

Cela observé, certains rites de passage conservent la faveur de la population. Du côté des religions chrétiennes, les données montrent que les sacrements et les cérémonies liés aux étapes-clés de la vie (baptême, mariage, etc) se maintiennent mieux que la pratique dominicale. La grande majorité des enfants qui naissent de parents catholiques sont baptisés, même si désormais environ la moitié d'entre eux naissent hors du cadre légal ou ecclésial du mariage. En 1995, un couple québécois sur trois vivait en union libre et le taux de croissance de cette forme de relation conjugale est 6,5 plus élevé que celui des couples mariés. Neuf québécois sur dix, même parmi les jeunes, envisageraient recourir aux rites de passages à la mort.

Le portrait change encore si l'on quitte ces marques d'un catholicisme festif pour s'attarder un peu aux croyances de la population. Les données de *Croyances et incroyances au Québec* révèlent que 90 % des Québécois disent croire en Dieu, 82 % en la divinité de Jésus et 64 % en une vie dans l'au-delà. Six personnes sur dix croient en ces trois éléments fondamentaux. Par contre si l'on ajoute aux critères religieux la pratique de la prière, l'expérience de la présence de Dieu et la maîtrise d'une culture religieuse élémentaire, on ne se retrouve qu'avec une personne sur cinq. Un sondage canado-américain (*L'actualité*, 15 décembre 1996) a révélé que les Québécois sont les moins nombreux à dire que la religion est importante dans leur réflexion politique (9 %, par rapport à une bonne moitié des Américains du Sud).

Les Québécois sont également les Nord-Américains qui lisent le moins la Bible (13 %, par rapport à 30 % dans les provinces de l'Atlantique), ce qui doit toutefois être rattaché à la faible tradition catholique en ce domaine.

Croyances paradoxales

Les croyances religieuses des Québécois apparaissent en fait multiformes et paradoxales. Une foule de représentations du monde viennent se greffer à l'héritage judéo-chrétien. C'est l'ère des religions à la carte, pour reprendre l'expression américaine popularisée ici par le sociologue R. Bibby. Les mêmes enquêtes de Raymond Lemieux et de son groupe de l'Université Laval révèlent par exemple que les croyances de l'univers judéo-chrétien (Dieu, la Providence, les sacrements...) ne composent qu'environ 45 % de l'univers religieux ou spirituel de la population pourtant presque entièrement de souche chrétienne ou juive. Un autre quart des personnes sondées ont référé à des croyances de type « cosmique » (« l'énergie », les extra-terrestres...), tandis que moins du cinquième des propos recueillis par les chercheurs au début de la décennie renvoyaient à un « moi » sublimé, réifié, quasiment déifié dans son vécu et ses expériences. Le reste des croyances (11 %) référaient plutôt au « social », aux « valeurs universelles », comme la paix, l'amour, le progrès ou la raison, toutes susceptibles de « sauver le monde ». Les enquêtes ont même révélé qu'un quart des Québécois croient en la réincarnation.

Par ailleurs, le pourcentage de personnes se déclarant sans religion a également beaucoup augmenté dans l'ensemble du pays :

en 1981, 7,3 % des Canadiens indiquaient « aucune religion » sur le formulaire du recensement ; cette proportion est passée à 13 % dix ans plus tard. Au Québec, ce pourcentage n'est que de 4 %.

Finalement, il faut noter que la composition religieuse du Québec a été modifiée par l'arrivée importante d'immigrants. Leur affiliation est moins forte au catholicisme (37 %) et au protestantisme (30 %) que dans la société d'accueil, même si le *Profil des principaux groupes religieux du Québec* laisse croire que les Néo-Québécois ont tendance à pratiquer davantage que les citoyens nés ici. Toujours selon les données du début de la décennie, plus de 12 % des immigrants ont adhéré aux grandes religions orientales, par rapport à moins de 1 % de la population des Canadiens nés au pays. Le nombre de personnes appartenant aux religions bouddhiste, hindoue, islamique et sikh augmente également, même si les religions classifiées comme « non-chrétiennes » par Statistique Canada rassemblaient toujours moins de 100 000 personnes au Québec, en 1991.

Les déplacements du religieux

Le thermomètre n'est pas le seul outil d'un diagnostique fiable. Toutes ces données montrent la nécessité de s'attarder aux mutations, aux transformations, aux déplacements du religieux dans les sociétés modernes, dans notre monde désenchanté. La prudence est d'autant plus de mise dans le cas québécois, où les récentes et fulgurantes mutations auraient ajusté les horloges de l'ancienne *priest ridden province* à l'heure avancée de l'Occident.

Si on ne peut nier la réalité du déclin du christianisme – linéaire à l'échelle occidentale, par paliers dans le cas québécois –, il semble tout de même manquer un peu de mémoire à l'alarmiste perspective faisant l'hypothèse générale de l'épuisement de la religion. Toute l'histoire du christianisme, particulièrement au cours des deux derniers siècles, est jalonnée de propos semblables. Les prophètes passent, le christianisme demeure et se transforme. L'ère du désenchantement face au désenchantement lui-même se dessine. Non pas l'ère du vide et du non-sens religieux, mais un temps où, précisément, l'accès au sens prend en compte l'effondrement des grands systèmes normatifs hérités.

Encore aujourd'hui, dans le Québec francophone de l'après-Révolution tranquille, les églises vides ne doivent pas faire oublier l'omniprésence de l'héritage catholique bien identifiable dans certaines pratiques rituelles par exemple. La question de la transmission, non seulement de la foi, mais aussi de la culture religieuse, de génération en génération, notamment par l'entremise de l'école, est également à considérer de ce point de vue.

L'important débat autour de ce problème, qui se poursuit dans le cadre du passage aux structures scolaires non confessionnelles, témoigne de la persistance actuelle d'une large ouverture au religieux, sinon pour son avenir, du moins pour son passé.

Une métamorphose

La notion de sécularisation, employée par les sociologues depuis plusieurs décennies, a souvent été comprise dans le sens d'une perte, d'un déclin inéluctable du fait religieux dans les sociétés modernes ou postmodernes, avec sa litanie de preuves allant du déclin indéniable des pratiques au rejet du magistère moral des grandes traditions, bien visible dans les comportements sexuels des catholiques. C'est donc un fait : les sociétés contemporaines donnent de moins en moins d'emprises globales aux institutions religieuses. La religion s'est retirée de l'espace public. Elle continue tout de même a évoluer dans son retranchement de la sphère privée.

Les citoyens de ces sociétés demeurent encore et toujours des êtres religieux, croyants et pratiquant de mille et une manières. Une métamorphose se produit. La sécularisation sociétale n'empêche donc pas la recomposition religieuse individuelle – ou son pendant négatif, l'intégrisme et la radicalisation dogmatique, qui représente l'autre versant de la réaction aux mutations de l'univers religieux. Cette transformation est même très fortement marquée par l'individualisme contemporain où dominent les valeurs de l'autonomie et de la liberté. Dans ce cadre idéologique, l'individu s'affirme face aux institutions et l'argument d'autorité n'a presque plus de prise sur ses croyances. Mieux, la dissidence elle-même est revalorisée, comme le montre bien le chaleureux accueil réservé au Québec, depuis quelques années, aux théologiens et aux religieux catholiques officiellement blâmés par le Vatican (les Mgr Gaillot, Gustavo Gutiérrez et autres Eugen Drewermann).

En 1998, le cas d'un pasteur protestant homosexuel de la banlieue de Montréal, rejeté par son Église mais appuyé par une large part de ses paroissiens, a également défrayé la manchette et suscité de nombreux appuis dans les médias francophones et anglophones.

Libre recherche de sens

En même temps, l'individualisme laisse à chacun le soin de se bricoler un univers sacré personnalisé, où rien n'est d'ailleurs acquis une fois pour toutes. Les repères traditionnels s'effacent au profit des modes passagères, des idéologies décantées, de l'ésotérisme bon marché, souvent amalgamés au goût de chacun pour les autres mondes, les êtres intermédiaires, les mythes et les légendes, les forces occultes et les grands mystères. La recherche de sens peut d'ailleurs très bien se passer du religieux, comme en témoigne la vogue récente des livres d'introduction aux grandes philosophies morales.

L'attrait actuel du bouddhisme, qui est avant tout une sagesse, est également à placer dans cette perspective. Le bouddhisme valorise le travail de chacun sur soi. Le plus souvent, c'est même la fonction thérapeutique et consolatrice immédiate, pour soi, qui semble guider l'adoption de telle ou telle croyance, l'amalgame de telle et telle pratique. Autrefois, l'accent était mis sur la relation à des règles et des lois transcendantes, l'assujettissement à des structures plus ou moins contraignantes et au bout du compte, la vie après la mort ; de nos jours la vogue des religiosités multiples et personnalisées favorise ce qui peut aider chacune à vivre ici-bas, maintenant. La religion des postmodernes est en quelque sorte réduite anthropologiquement et chacun se construit sa ou ses réalités absolues.

La fortune actuelle des croyances autour de la réincarnation témoigne de cette recherche de sens non encadrée. Cette croyance accorde beaucoup de responsabilités aux individus (les choix dans cette vie déterminent la nature de la prochaine) et elle évacue la possibilité de l'inéluctable verdict chrétien (le paradis... ou l'enfer à la fin de nos jours...). Il faut ensuite rappeler que les phénomènes les plus médiatisés et les plus étudiés ne sont pas nécessairement les plus significatifs. Cette fois, il faut prendre en compte le cas typique des sectes. Le terme très péjoratif doit être utilisé avec énormément de prudence et la plupart des spécialistes universitaires préfèrent d'ailleurs parler de nouveaux mouvements religieux.

Le Québec compterait un bon millier de ces groupes et groupuscules qui attirent quelques dizaines de milliers d'adeptes, un ou deux pour cent de la population tout au plus. Une goutte d'eau dans l'océan des croyances et des pratiques. Pourtant, les médias s'attardent avec passion à cette tendance très marginale, surtout aux crimes des sectes dangereuses.

Il faut traquer et dénoncer le coquin où il se trouve, mais il faudrait aussi de temps en temps rappeler que la très grande majorité des fidèles et des dirigeants religieux ne sont pas des criminels. Et puis, il faut aussi bien sûr se méfier des sondages, des recensements, et de ceux qui les interprètent... ○

Notes

1. Ces trois observations fondamentales sont exposées et développées plus à fond par Raymond Lemieux et Jean-Paul Montminy, « La vitalité paradoxale du catholicisme québécois », in Gérard Daigle et Guy Rocher (eds), *Le Québec en jeu. Comprendre les grands défis*, Montréal, Les Presses de l'Université de Montréal, 1992, pp. 575-606.

2. La dernière grande enquête sur les religions au Canada a été réalisée par Statistique Canada en 1991. Les données fournies par le recensement ont été compilées en 1995 et seront majoritairement utilisées ici. Le questionnaire du recensement de 1996 ne comportait aucune question sur les religions des Canadiens. Le Guide de consultation du recensement de 2001 se demande d'ailleurs s'il est toujours *«nécessaire de recueillir des données sur la religion tous les dix ans dans le cadre du recensement»*. Des enquêtes moins ambitieuses, par sondages notamment, peuvent également aider à colliger des données empiriques, surtout en ce qui concerne les pratiques et les croyances des Québécois. C'est le cas de André Charron, Yvon R. Théroux et Raymond Lemieux, *Croyances et incroyances au Québec*, Montréal, Fides, 1992. On utilisera également le texte cité plus haut de Lemieux et Montminy et d'autres sources qui seront alors mentionnées.

Les
événements
de l'année

Chronologie des principaux événements : août 1997 – juin 1998

MARIE-CLAUDE PETIT

AOÛT 1997

Le 1er — À 21 ans, **Alexandre Lesiège** devient le plus jeune Canadien et le premier Québécois à remporter le prestigieux titre de grand maître international aux échecs. Quelque 600 joueurs à travers le monde détiennent ce titre, dont 300 seulement sont toujours actifs.

Plus de 130 entreprises rattachées aux activités aéroportuaires quittent massivement **Mirabel** afin d'aller s'établir à Dorval, révèle une étude du Front Mirabel, à six semaines du transfert des vols internationaux réguliers vers Dorval.

Le 3 — Le sénateur libéral **Pietro Rizzuto** succombe à une hémorragie cérébrale. Il était âgé de 63 ans. Nommé sénateur en 1976 par Pierre Elliott Trudeau, Rizzuto fut un politicien très influent au Québec.

Le 6 — Plus de 1400 employés du **réseau de la santé**, soit l'équivalent de 9 % des effectifs, se sont prévalus du programme de départ à la retraite offert par le gouvernement du Québec, selon les plus récentes données compilées par le Conseil du Trésor.

Le 8 — La Montréalaise **Chantal Petit-clerc** remporte la médaille d'argent au 800 mètres dames en fauteuil roulant disputé à Athènes, aux Championnats mondiaux d'athlétisme.

Le 10 — Le Cessna dans lequel prenaient place la comédienne **Marie-Soleil Tougas**, 27 ans, et le cinéaste **Jean-Claude Lauzon**, 44 ans, explose après s'être posé à flanc de montagne près de la rivière aux Mélèzes, dans le Grand-Nord du Québec. Ils revenaient d'une expédition de pêche avec les comédiens Patrice L'Écuyer et Gaston Lepage qui les suivaient dans leur propre avion. **Le 16**, les funérailles de la comédienne sont retransmises en direct de l'église Saint-Matthieu de Belœil sur les ondes des réseaux TVA et RDI, alors que le cinéaste reçoit, dans les jours qui suivent la tragédie, un sobre hommage.

Le gouvernement du Québec triple les allocations de retraite de certains **médecins spécialistes** et bonifie celles des généralistes afin d'inciter le plus grand nombre d'entre eux à quitter leur profession. Depuis le printemps, 220 médecins ont déjà saisi cette occasion et partiront dès l'automne.

Le 11 — Près d'un millier de citoyens se réunissent à l'**Hôtel de Ville de LaSalle** pour réitérer leur intention de faire adopter par le Conseil municipal une résolution visant à assurer leur droit de demeurer Canadiens dans l'éventualité d'un Québec souverain. Le maire, **Michel Leduc**, refuse catégoriquement de céder à ces pressions et renvoie la balle dans le camp du député de LaSalle—Émard, le ministre Paul Martin.

La division Systèmes d'information d'assurances de **Téléglobe** sera acquise par le **Groupe CGI** pour la somme de 140 millions, annonce cette dernière. La transaction devrait être effective le 30 septembre prochain.

Le 12 — **Jean Rizzuto**, le chef d'Option Laval, démissionne. Après quatre années à la direction du parti, il estime que sa trop basse cote de popularité nuit aux chances qu'a la formation de déloger le maire Gilles Vaillancourt et son équipe aux prochaines élections municipales.

Le 13 — Le Centre hospitalier francophone de **Montfort**, à Ottawa, demeurera ouvert. C'est le verdict de la Commission de restructuration des services

de santé, après six mois de luttes acharnées en prévision d'une possible fermeture. Cependant, il sera amputé d'un peu plus des trois quarts de ses services.

Le 15 — **Me Odette Lapalme** est nommée présidente de la Commission de protection de la langue française par le cabinet de Lucien Bouchard. Elle est la fille de feu Georges-Émile Lapalme, ministre des Affaires culturelles sous Jean Lesage et père de la Révolution tranquille au Québec.

Le 18 — Le gouvernement fédéral règle un des litiges qui fut au cœur de l'affrontement de la **crise d'Oka** il y a sept ans. Pour une somme de 230 000 $, il acquerra un terrain de 12 000 mètres^2 – là où le caporal Marcel Lemay avait été abattu – afin de doubler la superficie du cimetière mohawk d'Oka.

Le 19 — Les départs volontaires d'**enseignants** des niveaux primaire et secondaire, à la suite de l'appel lancé par le gouvernement du Québec, se chiffrent à 8400, selon les données de la Commission administrative des régimes de retraite et d'assurances. Il s'agit de 8 % du corps professoral.

Le directeur intérimaire de la **Sûreté du Québec**, Guy Coulombe, met de l'avant une série d'orientations au cœur de laquelle se trouve la formation universitaire pour les forces policières en vue d'améliorer l'assaut contre la criminalité.

Le 20 — La **clientèle des cégeps** connaît une diminution de 3,5 % par rapport à l'an dernier, avec un peu plus de 155 000 élèves, révèle la Fédération des cégeps. Selon elle, cette baisse se justifie par le rehaussement des exigences à l'admission.

Devant le ralentissement des ventes de ses motomarines, **Bombardier** annonce qu'elle réduira sa production de moitié. Plus de 1200 employés seront affectés, dont 850 à son usine de Valcourt, lesquels seront mis en disponibilité jusqu'au printemps.

La papetière **Abitibi-Consolidated** annonce qu'elle installera son siège-social dans l'édifice de la Sun Life à Montréal dès le mois de mai prochain. Quelque 325 personnes occuperont les nouveaux locaux.

Le rapport d'un comité de la **SODEC** est déposé à l'intention de Québec à propos du dossier du doublage. Il lui propose entre autres d'accroître son soutien à cette industrie en mettant en place un crédit d'impôt de 15 % et suggère au fédéral d'en faire autant.

Le 18 — **Communications Quebecor** acquiert Diffulivre inc., une société qui regroupe une quinzaine d'éditeurs dont les plus importants sont Bordas, Dunod, Sybex et Les Éditions du Trécarré. Le montant de la transaction est demeuré confidentiel.

Le 22 — La Cour suprême rejette avec dépens la demande d'autorisation d'appel de la Coalition élargie pour le soutien de l'aéroport de Montréal-Mirabel. Malgré cette décision, la CESAMM compte poursuivre sa lutte afin d'empêcher le transfert des vols internationaux réguliers à Dorval.

Le CRTC approuve l'achat de TQS par le **Consortium Quebecor** après une période d'incertitude de 18 mois et lui accorde une licence de quatre ans. Quebecor a payé 25 millions pour l'achat de la station de télévision plus quelque 10 millions en ajustements de fonds de roulement. À court terme, ni pertes d'emploi ni changements à la programmation ne sont prévus. Quebecor s'installera officiellement le 1er septembre.

Le 24 — Conséquemment à la **Réforme Marois**, la rentrée scolaire de l'automne sera plus agitée que celles qui ont suivi la sortie du Rapport Parent dans les années 60, prévoient des observateurs du milieu scolaire. Sept grands changements sont au programme. Parmi eux, les maternelles à temps plein pour les enfants de cinq ans, la mise en place de conseils provisoires pour préparer la fusion des 150 commissions scolaires confessionnelles en 70 nouvelles commissions scolaires linguistiques, le remplacement par une jeune relève des 8000 enseignants du primaire et du secondaire, et de plus de 800 autres au niveau collégial.

Le 25 — Un remaniement ministériel a lieu à Québec. Le ministre **Serge Ménard** obtient le ministère de la Justice, l'ancien leader parlementaire **Pierre Bélanger**, celui de la Sécurité publique, le ministre délégué au Revenu, **Roger Bertrand**, devient ministre délégué à l'Industrie et au Commerce, et **Robert Perreault**, ministre de la Métropole.

Une entente intervenue entre le ministère de la Famille et de l'Enfance et les garderies sans but lucratif assure une **place à 5 $** par jour, dès la rentrée, à 20 000 enfants âgés de quatre ans dans les services de garde sans but lucratif, en milieu familial et dans les garderies privées.

Le 28 — Le voilier retrouvé au large du Chili est bel et bien celui de **Gerry Roufs**, confirme le Groupe LG. Le Montréalais est disparu en mer au début de l'année 1997 alors qu'il participait à la course autour du monde en solitaire Vendée Globe.

Le 29 — L'usine **Kenworth** à Sainte-Thérèse sera deux fois plus grande que ce qui était prévu à l'origine, confirme le président de la FTQ, Clément Godbout. Le résultat de ce projet de 100 millions, attribuable à la coopération du syndicat, du Fonds de solidarité des travailleurs du Québec et des gouvernements du Canada et du Québec, nécessitera le rappel d'environ 800 travailleurs plutôt que de 325.

SEPTEMBRE 1997

Le 4 — À ce jour, 42 villes et villages au Québec ont entériné des résolutions dites pro-unité lesquelles défendent le principe du maintien au sein du Canada de zones fédéralistes en cas de **souveraineté du Québec**. Hors Québec, pas moins de quarante villes ont également adopté de telles résolutions.

Un mini-parc de démonstrations d'**éoliennes** sera construit en Gaspésie, selon une entente conclue entre Hydro-Québec et la Société NEG-Micon.

La guerre du **doublage** n'aura pas lieu. À la suite de l'émission d'avis juridiques, les syndicats de comédiens et de techniciens endossent en gros les conclusions du **rapport Lampron**.

Le 5 — **Pierre Falardeau** dément la nouvelle voulant qu'il ait trouvé le financement de son film *15 février 1839*, un projet évalué à 2,7 millions. Jusqu'à ce jour, il n'aurait en fait récolté que 53 000 $.

Le 9 — Entre 2006 et 2011, la proportion de **francophones** sur l'île de Montréal tombera sous la barre des 50 %, rapporte une étude du démographe Marc Termote, pour le compte de l'Agence francophone pour l'enseignement supérieur et la recherche.

Les pourparlers, entre le gouvernement du Québec et les Inuits, au sujet de l'**autonomie des peuples autochtones,** reprennent. Amorcés en 1993, ils avaient été interrompus depuis la tenue du dernier référendum, en 1995.

Le 10 — Afin d'attirer davantage les touristes d'affaires américains, la capacité d'accueil du **Palais des congrès de Montréal** sera doublée au coût de 160 millions. Cette décision du gouvernement Bouchard devrait entraîner, annuellement, des revenus supplémentaires de 55 millions.

Nortel injecte 270 millions dans son usine de Saint-Laurent. Cet investissement vise l'agrandissement de son centre mondial de développement de réseaux optiques et la réalisation d'un programme d'immobilisations. Mille nouveaux emplois seront créés au cours des quatre prochaines années.

Le 12 — Près de trente-cinq chefs d'entreprises entreprennent, sous la direction du ministre d'État, de l'Économie et des Finances, Bernard Landry, une **mission commerciale** d'une semaine en **Argentine** et au **Pérou**.

Le 18 — La station de télévision anglophone **Global Québec**, issue de la chaîne CanWest Global, entre en ondes. Au programme, sont prévus plusieurs émissions américaines et un nouveau bulletin d'actualités régionales et nationales qui sera présenté en début de soirée.

Le 15 — Un premier avion de vol international régulier, en provenance de Tel-Aviv, atterrit à **Dorval**. Pendant 22 ans, les avions de cette catégorie de vol se sont posés à l'aéroport de Mirabel.

Le 17 — **Roger Baulu** s'éteint à l'âge de 87 ans. Pionnier de la radio et de la télévision, le «Prince des annonceurs», tel qu'on le surnommait, a œuvré dans ce domaine pendant une cinquantaine d'années. À la télévision de la SRC, il fut l'inimitable animateur de *La Poule*

aux œufs d'or, et co-anima avec Jacques Normand *Les Couche-tard*. Entre autres honneurs, il reçut l'Ordre du Canada.

Le 18 — La décision de transférer le programme de greffes pulmonaires à Québec est un échec, constate, près d'un an après son annonce, le ministre de la Santé **Jean Rochon**. Il convient alors que le bien-être des patients en attente de poumons doit passer par le retour du programme de greffes au CHUM.

Le 24 — Un répit est accordé aux gestionnaires du **réseau de la santé**. Le ministre Jean Rochon leur fait savoir qu'ils n'auront à atteindre, cette année, que 40 % des cibles budgétaires de 282 millions prévues en réduction des coûts de la main-d'œuvre.

Le 25 — La société vancouveroise Intrawest confirme sa volonté de développer un centre de villégiature dans les **Hautes-Laurentides**. En accord avec les gouvernements du Québec et du Canada, et de la municipalité du Mont-Tremblant, elle investira près de 500 millions sur cinq ans.

Luc Plamondon s'«attaque» au chef-d'œuvre de Victor Hugo, *Notre-Dame de Paris*. Il dit s'être entouré d'une équipe largement québécoise et franco-canadienne, à commencer par Gilles Maheu, le directeur de Carbone 14, à qui il a confié la mise en scène.

Le 28 — Première visite officielle, d'une durée de quatre jours, du premier ministre **Lucien Bouchard à Paris**, à titre de chef du gouvernement québécois. Son attente d'une reconnaissance de la France dans l'éventualité d'un Québec souverain est satisfaite, le lendemain, par l'accord du président Jacques Chirac. La même journée, il signe une convention qui crée la Multinationale de l'Électricité et du Gaz par Hydro-Québec et le monopole français Gaz de France en vue de développer des projets sur les marchés internationaux.

La première édition des **Journées de la culture** se termine au terme de trois jours. Les Québécois se sont déplacés à quelque 700 activités auxquelles ils étaient conviés gratuitement d'un bout à l'autre de la province. Cette initiative, l'une des résultantes du Sommet sur l'économie et l'emploi de l'an passé, a pour mission de démocratiser la culture.

Le 29 — Le sculpteur montréalais **Pierre Granche** meurt, à l'âge de 49 ans, des suites d'un cancer des poumons. Plusieurs de ses œuvres, réalisées dans le cadre du programme gouvernemental du 1 %, ont été installées, entre autres, au Musée McCord, au MACM, à la Place des Arts, et à l'Université Laval. L'artiste appréciait les débats théoriques et avait élaboré une réflexion sur la valeur et la nécessité d'un art dans la cité, pour les citoyens.

Le 30 — Dès septembre 1999, dans les **écoles publiques primaires et secondaires**, le temps consacré à l'enseignement du français passera de sept à neuf heures pour les 1ère et 2e années, et celui des mathématiques, de cinq à sept heures, énonce la ministre de l'Éducation, Pauline Marois. De plus, l'enseignement de l'anglais langue seconde débutera en 3e année plutôt qu'en 4e, et les cours d'histoire commenceront en 3e année pour ne se terminer qu'à la fin du secondaire.

Verdun refuse de s'engager dans le **débat sur la partition** du Québec. La municipalité emboîte ainsi le pas aux villes de LaSalle et de Lachine.

Le gouvernement français jugera des résultats d'un **prochain référendum sur la souveraineté du Québec** sur la base du respect de la démocratie et de l'amitié qui l'unit au Québec, déclare le premier ministre Lionel Jospin à son homologue Lucien Bouchard, de passage en France.

OCTOBRE 1997

Le 2 — **Lucien Bouchard** revient de France avec une cinquantaine d'ententes économiques d'une valeur de plus de 200 millions. Le premier ministre qualifie son voyage de *«plus grande mission économique québécoise à n'avoir jamais été en France»*.

Près de 3000 personnes, en majorité des élus municipaux, manifestent sur la colline parlementaire à Québec, à quelques heures de l'ouverture du **Congrès de l'UMQ**.

Les inscriptions dans les **universités montréalaises** connaissent, pour une troisième année consécutive, une diminution. Sans connaître la cause majeure de cette baisse de 2,3 %, la CREPUQ souligne que la courbe démographique et la conjoncture économique doivent être considérées. Cela relance le débat sur l'ensemble de la situation économique des étudiants et la qualité du système des prêts et bourses auxquels ils ont accès.

Le 6 — La tenue de quatre **élections partielles** permet aux libéraux de conserver trois des quatres sièges qu'ils détenaient, soit dans Bertrand (Denis Chalifoux), Bourassa (Michèle Lamquin-Éthier) et Kamouraska-Témiscouata (Claude Béchard), et aux péquistes de retenir celui de Duplessis (Normand Duguay), leur forteresse depuis **1976.**

Le 7 — Quebecor confirme qu'elle envisage une réorganisation de son actionnariat. Cette décision lui permettra de créer une autre société ouverte exploitante, **Communication Quebecor**. Au même titre que ses deux autres filiales à propriété publique, Imprimeries Quebecor et Donohue, cela entraînera la privatisation *de facto* du holding de contrôle dont la famille Péladeau est propriétaire.

Le 8 — Le **Village olympique** est mis en vente. Bâti pour les Jeux olympiques de Montréal en 1976, l'édifice, évalué aujourd'hui à 59 millions, sera cédé à des intérêts privés, tel qu'en a décidé le ministre d'État à la Métropole, Robert Perreault.

Le 13 — Aux **Éboulements**, dans la région de Charlevoix, quarante-trois personnes trouvent la mort, et cinq autres sont blessées, dans ce qui a été qualifié de *«pire accident routier de l'histoire canadienne»*. C'est dans un secteur jugé dangereux, et où s'est déjà produite une tragédie semblable en 1974, que l'autocar de la compagnie Mercier, qui transportait des personnes âgées, a plongé dans un ravin d'une dizaine de mètres.

Le 14 — Le président du **syndicat des cols bleus**, Jean Lapierre, et le numéro deux syndical, Denis Maynard, sont condamnés par le juge Serge Boisvert à six mois de prison ferme. Ils avaient organisé l'émeute de l'hôtel de ville, le 13 septembre 1993, à la suite de négociations rompues la veille. Les deux leaders en appelleront de cette sentence.

La proposition d'Hydro-Québec au sujet des **tarifs d'électricité** pour les quatre prochaines années est acceptée avec empressement par le gouvernement du Québec. **Le 1er** mai 1998, il y aura une hausse limitée au taux d'inflation jusqu'à un maximum de 1,8 % et, pour les années 1999, 2000 et 2001, les tarifs seront gelés.

Le 17 — Arrêt des négociations entre la **Ville de Montréal** et ses **pompiers** à propos de leur convention collective. La Ville s'en remet à un arbitre afin de dénouer l'impasse. La réduction du coût de la main-d'œuvre est en cause.

L'un des plus importants groupes français de l'édition, **Hachette**, rompt son contrat de distribution avec **Québec-Livres**, de Communication Quebecor, pour le confier au groupe Socadis.

Le 20 — Le premier ministre Lucien Bouchard informe **Monique Simard**, députée de la circonscription de La Prairie, que sa présence n'est plus requise aux réunions du caucus et lui suggère d'abandonner son siège. Le **5** avril, elle quittera la vie politique. Par ailleurs, le **31** octobre, elle et son mari se voient imposer une amende de 100 $ chacun par le juge François Doyon, de la Cour du Québec, pour avoir voté illégalement aux élections municipales d'Outremont en novembre 1995.

Le 24 — En réaction à un traitement de chimiothérapie, **Humberto Santos** décède subitement à l'âge de 53 ans. Né au Portugal, le numéro deux du Mouvement Desjardins a fait ses premiers pas dans le secteur bancaire canadien en 1969. C'est en janvier 1994 qu'il devenait président et chef de la direction de la Société financière Desjardins-Laurentienne.

Le 26 — **Jacques Villeneuve** arrache le titre de champion du monde de Formule 1, lors de la dernière course du Grand Prix d'Europe, à Jerez, en Espagne. Il devient ainsi le premier pilote canadien de F1 à remporter le championnat du monde à sa deuxième saison.

Au gala annuel de l'ADISQ, **Céline Dion** remporte cinq Félix, dont le plus convoité, celui d'interprète féminine, décerné par le public.

Le 31 — **Molson** présente. à ses employés un plan triennal de restructuration de ses activités de production et de distribution. Deux cent quatre-vingt-deux personnes s'ajouteront à la liste des employés en surplus qui en contient déjà cent cinquante-trois.

NOVEMBRE 1997

Le 1er — Le premier ministre Lucien Bouchard entreprend une **mission commerciale** de douze jours en **Chine**. En compagnie de gens d'affaires, il visitera d'abord Pékin puis deux villes de la province de Liaoning, et enfin Shanghai. Les objectifs sont l'exploration du marché, la conclusion d'ententes, et l'établissement de réseaux d'intérêts communs. Cette mission donnera lieu à la signature de quarante-cinq contrats et ententes, pour une valeur de 1,19 milliard. Les retombées économiques directes pour le Québec sont estimées à 425 millions, soit le double des exportations qui prévalent à ce moment-là vers la Chine.

Le 2 — À l'issue de la tenue des élections dans 791 municipalités au Québec, les maires sortants de Laval, **Gilles Vaillancourt**, de Québec, **Jean-Paul L'Allier**, et de Sainte-Foy, **Andrée Boucher**, sont réélus. À Lachine, **Guy Décarie** est battu par **William McCullock**. À Verdun, **Georges Bossé** se fait réélire. À Anjou, **Luis Miranda**, maire par intérim, l'emporte. À Chicoutimi, **Jean Tremblay** déloge le maire sortant **Ulric Blackburn**.

Un millier de manifestants, principalement des étudiants et des sans-emploi, bloquent l'accès au complexe G, le principal édifice gouvernemental à Québec. Quelque 4000 **fonctionnaires** ont été empêchés de se présenter au travail.

Le 4 — ADM rend public son plan d'affaires destiné à la relance de l'**aéroport de Mirabel**. De nouveaux services, grâce à des partenariats avec le secteur privé, seront offerts, et 10 millions supplémentaires seront investis pour stimuler le développement des secteurs touristique, tout-cargo et para-aéroportuaire.

Le 10 — Le prolongement du **métro à Laval** est au rang des priorités à court terme du gouvernement du Québec, dit le ministre d'État à la Métropole, Robert Perreault.

Le 12 — Le **Conseil de presse du Québec** nomme à sa tête **Michel Roy**, en remplacement de Guy Bourgeault, directeur de l'organisme pendant six ans. Professeur invité au département d'Information et de communication à l'Université Laval, Michel Roy a œuvré au *Devoir*, notamment à titre de rédacteur en chef et directeur intérimaire à la suite du départ de Claude Ryan, et à *La Presse*, avant d'être nommé ambassadeur du Canada en Tunisie, de 1993 à 1996.

Le 16 — Au palais Montcalm, à Québec, quelque 1500 assistés-sociaux, jeunes, exclus de la société, et des femmes, venus des quatre coins de la province, dénoncent la réforme de la sécurité du revenu. Ce **Parlement de la rue,** une initiative de la coalition DROIT (Dignité, Respect, Autonomie des Individus sans Travail), s'apprête à siéger un mois devant celui de Québec afin de rappeler aux élus leurs devoirs envers les plus démunis de la société.

Le 18 — L'Assemblée nationale du Québec obtient de la Chambre des communes l'amendement constitutionnel qu'elle souhaitait. La grande majorité des députés fédéraux ont adopté la modification qui facilitera la création des **commissions scolaires linguistiques**.

Le 19 — Le rapport d'enquête sur les circonstances de la mort de **Martin Omar Suazo**, survenue le 31 mai 1995, au centre-ville de Montréal, est rendu public. Le coroner Anne-Marie David y présente 28 recommandations afin d'éviter la répétition d'un tel décès. Alors que Suazo, arrêté pour un vol présumé, était allongé par terre, un coup de feu est parti involontairement de l'arme d'un policier du SPCUM.

Le 20 — **Pierre Théberge** est nommé directeur général du Musée des Beaux-arts du Canada, annonce le ministère du Patrimoine canadien. Il dirigeait le MBAM depuis 1986.

Le 21 — Le Mouvement Desjardins décide d'offrir au public, par l'intermédiaire d'un syndicat financier, son bloc majoritaire de 55,7 % des actions de la **Banque Laurentienne**, plutôt que de le vendre à une autre institution financière intéressée à prendre le contrôle de cette banque.

Le 24 — À Alma, 384 contenants de **margarine jaune** de la compagnie Country Crock, une filiale de la multinationale américaine Unilever, sont saisis par des inspecteurs du ministère québécois de l'Agriculture. Cette livraison illégale avait été faite dans le but de déclencher un débat juridique sur la question de la coloration de ce produit.

Le 25 — Au terme de la tenue du Salon du Livre de Montréal, la romancière et dramaturge **Marie Laberge** reçoit le prix du grand public SLM-*La Presse*.

Le 27 — La compagnie minière **Ressources Sainte-Geneviève** a recours à la Loi sur les arrangements avec les créanciers. Des documents déposés devant la cour font ressortir un flottement obscur de quelque 20 millions, issu d'un jeu de retraits non autorisés dans les comptes bancaires des filiales du groupe minier.

Le 28 — Après neuf ans d'inoccupation, l'**édifice Simpsons** au centre-ville de Montréal trouve preneur au coût de 21 millions. La compagnie d'assurance-vie L'Industrielle Alliance compte en faire un immeuble commercial prestigieux avec la maison Simons et le géant américain Famous Players. Le projet de revitalisation est évalué à 75 millions. Les travaux débutent au début de 1998 et l'ouverture est prévue pour février 1999.

DÉCEMBRE 1997

1er — Des suites d'un cancer, **Michel Bélanger**, s'éteint à l'âge de 68 ans. En 1960, il est conseiller économique du ministre libéral des Ressources naturelles René Lévesque, en compagnie duquel il met en branle le projet de nationalisation de l'électricité. Il a également été sous-ministre adjoint aux Ressources naturelles de 1963 à 1966, sous-ministre de l'Industrie et du Commerce jusqu'en 1969, conseiller économique auprès du Conseil des ministres et de son ami Robert Bourassa, devenu premier ministre. En 1971, il est nommé secrétaire au Conseil du Trésor. En 1976, il est à la tête de la Banque provinciale du Canada et, en 1979, il préside à sa fusion avec la Banque canadienne nationale. De ce mariage naît la Banque nationale, à la tête de laquelle il demeure jusqu'en 1989. Il va alors siéger au conseil d'administration de dizaines de grandes entreprises. En 1990, après l'échec de l'Accord du Lac Meech, le premier ministre Robert Bourassa le tire de sa semi-retraite afin qu'il préside, avec Jean Campeau, la Commission parlementaire sur l'avenir politique et constitutionnel du Québec. L'année suivante, ce fédéraliste de cœur dit avoir toujours pensé que la souveraineté était faisable mais pas nécessaire. En 1992, lors du référendum sur les accords de Charlottetown, il fait campagne pour le OUI. En 1995, lors du référendum sur la souveraineté, il accepte, à la demande de Daniel Johnson, de présider le Comité référendaire du Parti libéral du Québec.

Il présidera également, plus tard, le Comité organisateur du NON. Le lendemain de sa mort, libéraux et péquistes lui rendent, à l'Assemblée nationale, un hommage unanime.

Le 3 — À l'heure du midi, un **commando-bouffe** composé de 108 pauvres et gauchistes effectue un raid sur le buffet du luxueux restaurant de l'hôtel Reine-Elizabeth. En clamant son slogan «La rue a faim», le groupe a sorti les plats à l'extérieur pour se les partager sur le trottoir. Quatre personnes ont été arrêtées pour voies de fait. La manifestation soulignait le premier anniversaire du dépôt par la ministre Louise Harel du projet de loi sur la réforme de l'aide sociale.

Le 4 — Dans ce qui doit être la dernière vague de licenciements, rendus nécessaires par la réduction des budgets, la **SRC** annonce l'abolition de 160 postes. Les personnes les plus touchées œuvrent du côté de la télévision anglophone.

Le 5 — La compagnie **Imperial Tobacco** décide de mettre un terme définitif à la commandite d'événements sportifs et culturels dès octobre 1998.

Le 8 — Le président du Mouvement Desjardins, Claude Béland, confirme la rétrogradation de **John Harbour**. Ce dernier aurait lui-même demandé à être relevé de ses fonctions de président et chef des opérations de la Confédération des caisses populaires et d'économie Desjardins. Le lendemain, Rénald Boucher le remplace.

Le 12 — La **conférence des premiers ministres** à Ottawa se termine sur une note confuse. Le Québec a refusé d'entériner l'accord entre les provinces et Ottawa relativement au cadre de discussion de l'union sociale canadienne, laquelle inclut les domaines de la santé, de l'éducation et des services sociaux.

L'**Université Laval** prévoit pour l'année 1998 un déficit de 19 millions, lequel portera sa dette accumulée à 40 millions. Les autres universités du Québec connaîtront une situation semblable.

Le 17 — Disponible en France depuis août dernier, la nouvelle édition du **Bescherelle** devait arriver au Québec avec, parmi ses 12 000 verbes, plusieurs centaines tirés du *Dictionnaire de la langue québécoise* de Léandre Bergeron, paru en 1980. Au Québec, cette édition engendre un tollé. Certains considèrent qu'il s'agit d'*«une erreur étonnante qui nuit gravement à la réputation de la province»*, d'autres, comme l'OLF, déplorent que *«l'on ait pas cru bon consulter les autorités compétentes d'ici en matière linguistique avant d'élaborer l'ouvrage»*. Toujours au Québec, la maison Hurtubise HMH refuse de distribuer le nouvel ouvrage et dit s'apprêter à publier sa propre version. Au début du mois de mars 1998, la maison d'édition française se ravise et demande une seconde impression pour ne conserver que 17 des 608 québécismes de la première édition.

Le 18 — À Montréal, **Maurice « Mom » Boucher**, le chef des Nomades, un groupe de motards relié aux Hell's Angels, est arrêté après la rencontre de deux délateurs avec des policiers de l'escouade Carcajou. Il aurait été impliqué dans le meurtre de deux gardiens de prison, Diane Lavigne et Pierre Rondeau. Le lendemain, il doit être formellement accusé de meurtres prémédités.

Le 22 — Après onze mois de mise en vente, **NovaBus** trouve un acquéreur en Volvo Bus Corporation de Suède, au coût de 50 millions.

Le 24 — Décès du fondateur de la multinationale Quebecor, **Pierre Péladeau**. Âgé de 72 ans, l'éditeur du *Journal de Montréal* avait été victime d'un arrêt cardiaque le 2 décembre. Il est demeuré dans un coma neurologique jusqu'à sa mort. En 1965, M. Péladeau fonde Quebecor, dont les revenus atteindront en 1997 6,2 milliards. La société emploie 34 000 personnes, réparties dans l'ensemble de ses filiales présentes en Amérique du Nord, en Europe et en Asie. La filiale Communications Quebecor exerce ses activités dans le domaine de l'édition, de la distribution et de la vente de journaux, magazines et hebdomadaires, alors qu'Imprimeries Quebecor est le premier imprimeur commercial au Canada et en Europe et le deuxième en importance aux États-Unis. Enfin, Quebecor multimédia est active dans le domaine du multimédia. À l'automne, Pierre Péladeau avait commencé à préparer sa succession. Trois de ses sept enfants, Isabelle, Pierre-Karl et Érik, occupent des postes de responsabilité au sein du conglomérat. Comme il l'avait souhaité, il n'y a pas eu de funérailles publiques. Une cérémonie empreinte de la musique de l'Orchestre Métropolitain s'est tenue, le **29**, au Pavillon des arts de Sainte-Adèle, une chapelle que l'homme d'affaires et mécène avait sauvée de la démolition pour la transformer en salle de concert. Une partie de ses cendres devait être dispersée sur sa propriété de Sainte-Adèle et l'autre déposée dans le cimetière familial.

Le 26 — En entrevue au *Devoir*, l'archevêque de Montréal, le cardinal **Jean-Claude Turcotte**, se dit d'avis que même que le plus haut tribunal ne peut nier au peuple québécois le droit de décider de son avenir politique. *«(...) C'est au peuple de décider et non pas à la Cour suprême de nous dire si on a, ou pas, le droit de décider»*, confie-t-il. Comme cette déclaration laisse croire que son diocèse prend position dans le débat constitutionnel, le cardinal fera son *mea culpa* le 7 janvier.

JANVIER 1998

Le 3 — Les édifices à bureaux et les commerces de la Ville de Montréal connaissent une baisse sans précédent de 50 % de leur **valeur foncière**. Cette baisse apparaîtra en septembre, au rôle d'évaluation.

Le 5 — Lors des négociations de sa nouvelle convention collective, prévue fin juin, la **CEQ** réclamera une hausse salariale comparable à celle du privé, prévient sa présidente Lorraine Pagé.

Afin de remplacer les vieux hélicoptères de recherche et de sauvetage de l'armée, le gouvernement Chrétien acquiert, au coût de 790 millions sur huit ans, quinze Cormorant. Le Québec, où se concentre l'**industrie aérospatiale**, devrait profiter de 2500 emplois et de 295 des 550 millions en retombées économiques.

Une entente de principe permet à BCE et à Bell de s'assurer le contrôle du **Groupe CGI**, expert en services-conseils dans le secteur de la technologie de l'information.

▼

LA CRISE
DU VERGLAS

Depuis la nuit du **4** au **5** janvier, 20 à 30 mm de verglas se sont formés sur le sud du Québec. Cinq à dix millimètres de pluie verglaçante sont attendus au cours de la journée du 5 dans la région métropolitaine de Montréal, de Laval à la vallée du Richelieu. Les quantités comparables remontent aux 13 et 14 décembre 1983 (24,8 mm), au 25 février 1961 (31,5 mm) et aux 29 et 30 décembre 1942 (29,3 mm).

Le 6, un **état d'urgence** est décrété dans de nombreuses municipalités du Québec, dont celles situées dans les régions des Laurentides, Lanaudière, Montérégie et Mauricie-Bois-Francs. Quelque 755 000 abonnés d'Hydro-Québec passent la nuit sans électricité.

Le 7, le **gouvernement québécois** annonce qu'il assistera financièrement les municipalités qui se trouveront avec des dépenses additionnelles, entraînées par le verglas.

Pour l'aider à remettre sur pied son système de distribution, Hydro-Québec fait appel, pour la première fois depuis 1965, à des ressources de l'extérieur de la province. Près de 120 équipes d'**élagueurs américains** sont dépêchées pour venir en aide à ses employés.

Le 8, afin de faire face aux dégâts causés à ce jour par le verglas, le premier ministre du Canada, Jean Chrétien, envoie en renfort, dans la région de Montréal, presque toute la brigade des **Forces armées** de Valcartier. À Québec, 1000 soldats assurent l'assistance aux personnes sinistrées. **Le 12**, l'armée canadienne aura mobilisé plus de 11 000 soldats pour venir en aide au Québec et à l'Ontario. Jean Chrétien retarde également son départ de la mission d'Équipe Canada en Amérique latine.

Les conséquences de la tempête atteignent un **sommet dramatique** avec 997 000 abonnés privés d'électricité, soit le tiers des abonnés de la province. Un véritable «triangle noir» se constitue sur la rive sud du Saint-Laurent entre Saint-Hyacinthe, Granby et Saint-Jean.

La Fédération des acériculteurs rapporte qu'environ 30 % des **érables à sucre** ont été affectés par le verglas. Cela représente une diminution de huit millions d'entailles sur vingt-cinq millions le printemps prochain, et un impact financier, pour l'heure, de dix millions.

Le 9, le ministre fédéral du **Développement des ressources humaines**, Pierre Pettigrew, annonce un fonds spécial de 45 millions, réparti entre les régions sinistrées du Québec (25 millions), de l'Ontario (15 millions) et du Nouveau-Brunswick (5 millions)

Le **centre-ville de Montréal** est plongé dans le noir. Les réseaux de transports sont perturbés : services au ralenti, ponts et tronçons d'autoroutes fermés. Même le métro subit des pannes à répétition.

Le 11, l'UPA met en place un centre de crise afin de dresser un inventaire des besoins du monde agricole et de l'**industrie agro-alimentaire** pour limiter les pertes des producteurs. Le **14**, 10 000 agriculteurs se trouvaient privés d'électricité, soit le tiers des fermes du Québec.

Le premier ministre Lucien Bouchard lance un urgent **appel à la solidarité** afin que ceux qui ont de l'électricité hébergent ceux qui en sont privés. Le gouvernement met également sur pied un **programme d'indemnisation** (70 $ par semaine) pour les sinistrés de certaines municipalités qui seront privés de courant pendant plus de sept jours. Dès le **14**, 400 000 chèques, pour une somme globale de 30 à 40 millions, sont distribués aux citoyens de 90 municipalités.

Le 12, vingt-trois **commissions scolaires** dans diverses municipalités, et des universités, suspendent les cours pour une semaine. Le retour en classe des élèves et étudiants s'effectuera soit le **16**, soit le **19** janvier. Toutefois, dix commissions scolaires ne rouvriront que le 26 janvier.

En l'espace de 24 heures, Hydro-Québec **réalimente** 86 % de ses abonnés de l'île de Montréal. Elle demande cependant aux résidants et entreprises du centre-ville de limiter leur consommation au strict minimum.

Sur la fréquence 95, 1 MF, la radio de **Radio-Canada** se transforme en poste communautaire. La station dédie des blocs horaire aux services à la population sinistrée de la Montérégie.

Le 13, **Daniel Johnson** se montre furieux à l'endroit de certains médias qui, pendant la première semaine de verglas, ont laissé entendre qu'il était en vacances. Le chef de l'opposition à l'Assemblée nationale soutient avoir été, entre autres, à l'œuvre avec des sinistrés dans sa circonscription de Vaudreuil.

Le 14, depuis le début de la crise du verglas, quinze personnes ont perdu la vie des suites d'empoisonnement au monoxyde de carbone ou d'hypothermie, indiquent les plus récents **bilans** effectués par les régies régionales de la santé de Montréal et de la Montérégie.

Le gouvernement fédéral avancera une **somme préliminaire** de 50 millions pour le Québec afin de l'aider à absorber les coûts engendrés par la tempête. L'Ontario recevra pour sa part 25 millions.

Le 15, le président de la société immobilière Devencore, Jean Laurin, est d'avis que plusieurs **entreprises de biens et services** des édifices à bureaux du centre-ville de Montréal auront besoin d'un mois pour retrouver le rythme de production d'avant la crise du verglas.

La demande quotidienne en **bois de chauffage** est de plus de 5000 cordes et la Sécurité civile se trouve incapable d'y répondre. Il en va de même pour l'approvisionnement en génératrices.

Le 20, en plus du prêt spécial qu'il annonçait **le 16** pour ses membres sinistrés, le **Mouvement Desjardins** revient à la charge avec un prêt aux entreprises, aux entrepreneurs autonomes, et aux producteurs agricoles qui en ont besoin. Ce dernier prêt, remboursable le 30 avril 1998, est offert au taux préférentiel de 6 %, et peut atteindre le douzième du chiffre d'affaires de la dernière année, jusqu'à un maximum de 10 000 $.

Le 21, pour éviter que ne se reproduisent dans l'avenir des pannes d'électricité prolongées, le président d'Hydro-Québec, **André Caillé**, propose au gouvernement l'exécution d'une série de travaux d'envergure. Ce plan de **consolidation** des équipements de transport et de distribution reçoit un accueil mitigé de la part des groupes et organismes tels l'IREQ, UQCN, le PQ et le PLQ. Le **28**, **Hydro-Québec** en vient à la conclusion qu'elle aura besoin de trois années, au lieu d'une seule, pour consolider son **réseau électrique** de très haute tension. Coût des travaux : 815 millions.

Le 22, le **Conference Board** dresse le bilan des pertes économiques à court terme pour le Québec à 1,4 milliard, dont près de 780 millions dans les communautés rurales.

Le 28, à l'issue d'une réunion du Conseil des ministres, le premier ministre Lucien Bouchard annonce la formation d'une **commission scientifique et technique**. Elle aura le mandat de couvrir tous les aspects de la crise du verglas.

▲

Le 6 — La refonte du programme de bourses aux **artistes professionnels** est adoptée par le CALQ. Sa bonification permettra, dès le printemps, un rapprochement entre la création et la production des œuvres.

Le 8 — Le **Conseil québécois de la musique** annonce les nominations de sa première remise annuelle des prix d'excellence Opus. Les Violons du Roy, la Société de musique contemporaine de Montréal, l'Opéra de Montréal et l'étiquette Analekta reviennent le plus souvent dans les vingt catégories de prix.

Le 9 — **Denis Beauregard,** le successeur de Ghislain Dufour à la tête du **Conseil du patronat**, démissionne après une année en poste. Il retourne à la consultation.

Le 12 — La Montréalaise **Louise Fréchette**, jusqu'alors sous-ministre de la Défense nationale, est nommée vice-secrétaire général aux Nations unies.

Le 14 — Le **Conseil des arts du Canada** annonce son plan de distribution des 25 nouveaux millions de dollars que le gouvernement fédéral lui a consentis pour l'exercice financier 1997-1998. Entre autres, les Grands Ballets canadiens recevront 198 000 $, la Compagnie Jean Duceppe, 41 000 $, l'Orchestre symphonique de Montréal, 267 000 $, et les Violons du Roy, 93 000 $.

Le 16 — Deux chapitres de la saga **Nationair** se terminent : Robert Obadia règle le dossier criminel de sa faillite personnelle pour 41 000 $, et Air Club international abandonne les vols nolisés.

Le 21 — Il y a 50 ans, le **fleurdelysé** devenait le drapeau officiel du Québec, à la suite de l'adoption du décret par le gouvernement de Maurice Duplessis.

Pierre Bourque interrompt un voyage en Chine. Alors que ses citoyens le croyaient en vacances dans le Sud, le maire de Montréal, invité par le gouvernement chinois à titre d'expert conseil bénévole, préparait les Floralies internationales 1999 qui se tiendront dans ce pays. Six jours plus tard, il dénonce l'acharnement des médias en ce qui concerne ce voyage et rejette toute critique sur le présumé manque d'éthique de son geste. Il leur fait savoir qu'il s'agissait d'une occupation strictement personnelle.

Le 22 — Le ratio **vendeurs-acheteurs** dans la région du Montréal métropolitain, tous quartiers et municipalités confondus, est passé de vingt pour un, il y a un an, à quatorze pour un, à ce jour,

rapporte une étude de la SCHL. Il s'agit de la première diminution prononcée depuis le début de la décennie.

Le 23 — La **Banque Royale** et la **Banque de Montréal** annoncent la conclusion d'un accord définitif visant leur fusion. Celle-ci créera la dixième plus grande banque en Amérique du Nord.

Le 26 — La cause de Me **Guy Bertrand** est irrecevable, plaide l'avocat du gouvernement du Québec, Me Henri Grondin. Le premier exigeait la mise en place d'un mécanisme pour recueillir en fiducie les impôts que les contribuables doivent à l'État québécois en cas de déclaration unilatérale de la souveraineté à la suite d'un référendum.

FÉVRIER 1998

Le 1er — La compagnie Les Deux Mondes remporte quatre des 22 prix du gala de la **Soirée des Masques**, présentée par l'Académie québécoise du théâtre, avec l'«ancienne» *Histoire de l'oie* et le nouveau *Leitmotiv*.

Le 2 — À la 11e édition des **prix d'excellence des arts et de la culture**, une vingtaine de lauréats, dont le Salon du Livre de Québec et son directeur général Denis Lebrun, et le Festival d'été de Québec du Maurier, sont récompensés par le jury.

Le 3 — Le coroner en chef, Pierre Morin, ordonne la tenue d'une enquête publique afin d'élucider les causes du décès d'une patiente dans les corridors de l'urgence de l'**hôpital Maisonneuve-Rosemont**, le **29** janvier. Elle débutera le **14** avril, sous la direction du coroner Anne-Marie David au Palais de justice de Laval. Par ailleurs, le **5** février, l'urgentologue en fonction ce jour-là soutient que la dame a été victime du chaos qui sévit dans les urgences. Elle aurait été «oubliée» dans les corridors.

Le 5 — La **communauté chinoise** demande au gouvernement québécois d'être soustraite à la loi sur l'affichage des commerces. Elle soutient que le chinois ne constitue d'aucune façon une menace pour le français.

L'ancien directeur général des élections, Pierre F. Côté, propose au gouvernement du Québec, en conformité avec un jugement de la Cour suprême, d'amender la **Loi sur les consultations populaires,** de façon à satisfaire les tiers.

Le 6 — Le ministre de la Santé, **Jean Rochon**, ordonne aux principaux hôpitaux du Québec de déployer des plans d'action pour endiguer le flot de patients dans les **urgences** et les embouteillages chroniques.

Le 11 — De retour de vacances, le ministre d'État aux Ressources naturelles, responsable de quatre autres portefeuilles au sein du gouvernement Bouchard, **Guy Chevrette**, dit qu'il a réfléchi et qu'il poursuit sa carrière politique, commencée il y a 21 ans. Le **29** janvier dernier, il s'était publiquement opposé à des collègues qui avaient pris des décisions administratives qui défavorisaient sa circonscription

électorale de Joliette. Le **21** février, le ministre émet, par voie de communiqué, le souhait de poursuivre sa carrière. Le jour même, il rentre au Conseil national du PQ, lequel se tient à Montréal.

Le 12 — Le **Fonds de solidarité de la FTQ** consacrera, sur cinq ans, 500 millions dans les visées internationales d'**Hydro-Québec**.

Le 13 — À minuit, et à quelques semaines de l'obtention de l'accréditation syndicale de ses employés, le restaurant **McDonald's de Saint-Hubert** ferme définitivement ses portes. Il invoque une cause de non rentabilité. Dans cette conjoncture, le président de la FTQ, Clément Godbout, prie Québec d'intervenir.

Le 15 — L'ancien délégué général du Québec à Paris, **Yves Michaud**, le seul souverainiste devant comparaître en Cour suprême dans le cadre du **renvoi fédéral** sur le droit du Québec à déclarer unilatéralement son indépendance, se désiste. Il se dit offensé par l'attitude mesquine du tribunal à son endroit.

Le 16 — Les audiences sur le **renvoi fédéral** sur le droit du Québec de déclarer unilatéralement son indépendance débutent avec le témoignage du gouvernement fédéral. Le même jour, un millier de souverainistes assiègent la Cour suprême. Ils veulent que le gouvernement fédéral se récuse dans ce qui est «la plus grande cause de son histoire». Le lendemain, 136 artistes québécois font également connaître leur désapprobation en signant une lettre d'une page. Son auteur, l'écrivain et éditeur Pierre Graveline, soutient qu'il s'agit d'un débat purement politique et non juridique. Quatre jours plus tôt, un **sondage** de la maison Sondagem révélait que dans une proportion de 59,9 %, les Québécois croient que la Cour suprême devrait refuser de se prononcer sur la demande du gouvernement fédéral de juger du droit du Québec à déclarer unilatéralement son indépendance.

Le 17 — La **bande Betsiamites** dépose une demande d'injonction en Cour supérieure pour stopper les projets de détournement de rivières envisagés par Hydro-Québec sur ses terres ancestrales. Ces Montagnais de la Côte-Nord réclament une compensation de 500 millions.

La députée libérale de Marguerite-Bourgeois, **Liza Frulla**, annonce officiellement qu'elle ne se lancera pas dans la course à la mairie de Montréal. Le **14** mai, après avoir refusé le poste de leader parlementaire que lui offrait Jean Charest, elle décide de quitter la vie politique.

Le 19 — À Alma, la multinationale **Alcan** construira, au coût de 2,2 milliards, ce qui deviendra sa plus grosse aluminerie. Il s'agit du plus important projet d'investissement privé jamais réalisé au Québec. La construction, qui doit débuter dans quelques mois, devrait durer un peu plus de trois ans. Les retombées de ce projet atteindront 800 millions pour des centaines d'entreprises du Lac Saint-Jean et du Saguenay. Le président et chef de la direction d'Alcan, Jacques Bougie, affirme que la nouvelle aluminerie sera l'une des plus compétitives au monde.

Le 25 — De passage à Montréal, le premier ministre du Canada, Jean Chrétien, défend son projet de **Fondation des bourses du millénaire**, lequel consiste à remettre, au cours des dix prochaines années, environ 100 000 bourses par an à des étudiants selon leurs besoins financiers et leur mérite. Ces bourses sont dénoncées par les premiers ministres du Québec et de l'Ontario, Lucien Bouchard et Mike Harris. Ils soutiennent que le fédéral s'immisce dans un champ de compétence provinciale.

M A R S   1 9 9 8

Le 2 — **Daniel Johnson** prend tout le monde par surprise avec l'annonce de sa démission. de la direction du Parti libéral du Québec, du poste de chef de l'opposition et de député de Vaudreuil. Il invoque alors la conviction de ne pouvoir mener les libéraux à une victoire contre le chef du PQ et des raisons personnelles. Ouvertement critiqué par un groupe de ses députés à la fin du mois de janvier, il les avait pourtant prévenus qu'il entendait demeurer le chef du PLQ jusqu'aux élections générales. Ses députés lui reprochaient de ne plus être l'homme de la situation pour affronter Lucien Bouchard. Le **12** mai, il remet officiellement sa démission à l'Assemblée nationale. Il a été le troisième membre de la famille Johnson à avoir occupé le fauteuil de premier ministre.

Jean Charest, le candidat numéro un à la succession du chef démissionnaire du PLQ, prétend que la direction de ce parti n'est pas pour lui. Le **26** mars, il démissionnera du poste de chef du Parti conservateur pour annoncer sa candidature à celui de leader du PLQ. Le **30** avril, il est couronné chef du Parti libéral.

K-Mart ferme quarante magasins dont deux au Québec, à la suite de l'annonce d'un processus de restructuration, lequel s'échelonnera sur six mois.

Le 3 — À l'entrée du caucus du Parti québécois, qui se tient à Montréal, le premier ministre **Lucien Bouchard** déclare écarter définitivement la tenue d'élections avant l'automne.

Bombardier Transport obtient sa plus importante commande à ce jour. Le contrat de deux milliards, signé avec le Group Virgin Rail, du Royaume-Uni, lui permettra de fournir et entretenir du nouveau matériel roulant.

Le 4 — Le ministre des Affaires municipales **Rémy Trudel** annonce qu'il présentera, le **6** mars, au conseil des ministres, un plan de redressement des **finances de Montréal**. Cela engendre la surprise et l'irritation du côté du cabinet Bouchard et du directeur général de la Ville de Montréal. Ni l'un ni l'autre n'avaient été mis au courant de cette intention. Le **27** février dernier, la Ville de Montréal se retrouvait dans une nouvelle impasse budgétaire et le maire Pierre Bourque devait trouver 53 millions sans toucher aux surplus actuariels.

Le 6 — La Cour supérieure rejette la requête de **Me Guy Bertrand**. Il n'y a pas d'urgence à statuer sur une hypothétique déclaration unilatérale d'indépendance du Québec, estime-t-elle. D'autant plus que la Cour suprême ne s'est pas prononcée.

Le 9 — Alors que la journée devait être consacrée au dévoilement d'un cadre d'entente historique de 10 milliards entre Québec et Terre-Neuve au sujet du développement de la rivière **Churchill**, les autochtones des deux provinces manifestent et mettent fin plus tôt à la conférence des premiers ministres Lucien Bouchard et Brian Tobin.

À l'issue d'un caucus, tenu à Saint-Hyacinthe, les **députés libéraux** disent attendre de leur prochain chef qu'il défende les revendications traditionnelles du Québec, et qu'il mette tout en œuvre pour assurer un déblocage constitutionnel.

Le 11 — Confrontée au mécontentement populaire, la STCUM reporte l'achat de 110 **autobus à plancher bas**.

Le 12 — **Jean Doré** confirme qu'il est prêt à lancer sa candidature dans la course à la mairie de Montréal. L'ex-maire de Montréal (de 1986 à 1994), souligne qu'il a le soutien de péquistes, de libéraux, et de conseillers municipaux.

Tous croient qu'il sera en mesure de rallier les forces de l'opposition et de créer la fameuse troisième voie qui pourrait ravir la mairie à Pierre Bourque. Le lendemain, un sondage Léger & Léger le place en tête des candidats des camps adverses. Le **19** juin, devant 500 militants, il fonde son nouveau parti Équipe Montréal.

Le premier ministre Lucien Bouchard fait adopter une loi spéciale qui accorde vingt et un jours de médiation aux **municipalités** et aux syndicats. Par la suite, un arbitrage de 10 jours permettra au juge de choisir la meilleure option quant à la réduction de 6 % des coûts de la masse salariale dans les budgets municipaux. L'UMQ se déclare immédiatement satisfaite de cette loi, alors que les syndicats y opposent une fin de non-recevoir. Ils parlent d'une insulte aux dossiers négociés de bonne foi jusque-là.

La ministre de la Culture et des Communications, Louise Beaudoin, entreprend, à Québec, une série de rencontres dans le but de sauver le **Salon du livre de Québec**. Le lendemain, elle annonce que le Salon revivra au printemps 1999, et qu'il aura une envergure internationale. Le **17** février dernier, par voie de sondage, les éditeurs et distributeurs de livres avaient été sommés de choisir entre la tenue de l'événement à l'automne prochain ou sa disparition définitive.

Le 16 — À l'âge de 60 ans, le p.-d.g. de Chrysler Canada, **Yves Landry**,

meurt d'une crise cardiaque alors qu'il est en vacances en Floride. Originaire de Thetford Mines, il bénéficiait du respect de tous les concessionnaires au pays et, compte tenu de ses idées et de ses actions, était un conférencier recherché. Il avait fait ses débuts chez Chrysler en 1969.

Le ministre des Affaires intergouvernementales canadiennes, Jacques Brassard, rend publique l'intention de Québec de soutenir des projets de partenariats avec les **communautés acadiennes et franco-canadiennes**.

La compagnie de danse montréalaise les **Grands Ballets canadiens** reçoit le Grand Prix 1997 du CACUM, soit une bourse de 25 000 $.

Le 18 — Le **Groupe Transcontinental** acquiert 51 % du capital-actions du plus important imprimeur mexicain de circulaires, Reproducciones Fotomecanicas.

Le 19 — **Jacques Duchesneau**, le chef du Service de police de la Communauté urbaine de Montréal, quitte ses fonctions après 30 ans de service. Le **29** avril, il se lance officiellement dans la course à la mairie, comme chef du Parti Nouveau Montréal.

Le professeur de sciences économiques **Robert Lacroix** est confirmé recteur de l'Université de Montréal. Il prend la relève du recteur sortant, René Simard.

Le 20 — Le leader réformiste **Preston Manning** annonce à Montréal son intention de recruter des nationalistes québécois plus ou moins convaincus et des fédéralistes mécontents qui pourraient aider le Reform Party à faire élire des députés québécois aux prochaines élections fédérales.

Pierre Marc Johnson est appelé à la présidence d'un comité de cadres pour voir à la destinée du **Festival Juste pour rire**, en l'absence du fondateur de l'organisme, Gilbert Rozon. Ce dernier est accusé d'agression sexuelle, de voies de fait et de séquestration.

Gaétan Frigon est nommé par le Conseil des ministres au poste de p.-d.g. de la **SAQ**. L'ex-président de Publipage succède à Jocelyn Tremblay.

Louise Beaudoin, ministre de la Culture et des Communications, émet le souhait de revitaliser l'**industrie du livre** avec une injection de fonds de 25 millions au cours des trois prochaines années.

Le 23 — La filiale de Quebecor, **Donohue**, acquiert, au coût de 635 millions, deux usines de papier journal et trois centres de récupération au Texas.

Le 25 — À l'âge de 60 ans, **Mgr Neil E.Willard**, évêque auxiliaire de Montréal, meurt des suites d'un cancer. Au moment de sa mort, il était directeur des finances et de l'administration de l'archevêché et directeur des services pastoraux offerts aux 190 000 catholiques anglophones de Montréal.

Après cinq mois de promotion, le gouvernement du Québec renonce à la fusion des trois **sociétés de transport**

de la région de Montréal, la STCUM, la STL et la STRSM.

Le 26 — Dans la cause qui l'oppose à la chaîne de magasins entrepôts Réno-Dépôt, au sujet de la biographie de son fondateur, Paul-Hervé Desrosiers, l'écrivain **Pierre Turgeon** est sommé par la Cour supérieure de remettre tous les documents, enregistrements, notes et disquettes de ses trois années de recherches sur le sujet. Le 3 avril, une décision de la Cour d'appel fait en sorte qu'il peut conserver son manuscrit.

Premier jour des **inondations** en Montérégie et en Beauce en raison de pluies diluviennes qui font sortir de leur lit les rivières Chateauguay et Chaudière. Pendant les jours suivants, l'intervention de la sécurité civile a été rendue nécessaire afin d'évacuer les habitants touchés.

Le 27 — À Montréal, des **ressortissants chiliens**, qui disaient représenter les intérêts de 160 familles chiliennes, mettent fin à un jeûne entrepris 38 jours plus tôt. Ils étaient quatorze sur les vingt-cinq du début à avoir continué. Sans qu'ils aient obtenu de statut particulier, leurs demandes d'asile politique seront étudiées par le ministère canadien de l'Immigration. Le gouvernement du Québec sera appelé à accepter des candidats.

Le 29 — En prévision des élections de l'automne prochain, les militants du RCM choisissent **Thérèse Daviau** comme candidate à la mairie de Montréal. Le 9 novembre dernier, exception faite du maire sortant Pierre Bourque, le chef de l'Opposition officielle était la première à se déclarer candidate. Le **30** janvier dernier, elle emboîtait le pas au conseiller Michel Prescott et devenait la deuxième candidate au leadership du RCM. Le **15** mai, pour des raisons familiales, elle quittera la vie politique. Elle avait cumulé 25 années de carrière politique.

Le 30 — Devant l'impossibilité d'une entente au sujet de la **Fondation canadienne des bourses du millénaire**, les premiers ministres Jean Chrétien et Lucien Bouchard confient à deux fonctionnaires le soin de trouver, d'ici deux mois, une solution à leur désaccord. Le **27** mai, alors qu'aucune entente n'est en vue entre Ottawa et Québec, le gouvernement canadien adopte en vitesse le projet de loi C-36 qui met en œuvre la Fondation des bourses du millénaire.

Le fondateur du Centre justice et foi, le **père Julien Harvey**, s'éteint à l'âge de 74 ans. Né à Chicoutimi, il était membre de la communauté des jésuites depuis 1944 et avait été ordonné prêtre en 1956. Surtout connu du public comme journaliste pour la revue *Relations*, et vulgarisateur, le père Harvey a toujours défendu l'idée d'une «culture commune» au Québec, laquelle assumerait l'héritage amérindien, l'histoire et la tradition des francophones et anglophones, et l'apport des divers courants d'immigration.

Le 31 — Le ministre des Finances, Bernard Landry, dépose son **troisième budget**. Entre autres, le gouvernement maintient son objectif de «déficit zéro»; il ajoutera 25 millions par année pour les places à 5 $ en garderie; il crée Investissement Québec afin de susciter davantage les investissement dans la province; il investit 49 millions dans la culture et les industries culturelles, dont 25 millions pour l'application de la politique de la lecture.

Le poète **Patrick Lafontaine** se voit décerner le Prix Émile-Nelligan 1997 pour son premier recueil, *L'Ambition du vide*, publié aux Éditions du Noroît.

AVRIL 1998

Le 1er — Démission précoce et inattendue du vice-recteur au partenariat et aux affaires externes de l'**UQAM**, **Jean-François Léonard.**

Les **Expos de Montréal** amorcent leur 30e campagne de financement. Ils veulent amasser suffisamment d'argent en vue de la construction d'un nouveau stade dans le centre-ville de Montréal. Le 10 mars dernier, dans le cadre de ce projet, le président des Expos de Montréal, Claude Brochu, obtenait le soutien de la Chambre de Commerce du Montréal métropolitain. Le **27** mai, la brasserie **Labatt** confirme qu'elle versera, à compter de 2001, 40 millions à l'équipe de baseball afin que le nouveau stade porte son nom. Soixante autres millions lui seront également versés, sous différentes formes, pour qu'elle en demeure le commanditaire principal.

Le 2 — Dès septembre 1999, les **sages-femmes** auront le plein droit de pratiquer, selon la nouvelle loi adoptée par le gouvernement du Québec. Cette décision met fin à huit ans de guerre entre ces praticiennes et le corps médical. Le **19** décembre dernier, le Dr Alain Poirier, à la suite de l'évaluation de projets-pilotes par un conseil qu'il présidait alors, recommandait au gouvernement du Québec de légaliser leur pratique, cela autant à l'hôpital, à domicile ou en maison de naissances.

Le 3 — Le premier ministre Lucien Bouchard amorce le virage du Parti québécois et laisse entendre qu'il n'a pas l'intention de tenir un **référendum**.

Le 6 — Une entente verbale intervient entre Québec et la **Ville de Montréal** au sujet du financement d'équipements, de bâtiments et d'infrastructures de la Ville. Annuellement, Québec contribuera pour plus de 80 millions.

Le 7 — Décès d'une tumeur au cerveau du journaliste, chroniqueur, homme politique, **Nick Auf der Maur**, trois jours avant ses 56 ans. Fils d'immigrés suisses, il a été un des membres fondateurs du Mouvement Souveraineté-Association et membre du RIN en 1966. En octobre 1970, il est incarcéré, de même que 450 autres personnes, sous l'imposition de la Loi sur les mesures de guerre. En 1974, il ravit le siège de John Lynch-Staunton, vétéran du Parti civique et bras droit du maire Jean Drapeau. En 1976, il fonde l'Alliance démocratique, un parti politique provincial. La même

année, il publie un ouvrage vitriolique sur le coûts des Jeux olympiques à Montréal, lequel incitera le gouvernement de René Lévesque à mettre sur pied une commission d'enquête à ce sujet. En 1978, il fonde un nouveau parti municipal, le Groupe d'action municipale, dont il est le seul élu. En 1980, *The Gazette* l'embauche comme chroniqueur municipal. En 1984, il se présente sans succès comme candidat conservateur dans l'équipe de Brian Mulroney. Deux ans plus tard, il revient sur la scène municipale comme conseiller indépendant. En 1988, il quitte *The Gazette* pour le *Daily News*, puis revient à *The Gazette* comme pigiste après la fermeture du *Daily News*.

Le gouvernement du Québec consent au projet de construction de l'usine de magnésium, **Métallurgie Magnola**, à Asbestos. Bâtie au coût de 720 millions, elle deviendra la deuxième usine de magnésium en importance dans le monde, et permettra la création de 350 emplois. Afin de satisfaire aux exigences environnementales, entre autres fixées par le BAPE, Métallurgie Magnola devra investir 18 millions.

Pour l'année 1997, la **Caisse de dépôt** a réalisé l'une des meilleures performances de son histoire. Son rapport d'activités indique, entre autres, qu'elle a obtenu un rendement de 15,5 % sur son portefeuille d'actions canadiennes et québécoises, que les actions étrangères ont dégagé un rendement de 11,2 %, soit 10 % de plus que l'indice de référence, en matière d'obligations, que le rendement a été de 11,2 %, soit 17 % de plus que l'indice de 9,6 %.

Le 9 — La **Cour suprême** donne raison à Pascale Claude Aubry, une Montréalaise qui s'estimait lésée à la suite de la publication, en juin 1988, dans le magazine *Vice Versa*, de sa **photo** prise dans un lieu public sans sa permission. À titre de compensation pour dommages moraux, le photographe Gilbert Duclos et le magazine doivent lui verser 2000 $.

Le muséologue français **Guy Cogeval** est nommé directeur du Musée des beaux-arts de Montréal. Il prend le relais de Pierre Théberge, dorénavant aux commandes du Musée des beaux-arts d'Ottawa.

Le 10 — Un sondage Sondagem démontre que l'engouement des Québécois pour **Jean Charest** comme chef du PLQ a trait davantage à sa personnalité qu'à sa pensée politique.

Le 14 — Le conseiller municipal indépendant **André Lavallée** annonce qu'il ne sollicitera pas un quatrième mandat à l'Hôtel de Ville de Montréal.

Le 15 — Le **Rassemblement pour une alternative politique**, un parti de gauche en devenir, fait valoir, par le truchement d'un manifeste, qu'il entend créer un nouvel espace politique où la souveraineté populaire redeviendrait la pierre d'assise de la démocratie québécoise.

Le directeur général de l'**UPA**, Claude Lafleur, démissionne.

Au terme de son premier exercice financier à titre de société publique, la microbrasserie **Unibroue** connaît une progression de 6,8 % de son chiffre d'affaires, lequel a atteint 16,8 millions.

Le 20 — Le député bloquiste du Lac Saint-Jean et plus jeune député à la Chambre des communes, **Stéphan Tremblay**, quitte les Communes avec, à bout de bras, son fauteuil. Il veut ainsi faire valoir sa frustration face à l'incapacité des parlementaires à mettre un frein à l'écart entre les riches et les pauvres, sensibiliser la population et soulever un débat sur les contraintes et impacts de la mondialisation. Trois jours plus tard, le député de 24 ans se découvre une vingtaine d'alliés au sein de son parti.

Le magasin de meubles et d'électroménagers **Legaré Woodhouse** annonce qu'il mettra fin à ses activités de ventes début juin. Au Québec, 422 des 600 employés perdront leur emploi.

Le 22 — Première des journées consacrées au **Sommet sur la lecture et le livre,** présidé par le premier ministre Lucien Bouchard, à Québec. Le projet de politique de lecture et du livre, rendu public en mars par la ministre de la Culture et des Communications, Louise Beaudoin, est principalement au programme.

Le 24 — Malgré les avis juridiques présentés par le ministre de la Sécurité publique, Pierre Bélanger, le directeur du SPCUM, Claude Rochon, décide que les agents Michel Vadeboncœur et

André Lapointe, impliqués dans l'**affaire Richard Barnabé**, un chauffeur de taxi décédé en mai 1996 après avoir passé 28 mois dans le coma à la suite de son arrestation, seront maintenus au travail. Les deux policiers avaient respectivement été condamnés, en décembre dernier, à 120 et 140 jours de suspension.

Le 25 — L'agence de crédit **Standard & Poor's** fait passer de A+ négative à A+ positive la cote sur la dette du gouvernement du Québec et sur celle d'Hydro-Québec.

Le 28 — Le responsable du financement au sein du **parti Nouveau Montréal** de Jacques Duchesneau, Yves Rajotte, remet sa démission.

Le 30 — L'historien québécois **Stanley B. Ryerson** meurt à l'âge de 87 ans. Torontois d'origine, il s'est initié, entre autres, pendant ses études universitaires à la Sorbonne de Paris, au marxisme. Toute sa vie, il sera identifié à cette idéologie. À son retour au Canada, peu avant la Seconde Guerre mondiale, il croit que le communisme est la seule voie susceptible de résoudre les problèmes sociaux et la crise des valeurs engendrés par le capitalisme. Membre de plusieurs groupes culturels et sociaux de gauche, il est aussi une figure notoire du Parti communiste canadien. Auteur de plusieurs ouvrages d'histoire sur le Canada, il donne son appui aux souverainistes en 1980 et, en 1990, aux Amérindiens. De 1970 à 1992, il était

professeur invité du département d'histoire de l'UQAM.

M A I   1 9 9 8

Le 1ᵉʳ — Après un lancement de candidature officielle ardu, le **16** avril dernier, **Conrad Sauvé**, ex-président du Conseil d'administration de la Régie régionale de la santé et des services sociaux de Montréal-Centre, se retire de la course à la mairie de Montréal. Il considère qu'il ne fait pas le poids face aux Jacques Duchesneau et Jean Doré. Le **29**, il est recruté par Jacques Duchesneau.

Le 4 — Malgré l'opposition des citoyens de Val Saint-François, **Hydro-Québec** met un point final aux études sur son projet de ligne à 735 kilowatts des Cantons Saint-Césaire, et prévoit le début des travaux de construction dès la mi-août.

Le 6 — Le gouvernement du Québec se joint au mouvement en faveur de l'indemnisation des victimes de l'**hépatite C** infectées avant 1986. Il leur versera jusqu'à 75 millions.

Le 7 — En dépit d'une diminution de la croissance du nombre total de passagers en 1997, **Aéroports de Montréal** soutient que l'hémorragie est stoppée à Montréal puisque les transporteurs y reviennent graduellement.

Le premier ministre **Lucien Bouchard** entreprend une tournée promotionnelle de cinq jours aux États-Unis. Une soixantaine d'entrepreneurs, de représentants syndicaux, et de responsables d'organisations gouvernementales l'accompagnent.

Le 9 — Il y a cinquante ans, le peintre Paul-Émile Borduas écrivait **Refus global**, un manifeste automatiste que signaient également quinze jeunes artistes, dont sept femmes. L'auteur s'attaquait au pouvoir écrasant du clergé et à celui des hommes politiques. L'ouvrage de 25 pages avait été tiré à 400 exemplaires.

Pour la dernière fois, la toile de kevlar du **Stade olympique** est rétractée. Il s'agit de la première étape de l'installation du nouveau toit en fibre de verre, qui devrait être en place en octobre 1998.

Le 14 — Le **Vérificateur général**, Guy Breton, rapporte que le **Curateur public** présente des déficiences majeures dans tous ses secteurs, et cela depuis longtemps. Il protégerait mal le public, enfreindrait le Code civil, et agirait sans consulter.

Le 15 — L'un des plus grands historiens du Québec, **Jean Hamelin**, s'éteint à l'âge de 66 ans. Professeur émérite retraité de l'Université Laval, il a formé, au cours de plus de trente ans de carrière, nombre d'historiens aujourd'hui dispersés dans les universités québécoises et canadiennes. Il a également publié plusieurs ouvrages sur l'histoire économique, sociale, politique et religieuse du Québec et du Canada.

David Levine défend sa nomination à la tête du nouvel hôpital d'Ottawa. Ses convictions politiques – Levine a été membre du PQ de 1975 à 1981 – ont soulevé le scepticisme et déclenché un tollé du côté des anglophones. Le *Ottawa Citizen* et le *Ottawa Sun* ont aussi réclamé sa démission. Le conseil d'administration de l'hôpital n'est pas revenu sur sa décision.

Le 19 — Les **Premières Nations** rejettent les orientations politiques du ministre responsable des Affaires autochtones Guy Chevrette, rendues publiques le **2** avril dernier.

Le 25 — Devant le Centre Sheraton à Montréal, 300 jeunes, issus d'un peu partout au Canada, sont au rendez-vous pour dénoncer l'Accord multilatéral sur l'investissement (AMI) qui, selon eux, risquerait d'appauvrir les peuples. L'**Opération SalAMI** a ainsi perturbé l'ouverture de la 4e rencontre annuelle sur la mondialisation des économies à laquelle participaient des universitaires, politiciens et gens d'affaires. Une centaine de manifestants ont été arrêtés.

JUIN 1998

Le 2 — Le premier ministre Lucien Bouchard se dit prêt à rencontrer personnellement la direction générale du géant automobile **General Motors** afin d'assurer la survie de l'usine d'assemblage de Boisbriand.

Inauguration de l'exposition *Rodin* au **Musée du Québec**. Jusqu'au 6 septembre, le public peut apprécier 137 œuvres du sculteur, dont 119 sont prêtées par le Musée Rodin de Paris. Il s'agit de la plus importante exposition consacrée à Auguste Rodin à avoir été présentée au Canada.

Le 3 — La future **Grande Bibliothèque du Québec** sera aménagée sur le site du Palais du Commerce à Montréal, confirme la ministre de la Culture et des Communications Louise Beaudoin. La Caisse de dépôt et la Société immobilière du Québec ont conclu un accord pour l'acquisition de l'immeuble au coût de 6,9 millions. L'ouverture de la bibliothèque est prévue début 2001. Le **8**, la ministre souligne que la **Bibliothèque nationale du Québec**, située rue Saint-Denis à Montréal, ne sera pas annexée à la GBQ.

Le 4 — Le réseau de la **Santé et des Services sociaux** recevra 385 millions du gouvernement du Québec, à la suite d'un programme d'investissement qui s'échelonnera sur trois ans.

Le 7 — Trentième édition du **Grand Prix du Canada** sur le circuit de l'île Notre-Dame. Jacques Villeneuve termine au 10e rang.

Le conseiller municipal **Michel Prescott** est confirmé chef du RCM, après le départ de la vie politique de Thérèse Daviau, le **15** mai dernier.

Le 9 — Une violente explosion, due au bris d'une conduite de gaz causé par des travaux, souffle l'**Accueil Bonneau,** le plus ancien organisme de bienfaisance à Montréal. Une sœur grise, une bénévole et une employée à temps partiel perdent la vie, tandis qu'une trentaine de personnes sont blessées.

Le 10 — La commission parlementaire sur la **Déclaration de Calgary** se termine sur un verdict quasi unanime des experts : recul pour le Québec. Lucien Bouchard ne croit pas aux chances de survie de l'énoncé de principe de ses homologues hors Québec. Il conclut que désormais la souveraineté reste la seule voie ouverte pour le Québec.

Le 14 — Après plus de dix ans au pouvoir, les commissaires catholiques de Michel Pallascio sont balayés au profit du **MÉMO** lors des élections scolaires à Montréal. La nouvelle équipe remporte quinze des vingt et un postes de commissaires de la future Commission scolaire de Montréal.

Le 15 — À la suite du débrayage de 5000 de ses travailleurs, **Abitibi-Consolidated** commence à fermer ses onze usines de pâtes et papiers situées en Ontario, au Québec et à Terre-Neuve.

Le gouvernement du Québec lance, au coût de 360 millions, la **Cité du multimédia** dans le Vieux-Montréal. Trois cents emplois devraient être créés au cours de l'année à venir.

Téléglobe achète Excel Communications de Dallas et **Nortel**, Bay Networks, une entreprise californienne. Il s'agit de deux transactions multimilliardaires.

Le 16 — Le premier ministre **Lucien Bouchard** accepte une partie de la responsabilité du fiasco politique de la conférence de presse du 9 mars dernier sur le lancement du projet **Churchill**, en compagnie du premier ministre terre-neuvien Brian Tobin. Cela, même s'il affirme qu'il n'était pas au courant des coûts somptuaires de l'événement. La facture globale de l'opération est passée de 800 000 $ à 1,4 million.

Pour la première fois de son histoire, le gouvernement du Québec tire des revenus qui dépassent le milliard de dollars de **Loto-Québec**. Une hausse de 11 %, démontre son rapport annuel.

La papetière québécoise **Domtar** acquiert E.B. Eddy, une filiale de George Weston. La transaction de 803 millions la place au premier rang des producteurs canadiens de papiers de spécialité et de papiers fins, et au septième rang en Amérique.

Après vingt-sept années en poste, **Bernard Derome** quitte le téléjournal de Radio-Canada.

Inauguration officielle de l'exposition *Alberto Giacometti* au MBAM. Près de 170 de ses œuvres y sont montrées.

La **loi sur le tabac** est adoptée à l'unanimité à l'Assemblée nationale. L'usage du tabac sera désormais restreint dans les milieux de travail et les restaurants. De plus, à compter du **23** juin, toutes les taxes sur les produits du tabac devront être payées au gouvernement du Québec.

Le 18 — Une **tragédie aérienne à Mirabel** entraîne dans la mort neuf ingénieurs de la compagnie General Electric et deux membres de l'équipage.

Le 19 — La **réforme de l'aide sociale** de la ministre de l'Emploi et de la Solidarité, Louise Harel, est adoptée par l'Assemblée nationale. La réforme touche 800 000 personnes, dont près du tiers sont des enfants, pour qui, quotidiennement, la pauvreté représente un défi à l'exercice de leurs droits et libertés.

Me Jacques Girard est nommé par l'Assemblée nationale à titre de **Directeur général des élections du Québec**. Il succède à Pierre-F. Côté qui prenait sa retraite l'an dernier. Me Girard est entré en fonction le **13** juillet.

Air Canada met en vente sa filiale québécoise **Air Alliance**. Cette décision s'inscrit dans un contexte où est engagé un processus de négociations collectives avec les syndicats des pilotes et agents de bord.

Le 22 — Au terme de six mois de négociations entre le Secrétariat à la politique linguistique du Québec et la Chambre de commerce chinoise, les commerçants du **Quartier chinois** acceptent de collaborer à la mise en application de la **Charte de la langue française**.

Le 24 — Présent au défilé de la Saint-Jean, **William Johnson**, président depuis le **30** mai de l'organisme de défense des droits des Anglo-Québécois, Alliance Québec, est entarté par des farceurs puis insulté et intimidé par des souverainistes en colère.

Le 25 — Après quelques faux départs, **Radio Classique** entre en ondes sur la fréquence MF du 99,5. Elle est la première station consacrée exclusivement à la diffusion de la musique classique. Jean-Pierre Coallier, animateur de radio et de télévision, caressait ce projet depuis 25 ans.

Le 28 — Après nombre de batailles juridiques, qui ont débuté en 1993, les **syndiqués de Métro-Richelieu** entérinent l'entente de principe conclue la veille pour réintégrer au travail l'ensemble des camionneurs – 90 chauffeurs à temps plein et 37 à temps partiel. Le **16** juin, Métro-Richelieu était condamnée par la Cour supérieure pour outrage au tribunal parce qu'elle n'avait pas pleinement respecté l'ordonnance qui l'obligeait à réintégrer ses camionneurs et avait laissé ses marchands faire appel à des transporteurs sous-traitants.

À Actonvale, en Montérégie, le directeur du service d'incendie et un pompier volontaire perdent la vie alors qu'ils combattent un incendie à l'usine de tapis **Peerless**. ○

La tragédie des Éboulements

JUDITH LACHAPELLE

L'accident d'autocar qui a coûté la vie à 43 personnes le 13 octobre 1997 a frappé le Québec de stupeur et endeuillé un village entier. L'émotion abaissée d'un cran, il a fallu se poser des questions sur la sécurité des véhicules et sur la compétence de ceux qui les possèdent ou les conduisent.

C'était une belle journée d'automne ensoleillée que ce lundi 13 octobre 1997. Ce jour-là, 47 membres du Club de l'âge d'or de Saint-Bernard, en Beauce, se rendaient en autocar à l'île aux Coudres fêter «Noël en automne». Mais la randonnée a pris une tournure tragique: juste avant d'entrer dans le village de Saint-Joseph-de-la-Rive où le traversier l'attendait, l'autocar a plongé dans un ravin au pied de «la grande côte» des Éboulements...

Quarante-trois victimes – dont le chauffeur de l'autocar – ont été retirées de ce qui restait du véhicule, une dernière est morte quelques jours plus tard. Ce fut le pire accident routier de l'histoire canadienne. La disparition soudaine d'une quarantaine de ses habitants a fortement ébranlé les 2000 villageois de Saint-Bernard. Beaucoup y ont perdu au moins un membre de leur famille comme Raymond Breton qui, à lui seul, a perdu douze parents: une sœur, un beau-frère, huit cousins et petits-cousins, un oncle et une tante.

De nombreuses questions

Dans les jours qui ont suivi la tragédie, de nombreuses interrogations sont soulevées quant à la sécurité de l'autocar. Pendant que le premier ministre Lucien Bouchard annonce la tenue d'une enquête publique le plus vite possible, on réclame des travaux de réaménagement de la désormais tristement célèbre côte des Éboulements.

L'accident du 13 octobre n'était malheureusement pas la première tragédie routière à s'y produire: en 1974, un autobus d'écoliers transportant des membres du Club de l'âge d'or de La Tuque s'était écrasé dans le ravin de la «grande côte», faisant 13 morts et une trentaine de blessés. Dans son rapport, le coroner J.-Armand Drouin critiquait à l'époque les normes de construction pas assez sévères qui avaient conduit à la naissance d'une route aussi raide et sinueuse. Il recommandait également la pose de freins auxilliaires et de ralentisseurs de transmission sur les autocars, ainsi que l'amélioration de la signalisation dont l'ajout de panneaux «compression» à celui de «pente raide», des recommandations qui ont été plus ou moins suivies au fil des ans.

La question de la ceinture de sécurité

Le coroner ajoutait que le port de la ceinture de sécurité devait être rendu obligatoire dans tous les véhicules de transport en commun, une recommandation qui n'a jamais été mise en application parce que les études ne sont pas concluantes quant à l'aspect sécuritaire de la mesure.

Le point sera néanmoins soulevé 23 ans plus tard lors des audiences du coroner Luc Malouin qui débutent quelques mois après l'accident du 13 octobre 97. Un spécialiste de la Société de l'assurance automobile du Québec (SAAQ), Claude Dusseault, explique notamment que même si la ceinture de sécurité avait pu sauver entre zéro et dix vies lors de la tragédie, l'équipement ne devrait pas être rendu obligatoire sur les véhicules de type *coach*. L'âge des victimes et la force de l'impact, qui n'est pas connue, sont autant de facteurs qui entrent en ligne de compte dans la mort des passagers.

Mauvais entretien

Mais les audiences mettront surtout en lumière le mauvais entretien du véhicule et la pauvreté de la réglementation en ce domaine. Le témoignage émouvant du propriétaire de la compagnie, André

Mercier, révélera que le chauffeur André Desruisseaux, âgé de 29 ans avec quatre années d'expérience comme chauffeur, en connaissait plus que lui sur l'entretien du véhicule et qu'il se fiait à lui pour faire le travail. Aucun programme d'entretien préventif n'était en vigueur. Pourtant, l'inspection de la carcasse de l'autocar a clairement démontré que ce sont les freins qui ont lâché. Mais dans le carnet de bord du chauffeur – d'ailleurs, celui-ci, comme beaucoup de ses collègues, négligeait de le remplir correctement – nulle mention d'ennuis mécaniques avec les freins. Une inspection de la SAAQ quelques jours avant l'accident n'avait pas non plus relevé le problème.

De tous côtés, on se renvoie la balle. L'application des réglements touchant les entreprises de transport devrait être plus rigoureuse puisqu'à peine 35 % des propriétaires d'autobus s'y conforment. Mais le nombre de contrôleurs routiers est nettement insuffisant pour astreindre les compagnies et il est réputé que les autocars qui circulent sur les routes québécoises ne sont pas interceptés par les vérificateurs de la SAAQ. Pourtant, selon une étude d'un professeur de l'École polytechnique de Montréal, une simple ronde de sécurité effectuée correctement par le conducteur aurait permis d'éviter la majorité des accidents de véhicules lourds causés par une défaillance mécanique.

Relèvement des exigences

Un espoir en vue pour un resserrement des mesures de contrôle? La Commission des transports du Québec annonce en juin que, dorénavant, le niveau de connaissances en matière de réglementation des postulants pour toute demande d'émission de permis sera vérifié. Cette nouvelle va dans le sens des souhaits du coroner Malouin qui voudrait que les sanctions contre les propriétaires fautifs ne soient plus seulement économiques, mais aussi pratiques.

Les audiences se terminent alors que le gouvernement s'affaire à décider d'un nouveau tracé pour la côte des Éboulements, un projet de 10 millions. Et le ministère des Transports veut le faire vite, très vite. Quitte à sauter le processus d'examen du Bureau d'audiences publiques sur l'environnement (BAPE) pour être certain que les travaux commenceront à l'été 1998 et se termineront un an plus tard.

Les groupes environnementaux veillent au grain et veulent forcer le gouvernement à respecter sa loi environnementale. Si tous conviennent que la côte doit être réaménagée, ils ne sont pas d'accord avec le tracé adopté par décret qui, disent-ils, va sacrifier le village de Saint-Joseph-de-la-Rive aux autobus de touristes. Le tracé enjambe la rivière avec un nouveau pont et coupe en deux une zone agricole abritant des vergers, des maisons patrimoniales et un écosystème unique en raison d'un climat exceptionnel. Les écologistes proposent de détourner le trafic lourd vers une autre côte, la Côte de la Misère, qui permettrait d'éviter les coûteuses rénovations de la côte des Éboulements. ◯

Le Grand verglas

LOUIS-GILLES FRANCŒUR

En deux ans, le Québec a connu quatre événements climatiques exceptionnels. Après le «déluge» de 1996, trois verglas majeurs, dont le dernier sans précédent, allaient frapper le Québec en moins d'un an. D'abord en janvier 1997, quelque 50 mm s'abattent sur la région de Lanaudière. Puis en novembre, le réseau hydroélectrique du complexe Churchill Falls, écope de 55 mm de glace. Et, un an jour pour jour après Lanaudière, Montréal et la Montérégie s'écroulent littéralement sous des accumulations allant de 50 à 100 mm en une semaine.

La vallée du Saint-Laurent avait déjà la réputation auprès des météorologues d'être la « vallée du verglas » parce que le phénomène frappe ici plus souvent qu'ailleurs dans le monde. Les Québécois, eux, avaient jusque-là relativement bien apprivoisé le phénomène, qui transforme les arbres en joyaux de lumière et les routes en patinoire !

Le corridor fluvial, en effet, offre une sortie toute naturelle vers l'océan Atlantique aux masses d'air chaud en provenance des Grands Lacs et des États-Unis. Mais l'estuaire fluvial offre une route tout aussi facile aux vents froids qui montent de l'Atlantique nord, en hiver, vers nos régions. Or, il arrive que les masses froides viennent se stationner sous les masses d'air chaud du Sud. Si des masses d'eau importantes sont présentes dans les couches supérieures

et se condensent, elles ne gèlent pas en tombant mais s'agglutinent aux objets froids au sol, créant cette épaisse couche de glace dont le poids peut être fatal aux arbres, aux pylônes et aux toits de maison. Si la masse d'air froid est plus importante, l'eau a le temps de geler en tombant, créant de véritables billes de glace qui forment le grésil.

Le radar ne suffisait pas

Les premiers météorologues de Dorval, qui ont vu se dessiner la rencontre de deux masses d'air aux températures fort différentes, dans la nuit du 4 au 5 janvier 1998, ne pouvaient déceler sur leurs radars la durée du verglas en vue. Ils savaient cependant que le phénomène El Niño, qui perturbe cycliquement la température de la côte Pacifique de l'Amérique, plus souvent que dans le passé, nous apportait cette énorme masse d'air chaud, chargée d'eau.

Il aurait fallu une boule de cristal et non un radar pour entrevoir que la métropole la mieux équipée contre l'hiver en Amérique et que le réseau de haute tension probablement le plus résistant du continent allaient s'effondrer et jeter dans le froid et la noirceur presque la moitié de la population du Québec. Avec son cortège d'écoles transformées en centres d'hébergement, ses hôpitaux sur génératrices et ses distributions de denrées essentielles, une partie du Québec a vécu une expérience assez semblable à la paralysie vécue dans le passé par des villes européennes... en temps de guerre.

En réalité, les trois vagues successives de verglas qu'allaient connaître Montréal et la Montérégie entre le 5 et le 10 janvier allaient faire prendre conscience pour la première fois aux Québécois de l'ampleur de leur dépendance envers l'énergie « propre ».

Au Québec, pas moins de 70 % des foyers sont chauffés à l'électricité, un phénomène unique en Amérique qu'expliquent les surplus des grands complexes hydro-québécois. Si dans les milieux périurbains, on perpétue la tradition du chauffage au bois, en ville, les équipements vraiment capables d'assumer le chauffage d'une maison sont rares.

D'abord les réseaux urbains

Les premières couches de verglas, si l'on peut dire, ont commencé par frapper les réseaux de distribution urbains. L'essentiel du problème s'est d'abord concentré dans les quartiers ouest de l'Île de Montréal ainsi

que sur la Rive-Sud, juste en face de Montréal. Les arbres fauchaient les fils. Les isolateurs étaient court-circuités vers le sol.

Très tôt, en quatre jours, une trentaine de centres d'hébergement ont dû prendre le relais des personnes qui n'arrivaient plus à vivre chez elles. Mais l'essentiel du réseau tenait bon et la société d'État arrivait à contrôler tant bien que mal le nombre de pannes. L'effondrement des réseaux de distribution allait immédiatement provoquer la mobilisation des autorités publiques au fur et à mesure que les quartiers prenaient une allure sinistrée.

La crise prend forme

Dès le mercredi 7 janvier, après trois jours, des milliers de gens s'étaient réfugiés chez des parents et amis. La Communauté urbaine de Montréal mettait alors sur pied un comité de crise et battait le rappel de tous ses policiers et pompiers.

Les horaires sont suspendus. Tous les effectifs sont rappelés, prélude à la demande d'aide que formulera le lendemain au gouvernement fédéral le premier ministre Lucien Bouchard pour obtenir l'intervention de l'armée. Du côté d'Hydro-Québec, non seulement on utilise déjà les équipes d'autres régions, mais de plus on passe la commande aux services publics américains pour obtenir 800 monteurs supplémentaires.

Montréal et la Rive-Sud sont presque au point mort, jonchées d'arbres, de poteaux et de fils. Dans la métropole, la neige du 31 décembre, qui n'avait pas été enlevée, est maintenant couverte d'une couche de glace aussi dure que du ciment. Les appareils conventionnels ne pourront pas l'arracher d'ailleurs. Certes on peut circuler sur

1500 des 2010 km d'artères de la métropole mais les autobus y arrivent de moins en moins en dehors de l'île. À Montréal, seulement 20 % des trottoirs sont praticables.

Après trois jours et deux couches de verglas, les aéroports ne fonctionnent à peu près plus. Et le système ferroviaire tombe au point mort, créant un gigantesque embouteillage dans les provinces et États voisins.

Écroulement du réseau principal

C'est dans ce contexte de plus en plus dramatique que le réseau de transport de l'électricité à haute tension commence à s'écrouler.

Les lignes les plus récentes avaient été conçues pour résister à une accumulation de 45 mm, soit près de quatre fois la norme nord-américaine (12 mm). C'est le cas notamment des lignes qui forment une sorte de ceinture à 735 kV autour de la métropole et sur laquelle transitent les mégawatts de la Baie James et de Manic-Churchill.

Le vendredi 9 janvier, dont on se souvient comme du « vendredi noir », commence de façon hallucinante : la métropole et la Rive-Sud sont enveloppés d'éclairs. Dans les couches chaudes de la haute atmosphère, c'est l'orage... estival ! Mais au sol, il fait 25 degrés de moins et cette nouvelle pluie verglaçante donne le coup de grâce au réseau d'Hydro.

Montréal, cet après-midi là, ne tiendra qu'à un fil, confirme un rapport d'Hydro-Québec du 21 janvier. Mais sur le coup, la société d'État refusera de confirmer cette information rapportée par Le Devoir et que

reprendra la premier ministre Bouchard deux semaines plus tard pour justifier les travaux d'urgence. Ce jour-là, toute la métropole ne tenait plus qu'à la seule ligne à haute tension qui partait de Laval pour aller vers le poste Hampstead, via le poste Saraguay.

L'eau allait-elle manquer ?

À Montréal, Hydro procède à des délestages sélectifs, les mots d'ordre d'économies d'énergie ayant un effet marginal. La ville entre alors dans une phase de fragilité sans précédent. À 14 heures, l'usine de filtration d'eau potable Des Baillets cesse d'alimenter la ville et les 13 municipalités qui achètent son eau. Au moment où les services d'Hydro-Québec rétabliront le courant, la métropole comptait sur une réserve d'eau de deux heures. Les pompiers se préparaient à démolir les maisons en feu, faute d'eau !

Les pannes paralysent aussi les raffineries et les stations-service. Les pétrolières autoriseront les services d'urgences à s'approvisionner directement à leurs postes de distribution. Il devient très difficile d'approvisionner la Rive-Sud car la glace accumulée sur les ponts oblige les autorités à en fermer temporairement plusieurs.

Le « triangle noir »

Sur la Rive-Sud toujours, l'effondrement de pylônes en cascades entre le poste Boucherville et Saint-Césaire va plonger dans le froid et le noir les 89 municipalités comprises entre Saint-Hyacinthe, Saint-Jean et Granby. Les sinistrés du « triangle noir » vont se retrouver sans électricité et, pour des dizaines de milliers, sans résidences habitables pendant quatre semaines. Quatre semaines de déracinement en centres d'hébergement, mis sur pied souvent à la sauvette, ou à courir du bois, des bougies et de la nourriture dans un contexte de pénurie croissante.

À 1h14, du matin, dans la nuit du vendredi noir au samedi suivant, 1,4 million d'abonnés d'Hydro-Québec seront sans courant : près d'une personne sur deux au Québec. Et si un redoux se dessine avec la fin de l'alerte météo, une vague de froid s'annonce pour le début de la semaine suivante !

Certaines portions du centre-ville de Montréal – qui abritent le cœur du système bancaire de toute la province ! – seront épargnées en tout temps. Mais les industries et les commerces vont, comme les écoles, fermer pendant plusieurs jours. Pour les plus jeunes, le symbole de cette métropole paralysée, les « épaules au plancher », s'exprimera autrement : la partie de hockey du samedi sera annulée, tout comme le spectacle des Rolling Stones au Stade olympique où la toile a été déchirée par de véritables obus de glace tombés du mât.

Les héros méconnus et les autres

Cette tragédie urbaine sans précédent a ses héros méconnus, qui renouvellent la tradition de la corvée en offrant leurs services aux voisins, aux centres d'hébergement, voire en offrant denrées et services sur les ondes de la radio, le média populaire de la crise. Des milliers de personnes vont modestement libérer les rues des branches verglacées, la pierre angulaire de la reprise de la vie urbaine.

Les monteurs de ligne d'Hydro-Québec volent cependant la vedette, adulés par la population et les médias qui en font de véritables héros qu'on applaudit et à qui on court offrir le café, nuit et jour. Mais il y a ces milliers d'hydro-québécois de l'ombre, qui ont maintenu en vie par leur savoir et leur détermination les lignes épargnées ou qui ont mobilisé l'Amérique pour recabler 128 lignes de transport d'une longueur totale de 3000 km : l'équivalent du réseau national de plusieurs pays ! Ils ont déniché en deux semaines et organisé le transport et la logistique d'installation de 24 000 poteaux pour remplacer notamment les 900 pylônes couchés au sol. Ils diront mission accomplie, le 27 janvier.

L'armée canadienne, ébranlée depuis quelques années par différents scandales, redorera son image en Ontario, où 500 000 abonnés sont aussi touchés, et au Québec qui en conservait le souvenir d'Octobre 1970. En tout, l'armée déploiera 10 124 hommes au Québec et plus de 5000 en Ontario, sans compter les milliers de véhicules et génératrices de ses services.

La mobilisation des agriculteurs

On ne peut oublier dans ce bilan l'énorme mobilisation du milieu agricole, dont les grands élevages ont été sévèrement touchés par la panne du triangle noir, un milieu rural de haute productivité. Au plus fort de la crise, près du tiers des agriculteurs auront été touchés. Mais le reste va se mobiliser d'une façon sans précédent par des prêts de machinerie, des dons de pièces et d'équipement pour maintenir en vie les génératrices et les tracteurs.

En même temps, les forestiers des autres régions du Québec – et on compte parmi eux de nombreux propriétaires de boisés agricoles – vont se mobiliser pour alimenter en bois de chauffage les régions sinistrées où des milliers de personnes ont décidé de rester chez elles. Des dizaines de milliers de cordes de bois vont être trouvées, offertes ou vendues – parfois à des prix de marché noir ! – puis transportées vers les municipalités frigorifiées. Là comme ailleurs, cette crise aux allures sans précédent semble réinventer la tradition de la corvée et de la solidarité.

Bémols et notes discordantes

Avec un bémol cependant, bien contemporain. En effet, lorsque la métropole ne tiendra plus qu'à quelques lignes électriques et qu'il deviendra impérieux de réduire la consommation pour maintenir le reste en vie, l'effort fourni par les Québécois bien au chaud sera marginal... Tout au plus, une cinquantaine de mégawatts... Ce qui obligera Hydro à procéder à des délestages sélectifs. Si l'héroïsme de plusieurs étonne, l'égoïsme silencieux de la masse bien au chaud déconcerte...

À ce bémol s'ajouteront cependant – et très vite – de véritables notes discordantes.

Les citoyens vont rapidement pointer le doigt sur les villes qui ont omis de se doter de plans d'urgence, ce qui était le cas de la majorité des municipalités du triangle noir. Et ces municipalités, de même que la plupart des autres services publics, vont tour à tour stigmatiser l'inefficacité de la Sécurité civile.

Le gouvernement Bouchard, qui a tenu quotidiennement conférence de presse avec Hydro-Québec, a maintenu une image de cohésion et remporte la cote de confiance. Bousculés par la rapidité du direct, en place pour la première fois, les médias prennent peu le temps de fouiller les informations savamment dosées par les cellules de crise du gouvernement et d'Hydro-Québec.

L'homogénéité qui en résulte va cependant commencer à se lézarder quand le public apprendra que le gouvernement a profité de la crise pour faire adopter le controversé Plan stratégique de la société d'État avant qu'il ne soit discuté en commission parlementaire. D'autres décrets vont autoriser la construction de plusieurs lignes, dont celle rejetée par la population d'Anjou, ainsi que la reconstruction des équipements effondrés.

Les lignes contestées

Si les travaux de réalimentation des populations touchées font l'objet d'un vaste consensus, Québec va faire un cadeau empoisonné à sa société d'État en l'autorisant à construire trois nouvelles lignes pour augmenter la sécurité d'approvisionnement des régions touchées. Il autorise ainsi la construction d'un nouveau lien à haute tension avec l'Ontario dans l'Outaouais, une nouvelle boucle à 315 kV dans la métropole, et une nouvelle ligne à 715 kV entre le poste Des Cantons, près de Sherbrooke, et le poste Hertel aux portes de l'Île.

Cette dernière ligne doit permettre d'alimenter par une autre source le fameux triangle noir, jusque-là confiné aux électrons du seul poste de Saint-Césaire. Mais comme elle sera construite en parallèle de la frontière américaine, plusieurs estiment – et les indices se multiplient – qu'elle pourrait devenir l'autoroute énergétique vers le marché américain. Il suffirait dès lors de construire quelques « échangeurs », au gré de la demande. Hydro-Québec jure que ce n'est pas son but mais ne peut nier que sa ligne puisse un jour alimenter nos voisins du Sud.

Le passage de cette ligne sans véritable consultation publique va par ailleurs susciter une vive opposition dans certaines municipalités, comme Val Saint-François, ce qui va gruger sensiblement le capital de sympathie accumulé par Hydro-Québec durant la crise du verglas.

Les travaux de la commission parlementaire, où les députés vont mettre en doute la pertinence des exportations, ainsi que les premières audiences de la Régie de l'énergie sur les modalités d'établissement des tarifs d'électricité, sans parler du montant de 1,4 million dépensé pour la conférence de presse du projet Churchill, vont achever de remettre Hydro-Québec sur la sellette. Au cœur même des grands enjeux du Québec. ○

Vie
politique
et sociale

La descente aux enfers

MICHEL VENNE

L'année qui s'achève aura été celle de la descente aux enfers pour le gouvernement de Lucien Bouchard, sauf pour une brève éclaircie, au début de 1998, coïncidant avec l'élan de solidarité suscité par la tempête de verglas. À la faveur de la poursuite de sa politique du déficit zéro, de la réforme de l'assistance sociale et des compressions en santé et en éducation, le gouvernement a vu ses alliés d'hier lui tourner le dos d'abord, puis la population, lorsqu'un nouveau chef, M. Jean Charest, prit la tête du Parti libéral du Québec.

Nous sommes en septembre 1997 et le gouvernement de Lucien Bouchard sent bien le vent tourner contre lui. Les réformes sociales engagées par l'État sous la gouverne du Parti québécois depuis trois ans sont perçues négativement par la population dont le soutien au gouvernement décroît. L'insatisfaction du public grandit, surtout à l'égard des compressions budgétaires dans les services de santé. Les sondages révèlent alors que les électeurs sont presque aussi nombreux à préférer un retour au pouvoir des libéraux que la réélection du Parti québécois. Mais l'appui majoritaire des francophones sauve la mise pour le PQ qui aurait été réélu si des élections avaient été déclenchées.

Le premier ministre est conscient de la désaffection de l'électorat. À l'occasion d'un colloque sur la social-démocratie dans un contexte de mondialisation, organisé par son parti, M. Lucien Bouchard annonce alors qu'il se donne au moins un an pour rassurer la population sur les finalités des réformes en cours. Dans un discours, il reconnaît que la social-démocratie est un choix qu'il faut refaire sans cesse. Et comme pour joindre la parole aux actes, il rappelle l'entrée en vigueur, durant les 12 mois à venir, d'une douzaine de décisions gouvernementales dignes d'un gouvernement de gauche. Les services de garde ne coûtent plus que 5 $ par jour pour les enfants de quatre ans depuis le 1er septembre ; on créera un Fonds de l'économie sociale ; la Loi sur l'équité salariale entrera en vigueur ; l'impôt sur le revenu sera réduit de 15 % pour 75 % des ménages québécois au premier janvier ; le taux du salaire minimum sera haussé ; et le reste à l'avenant. Puis il annonce, ce même samedi, l'annulation des compressions budgétaires prévues pour l'année suivante dans le secteur de la santé et des services sociaux, ce qui permettra d'augmenter de 3 % le budget dévolu à ce secteur pour l'année 1998-99.

Mais cette annonce a peu de retentissement dans la population. Rendue publique un samedi midi ensoleillé, à la veille du départ de M. Bouchard pour une mission économique en France, l'information est reprise par les médias mais elle ne fait pas le poids à côté des récriminations des groupes communautaires qui, invités à participer à ce colloque organisé par le Parti québécois, sautent sur l'occasion pour dénoncer ce qu'ils voient comme les politiques néolibérales du gouvernement. La réforme annoncée de l'aide sociale est montrée du doigt. On appauvrit les plus pauvres, se plaignent les leaders d'une coalition de groupes sociaux.

La déception de la gauche

La grogne ne cessera de s'amplifier. Au cours de l'automne, un regroupement de militants de gauche rompt avec le Parti québébois. Quelque 600 personnes se réunissent dans l'auditorium d'un collège à Montréal pour dénoncer le gouvernement et mettre les bases d'un mouvement politique, destiné à devenir un parti, le Rassemblement pour une alternative politique, qui verra le jour lors de son congrès de fondation en mai 1998. À la même époque, durant un mois, du 15 novembre au 15 décembre, les représentants d'une vingtaine d'organisations chrétiennes, communautaires et d'éducation populaire ont mis sur pied ce qu'ils ont appelé le Parlement de la rue. Deux roulottes stationnées dans un parc non loin de l'Assemblée nationale. En 30 jours, 35 députés leur ont rendu visite, dont le chef de l'opposition Daniel Johnson et le ministre des Finances Bernard Landry. L'objectif était de permettre à des gens qui vivent la misère de se retrouver, de discuter, de sensibiliser les élus à l'oppression, disaient-ils, dont ils sont l'objet et à la nécessité de lutter contre la pauvreté. Plus précisément, les campeurs de la résistance voulaient obtenir du gouvernement qu'il renonce à sa réforme de l'aide sociale. La réforme n'a pas été retirée mais elle a été reportée au printemps.

La bagarre des pauvres contre l'État s'est donc étirée jusqu'en juin 1998 lors de l'adoption, avec de nombreux amendements, de cette réforme décriée surtout parce qu'elle survenait après un certain nombre de réductions des prestations d'aide sociale de certaines catégories de bénéficiaires. Décriée aussi parce qu'elle fait obligation aux jeunes de 18 à 24 ans (la même obligation serait éventuellement étendue à tous les groupes d'âge) de s'inscrire à des activités de formation et de réinsertion au marché du travail pour avoir droit à la pleine prestation d'aide sociale. Finalement, le gouvernement a adopté un moratoire valide jusqu'en septembre 1999 sur le caractère obligatoire de ces parcours vers l'emploi.

Cet épisode a été dur pour le Parti québécois dont beaucoup de membres sont également des militants de groupes communautaires et de syndicats. Le PQ était lâché par ses alliés. Même la ministre de l'Emploi et de la Solidarité, Mme Louise Harel, ne trouvait plus grâce à leurs yeux. De sorte que, en juin 1998, le nouveau chef du Parti libéral, Jean Charest, n'a qu'à se pencher pour cueillir les fruits mûrs de l'insatisfaction. Le PLQ rend public un document d'orientations sur la lutte à la pauvreté rédigé par un comité que préside l'ancien chef libéral Claude Ryan. Le parti se présente comme le champion des pauvres. Et il y a des militants anti-pauvreté pour le croire.

Commerce international et protection de la vie privée

Heureusement pour le gouvernement, l'automne fut jalonné d'événements qui attiraient ailleurs l'attention du public. Le premier ministre Bouchard a eu l'occasion de participer à deux missions commerciales à l'étranger, l'une en France, l'autre en Chine. Le taux de satisfaction du gouvernement a augmenté légèrement durant cette période. Les sondeurs y voyaient l'effet de ces missions sur l'opinion publique : M. Bouchard s'occupait d'économie ; les gens étaient contents. Entre-temps, les négociateurs du gouvernement discutaient ferme avec les municipalités et les municipalités avec les syndicats, pour répondre à la requête faite par Québec de réduire de 500 millions de dollars les coûts de main-d'œuvre à ce palier de gouvernement. Il aura fallu la menace de lois spéciales, mais le résultat fut probant. L'objectif, réduit à 375 millions, a été atteint sans grèves et, dans la grande majorité des municipalités, sans augmentations du compte de taxes foncières.

Mais avant Noël, une tuile inattendue vint brouiller le plaisir du gouvernement qui reprenait malgré tout du poil de la bête dans l'opinion publique. Un journal révèle que le contenu du dossier fiscal confidentiel d'un député du Bloc québécois, M. Ghislain Lebel, aurait été divulgué à l'entourage du premier ministre Bouchard. Cette affaire est révélée quelques jours à peine après le congédiement de huit employés du ministère du Revenu et un employé d'Hydro-Québec notamment pour avoir vendu illégalement des renseignements confidentiels. La protection de la vie privée est, à ce moment-là, un sujet chaud au Québec. Une conférence internationale portant sur ce sujet avait eu lieu à Montréal en septembre et donné lieu à une couverture médiatique importante. Le sujet était dans l'air d'autant plus qu'une commission parlementaire terminait à peine ses audiences sur la révision des lois protégeant la vie privée au Québec.

Pressé par l'opposition, le premier ministre annonce une enquête indépendante, qui aura lieu sous l'égide de la Commission d'accès à l'information à compter du mois de mars. Deux vérifications sont engagées au sein des organismes publics. Les audiences de l'hiver de même qu'un premier rapport de vérification rendu public en juin, indiquent que les ministères et organismes publics appliquent les lois sur la vie privée avec désinvolture et insouciance. L'autorité de la Commission d'accès à l'information comme garante de la protection des renseignements personnels est mise à rude épreuve. Le ministre des Relations avec les citoyens, André Boisclair, dépose en juin un projet de loi qui comblera certaines lacunes en accordant à la commission des pouvoirs accrus.

L'hiver du verglas, la remontée de Bouchard

Le brouhaha entourant l'affaire Lebel n'est pas encore dissipé que s'abat sur le Québec, en janvier, une tempête de verglas sans précédent qui plonge la moitié sud du Québec dans le désarroi. Le réseau de distribution d'électricité d'Hydro-Québec flanche. Les pylones s'effondrent comme des châteaux de cartes. Les rues deviennent impraticables. Des gens risquent la mort s'ils restent enfermés dans leur logis. Une vingtaine de personnes d'ailleurs décéderont au cours de cette crise. Montréal est à toutes fins utiles fermé pendant des jours. À un moment, on craint pour l'approvisionnement en eau dans la métropole. Et les agriculteurs devront rivaliser d'imagination et de travail inlassable pour sauver leur bétail et leur production laitière du froid.

À la faveur de cette crise, le premier ministre Lucien Bouchard voit son capital politique augmenter considérablement. Tous les soirs, on le voit en direct à la télévision, prodiguant des conseils et distribuant les ordres à ses ministres, dégageant les fonds pour qu'Hydro-Québec répare rapidement son réseau, faisant appel au gouvernement fédéral, à l'armée, aux secours provenant des États américains limitrophes, enjoignant les citoyens québécois de se serrer les coudes, d'accueillir des sinistrés, de faire des dons, d'offrir leurs services bénévoles dans les centres d'hébergement. Il est l'homme de la situation. Même son adversaire politique, le chef libéral Daniel Johnson, qui passe ses journées à aider des concitoyens de sa circonscription de Vaudreuil, rend hommage au premier ministre qui a su, selon lui, trouver le ton juste.

Durant cette période, le taux de satisfaction envers le gouvernement grimpe à 67 % selon un sondage, et ce malgré quelques ratés des services de la sécurité civile. 84 % des Québécois affirment leur satisfaction envers le comportement de Lucien Bouchard durant la crise. Les intentions de vote en faveur du Parti québécois montent à près de 50 %. Ombre au tableau, le gouvernement profitera de l'état de crise pour adopter, en catimini, faisant fi des exigences des lois environnementales, des décrets pour autoriser différents travaux de construction de lignes d'Hydro-Québec, malgré l'opposition des populations locales. Le gouvernement sera accusé de paternalisme et d'arrogance. Le ministre des Ressources naturelles, Guy Chevrette, répliquera aux détracteurs en les accusant de faire de *«la masturbation intellectuelle»*. Le gouvernement défendra son point de vue en plaidant la nécessité de rassurer les prêteurs étrangers, qui financent la société d'État et le gouvernement, sur la fiabilité des installations d'Hydro-Québec.

La question nationale à la rescousse

Cet accroc, semble-t-il, ne va pas entamer la popularité du gouvernement qui, au contraire, se maintiendra à un niveau élevé à la faveur, notamment, des audiences de la Cour suprême du Canada sur le renvoi fédéral concernant la légalité d'une sécession unilatérale. Ottawa avait demandé à la cour de statuer sur la légalité d'une déclaration unilatérale de souveraineté, en droit interne canadien comme en droit international. Les audiences se sont déroulées en février. Dans l'ensemble, l'opération aura été favorable aux souverainistes. L'opinion publique désapprouve l'intervention d'un tribunal pour déterminer si les Québécois ont le droit de décider seuls de leur avenir. L'ancien chef du Parti libéral du Québec, un fédéraliste convaincu et crédible, Claude Ryan, met le dernier clou dans le cercueil du renvoi en joignant sa voix à celle des opposants. Le chef libéral d'alors, Daniel Johnson, fait de même. Et la ministre fédérale de la Justice, Ann McLellan, contredit publiquement l'avocat du gouvernement fédéral dans cette affaire. Ottawa perd la bataille de l'opinion publique.

Durant la même période, le fédéral présente un budget qui confirme les tendances impérialistes d'Ottawa dans les domaines de compétence provinciale, notamment par divers programmes dans le domaine de la santé et la création unilatérale d'une Fondation des bourses du millénaire, un programme qui consiste à distribuer, à compter de l'an 2000, des bourses de 3000 $ à des étudiants canadiens, au mérite, et au mépris des programmes provinciaux qui existent déjà. Québec enfourchera ce cheval de bataille, appuyé par les étudiants, les recteurs d'université, les syndicats, le patronat et même l'opposition libérale.

M. Bouchard croit, à la même époque, marquer un grand coup en annonçant la conclusion avec Terre-Neuve d'un méga-projet hydroélectrique à Churchill Falls au Labrador. Un projet de 10 milliards qui créerait 60 000 emplois. Mais la fête est gâchée par les Innus du Labrador qui bloquent la route et empêchent la tenue de la conférence de presse prévue. Québec et

St-John's avaient oublié d'associer les Amérindiens aux discussions. Ils seront invités à y participer plus tard, affirment les gouvernements. Mais l'affaire aura un drôle de rebondissement lorsque, en juin, le public apprend que la facture de relations publiques présentée par la firme National, où œuvre un ami personnel de Lucien Bouchard, Luc Lavoie, s'élève à un million et demi de dollars pour cette opération qui a tourné au vinaigre. La firme avait été choisie à la suggestion de M. Bouchard. L'opposition fait de cette étourderie ses choux gras et met en doute l'intégrité de M. Bouchard.

Un sauveur pour le PLQ : Jean Charest

Mais en février, tout va encore trop bien pour le gouvernement qui commence à contempler la possibilité de tenir des élections printanières, du moins selon ce que veut la rumeur jamais confirmée. C'est alors que survient un bouleversement de l'échiquier politique qui sèmera, dans les rangs gouvernementaux, un vent de panique, et dans les rangs fédéralistes, un enthousiasme délirant. Le 1er mars, M. Daniel Johnson annonce, à la surprise générale, sa démission comme chef du Parti libéral du Québec. Les sondages réalisés durant les mois précédents indiquent que son parti pourrait vaincre le PQ aux prochaines élections avec un nouveau chef, un bon communicateur qui incarnerait le changement. Dès lors, le Canada entier fait pression sur le chef du Parti progressiste conservateur du Canada, M. Jean Charest, pour qu'il prenne la relève. Les fédéralistes québécois le prient de

**VUES
SUR L'ANNÉE QUI VIENT**

Michel Venne

L'année politique 1998-99 sera marquée à coup sûr par des élections générales au Québec et se déroulera sur fond de négociations des conventions collectives des employés des secteurs public et parapublic.

Le budget 1999 devrait sonner l'aboutissement de la lutte au déficit, Québec affichant un budget équilibré pour la première fois depuis près de trente ans.

La question nationale émerge de nouveau à la surface du débat public depuis que la Cour suprême du Canada a rendu sa décision dans le cadre du renvoi du gouvernement fédéral sur la légalité d'une sécession unilatérale.

La tenue d'un référendum hâtif sur la souveraineté n'est pas impossible mais elle paraît peu probable au cours de cette année. ●

venir sauver le Canada en battant le PQ aux prochaines élections. Tandis que la classe politique et les hommes d'affaires du reste du pays lui font comprendre qu'il ne deviendra jamais premier ministre du Canada s'il reste à la tête des conservateurs, dont la formation n'a fait élire qu'une vingtaine de députés aux élections fédérales de 1997. Après quelques semaines de tergiversations, M. Charest annonce qu'il « choisit le Québec ».

Le jour même, le député de Sherbrooke sème la pagaille parmi les rangs péquistes en laissant entendre que M. Bouchard s'apprêtait à faire un nouveau virage et à annoncer l'abandon du projet péquiste de tenir un autre référendum sur la souveraineté au cours d'un prochain mandat. Pendant quelques jours, le premier ministre Bouchard laisse croire que M. Charest a raison. Il affirme qu'il n'y aura un référendum que si des conditions gagnantes sont réunies. Le ministre des Finances et vice-premier ministre Bernard Landry y met du sien en suggérant qu'il fallait peut-

être modifier le programme du parti afin de libérer le gouvernement péquiste de l'obligation de tenir un référendum durant son prochain mandat. Son collègue Guy Chevrette jongle avec d'autres scénarios. Si bien qu'au bout du compte, M. Bouchard se sent forcé de réaffirmer, comme le lui suggère son prédécesseur, M. Jacques Parizeau, que le Parti québécois s'engagera, lors des prochaines élections, à tenir un référendum sur la souveraineté. Mais tout le monde aura compris qu'il pourrait ne pas y avoir de référendum durant le prochain mandat si le gouvernement n'a pas la certitude de le gagner.

Insatisfaction et négociations dans le secteur public

L'arrivée de Jean Charest précipite les péquistes dans la morosité. Les premiers sondages réalisés durant cette période indiquent que le PLQ devance maintenant le PQ par vingt points dans les intentions de vote. Le taux de satisfaction envers le gouvernement chute à 39 %, le taux d'insatisfaction grimpe à 58 %. L'effet Charest joue à plein. Différents sondages indiquent également coup sur coup que 60 % et plus des Québécois ne veulent pas d'un autre référendum, du moins au cours des cinq prochaines années. Les Québécois ont plus confiance en Jean Charest qu'en Lucien Bouchard pour diriger le Québec, pour remonter l'économie québécoise, pour créer de l'emploi, pour lutter contre la pauvreté, pour gérer le système de santé. M. Bouchard reste toutefois le plus populaire pour défendre la langue française et les intérêts du Québec face au reste du Canada. Pourtant, à peine 16 % des Québécois souhaitent la démission du premier ministre. Par contre, les trois quarts veulent du changement dans son entourage et au sein du conseil des ministres. La politique du déficit zéro reçoit cependant toujours l'appui de la population.

Par contre, l'insatisfaction envers les politiques du gouvernement en santé se cristallise. 57 % des gens ne font plus confiance au ministre de la Santé Jean Rochon. 75 % trouvent que les compressions sont allées trop loin. Un médecin d'urgence, Paul Lévesque, dont une patiente est décédée sur une civière durant l'hiver à l'hôpital Maisonneuve-Rosemont à Montréal, part en campagne à son tour contre la réforme de la santé. Des médecins quittent le Québec pour les États-Unis la rage au cœur. M. Rochon se console en faisant adopter la loi anti-tabac la plus sévère en Amérique...

Il faut dire que le gouvernement entre de plain pied dans la période des négociations du secteur public. Les ententes avec les médecins et les infirmières arrivent elles aussi à échéance. Chacun prend position pour obtenir des gains. Les syndicats demandent 11,5 % d'augmentation de salaire sur trois ans, l'équivalent d'un milliard de dollars selon la partie syndicale, le double selon le gouvernement qui n'a rien à offrir pour la première année, puisqu'il bataille toujours pour éliminer le déficit.

La saison politique se termine sur ces considérations, et sur un fléchissement de l'effet Charest. Les libéraux n'ont plus qu'une avance de 8 points sur le PQ, ce qui lui conférerait la victoire. Et le taux de satisfaction envers le gouvernement a remonté à 52 %. M. Bouchard ira en vacances en Californie avec ses enfants et sa femme, Mme Audrey Best, qui est de plus en plus présente dans les activités publiques de son mari depuis que Jean Charest a pris la tête du PLQ. La femme du nouveau chef libéral, Mme Michelle Dionne, l'accompagne partout. Lorsqu'il devient chef du parti, M. Charest a d'ailleurs eu ce lapsus : «*Ma femme Michelle et moi-même sommes très heureux d'accepter de devenir le chef du Parti libéral du Québec*». 2 pour 1, titre le mensuel satirique *Le Couac*.

Durant ces vacances, M. Bouchard devait jongler à la date des élections, à un remaniement ministériel, à la question référendaire, aux négociations dans le secteur public, au budget de la santé. L'année qui vient sera marquée par des élections générales à coup sûr, la limite légale de cinq ans pour le mandat du gouvernement serait atteinte en septembre 1999. ◯

Un certain retour de l'action militante

LOUIS LAFRANCE

De toute évidence, le thème de la pauvreté et le droit de tout citoyen à un revenu décent continueront d'être au cœur des revendications sociales pour l'année qui vient. Du coté syndical, même souci de lutter pour le droit à la dignité ; le combat pour syndiquer les employés de McDonald's se poursuivra entre le puissant syndicat des Teamsters et la multinationale du hamburger. Par ailleurs, la désillusion manifeste à l'égard du pouvoir politique risque d'encourager la répétition d'actions d'éclats dans la rue. Quelle forme prendront ces manifestations ? Nul ne peut le prévoir. Cette année, les parlements de la rue, le commando-bouffe, l'opération spectaculaire SalAMI ont surpris la population.

La réforme de l'assistance sociale : « Harel au poteau ! »

L'interminable débat sur la réforme de l'assistance sociale aura à lui seul symbolisé pour les défenseurs des plus démunis la trahison des engagements sociaux-démocrates du gouvernement du Parti québécois.

Mais au delà de la dichotomie simpliste entre social-démocratie et néolibéralisme, le projet de loi 186 aura révélé la difficulté pour l'équipe ministérielle de concilier justice sociale et impératifs budgétaires. En revanche, il aura été limpide sur un point : dorénavant, l'État impute une part de responsabilité à l'individu vivant dans la pauvreté.

Ce virage ne s'est pas fait sans heurts, la guérilla à laquelle se sont livrés les opposants à la réforme Harel aura semé la bisbille au sein du conseil des ministres avec pour conséquence les reports du dépôt du projet de loi 186, lequel n'a eu lieu qu'en décembre 1997, un an après la publication du livre vert. C'est finalement le 19 juin 1998 que la loi fut adoptée.

Le parcours obligatoire pour les 18-24 ans

Pour l'essentiel, trois éléments de la réforme se sont retrouvés dans la ligne de mire de la Coalition nationale sur l'aide sociale :

• l'obligation pour les 18-24 ans de s'inscrire dans un parcours de réinsertion en emploi sous peine d'une pénalité mensuelle de 150 $; la saisie à la source d'une partie de la prestation des assistés qui n'arrivent pas à payer leur loyer; l'instauration d'un revenu minimum pour couvrir les besoins essentiels.

C'est la volonté de la ministre Harel d'obliger les prestataires de l'aide sociale de moins de 25 ans à s'inscrire dans une démarche pour accroître leur employabilité • retour aux études, stages en entreprise, travaux communautaires, etc. – qui a le plus choqué des groupes de défense des assistés sociaux ainsi que leurs alliés : les groupes communautaires et les syndicats.

Associant les parcours obligatoires à des travaux forcés, les adversaires de la réforme ont dénoncé avec véhémence le double discours de la ministre Harel et du Parti québécois : contre toute forme de compression lorsqu'ils sont dans l'opposition, sabrant sauvagement dans les prestations d'aide sociale lorsqu'ils sont au pouvoir.

La ministre Harel aura beau répéter *ad nauseam* que l'obligation du parcours à l'emploi ne s'applique qu'aux 18-24 ans, les défenseurs des pauvres y verront le premier pas vers une généralisation de cette contrainte à l'ensemble des assistés sociaux. Sans compter que jusqu'à présent, l'État n'arrive pas à répondre à la demande. En 1996, à peine 12 200 jeunes ont pu profiter des programmes pour améliorer leur employabilité alors qu'il y avait au printemps 1998, 37 700 jeunes adultes de moins de 25 ans touchant de l'aide sociale.

En faisant porter sur le dos des jeunes assistés la responsabilité de leur pauvreté et en instaurant une série d'obligations sans contrepartie de sa part, l'État québécois reprend la recette américaine de coercition,

ont clamé les opposants. La saisie d'une partie de la prestation en cas de non paiement du loyer s'inscrit dans cette même logique punitive. Tout en renforçant les préjugés populaires, elle équivaut à une mise en tutelle de certains assistés sociaux alors que la ministre Harel parle de responsabilisation, ont-ils fait valoir.

Une ministre coincée

Mise sur la défensive par les attaques répétées de ses détracteurs, la ministre Harel a tenté tout au long de l'année de rendre sa réforme acceptable aux yeux des ministres à vocation économique. Début novembre, elle présentait à ses collègues un projet qui ramenait la perte à 80 millions pour le trésor québécois. Le ministre des Finances, Bernard Landry, exprimait alors son opposition en soulignant que l'analyse se faisait «*dans un esprit de compassion et également dans un respect des objectifs financiers du gouvernement.*» On craint avant tout une nouvelle explosion des coûts au moindre essoufflement de l'économie; en sept ans la part du budget de l'État consacrée à la sécurité du revenu s'est accrue de 48 % ! En 1997-98 le budget de l'aide sociale était de 4,2 milliards, le troisième en importance après la santé et l'éducation. Incapable de récolter un consensus, Louise Harel annonçait le report de la réforme au printemps.

Toutefois, à peine un mois plus tard, la ministre parvenait à convaincre le conseil des ministres et déposait le projet de loi 186 le 18 décembre 1998. A l'évidence, l'annonce selon laquelle 30 000 ménages avaient quitté l'aide sociale en 1997, plutôt que les 15 000 prévus, a servi d'argument massue à la ministre.

Colère du côté des groupes de défense des assistés sociaux malgré des amendements en leur faveur. Mentionnons : une somme de 500 $ pour l'assisté social qui retourne au marché du travail, l'abolition de la pénalité mensuelle de 100 $ pour les chefs de famille monoparentale partageant un logement ; l'augmentation des revenus de travail (jusqu'à 222 $ par mois pour une personne) sans réduction de la prestation mensuelle ; la possibilité de recevoir jusqu'à 100 $ par mois de pension alimentaire pour un enfant de moins de cinq ans sans réduction de la prestation.

Pressentant l'adoption prochaine du projet de loi 186, les défenseurs des assistés sociaux reprirent le flambeau au printemps. Incapables de mobiliser leurs membres, les opposants à la réforme utiliseront les médias, lesquels recevront plusieurs lettres ouvertes. La campagne de pressions culminera par une vigile à l'Assemblée nationale les jours précédents l'adoption du projet de loi 186.

Puis, deux jours avant l'adoption de la loi, soit le 17 juin, la ministre Harel annonçait de nouvelles mesures adoucissantes faisant passer les coûts de la réforme à 104 millions. Par exemple, les gains de travail permis sans réduction de la prestation grimpaient à 225 $ pour une personne seule et à 300 $ pour un couple. Mais, sans contredit, la nouvelle du jour était l'acceptation par la ministre Harel de la demande d'un moratoire d'un an avant que les jeunes inscrits à un parcours subissent la pénalité de 150 $ par mois. Résultat : un succès politique. Les représentants des assistés sociaux se montrèrent satisfaits et qualifièrent « de gain » la décision de la

ministre. Une déclaration qui suscita de la grogne. Dès le lendemain, la Coalition nationale de l'aide sociale déclarait qu'elle poursuivait la lutte. Avec conviction ?

La fin d'un droit

Curieusement, la revendication d'un revenu couvrant les besoins essentiels ne fut guère mise de l'avant par les opposants à la réforme Harel. Ces derniers craignaient peut-être les réactions agressives des contribuables à la vue d'une facture de plus de 800 millions. Pourtant l'État a reconnu qu'une personne vivant seule a besoin au minimum de 667 $ par mois alors que le barème de l'aide sociale n'est que de 490 $. L'État québécois n'arrive donc pas à répondre convenablement au droit de tout citoyen à une vie décente.

Or, comme le soulignait le professeur en science politique Alain Noël, le projet de loi 186 met *«fin pour de bon à l'idée d'un droit à un revenu minimal pour tous en remplaçant ce droit par une assistance-emploi.»* L'aide sociale devient une aide de dernier recours calquée sur le modèle de l'assurance-emploi du Fédéral. Québec se trouve ainsi à prendre le relais du gouvernement fédéral dans le soutien aux chômeurs. En effet, une étude du réputé économiste de l'UQAM Pierre Fortin estimait que les réformes successives à l'assurance-chômage depuis 1990 avait accru de 30 % le nombre d'assistés sociaux au Québec, soit 200 000 personnes !

Est-ce pour autant l'abandon de la social-démocratie par le Parti québécois comme l'ont claironné les défenseurs des plus démunis, ou tout simplement une mutation du modèle tel qu'incarné par les leaders sociaux-démocrates en Europe? La ministre de l'Emploi et de la Solidarité a eu beau jeu de rappeler que 56 % des assistés sociaux de 18 à 24 ans n'ont même pas complété leur troisième secondaire d'où la nécessité d'une responsabilisation des jeunes. D'autre part, le filet social ne se limite pas à la sécurité du revenu, les mesures telles les services de garde à cinq dollars par jour, la maternelle à demi-temps pour les enfants de quatre ans en milieu défavorisé, l'allocation-logement pour les plus démunis, s'inscrivent dans la tradition sociale-démocrate.

Certes, les adversaires de la réforme Harel auront démontré noir sur blanc l'incapacité de la société québécoise à garantir le minimum essentiel à tous ses citoyens. Ils auront également déséquilibré les élus du Parti québécois horripilés par l'étiquette néolibérale, celle-ci les éloignant d'une partie de leur base politique.

Dans leur lutte contre la réforme Harel qui aura duré 18 mois, les défenseurs des assistés sociaux auront reçu l'appui presque unanime des groupes communautaires et des centrales syndicales, ils leur aura toutefois manqué un appui essentiel : celui de la population.

Le pouvoir dans la rue

Mondialisation oblige : la souveraineté des États prend l'eau, l'espace du débat politique se rétrécit comme peau de chagrin, le citoyen perd confiance dans la capacité de ses élus d'exercer une réelle influence sur le cours des choses, comme l'a symbolisé la sortie de la Chambre des communes du député Stéphan Tremblay avec son fauteuil de député.

Des groupes de citoyens se sont mobilisés pour prendre la rue d'assaut et y exposer leurs revendications en espérant non pas que leur message parvienne aux oreilles de la classe politique, mais plutôt qu'il sensibilise le citoyen. Certes, ces groupes arrivent rarement à mobiliser plus d'une centaine de partisans, néanmoins ils arrivent à véhiculer leur message au sein de la population par des actions d'éclats, à la satisfaction des médias. Demain les barricades? Bien sûr que non. Mais un constat s'impose : la société civile au Québec semble sortir de sa torpeur. Retour sur les actions marquantes.

Le parlement de la rue

À quelques pas du parlement des élus, l'autre parlement, celui des exclus, nu dans sa simplicité : une corde à linge scandant des messages contre la pauvreté et chantant l'hymne à la justice.

Inauguré le 15 novembre 1997 par 1500 personnes, le parlement de la rue situé au parc de l'Esplanade sera déclaré zone libre d'oppression et lieu de prise de parole pour rappeler aux élus leurs devoirs envers les pauvres.

Les deux roulottes du parlement de la rue, organisé par la coalition DROIT (Dignité, respect, autonomie des individus sans travail), abriteront 24 heures sur 24 des représentants de groupes communautaires pendant un mois.

Inspirée par la théologie de la libération, l'âme du parlement, Vivian Labrie affirmait que son groupe se battait «*contre la résignation de la pauvreté, telle qu'elle s'est tranquillement implantée en Amérique latine.*»

Et coup de théâtre, une trentaine de députés de l'Assemblée nationale, dont le vice-ministre Bernard Landry, se sont déplacés dans l'autre parlement pour discuter de la pauvreté avec les spécialistes de la question : les démunis.

Le parlement de la rue a invité la ministre Louise Harel à jeter aux poubelles de l'histoire sa réforme sur l'aide sociale ; il a réclamé plutôt un programme pour éradiquer la pauvreté en dix ans tout en exigeant une nouvelle redistribution de la richesse. Bref un nouveau contrat social.

Et ce parlement de la rue de Québec a déjà accouché d'un rejeton à Hull. Le 26 mai, le parlement de la rue de l'Outaouais se terminait après 186 heures d'activités centrées sur la lutte à l'odieuse Loi 186 sur la réforme sociale. Pour rappeler l'appui du monde ordinaire à la lutte des assistés sociaux, près de 500 cuillers ont été amassées et seront transformées en une sculpture nommée *La fin de la faim* par l'artiste Luc Paris.

Commando-bouffe

Rapide, efficace, spectaculaire, telle fut l'action hautement chargée de sens d'une centaine de militants qui ont pris d'assaut le buffet du restaurant du chic hôtel Reine-Elizabeth en hurlant *«la rue a faim»*, pour aller le partager avec les passants en cette journée du 3 décembre 1997.

Une fois de plus, la réforme Harel se trouvait au cœur de l'événement. L'organisateur de l'action d'éclat, le Comité des sans-emploi du Centre-sud, désirait souligner le premier anniversaire du dépôt du livre vert sur la réforme sociale.

Dénonçant l'opulence des bien nantis, les manifestants se sont laissé arrêter par les policiers de l'escouade tactique. La direction de l'hôtel a déclaré qu'elle ne porterait pas plainte.

Les acteurs du commando, hautement médiatisé, auront gagné leur pari : susciter un débat sur la pauvreté quelques jours avant Noël en pleine période d'auto-congratulation collective devant le succès grandissant de l'industrie de la charité.

Opération SalAMI

Qui a dit que les luttes étudiantes étaient rongées par le vice du corporatisme ? Le 25 mai dernier, près de trois cents jeunes ont dénoncé à leur façon l'Accord multilatéral d'investissement (AMI) en bloquant pendant plusieurs heures les entrées du centre Sheraton où devait débuter la quatrième rencontre annuelle sur la mondialisation des économies.

Les organisateurs de l'opération SalAMI, un groupe d'étudiants opposés à la mondialisation *«qui appauvrit les peuples»*, se sont déclarés satisfaits de leur opération parce qu'ils ont démontré que l'AMI ne faisait pas consensus et qu'il subordonnait les droits humains aux intérêts des multinationales.

Ayant suivi un cours de désobéissance civile non violente, les manifestants opposèrent une résistance passive aux policiers venus les arrêter. Stratégie efficace : les policiers de l'anti-émeute mirent plus d'une heure pour libérer les accès sous le regard des journalistes et des caméras. Le lendemain, 99 jeunes comparaissaient devant le juge sous des accusations de méfaits et d'entraves au travail des forces de l'ordre.

À la fin de la conférence, les manifestants sont revenus sur les lieux, cette fois sans bloquer les portes, pour faire leurs adieux aux conférenciers et à l'AMI.

Il y a trente ans, les manifestations des étudiants contestataires se terminaient régulièrement par des échanges musclés avec les forces de l'ordre. Maintenant, la violence a perdu toute légitimité chez les manifestants. Ou serait-ce qu'elle est devenue une stratégie de communication improductive?

Le fauteuil à la rue

Jamais l'impuissance des élus n'aura été autant soulignée : le 20 avril, le député bloquiste Stéphan Tremblay médusait tous ses collègues en quittant la Chambre des communes avec son fauteuil de député sur la tête!

Âgé de 24 ans, le député de Jonquière voulait par ce geste extraordinaire sensibiliser la population aux méfaits d'une mondialisation qui restreint le pouvoir des élus et accroît le fossé entre riches et pauvres.

Le député s'est attiré les commentaires désapprobateurs de l'ensemble des parlementaires à Ottawa. Toutefois plusieurs d'entre eux changèrent leur fusil d'épaule devant la manne d'appui à l'action du député, des appuis venant de partout au Canada et même des États-Unis, les images de l'action du député ayant fait le tour de la planète. Un sondage au Québec indiqua que 58,6 % de la population approuvaient le geste de Stéphan Tremblay.

Le jeune député deviendra instantanément une vedette que tous les journalistes s'arracheront. Après huit jours passés dans sa circonscription, le député est revenu avec son fauteuil à Ottawa à la faveur d'un débat sur la mondialisation parrainé par le Bloc québécois, discussion de parlementaires dont plus personne ne se souvient...

Pour éviter que son geste ne soit qu'un coup d'épée dans l'eau de l'indifférence, Stéphan Tremblay espère recueillir 50 000 noms sur sa pétition et prévoit former un groupe d'action et de réflexion non partisan à la rentrée d'automne.

McDonald's : une syndicalisation indigeste

Sur le front syndical, l'année aura été marquée par la déclaration de guerre du syndicat des Teamsters à la multinationale McDonald's.

La saga de la tentative de syndicalisation des employés du restaurant McDonald's de Saint-Hubert aura connu son dénouement le 2 mars 1998 lorsqu'un commissaire du travail reconnaissait les Teamsters pour représenter les travailleurs de cet établissement.

Victoire à la Pyrrhus, deux semaines auparavant le propriétaire du McDonald's de Saint-Hubert fermait son établissement pour cause de non rentabilité. Après 17 ans d'exploitation...

Dégoûté par l'attitude de McDonald's qui a multiplié les procédures pour retarder l'accréditation, Clément Godbout secrétaire de la FTQ, à laquelle sont affiliés les Teamsters, sommait le ministre du travail *«de mettre ses culottes»* et d'intervenir pour permettre le libre exercice du droit d'association.

Après une valse hésitation, Matthias Rioux, ministre du Travail, confiait à son sous-ministre le mandat d'enquêter sur le processus d'accréditation; il ne pouvait toutefois se prononcer sur la fermeture. Le 5 mai, le sous-ministre Réal Mireault concluait que rien n'avait ralenti le processus d'accréditation. Peu impressionné, Clément Godbout a continué d'exiger des modifications au Code du travail pour favoriser la reconnaissance syndicale.

Parallèlement, les Teamsters n'ont pas attendu la décision du commissaire du travail, chargé de statuer sur la demande d'accréditation des employés d'un autre restaurant de la chaîne McDonald's situé avenue du Mont-Royal à Montréal, pour lancer une vaste campagne de syndicalisation à l'échelle du pays. L'objectif : syndiquer un McDonald par grande ville canadienne.

De toute évidence, le dossier McDonald's, c'est du bonbon pour la FTQ et les Teamsters. Car le tollé fut général, jusqu'à la Con-

fédération nationale des cadres qui a condamné McDonald's pour ce geste «*rétrograde*». Une occasion en or pour le syndicalisme québécois de se refaire une image auprès de la population ; en particulier à l'égard des jeunes qui considèrent souvent les syndicats comme une force au service des intérêts corporatistes de la génération de leurs parents. Un sondage commandé à CROP par la FTQ révélait en mars 1998 que 64 % de la population était d'accord avec la syndicalisation des employés de McDonald's. Chez les jeunes de 18 à 34 ans, le pourcentage grimpait à 72 %. Des chiffres à faire sourire d'aise tous les leaders syndicaux du Québec. ○

Le véritable enjeu : le partage des pouvoirs

MANON CORNELLIER

Le jugement de la Cour suprême du Canada sur la légalité d'une déclaration unilatérale d'indépendance du Québec continuera d'alimenter les commentaires. Ceux-ci risquent par contre d'être en partie une redite de ce que nous avons pu entendre lors des audiences de l'hiver 98. Avec le sort qu'il faudra réserver à la Déclaration de Calgary, les premiers ministres canadiens retrouveront à leur menu le plat classique des joutes constitutionnelles : celui du partage des pouvoirs et du respect des compétences des législatures.

Calgary, 14 septembre 1997. Les premiers ministres provinciaux, sauf celui du Québec, sont réunis pour discuter d'unité canadienne. Ils ont convenu de cette rencontre lors de la conférence provinciale annuelle tenue à St. Andrews (Nouveau-Brunswick), en août, et après avoir subi d'intenses pressions des milieux d'affaires, du gouvernement fédéral et de la majorité des leaders politiques fédéralistes. Ces derniers leur demandent d'élaborer une déclaration ou une résolution pouvant rejoindre les Québécois tout comme les gens de l'Ouest qui ont élu le Parti réformiste comme opposition officielle à Ottawa.

La situation politique au Québec nourrit cette nervosité. Malgré de nombreuses réformes difficiles, le gouvernement du Parti québécois amorce sa quatrième année au pouvoir en tête des sondages. La victoire que les fédéralistes ont arrachée de justesse lors du référendum sur la souveraineté du 30 octobre 1995 n'a rien résolu. Au Canada anglais, on veut éviter à tout prix la réélection du PQ et la tenue éventuelle d'un nouveau référendum à l'issue imprévisible.

Les premiers ministres prendront leur tâche au sérieux. Si bien qu'il ne leur faudra qu'une journée au lieu de deux pour concocter un «*cadre de discussion sur l'unité canadienne*», mieux connu sous le nom de Déclaration de Calgary. Le bref document affirme que tous les Canadiens et toutes les provinces sont égaux tout en reconnaissant le «*caractère unique de la société québécoise*» – défini comme sa langue, sa culture et son droit civil – et le rôle qu'ont l'Assemblée nationale et le gouvernement du Québec de le protéger et d'en « favoriser » l'épanouissement. On précise toutefois que tous nouveaux pouvoirs devront être offerts à toutes les provinces, sans distinction.

Personne ne cache vouloir donner des munitions au chef du Parti libéral du Québec, Daniel Johnson, à la veille d'une année potentiellement électorale. Mais en même temps, l'allergie canadienne à toute discussion constitutionnelle oblige tout le monde à admettre qu'il ne s'agit que d'une déclaration de bonnes intentions, que d'un premier pas. Vers quoi? Personne n'ose vraiment le dire, quoiqu'on prenne le soin de préciser qu'il faudra attendre l'élection d'un gouvernement fédéraliste à Québec pour aller plus loin. À Ottawa, on espère avoir gagné du temps mais le résultat a son prix. Avant de conclure leurs travaux, les premiers ministres ont exigé de leur homologue fédéral qu'il s'engage à convoquer une conférence des premiers ministres portant essentiellement sur l'union sociale canadienne, c'est-à-dire un possible arrangement qui permettrait d'encadrer les relations souvent tumultueuses entre le fédéral et les provinces sur le front des politiques sociales, un domaine de juridiction provinciale exclusive.

Cette demande trouve racine dans la frustration des provinces face aux compressions unilatérales imposées par Ottawa dans les transferts en espèces devant servir aux soins de santé, à l'aide sociale et à l'éducation post-secondaire. De 1994-95 à 1997-98, ils sont passés de 19,3 milliards de dollars par année à 12,5 milliards. Ottawa a bien regroupé ces trois transferts en un seul en 1995 pour permettre aux provinces d'allouer les fonds réduits aux activités qu'elles jugeaient prioritaires mais tous ces programmes ont souffert et, en matière de santé, on a pour ainsi dire atteint un point de rupture. Elles veulent donc qu'Ottawa réinvestisse ses premiers surplus budgétaires dans le transfert combiné mais aussi qu'il s'engage formellement à les associer aux décisions qu'il prendra.

La future rencontre aura lieu en décembre mais sa préparation attire, de prime abord, moins l'attention que la déclaration de Calgary. Pourtant, c'est cette démarche en faveur d'un accord sur l'union sociale qui sèmera le germe de futures embrouilles fédérales-provinciales.

Indifférence de la population

En cet automne 1997, les cercles politiques n'en ont que pour la Déclaration de Calgary. Toutes les provinces, sauf le Québec, amorcent des consultations qui conduiront à l'adoption de résolutions par leurs assemblées législatives. Le succès de l'opération est mi-figue mi-raisin. Le niveau d'opposition est minimal mais l'intérêt populaire est tout aussi marginal. Deux groupes, qui se sentent lésés, se démarquent une peu. Il s'agit des autochtones et des minorités linguistiques. Les premiers obtiendront l'adoption d'un accord parallèle mais les seconds feront chou blanc.

À Québec, on ridiculise l'opération. On doute du sérieux de certaines consultations provinciales effectuées par le biais d'appels téléphoniques, de courrier électronique et de questionnaires distribués par la poste. Quant à l'entente, le premier ministre Lucien Bouchard la juge si creuse et « pathétique » qu'il ne voit pas l'utilité de la soumettre à une consultation. Les libéraux provinciaux, y compris leur ancien chef Claude Ryan, ne rejettent pas la Déclaration mais constatent ses limites. On présente le texte comme une simple base de discussions car, comme le dira le député Jean-Marc Fournier, il *«reste encore beaucoup de chemin à faire»* pour répondre aux attentes des Québécois.

Les premiers ministres provinciaux, eux, se préparent pour la conférence fédérale-provinciale de décembre sur l'union sociale. La rencontre, qui se déroule à Ottawa, se termine par la mise en branle d'un processus de négociations auquel le Québec refuse toutefois de s'associer. Le gouvernement québécois a toujours dit qu'un accord sur les questions sociales auquel Ottawa serait partie prenante conduirait à la reconnaissance implicite d'un rôle fédéral dans ce champ provincial exclusif. Et ça, Québec n'en veut pas. Il n'empêchera pas les autres provinces de discuter et pourrait même se joindre à elles, mais à des conditions bien précises. D'abord, les provinces et le fédéral devront accepter le principe d'un droit de retrait inconditionnel avec pleine compensation financière pour une province qui refuserait une initiative fédérale dans une sphère de juridiction provinciale. De plus, demande Lucien Bouchard, le fédéral doit s'engager à stopper toute nouvelle initiative dans le domaine social. Si plusieurs provinces digèrent mal le projet fédéral de bourses d'étude du millénaire, annoncé dans le discours du Trône de septembre et concocté en vase clos par Ottawa, elles ne sont pas prêtes à freiner d'autres projets auxquels elles participent comme la prestation nationale pour enfant.

Québec sort de la rencontre isolé mais sans en tirer de réelles munitions car la population est indifférente à ce débat encore abstrait. De toute façon, l'attention du gouvernement lui-même est ailleurs, soit sur les futures audiences de la Cour suprême du Canada sur le renvoi fédéral portant sur la légalité ou non d'une déclaration unilatérale d'indépendance du Québec.

Le plan B à l'avant-scène

Ces audiences relèguent au second plan la volonté d'accommodement que cherche à refléter la Déclaration de Calgary pour mettre l'accent sur le plan B adopté par Ottawa au lendemain du référendum de 1995, c'est-à-dire la mise en relief des conditions et conséquences de l'indépendance et de l'intransigeance dont fera preuve le Canada anglais au lendemain d'un OUI. Le renvoi, qui en est venu à symboliser au Québec cette approche musclée, fait l'unanimité contre lui. Le chef conservateur Jean Charest comme le chef libéral provincial Daniel Johnson l'ont toujours dénoncé. Le consensus devient plus évident quand l'ancien chef libéral provincial Claude Ryan prend publiquement position contre la démarche fédérale.

Les audiences de la Cour suprême surviennent à la mi-février et tournent quelque peu au vinaigre pour le gouvernement canadien. L'avocat fédéral Yves Fortier s'apprête à soutenir que la souveraineté du Québec, pour être légale, doit respecter le cadre constitutionnel canadien qui comprend toutes les dispositions nécessaires à une accession à l'indépendance d'une province. Le problème est que le matin même, la

Justice Anne McLellan avoue au *Toronto Star* qu'un OUI à la souveraineté provoquerait une situation si exceptionnelle qu'elle dépasserait le cadre constitutionnel actuel et exigerait, à partir de ce moment, d'envisager quel processus suivre. Mᵉ Fortier ignore le commentaire dans sa plaidoirie mais l'avocat choisi par la Cour pour répondre à Ottawa, Mᵉ André Joli-Cœur, saisit la balle au vol et se sert des arguments de la ministre pour étayer sa propre thèse, à savoir que l'accession du Québec à la souveraineté relève du droit international et du principe de l'effectivité.

Voulant éviter toutes spéculations, les juges décident de garder leurs questions, qui se révèlent pointues et difficiles, pour la fin des audiences. Normalement sourds à ce qui se dit à l'extérieur de leur tribunal, ils profitent des références de Mᵉ Joli-Cœur pour interroger Mᵉ Fortier sur les propos de la ministre. Il en est réduit à citer un communiqué dans lequel elle dit appuyer la position défendue dans son mémoire. Contrairement à Mᵉ Joli-Cœur qui refuse de répondre sur-le-champ aux juges, Mᵉ Fortier s'avance et trébuche à plusieurs occasions, en particulier lorsque la cour tente de savoir ce qui arriverait si une province bloquait un amendement constitutionnel correspondant à la volonté démocratique des Québécois. Faisant d'une certaine façon écho à Mme McLellan, l'avocat évoque le principe dit de nécessité, qui peut permettre, dans certaines circonstances, de faire fi de dispositions constitutionnelles. Dans les officines fédérales, on a des sueurs froides. On tente de rectifier le tir dans les heures qui suivent et dans les réponses écrites qui seront remises un mois plus tard à la cour mais on n'est plus sûr de rien.

À Québec, on boude la cause depuis le début mais on essaie quand même d'en tirer profit. Ça ne dure pas très longtemps. Le dossier constitutionnel n'est pas un bon «vendeur» en ces périodes de réformes provinciales tous azimuts et il est vite éclipsé par le départ de Daniel Johnson, qu'on vouait à la défaite, et l'arrivée à la tête du PLQ du chef conservateur fédéral Jean Charest. Le Canada anglais jubile et parle carrément d'un sauveur. Désarçonné, le gouvernement péquiste se découvre un intérêt pour la Déclaration de Calgary. Le vide automnal a nouvelle allure. Lucien Bouchard parle au début de mai d'un document d'une portée fondamentale. *«Une offre demande une réponse. Cette déclaration de Calgary est conçue par le Canada anglais comme étant la réponse aux engagements qui ont été contractés durant le référendum de 1995, comme étant la solution finale et définitive à tous les problèmes que nous avons au Canada»*, dit-il. Une commission parlementaire est organisée avec l'objectif avoué d'y faire comparaître Jean Charest qu'on espère embarrasser. Les libéraux refusent de se prêter au jeu mais des experts acceptent de partager leurs analyses. Leur conclusion presque unanime est cinglante : si la Déclaration de Calgary devait être constitutionnalisée telle quelle, elle représenterait un recul majeur et non un gain pour le Québec. M. Bouchard déclare la mort de la Déclaration mais le problème, pour le Parti québécois, c'est que ça n'intéresse à peu près personne.

Le vrai problème

Dans le reste du pays, on va de l'avant. À la fin juin 98, toutes les législatures provinciales sauf celle du Québec ont adopté le document. Ottawa reste en retrait mais on pourrait croire quand même que tout va pour le mieux. La réalité est tout autre, par contre, car un litige autrement plus sérieux concernant l'union sociale et le pouvoir de dépenser d'Ottawa pointe à l'horizon.

Le budget fédéral de février a irrité les provinces car on y a confirmé la création de la Fondation des bourses d'étude du millénaire, un programme qui avale à lui seul la totalité de ce qui aurait été le premier surplus fédéral. Élaboré en vase clos sans consultation avec les provinces pourtant seules responsables de l'éducation, il dédouble en plus un programme québécois vieux de 30 ans. La levée de boucliers du milieu de l'éducation au Québec trouve écho dans tous les partis politiques provinciaux mais rien n'y fait. Ottawa tient à être visible et à distribuer lui-même ses fonds. Les autres provinces n'ont pas de programme de bourses mais plusieurs ne manquent aucune occasion pour critiquer l'attitude d'Ottawa.

La fin juin devait coïncider avec une première ébauche d'entente fédérale-provinciale sur l'union sociale. Le mois se termine plutôt sur une note tendue. Les ministres chargés de négocier une entente sur l'union sociale profitent d'une réunion fédérale-provinciale à Toronto pour soumettre à Ottawa une proposition concoctée par un groupe de travail provincial formé à St. Andrews avec le mandat de trouver une façon d'encadrer le pouvoir fédéral de dépenser dans les sphères de juridiction provinciale exclusive.

La proposition tient en une page, les irritants des derniers mois ayant eu raison de l'enrobage mielleux des textes précédents. Les provinces vont droit au but. Ottawa s'était engagé, en 1996, à ne pas créer, sans le consentement de la majorité des provinces, des programmes à frais partagés dans des champs de juridiction provinciale exclusive. Il promettait un droit de retrait avec compensations financières aux provinces ayant mis sur pied un programme similaire. Les gouvernements provinciaux veulent davantage. Ils veulent avoir leur mot à dire sur tous les programmes fédéraux dans leurs champs de compétence exclusive, qu'il s'agisse de dépenses fiscales ou en espèces, de programmes à frais partagés ou financés seulement par Ottawa. Ils exigent aussi que les provinces dissidentes aient droit de se retirer avec une *«compensation financière»* à la condition simplement de mettre sur pied un programme répondant aux mêmes priorités. Québec, qui participe aux réunions ministérielles mais n'assiste qu'à titre d'observateur aux réunions de fonctionnaires, avoue trouver écho à sa position traditionnelle en faveur d'un droit inconditionnel de retrait avec pleine compensation financière.

Le premier ministre Jean Chrétien, lui, tarde à offrir une réponse formelle aux provinces mais affiche ses couleurs en marge des réunions de son conseil des ministres. Ce sera du donnant, donnant, avertit-il. Ottawa ne cèdera rien de son pouvoir sans obtenir quelque chose en échange. Et s'il doit augmenter les transferts en espèces, il veut avoir l'assurance que l'argent ira bien à la santé et non au pavage des routes. Ces commentaires enragent les provinces qui ont dû gérer la décroissance sans qu'Ottawa se soucie de ses impacts, n'ayant pas à en porter le blâme.

On est arrivé au cœur du sujet. L'enjeu de l'année 1998 et de celles qui suivront en matière de relations fédérales-provinciales n'est plus l'avenir de la Déclaration de Calgary mais bien le pouvoir qu'ont ou que n'ont pas les provinces de limiter les interventions unilatérales d'Ottawa dans leurs domaines de juridiction exclusive. En fait, il s'agit ironiquement d'un test pour la Déclaration de Calgary que le fédéral dit appuyer. Son dernier paragraphe affirme en effet que *«le Canada est un régime fédéral dans le cadre duquel les gouvernements fédéral, provinciaux et territoriaux travaillent de concert, tout en respectant leurs compétences respectives. [...] La population canadienne désire que ses gouvernements œuvrent de concert, tout particulièrement en matière de prestation des programmes sociaux.».*

Deux mois avant le premier anniversaire de cette déclaration, la tournure des événements n'amuse personne sauf celui qu'on voulait freiner un an plus tôt : le gouvernement du Parti québécois. Pour lui, ces tergiversations illustrent les impasses habituelles du fédéralisme. Il y prend d'autant plus plaisir que les libéraux provinciaux, Jean Charest en tête, ont préféré miser sur le projet d'union sociale plutôt que sur la Déclaration de Calgary pour vanter les vertus du fédéralisme coopératif. ◯

Les Québécois sont-ils souverainistes?

PIERRE O'NEILL

Deux ans après avoir frôlé la félicité souverainiste, le camp du OUI a connu en 1997 et 1998 la désaffection populaire qui l'entretient depuis dans un état de déprime. L'intention de vote souverainiste a atteint son plus bas niveau depuis le référendum de 1995 et il n'y a pas en vue d'indices tangibles porteurs d'espoirs pour cette option. Promettre la tenue d'un troisième référendum, quand la majorité des Québécois n'en veulent pas, voilà qui tient de la témérité ou qui témoigne d'un instinct politique inouï. Parce qu'il y a encore trop de questions sans réponses. Chose certaine, pour les mois qui viennent, la recherche des «conditions gagnantes» continuera d'alimenter les délibérations péquistes.

« *P*uisque la souveraineté continue d'être attaquée et n'est plus défendue, l'appui populaire glisse dans les sondages».

L'inertie du mouvement souverainiste trouve peut-être son explication dans ce constat que faisait Jacques Parizeau, un an après le référendum.

Depuis 1997, le gouvernement Bouchard a consacré l'essentiel de ses énergies à défendre la réforme du régime de santé, à parler d'assainissement des finances publiques, d'économie, de création d'emplois et de l'objectif du déficit zéro.

La ferveur souverainiste ne s'est pas encore relevée de cette mise en veilleuse de l'option et l'érosion des appuis s'est poursuivie. Les résultats des neuf sondages

réalisés par CROP au cours de cette période confirment cette tendance. Du 3 juillet 1997 au 22 juin 1998, le OUI a recueilli les intentions de vote suivantes : 45 %, 38 %, 35 %, 35 %, 38 %, 32 %, 34 %, 37 % et 36 %. Cela avant répartition des discrets.

D'un regard plus positif, l'on pourrait dégager l'impression que l'intention de vote souverainiste s'est stabilisée. De l'avis des analystes, cette apparente apathie des Québécois à l'endroit de la souveraineté tient également à l'agressivité des fédéraux, à la mise en lumière du plan B, à la nouvelle véhémence manifestée par le Canada anglais depuis la courte victoire référendaire du NON. Les Chrétien, Dion, Pettigrew et compagnie ont non seulement parlé de constitution, ils ont agi dans tous les sens du mot.

Le presque-OUI d'octobre 1995 a par ailleurs inspiré un nouveau comportement politico-linguistique, une légion d'abus langagiers qui ont marqué les débats des douze derniers mois, contribuant peut-être ainsi au glissement de la cote souverainiste. Dans les publications les plus prestigieuses du Canada anglais, on a proposé d'emprisonner Jacques Parizeau pour haute trahison, on a comparé le PQ et le Bloc québécois au Front national français, on a prétendu que la moitié de la population anglophone du Québec, habitée par l'angoisse, ne dormait plus la nuit.

La légitimité contestée

En réaction au presque-OUI d'octobre 1995, il était prévisible qu'un jour ou l'autre les fédéraux opteraient pour la ligne dure et qu'ils s'attaqueraient à la légitimité même du projet souverainiste.

C'est ainsi que le premier ministre Chrétien et son ministre des Affaires intergouvernementales, Stéphane Dion, ont proclamé sur toutes les tribunes que la majorité simple ne suffirait plus à assurer la légitimité d'un vote référendaire favorable à la souveraineté.

En clair, cela voulait dire qu'Ottawa ne reconnaîtrait pas le résultat d'un prochain référendum, même s'il portait strictement sur la séparation du Québec, si le OUI l'emporte avec une simple majorité de 50 % plus une voix.

Le débat a duré toute l'année. La réplique des souverainistes fut tout aussi vigoureuse : il appartient à l'Assemblée nationale seulement de fixer la procédure par laquelle la population québécoise sera consultée sur l'avenir politique et constitutionnel du

Québec. Aussi ont-ils rappelé qu'Ottawa a respecté cette règle lors des référendums précédents. Et que le gouvernement fédéral serait malvenu de vouloir modifier les règles du jeu au moment où, pour la première fois, ses chances de perdre sont réelles.

Cette contestation de la légitimité du processus, Ottawa l'a portée sur le front judiciaire. C'est le lundi 16 février que débutait devant la Cour suprême du Canada l'audition des arguments dans l'affaire du renvoi concernant l'accession du Québec à la souveraineté. Essentiellement, le gouvernement fédéral a demandé au plus haut tribunal du pays si le Québec peut librement décider de quitter la fédération canadienne ou s'il ne lui faut pas obtenir au préalable l'accord du fédéral et des autres provinces.

Devant le refus du Québec de se rendre plaider sa cause, la Cour suprême a pris l'initiative de lui nommer un procureur contre son gré. Un avocat de Québec, Me André Joli-Cœur, a ainsi été désigné *«amicus curiæ»*.

Au moment de l'édition de cet ouvrage, la Cour suprême n'avait pas encore répondu aux questions posées par les procureurs du gouvernement fédéral. Un jugement que l'on prédisait défavorable au Québec et dont on disait qu'il influerait sur le déclenchement des élections générales.

Enjeux et perceptions

L'analyse comparative des sondages menés en cours d'année démontre que la satisfaction de la population à l'endroit du gouvernement n'est pas automatiquement transférable au projet souverainiste. Ainsi, l'automne dernier, l'on a constaté que le PLQ s'est sensiblement rapproché du PQ dans les intentions de vote. Les analystes concluaient alors que les libéraux de Daniel Johnson commençaient à profiter de l'insatisfaction des gens. Pendant la même période, on a par ailleurs remarqué que l'appui à la souveraineté est demeuré stable.

Ce particularisme du réflexe populaire s'illustre à merveille dans les retombées politiques du verglas de janvier 1998. D'après les sondages de l'époque, les Québécois ont tellement apprécié la gestion de la crise que le PQ a accentué son avance dans les intentions de vote et que le taux de satisfaction à l'endroit du gouvernement a fait un bond de 19 points. Or, pendant la même période, l'option souverainiste a perdu quatre points. Ce qui tend à démontrer qu'une tendance n'entraîne pas l'autre.

L'offensive Charest sur le référendum

En démissionnant de la direction du PLQ, Daniel Johnson a changé la donne politique. L'effet Charest s'est aussitôt fait sentir, comme en témoignent les résultats du sondage CROP de la fin mars, accordant une forte avance au PLQ dans les intentions de vote.

En annonçant officiellement sa candidature, le 26 mars, Jean Charest a lancé contre son adversaire péquiste une attaque qui a porté. Il a mis en garde les Québécois contre le nouveau virage stratégique de Lucien Bouchard, alléguant que le chef péquiste renierait sa promesse et ne tiendrait pas d'autre référendum.

Ce faisant, Jean Charest semait un doute dans l'esprit des souverainistes, déjà ébranlés

par les sondages. Dans un même temps, il voulait forcer le chef du PQ à réitérer son engagement en faveur d'une nouvelle consultation populaire sur la souveraineté, sachant que 65 % des électeurs s'y opposaient. Trois jours plus tard, participant à une émission de télévision, le premier ministre trébuchait et déclarait qu'il n'y aura pas de référendum si les Québécois n'en veulent pas.

Le nouveau chef du PLQ avait visé juste, réussissant à créer la confusion dans les rangs péquistes. Les ministres se sont contredits sur la place publique et les militants ont exprimé impatience et indignation. Ce qui a fait dire au ministre fédéral Stéphane Dion que les péquistes nageaient dans l'errance intellectuelle. Dix jours plus tard, la pression étant devenue insupportable, M. Bouchard a retraité et réitéré son engagement de tenir un référendum.

Les conditions gagnantes

Souventes fois en ces mois, le premier ministre Bouchard a prévenu que le prochain référendum se tiendra seulement lorsque seront réunies les conditions gagnantes. Or, les sondages indiquant une érosion de l'adhésion à la thèse souverainiste, quatre universitaires, dont le sociologue Pierre Drouilly, ont produit un texte majeur proposant un recadrage de la question nationale et le renouveau du mouvement souverainiste.

À travers leurs recherches, les quatre penseurs se sont surtout intéressés aux électeurs que l'on dit souvent « indécis » mais qu'ils préfèrent appeler « centristes », c'est-à-dire, situés au centre de l'échiquier. Selon eux, si ces électeurs changent souvent d'idée, c'est moins par caprice que par aliénation de la chose politique, étant souvent dans des situations de *«fragilité et d'exclusion sociale»* qui les rendent vulnérables aux discours *«démagogiques et populistes»*, d'où qu'ils surgissent. Les politologues suggèrent d'attirer par *«les raisons du cœur»* ces électeurs qui peuvent désormais faire la différence entre une victoire et une défaite du OUI. Ils proposent une série de questions référendaires comme : le fédéralisme est-il réformable ? Ou : sommes-nous un peuple ?

Selon eux, le large consensus qui pourrait se dégager autour de ces questions aurait pour effet de raffermir l'échine des centristes les plus timorés. En apprenant que dans l'entourage de Lucien Bouchard et du ministre Bernard Landry, l'on s'était sérieusement attardé à ces pistes de réflexion, de nombreux militants péquistes ont sursauté d'indignation.

Sous la férule de Bernard Landry, révisionnistes et orthodoxes se sont retrouvés à la mi-juillet à l'Île-aux-Grues, pour tenter de s'entendre sur la définition des *«conditions gagnantes»*. Une réflexion qui n'aura de cesse qu'au déclenchement de la campagne référendaire. ◯

Un rapport de forces inégal

MARIO CLOUTIER

Les négociations entre le gouvernement du Québec et les municipalités, sur le transfert d'une facture de 500 puis de 375 millions, ont mis en lumière plusieurs rapports de forces inégaux entre les deux niveaux de gouvernements, ainsi qu'entre les villes et les syndicats municipaux. Un nouveau pacte municipal passe inévitablement par un rééquilibrage de ces rapports bancaux.

Après avoir retranché 6 % de ses coûts de main-d'œuvre l'an dernier, le gouvernement Bouchard a cherché en 1997-1998 à compléter son tableau de chasse au déficit zéro en épinglant au mur de ses réalisations une entente Québec-municipalités sur un effort financier municipal de 500 millions. Inscrite au budget, cette commande, qui supposait la tenue d'une négociation cruciale afin de susciter une participation municipale à l'assainissement des finances publiques, devait s'avérer, selon le ministre d'État à l'économie, Bernard Landry, la dernière étape importante avant l'atteinte du déficit zéro.

Les négociations auront finalement nécessité près d'un an d'échanges, entre le dépôt du budget Landry et le règlement final, causant de pénibles maux de tête à un gouvernement mal préparé à faire face aux élus municipaux et aux syndicats

bien campés sur leur position respective. Le ministre des Affaires municipales, Rémy Trudel, a notamment dû abandonner l'idée de transférer aux municipalités la responsabilité du transport scolaire avant de réduire la facture de 500 à 375 millions pour en venir à une entente avec l'Union des municipalités du Québec (UMQ) à la fin octobre 1997.

Le pari du gouvernement semblait pourtant simple et visait juste : faire contribuer des « enfants gâtés » à l'objectif du déficit zéro. En effet, les employés municipaux gagnent des salaires 27 % plus élevés en moyenne que les employés du secteur public québécois. Québec estimait donc que la facture transférée aux 1400 municipalités pourrait être payée en grande partie en réduisant les coûts de main-d'œuvre de 6 % comme il l'avait lui-même fait l'année précédente. Mais c'était sans tenir compte des disparités municipales entre villes-centres, banlieues et villages, entre villes riches et pauvres, bien administrées et mal gérées, et dont les employés sont syndiqués ou non.

Dans ce dossier, le gouvernement Bouchard avait un but, mais, clairement, aucun moyen précis pour y parvenir. De son côté, le ministre des Affaires municipales, Rémy Trudel, parlait d'un nouveau pacte municipal devant se régler en quatre mois – avec une obligation de résultats pour le 1er janvier 1998 – sans accroître le fardeau fiscal des contribuables municipaux.

M. Trudel a d'abord proposé en avril 97 quelques pistes de solution vraisemblablement bâclées qui portaient sur le transfert de certaines responsabilités aux municipalités : transport scolaire, voirie locale, dette des transports en commun, équipements gouvernementaux ayant une portée régionale, inspection des bâtiments, partage de la TGE (taxe sur le gaz et l'électricité).

Ces offres de rationalisation ont dès le départ été rejetées par les villes qui y voyaient autant de pièges. D'ailleurs, le gouvernement semblait peu enclin à donner aux municipalités les outils nécessaires pour, d'autre part, réduire leurs coûts de main-d'œuvre de 6 %. Sans levier législatif, ni droit de lock-out, les municipalités affirmaient ne pas tenir le gros bout du bâton dans ce rapport de forces annoncé avec les syndicats. En outre, le plan Trudel avait de quoi choquer et les banlieues et les villages en ne cachant nullement son parti pris pour les villes-centres comme Montréal et Québec.

Improvisations mixtes

Dès le départ, les négociations ont pris l'allure d'un fouillis indescriptible où le gouvernement s'attendait, probablement comme dans le cas des négociations avec les syndicats du secteur public un an auparavant, à voir poindre des idées et des initiatives municipales afin de dénouer des fils qu'il avait lui-même emmêlés. Pis encore, Québec ne semblait pas prêt à accompagner les nouvelles responsabilités détournées vers les villes de pouvoirs de taxation ou, dans le cas des négociations avec les syndicats, d'une loi-cadre fixant les limites de la négociation afin de réduire la masse salariale de 6 %.

Les municipalités ont dû attendre jusqu'à la fin juin 97 pour connaître la facture individuelle qui les attendait. Comme prévu, elle s'annonçait plus importante pour les petites municipalités de l'UMRCQ (Union des municipalités régionales de comté du Québec). Si la facture s'était traduite en augmentation de taxes municipales, les contribuables en auraient été quittes pour débourser une centaine de dollars de plus par année. Pour éviter ces augmentations, Québec a suggéré de cibler, comme il l'a fait avec ses propres employés, les surplus de plus de 200 millions des régimes de retraite des employés municipaux. Également, le gouvernement pensait qu'une marge de manœuvre existait du côté des 600 millions de surplus que possèdent l'ensemble des municipalités québécoises. Enfin, des fusions de services et des partages d'équipements municipaux étaient aussi envisagés.

Le gouvernement a finalement annoncé qu'il avait fait son nid sur le transfert de responsabilités et que le transport scolaire passerait du giron des commissions scolaires à celui des villes. Cette décision ne plaisait à personne, ni aux unions municipales qui ne savaient quoi en faire, ni aux commissions scolaires qui voyaient mal l'une de leurs dernières responsabilités disparaître.

C'est l'UMQ (Union des municipalités du Québec) qui a réagi le plus rapidement en faisant la leçon au gouvernement sur des rationalisations de dépenses à faire au sein de sa propre administration. Décriée par tous, cette erreur stratégique allait retarder les négociations et placer l'UMQ sur la ligne de touche pour un bout de temps. Les intérêts divergents des grandes et des petites municipalités ressortaient au grand jour. Devant la pagaille, Québec a toutefois décidé de réduire la facture à 375 millions pour l'année 1998. Mais cet étalement de la contribution municipale au déficit zéro n'était pas suffisante aux yeux des élus locaux. L'incontournable problème du dossier demeurait entier : l'équité entre les municipalités. Défi impossible, écueil aux mille pièges, l'équité prenait la forme bien simple, dans la réforme Trudel, d'un désavantage marqué des villes de taille moyenne par rapport aux villes-centres ou aux villages.

En octobre, toutefois, l'UMRCQ est venue bien près d'une entente avec le gouvernement. L'union des MRC aurait accepté la responsabilité du transport scolaire moyennant une rétribution de 223 millions, mais des gestes malhabiles du ministre Trudel ont fait échouer l'accord de principe. Le ministre a divulgué l'accord alors que les préfets de MRC, réunis en congrès à Québec, n'en avaient pas encore été informés. En outre, le ministre des Affaires municipales a rejeté l'invitation

d'aller présenter l'entente aux membres de l'UMRCQ ; récoltant leur colère et sabordant ainsi l'entente en laissant toute la place dans les négociations à l'union rivale, l'UMQ.

Après sept mois de discussions, de tergiversations, de volte-faces et de déchirements, le gouvernement s'est ensuite entendu avec les 300 villes membres de l'UMQ. L'entente assurait une économie de 407 millions à Québec pour les deux prochaines années. Elle était financée par un fonds de 375 millions auquel toutes les municipalités québécoises devaient participer à une hauteur maximale de 5,8 % de leur budget (3 % pour les villes-centres).Les villes de taille moyenne obtenaient un certain répit puisque le calcul de la facture était fait en fonction de l'importance de la dette. Quant aux commissions scolaires, elles gardaient la responsabilité du transport scolaire, mais elles doivent maintenant fournir annuellement des revenus supplémentaires de 70 millions au gouvernement.

Cependant, les parties en cause n'étaient pas au bout de leurs peines. Ce premier règlement négocié ne vaudrait rien si les municipalités n'arrivaient pas à s'entendre avec les syndicats locaux pour réduire les coûts de main-d'œuvre ou pour fusionner des services dans le but, toujours, de ne pas affecter le compte de taxes municipales.

Plus de cinq mois supplémentaires ont donc été nécessaires pour régler lentement et péniblement les centaines de dossiers de conventions collectives encore en litige. Au mois de mars, le gouvernement a finalement adopté une loi spéciale donnant 21 jours de plus aux municipalités et aux syndicats pour s'entendre. Au terme de ce délai, un juge déciderait de la meilleure offre, entre celle de la ville et celle du syndicat, pour répondre à l'obligation de résultats de 5,8 %.

Effets politiques secondaires

Au printemps, très peu de municipalités avaient dû se résoudre à utiliser ce recours. Une minorité, également, a dû procéder à une augmentation de taxes afin de s'acquitter de la facture gouvernementale. Mais cette année de négociations entre Québec et les municipalités a laissé encore plus de questions sous le tapis. L'entente de deux ans, notamment, laisse la place aux spéculations quant à la volonté du gouvernement de créer un véritable pacte fiscal avec les municipalités. Ce n'est qu'à la toute fin de la session parlementaire 1997-1998 que le ministre Trudel a finalement mis sur pied un comité sur la fiscalité municipale. Évoqué depuis longtemps par le gouvernement, ce comité était pourtant au départ une des pièces maîtresses de la négociation sur le transfert de responsabilités aux villes qui risquait désormais de disparaître dans les volutes d'une future campagne électorale.

Au chapitre des relations de travail, le gouvernement a réussi à mettre le feu aux poudres entre les élus municipaux et les représentants syndicaux. De plus, il faudra attendre encore un bout de temps avant de voir si les ententes convenues entre les municipalités et les syndicats permettront de récupérer des sommes importantes sans s'attaquer, par des clauses discriminatoires, aux jeunes salariés. Les planchers d'emploi et la semaine de travail réduite ne semblent pas s'avérer de plus des solutions très avantageuses. Si ces ententes ne sont

pas récurrentes, le problème se trouve, comme l'ensemble du dossier d'ailleurs, repoussé de deux ans, soit après les prochaines élections.

En outre, Québec se décidera-t-il à donner des outils législatifs incontournables aux villes pour leur permettre d'aller plus loin dans la réduction de leurs coûts de maind'œuvre tout en annulant la vulnérabilité des villes face aux puissants syndicats ? Le gouvernement amendera-t-il l'article 45 du Code du travail pour permettre la soustraitance dans les municipalités ?

Devant tant d'incertitudes et d'insatisfactions qui ont émergé au cours de cette longue année de négociations municipales, le gouvernement ne risque-t-il pas justement de perdre des plumes électorales ? Les régions représentées par l'UMRCQ (petites municipalités) ont été trop souvent esquintées pendant ces pourparlers qui les ont longuement tenues à l'écart. Les préfets de MRC ont promis de s'occuper « activement » des prochaines élections, ce qui pourrait finir par créer une brèche dans la députation péquiste généralement très forte en régions.

L'UMQ, de son côté, a signé une entente dans la controverse en se mettant à dos les plus importants syndicats municipaux. Représentant près de 300 villes, cette organisation n'a, en fait, pas davantage que l'UMRCQ les coudées franches avec un gouvernement à qui elle a commencé à faire la leçon avant de signer une entente sans les mesures d'accompagnement qu'elles avaient exigées depuis le début. Aussi, l'UMQ a perdu des membres au cours des négociations. Une troisième union municipale, la Conférence des maires de banlieue, a voulu créer sa place au soleil sans l'assentiment du ministre Trudel jusqu'ici. Cette union dans l'union, sous l'impulsion des maires de Verdun et de Westmount, représente des intérêts bien particuliers et va continuer de réclamer ses lettres de noblesse en 1998.

Bref, la réforme municipale est bien mal lancée au Québec. Il y a trop de villes, a ensuite déclaré le ministre Trudel qui cherche à créer de nouvelles fusions profitables à tous selon lui. Cette attitude et celle du gouvernement dans son ensemble face aux municipalités inquiètent encore bien davantage.

Le pouvoir incertain des élus locaux

Dans la démocratie québécoise, le gouvernement semble avoir tenu pour acquis que la représentativité des élus municipaux est devenue un élément d'une importance fort relative. Quand moins de la moitié des habitants d'une ville se déplace pour aller voter aux élections municipales, le gouvernement québécois se retrouve soudainement en position d'imposer et de régler arbitrairement. Quand une ville comme Montréal connaît des problèmes structurels avec ses finances, le gouvernement se sent le pouvoir d'intervenir législativement pour régler la situation.

Qui exerce aujourd'hui le réel pouvoir dans les villes? Qui mène encore dans les villes? En dehors des unions municipales, reste-t-il des pouvoirs significatifs aux élus locaux? Dans une démocratie qui privilégie les acteurs représentatifs, c'est-à-dire les groupes d'intérêt, plutôt que les représentants élus par le peuple, est-il encore un champ d'action pour les maires face à un gouvernement qui a d'autres lobbies plus puissants à écouter, des lobbies qui agissent eux aussi localement et qui prennent autant sinon plus de place que les élus? Les instances locales ne sont-elles pas ainsi de plus en plus exclues du réel pouvoir décisionnel?

Les dangers qui émergent au sein de la nouvelle démocratie québécoise font en sorte que le gouvernement, comme législateur et régularisateur, ne laisse plus vraiment de place au partage des pouvoirs. Pourtant, la subsidiarité, expression employée par tous mais non respectée, signifie que le partenariat n'est possible entre les niveaux d'autorités que si ceux-ci sont pluriels et diversifiés. Est-ce le cas présentement dans les municipalités?

La réponse est par trop évidente. Bref, les responsabilités municipales sont telles en ce moment que les gouvernements locaux pourraient bientôt devenir des coquilles vides. Idéalement, l'État subsidiaire réussit pourtant la synthèse entre les différents groupes et niveaux de pouvoir en pratiquant l'art de faire faire aux autres ce que vous avez décidé qu'il fallait faire, mais que vous ne voulez pas faire vous-même. Cette délégation de responsabilités doit toutefois être accompagnée de réels pouvoirs.

«Que l'autorité publique abandonne aux groupements de rang inférieur le soin des affaires de moindre importance où se disperserait à l'excès son effort; elle pourra dès lors assurer plus librement, plus efficacement les fonctions qui n'appartiennent qu'à elle, parce qu'elle seule peut les remplir: diriger, surveiller, stimuler, contenir, selon que le comportement, les circonstances ou la nécessité l'exige. Que les gouvernements en soient bien persuadés: plus parfaitement sera réalisé

l'ordre hiérarchique des divers groupements selon ce principe de la fonction de subsidiarité de toute collectivité, plus grandes seront l'autorité et la puissance sociale, plus heureux et plus prospère l'état des affaires publiques[1].»

N'est-ce pas là, et malgré tout, l'une des qualités du virage ambulatoire conçu par Jean Rochon : rapprocher le pouvoir décisionnel du service à la population. Dans le secteur municipal, à l'opposé, Québec impose des façons de faire sans donner suite avec la mise en place de moyens et de leviers indispensables à la réussite de l'exercice. La subsidiarité sans outils mène au développement d'incompétences au lieu d'expertises et annule, en fait, l'effet de complémentarité qui, normalement, découlerait de gouvernements qui se respectent mutuellement et qui respectent le principe de base, pour les services à la population, de la proximité du pouvoir décisionnel.

Si ce rapport inégal ne nuit pas au gouvernement québécois lors des élections générales, il pourrait se transformer autrement en déficit politique. Devant leur injuste « municipalisation », les municipalités n'auraient d'autres choix, éventuellement, que de passer par-dessus la tête du gouvernement afin d'être clairement reconnues comme intervenants représentatifs, comme le pense le professeur de l'Université Laval Lorne Giroux :

«Représentées par les associations municipales, les institutions locales québécoises sont en train de réclamer du gouvernement une loi à saveur constitutionnelle visant à assurer leur protection juridique et, conséquemment, leur protection politique pour mettre fin, une fois pour toutes, à ce régime d'où les aspects de paternalisme ne sont pas absents[2].» ○

Notes

1. Chantal Millon-Delsol, *L'État subsidiaire*, Éd. Léviathan-PUF, 1992.
2. Lorne Giroux, *Le symposium international sur la démocratie*, Assemblée nationale, Québec, 1992.

La diplomatie du commerce

BERNARD DESCÔTEAUX

La politique internationale du Québec aura été le fait, en 1997-1998, du premier ministre Lucien Bouchard. Préoccupé de relance de l'économie, il mit l'accent sur les relations commerciales, présidant lui-même deux importantes missions commerciales, l'une en Chine, l'autre aux États-Unis. Une visite officielle en France lui permit de recevoir un nouvel appui du gouvernement français dirigé maintenant par le socialiste Lionel Jospin. Présent au sommet de la Francophonie à Hanoï, M. Bouchard participa à la transformation de cette organisation en institution politique dont la vigueur réelle pourra se mesurer au prochain sommet qui aura lieu en 1999 au Nouveau-Brunswick.

L'action internationale du Québec a été vue depuis 1960 comme un mode d'affirmation politique. Les uns après les autres, tous les gouvernements québécois, et encore plus ceux issus du Parti québécois, ont défendu et tenté de développer la présence internationale du Québec. L'arrivée de Lucien Bouchard au poste de premier ministre en janvier 1996 marqua toutefois un temps d'arrêt et un changement de cap qui étonna. Douze délégations ou missions à l'étranger furent fermées et le volet des relations commerciales confié au ministre d'État à l'Économie et aux Finances. M. Bouchard étonna encore plus en participant au début de 1997 à la mission commerciale d'Équipe Canada en Asie, sous la houlette du premier ministre Jean Chrétien.

Ce choc a maintenant été absorbé et depuis un an, l'appareil international du Québec retrouve, sinon sa force, tout au moins une nouvelle vigueur qui lui vient essentiellement de son action économique et de l'implication personnelle du premier ministre dans les dossiers internationaux. À tous égards, cette année 1997-1998 aura d'ailleurs été celle du premier ministre qui, les circonstances aidant, aura pu corriger le tir et donner une nouvelle impulsion à la politique internationale du Québec.

Le besoin d'exporter

La participation de Lucien Bouchard à la mission d'Équipe Canada en Asie aura permis à ce dernier de comprendre que de telles missions pouvaient avoir un effet mobilisateur important, ici et à l'étranger. Mobilisation des ressources et des énergies de tout l'appareil gouvernemental sur un objectif précis. Mobilisation aussi du secteur privé qui participe à ces missions. Mobilisation enfin dans le pays visité qui, ne serait-ce que momentanément, accorde son attention à ses hôtes.

En 12 mois, M. Bouchard a tenu à organiser et à présider lui-même deux missions, l'une en Chine, en novembre, et l'autre aux États-Unis, en mai. Jamais un premier ministre québécois n'aura autant fait dans une seule année. Son action répondait à des impératifs précis. Outre que de vouloir démontrer son intérêt pour la chose internationale, il s'agissait pour lui d'appuyer concrètement la stratégie de développement économique de son gouvernement qui passe pour une large part par le développement des exportations.

Donnée incontournable de l'économie québécoise, les exportations internationales du Québec représentaient 34 % de son PIB en 1997. L'économiste Pierre-Paul Proulx estime que de 1990 à 1995, les exportations internationales ont permis de créer 103 000 emplois. La plus importante de ces missions au plan stratégique fut celle effectuée aux États-Unis dans quatre grandes villes (Boston, Atlanta, Chicago et Philadelphie). Les États-Unis sont le premier partenaire économique du Québec. Bon an mal an, 80 % des exportations du Québec prennent la route des États-Unis (82 % en 1997 pour une valeur de 42,7 milliards) et la moitié des investissements étrangers au Québec sont d'origine américaine (800 millions). Le Québec s'est fixé comme objectif de multiplier par deux ces investissements d'ici l'an 2000.

Cette mission avait un caractère particulier. Plutôt qu'une chasse aux contrats, il s'agissait d'une mission de promotion visant à s'attaquer au problème d'image du Québec, et tout particulièrement de Montréal, comme terre d'investissement. Lors du sommet économique de novembre 96, les gens d'affaires avaient souligné avec insistance ce problème et ils furent une soixantaine à se joindre à M. Bouchard pour tenter de corriger des perceptions fausses qui au cours des années se sont accumulées et dont la plus récente fut le reportage remarqué de *60 Minutes* sur la « police de la langue ». La différence culturelle du Québec ne le rend pas moins fertile économiquement, aura martelé M. Bouchard devant tous ses interlocuteurs.

La mission effectuée dans l'autre géant économique qu'est la Chine fut marquante par sa taille et sa durée. La délégation était composée de 200 personnes représentant 130 entreprises et la visite dura 12 jours. Il s'agissait ici clairement de prospecter un marché dont la taille en fait rêver plus d'un. Pour l'instant, les échanges sont plus que modestes. En 1995, le Québec n'exportait que pour une valeur de 215 millions en Chine qui elle exportait au Québec pour une valeur de 1,2 milliard.

Les résultats de cette mission furent relativement décevants. Au total, on y signa certes 45 contrats et ententes d'une valeur de 1,19 milliard, mais plusieurs se sont révélés par la suite sans effet en raison des contrecoups de la crise économique asiatique. Les rencontres de haut niveau du premier ministre furent plutôt rares et les limites de l'appareil international du Québec furent manifestes. La Chine n'avait accepté cette mission qu'après avoir eu la bénédiction d'Ottawa et, faute de représentation diplomatique ou commerciale à Beijing, on dut s'appuyer en large partie sur l'ambassade canadienne pour son organisation. Cette mission en Chine illustre bien les limites du genre. La mobilisation obtenue sera sans effet permanent si un suivi efficace ne peut être assuré. En Chine, mais aussi dans plusieurs régions des États-Unis, le Québec est dépendant de la collaboration des diplomates canadiens dont la connaissance des besoins et des priorités du gouvernement québécois est incomplète. M. Bouchard semble l'avoir compris puisqu'il se propose de nommer à Beijing un envoyé dont le bureau serait situé à l'ambassade canadienne aussitôt qu'il aura eu l'accord des autorités fédérales.

Malgré ces difficultés, M. Bouchard veut récidiver et organiser pour les mois suivants une mission en Amérique latine. La crise du verglas lui a fait rater la mission d'Équipe Canada en janvier 97 dans cette région du monde. La négociation d'un libre-échange continental pour l'an 2005 rend une telle mission d'actualité mais la mobilisation des milieux d'affaires est difficile compte tenu de la faiblesse des échanges.

Et la diplomatie politique

Dans les missions commerciales, la dimension politique n'est jamais bien loin et, où qu'il aille, M. Bouchard sera toujours hanté par le débat sur l'avenir du Québec. Ce fut le cas pendant sa mission aux États-Unis où il fut suivi pas à pas par le chef du Parti Égalité, Keith Henderson. Le discours de celui-ci sur les libertés brimées fut largement compensé par les déclarations des gouverneurs du Massachusets, de l'Illinois et de Pennsylvanie qui affirmèrent chacun leur tour que la situation politique du Québec ne constituait pas un obstacle à des liens commerciaux forts.

Ce fut musique aux oreilles du premier ministre qui sait combien il est difficile pour le Québec de percer aux États-Unis où tout est toujours à recommencer. Numériquement affaibli, le réseau diplomatique québécois, qui œuvre dans un milieu souvent hostile au plan politique, manque visiblement d'autorité. Les chefs de mission, qui sont généralement sans expérience diplomatique, se succèdent à un rythme rapide. Le hasard aura voulu qu'au moment même où s'amorçait la mission de M. Bouchard aux États-Unis, le Québec y ait perdu sa figure de proue, David Levine, qui un an à peine après son arrivée à la tête de la Délégation du Québec à New York décidait de revenir au pays.

Les relations avec la France sont beaucoup plus faciles pour des raisons évidentes, mais ne doivent pas pour autant être tenues pour acquises. En visite officielle en France en septembre 97, M. Bouchard a pu constater qu'avec l'arrivée du socialiste Lionel Jospin à la tête du gouvernement français, l'amitié franco-québécoise, tout en demeurant aussi solide qu'auparavant, s'exprimera sur un autre ton.

Lionel Jospin n'est pas l'homme de déclaration tonitruantes. Ainsi, il s'est gardé d'emboîter le pas au président Jacques Chirac qui avait assuré à Lucien Bouchard que *«quel que soit le chemin que le Québec choisisse, la France l'accompagnera»*. Le premier ministre français tient à garder les relations avec le Québec et le Canada à l'écart de toute polémique.

L'amitié, pour Lionel Jospin, se mesure en gestes concrets. L'invitation qu'il a faite au Québec d'être au printemps 99 le centre d'une série de manifestations culturelles sur le territoire français regroupées sous le nom de *Le Printemps du Québec* en est un. Il 'agit d'une vitrine exceptionnelle pour exposer la culture québécoise. L'événement sera orchestré par le metteur en scène Robert Lepage.

La Francophonie

L'année diplomatique de M. Bouchard aura été marquée par sa participation au sommet de la Francophonie à Hanoï en novembre 97. M. Bouchard était le premier premier ministre indépendantiste à participer à un tel événement.

Ce sommet marquait une solution importante pour cette organisation qui, après des années de débat, acceptait de prendre le virage de l'affirmation politique. Ce virage a surtout pris une force institutionnelle par la création d'un poste de secrétaire général de la Francophonie qui a été confié à Boutros Boutros-Ghali, l'ancien secrétaire général des Nations unies. Celui-ci est investi du rôle de porte-parole politique de l'organisation mais le discours qui sera le sien est difficile à cerner. La Francophonie sera-t-elle de plus en plus une organisation à l'image du Commonwealth, jouant un rôle diplomatique actif dans la prévention des conflits, comme le voudrait le Canada, ou allant jusqu'à mettre en place des sanctions contre un pays membre ne respectant pas les droits et libertés, comme le voudrait Lucien Bouchard? Aucun consensus

n'existe à cet égard comme l'a constaté ce dernier. Le président français, Jacques Chirac, qui est celui qui donne le ton à la Francophonie, estime qu'il faut chercher à convaincre, pas à contraindre. La prudence française s'explique par le fait que les pays africains ont de fortes réserves face au rôle politique de la Francophonie comme le retrait annoncé de la République démocratique du Congo (l'ex-Zaïre) l'illustre.

La portée réelle de ces changements pourra être mesurée lors du prochain sommet qui aura lieu à l'automne 99 à Moncton au Nouveau-Brunswick. Se déroulant en territoire canadien, ce sommet sera certainement un terrain idéal pour les gouvernements canadien et québécois pour s'affirmer en défenseurs de la langue et de la culture française en Amérique.

Les Amériques

Une initiative originale à souligner en 1997-1998 aura été celle du président de l'Assemblée nationale, Jean-Pierre Charbonneau, qui a pris le leadership de l'organisation de la Conférence parlementaire des Amériques et des Antilles qui s'est tenue à Québec du 18 au 22 septembre 1997.

Cette rencontre était en soi un événement, dépassant de beaucoup en ampleur et en impact les traditionnels échanges parlementaires. Ont participé à cette rencontre, quelque 400 parlementaires représentant 200 États (unitaires, fédéraux et fédérés) pour réfléchir au rôle des parlements dans une prochaine entente de libre-échange continental prévu pour l'horizon 2005. Une Déclaration dite de Québec sur les impacts législatifs, sociaux, culturels et environnementaux de l'intégration économique continentale a été adoptée et transmise aux chefs d'État et de gouvernement qui tenaient en avril 98 au Chili un sommet où a été enclenché le processus de négociation.

L'objectif de la Conférence était de ne pas laisser dans les seules mains des gouvernements le processus d'intégration économique continentale. Qui mieux que les parlementaires, a-t-on pensé, pouvaient assurer la tenue d'un débat public continu sur les impacts de ce projet et transmettre aux gouvernements les préoccupations des citoyens des Amériques?

La Conférence s'est donné un caractère permanent et a confié son secrétariat à l'Assemblée nationale du Québec. Le Québec est ainsi au cœur d'un débat qui orientera l'évolution d'un continent de 750 millions d'habitants où le fait français ne compte pourtant que pour 1 %.

Fort de cette expérience, le président de l'Assemblée nationale ne veut pas en rester là. Convaincu que les relations parlementaires internationales peuvent apporter beaucoup, il a proposé en juin dernier à ses collègues une politique intitulée *La démocratie parlementaire à l'ère de la mondialisation*. Les parlementaires doivent selon lui s'adapter à la réalité qu'est devenue la mondialisation. ○

L'ÉDUCATION

Un nouveau départ pour les commissions scolaires

KOCEÏLA LOUALI

Dire que l'année 1997-1998 dans le domaine de l'éducation était chargée serait un euphémisme. Elle était énorme! Passage aux commissions scolaires linguistiques, élections scolaires mouvementées, création de la Fondation des bourses d'étude du millénaire, retour aux matières de base... L'année qui vient sera celle, entre autres, de la politique universitaire et de la place de la religion à l'école dans le nouveau contexte des commissions scolaires linguistiques.

La déconfessionnalisation de l'ensemble du système scolaire était l'une des pierres angulaires du rapport final d'octobre 1996 des États généraux sur l'éducation. Ce changement réclamé depuis des lunes et qu'aucun gouvernement n'avait jusqu'à ce jour eu l'audace de mettre en œuvre allait s'implanter au cours de la dernière année.

Le 19 juin 1997, l'Assemblée nationale vote une loi qui dote le Québec de commissions scolaires linguistiques (francophones et anglophones) pour remplacer les commissions scolaires confessionnelles (catholiques et protestantes) qui existent depuis la Confédération de 1867. L'adoption de cette loi nécessite cependant un amendement à l'article 93 de la Constitution canadienne qui garantit le maintien du système confessionnel à Montréal et à Québec. Grâce au large consensus de la population et l'unanimité des partis politiques au Québec, Ottawa fait passer le projet comme lettre à la poste. Quelques jours avant les Fêtes de 1997, tout est réglé.

Mais la ministre de l'Éducation, Pauline Marois, n'attend pas la décision du fédéral pour passer à l'action et mettre son plan de restructuration à exécution. Fin août 97, une nouvelle carte fait passer les commissions scolaires de 156 à 72. Une mesure d'économie de 100 millions de dollars par année, estime le gouvernement.

Un mois plus tard, des conseils provisoires sont mis en place pour assurer la fusion des commissions scolaires. Ainsi, deux systèmes scolaires se chevauchent partout au Québec jusqu'au 1er juillet 1998, date à laquelle les nouvelles commissions linguistiques entrent officiellement en fonction.

Pendant que les conseils des commissaires de l'année en cours finissent leur mandat, les conseils provisoires ont la lourde tâche de régler les problèmes liés au transfert des immeubles et du personnel dans les commissions scolaires fusionnées. Les anglo-catholiques font le saut dans les commissions anglophones, idem pour les franco-protestants avec les commissions francophones.

Mais ce n'est pas tout. Ces changements ont un impact direct sur d'autres secteurs comme le transport scolaire, où de nouvelles routes doivent être tracées, ainsi que sur la création de conseils d'établissements décentralisés, une nouvelle entité qui pourra entre autres décider de l'orientation pédagogique de l'école.

De plus, les gestionnaires et les administrateurs d'institutions primaires et secondaires font des pieds et des mains pour poursuivre la série de réformes instaurée par la ministre Marois. Ils doivent peaufiner le régime des maternelles à temps plein, trouver de nouvelles places en service de garde, s'adapter au nouveau régime pédagogique et se préparer aux élections scolaires du 14 juin. Tout ça avec comme toile de fond des compressions de 200 millions de dollars.

Or, le temps manque. Un an pour mettre de l'ordre dans le système, c'est trop peu. Et les maîtres d'œuvre de la réforme ont de la peine à souffler. Le manque de temps pour négocier rend le partage des immeubles laborieux. Une situation qui laisse parfois place à de véritables guerres de tranchées entre conseils provisoires, tout comme entre parents francophones et anglophones, pour l'obtention d'écoles de qualité.

L'échéancier dicté par la loi ne donne cependant pas le choix aux commissaires car les élections du 14 juin arrivent à grands pas et tout doit être prêt pour les nouveaux conseils scolaires.

Premières élections scolaires linguistiques

Voilà plus de 10 ans que le Regroupement scolaire confessionnel (RSC) tient les rênes de la plus grosse commission scolaire de la province, la Commission des écoles catholiques de Montréal (CECM). Bien malgré lui, il doit passer le flambeau lors des élections du 14 juin au Mouvement pour une école moderne et ouverte (MEMO) qui remporte 15 des 21 sièges de la nouvelle Commission scolaire de Montréal.

Ce changement facilite l'instauration des nouvelles commissions scolaires linguistiques, le RSC de Michel Pallascio s'étant farouchement opposé à la nouvelle structure scolaire. Le MEMO considère au contraire son arrivée comme une chance. Partisan de l'école laïque, le MEMO ne voit toutefois pas d'un bon œil les écoles qui offrent un programme enrichi.

Tout au long de la campagne, sa présidente, Diane De Courcy, affirme que la répartition des biens immobiliers entre francophones et anglophones sera son principal cheval de bataille. La dame de 41 ans estime qu'un manque à gagner de 52 millions de dollars défavorise le secteur francophone, question qu'elle espère régler d'ici septembre.

Mais il n'y a pas que la victoire du MEMO qui retient l'attention de ces élections, dont l'organisation se retrouve sous la houlette du Directeur général des élections

(DGE) pour la première fois. En effet, une série de taches vient noircir le tableau, tant au cours de la campagne que pendant la journée du vote.

Plusieurs espèrent que ces premières élections des commissions scolaires linguistiques seront un nouveau départ, car ces élections ne soulèvent habituellement pas beaucoup d'intérêt. La prise en charge par le DGE et l'importance de nouveaux enjeux le laissent au moins croire. Avec 40 % de participation, les anglophones saisissent pleinement l'occasion d'affirmer la valeur de leurs institutions, alors que du côté francophone un maigre 10 % dénote le perpétuel manque d'intérêt pour la chose scolaire.

Malgré un succès évident du côté anglophone, le vote s'effectue dans un certain désordre. Dans plusieurs bureaux de vote de la commission scolaire English Montreal, des files provoquent des heures d'attente Obtenir de simples renseignements se transforme en entreprise. Sans compter que le processus d'inscription pour faire partie de la liste électorale de son choix, pour les anglophones sans enfants, cause de sérieux problèmes de délais. Plusieurs repartent sans voter, la frustration est alors à son comble.

La campagne électorale est également marquée par une absence de candidatures pour les postes de commissaires. Les citoyens n'en élisent que 607, les 697 autres le sont par acclamation. Des bureaux de scrutin et de révision trop peu nombreux ou trop éloignés de la résidence, le manque d'information « claire et simple » pour connaître les endroits de vote par anticipation, la controverse sur la date des élections (certains préfèrent le lundi plutôt que le dimanche) sont autant d'épines dans le pied du DGE, François Casgrain.

Aide financière aux étudiants

La hausse des droits de scolarité décrétée en 1990, de 944 $ à 1539 $ par année, présageait un avenir économique sombre pour les étudiants universitaires. Il était évident que le problème de l'aide financière des étudiants allait un jour ou l'autre faire surface. Ce n'était qu'une question de temps.

Aujourd'hui, la situation des étudiants est loin d'être rose. La moitié des 135 000 étudiants universitaires profite d'une aide financière sous forme de prêt ou de bourse du gouvernement provincial. La dette moyenne varie entre 11 000 $ et 25 000 $ selon le cycle d'études. En revanche, le taux d'endettement des étudiants québécois est le plus bas au pays.

Avec l'augmentation du nombre de faillites et de prêts, le régime d'aide financière devenait vite en péril. Sous les pressions de la Fédération étudiante universitaire du Québec (FEUQ) et de sa cadette collégiale (FECQ), la ministre Marois apporte des améliorations au régime d'aide financière. Ainsi, en octobre, elle s'inspire du rapport Montmarquette pour créer, entre autres, un comité consultatif en matière d'aide financière auquel des étudiants siégeront. Les quelques ajustements ne comblent pas entièrement les attentes des étudiants, mais un pas dans la bonne direction venait d'être franchi.

Cependant, c'est la saga de la Fondation des bourses du millénaire qui retient le plus l'attention en matière d'aide financière postsecondaire. Le 24 février 1998, lors du

À SURVEILLER EN 1998-1999

Koceïla Louali

Politique des universités

Dans la foulée des réformes de la ministre Marois, l'université québécoise s'apprête à être redéfinie. Le 20 février, la ministre de l'Éducation souligne le lancement des consultations pour l'élaboration d'une politique sur les universités par la voie d'un document intitulé *L'université devant l'avenir*. Celui-ci résume les priorités du MEQ, notamment en matière d'encadrement des étudiants, de hausse du taux de diplômation et de modification des programmes de premier cycle.

Des consultations ouvertes aux différents groupes universitaires (professeurs, associations étudiantes, employés d'universités) et représentants socio-économiques auront lieu en automne. En théorie, la nouvelle politique qui sera formulée au cours des prochains mois pourrait avoir une influence à long terme sur la gestion des universités. Par contre, son impact réel reste à évaluer.

Négociations dans le secteur public

L'automne 1998 s'annonçait houleux en matière de négociation syndicale. Le front commun des trois grandes centrales syndicales (CSN, CEQ, FTQ) réclame du gouvernement du Québec des augmentations salariales de 11,5 % pour les employés des secteurs public et parapublic, dont les conventions collectives ont pris fin le 30 juin 1998.

Pour sa part, la CEQ cherche à rétablir l'équité salariale de ses enseignants et exige plus de 700 millions à partir de 1999, plus un million à titre de compensation rétroactive. Et il y a les jeunes enseignants, qui veulent eux aussi leur part du gâteau. Le gel

dépôt du budget fédéral, le ministre des Finances, Paul Martin, débloque 2,5 milliards pour un plan d'aide étalé sur dix ans. L'objectif est de réduire l'endettement des étudiants du prochain millénaire. Chaque année, plus de 100 000 d'entre eux recevront un chèque de 3000 $ par la poste.

L'idée est loin de faire l'unanimité au Québec, autant pour le gouvernement péquiste que pour les étudiants. Non pas qu'ils crachent sur de l'argent neuf, sauf que le geste provoque un dédoublement dans le système d'aide financière provincial.

Les autres points de discorde sont les critères d'obtention des bourses. Ceux de la Fondation du millénaire sont basés sur l'excellence, la mobilité et le besoin. Quant aux critères québécois, ils ne tiennent compte que des besoins.

Québec espérait du fédéral qu'il lui octroie sa part du Fonds pour la gérer à travers son système d'aide financière. Mme Marois était même prête à s'assurer que le chèque porte la couleur de la feuille d'érable. Pas question, rétorque le ministre des Ressources humaines, Pierre Pettigrew, Ottawa tient lui-même à des échelons consenti par leur négociateur l'an dernier les ont pénalisés alors que les enseignants au sommet de l'échelle n'ont rien perdu.

La place de la religion à l'école

Début octobre 97, la ministre Marois annonce que Jean-Pierre Proulx, professeur à l'Université de Montréal, présidera un groupe de travail sur la place de la religion à l'école au cours de l'année et sur le rôle de l'État dans ce domaine. Le mandat touche non seulement les cours d'enseignement religieux mais aussi ceux de morale et les activités de pastorale. Cette initiative découle de la restructuration des commissions scolaires C'est en automne 1998 que ce groupe de travail devrait remettre son rapport. À l'aide du document, la ministre espère entre autres clarifier les rapports entre les droits fondamentaux de la personne et les droits des parents à l'égard de l'éducation religieuse de leurs enfants. Le débat risque d'être chaud au lendemain de la parution du rapport.

Manuels scolaires

La pénurie de manuels scolaires aura fait la manchette cette année. Garantir à chaque élève la possession de manuels de base pour chacune des matières au programme ne semble plus possible. Une situation qui toucherait 69 % des écoles d'après un sondage. Pourtant, la Loi sur l'instruction publique comporte ce type d'exigence.

Manquerait-on de fonds? C'est en tout cas ce qu'affirme le critique de l'opposition en matière d'éducation, François Ouimet. La ministre rétorque à mots couverts que la responsabilité revient aux commissions scolaires.

Le débat est loin d'être réglé. Avec des élections en vue et un sujet aussi épineux, cette question pourrait faire partie des enjeux électoraux. ●

administrer le Fonds. Malgré plusieurs séances de négociations, rien ne change. Le projet de loi C-36 sera finalement adopté à toute vitesse aux Communes le 27 mai. Ottawa laisse le soin à la Fondation elle-même de négocier avec le Québec.

Le nouveau « curriculum national »

Fin septembre, Pauline Marois rend public un énoncé de politique qui replace les matières de base au centre de l'enseignement primaire et secondaire. Le choix d'un « curriculum national » va étendre la formation commune à tous jusqu'en troisième secondaire. C'est à compter de septembre 1999 que les nouveaux programmes feront leur apparition.

Finis donc les cours fourre-tout, place maintenant au français, aux mathématiques et à l'histoire. Le temps alloué à l'enseignement du français en première et deuxième années du primaire passe de sept à neuf heures par semaine et celui des mathématiques, de cinq à sept heures. Les cours de sciences seront intégrés au secondaire et l'enseignement de l'anglais débutera en troisième année plutôt qu'en quatrième. Quant aux cours d'histoire, ils commenceront en troisième année pour ne s'arrêter qu'à la sortie du secondaire.

Ce retour aux matières de base sonne du même coup le glas des cours d'éducation aux choix de carrière, de formation personnelle et sociale, d'écologie, d'économie familiale, de biologie et d'initiation à la technologie. Fini aussi le laisser-aller sur les fautes de français sous prétexte que l'étudiant rédige un travail d'histoire. Dorénavant, il faudra savoir bien écrire et parler en tout temps.

Un comité consultatif est également mis sur pied quelques semaines après l'annonce du nouveau curriculum. La Commission des programmes d'études fera des recommandations sur les orientations générales des programmes. Composé en majorité d'experts et de professeurs, le nouvel organisme verra son mandat inscrit dans la Loi sur l'instruction publique.

En règle générale le projet est bien accueilli, si ce n'est que la principale crainte demeure l'autonomie des écoles et leur marge de manœuvre pour intégrer des projets particuliers (sport, arts, douance, etc.). Quelle liberté laissera le nouveau programme commun aux écoles? Une question brûlante pour le MEQ, qui détourne le débat chaque fois qu'il se présente.

École à deux vitesses

Une des questions les plus délicates de l'année est certes le sujet de l'école à deux vitesses. Est-il pertinent, et surtout juste, d'ouvrir des écoles publiques aux pro-

grammes enrichis pour des élèves doués, pendant que les plus faibles sont contraints de rester ensemble?

La controverse reste vive à ce sujet. D'un côté, il y a les parents qui tiennent mordicus à ce que leur enfant puisse développer son potentiel au maximum, et de l'autre, les tenants de la ligne de l'égalité des chances.

La CEQ ne s'est d'ailleurs pas gênée pour dénoncer tout ce qui peut ressembler à un programme enrichi. Selon elle, l'uniformité totale est le seul gage d'une véritable égalité des chances. À son avis, il ne fait aucun doute que les plus doués sont les enfants issus de milieux favorisés.

Ce n'est cependant pas le point de vue des gestionnaires d'écoles à vocation particulière, qui assurent que leur clientèle provient tout autant de milieux riches que pauvres. Peut-être bien, mais les importantes compressions budgétaires inciteront sûrement les écoles de milieux favorisés à faire appel aux parents ou à l'ensemble du quartier pour s'offrir des services que les budgets des écoles ne permettent pas.

Pauline Marois a tenté de placer quelques balises pour éviter toute forme de discrimination. La création du curriculum national, identique sur l'ensemble du territoire québécois, réduit les chances de créer des écoles à vocation particulière. De plus, les écoles qui voudront améliorer cette base d'enseignement et se donner un mandat spécifique ne pourront interdire l'accès aux enfants de leur quartier. Toute école qui souhaite choisir sa clientèle devra démontrer qu'elle ne fait pas de discrimination en fonction des résultats scolaires et aussi obtenir une dérogation de la ministre. ◯

Tableau 1
Une comparaison Québec – pays de l'OCDE
Taux nets d'obtention d'un diplôme universitaire
par type de programme, en pourcentage, en 1995

	Baccalauréat (programmes court et long)	Maîtrise (ou l'équivalent)	Doctorat (ou l'équivalent)
Amérique du Nord			
Canada	29	4,4	0,7
Québec	29	7,0	0,9
Union européenne			
Autriche	9	a	1,2
Danemark	28	2,1	0,6
Finlande	19	x	1,9
Italie	11	a	m
Pays-Bas	20	10,2	1,8
Royaume-Uni	30	10,9	1,0
Suède	15	2,8	1,8
Autres pays de l'OCDE			
Hongrie	18	m	m
Islande	24	0,6	n
Norvège	22	8,6	0,9
Turquie	7	0,6	0,2
Moyenne des pays	20	3,6	1,0

Sources: Regards sur l'éducation, Les indicateurs de l'OCDE 1997, *page 352*
Ministère de l'Éducation du Québec (diplômes)
Statistique Canada (estimations de la population au 1er janvier 1995).
Symboles utilisés: a: Sans objet
m: Données non disponibles
n: Ordre de grandeur négligeable ou nul
x: Données incluses dans une autre colonne du tableau

Tableau 2
Élèves au Québec en 1996-1997
Réseaux public et privé

1996-1997	Public	Privé	Total
Total	1 708 294	132 731	1 842 025
Maternelle 4 ans	17 235	59	17 294
Maternelle 5 ans	91 920	4167	96 087
Primaire	527 635	24 847	552 482
Secondaire	631 902	76 149	708 051
Secteur des jeunes	411 811	74 885	486 696
Secteur des adultes[1]	220 091	1264	221 355
Collégial[2]	209 471	27 509	236 980
Ordinaire	163 573	16 528	180 101
Adulte	45 898	10 981	56 879
Universitaire[3]	231 131	–	231 131

1. Les données comprennent les élèves inscrits à l'éducation des adultes à des programmes d'alphabétisation et de présecondaire.
2. Trimestre d'automne. Les données de l'éducation des adultes ne comprennent pas toute formation pour laquelle on n'a attribué aucune unité.
3. Trimestre d'automne. Les données comprennent les médecins résidents. Toutefois, elles excluent les auditeurs.

Source: Direction des statistiques et des études quantitatives, Ministère de l'Éducation du Québec.

Tableau 3 Enseignantes et enseignants dans les organismes publics au Québec en 1996-1997	
Total 1996-1997	120 837
Commissions scolaires	93 286
Cégeps[1]	18 846
Universités[1]	8705

1. Effectif régulier à temps plein, ne comprenant pas les effectifs réguliers à temps partiel, les chargés de cours et les personnes rémunérées par honoraires et contrats.

Source : Direction des statistiques et des études quantitatives, Ministère de l'Éducation du Québec.

La décennie Rochon

ISABELLE PARÉ

L'année 1998 marque la fin de l'ère Rochon, précipitée par le départ imminent d'un ministre dont on sait maintenant qu'il ne briguera pas les suffrages aux prochaines élections. Chose certaine, la marque laissée sur le système de santé par Jean Rochon a surpassé de loin son influence sur la scène politique tout au cours de son mandat. C'est toute la décennie des années 90 qui aura été marquée par la trajectoire imposée au système de santé par Jean Rochon, dont l'essence de la réforme prendra forme dès 1990 sous le règne du gouvernement libéral de Robert Bourassa. Enfin, l'année 1998 aura aussi été le théâtre de crises inattendues et inhabituelles, comme celles du verglas et des urgences, qui ont servi de révélateurs en mettant davantage à l'épreuve un système de santé déjà poussé à bout par ses difficultés financières et ses problèmes humains.

Tremblement de terre dans la profession médicale

La colère des médecins

Le mécontentement semé au cours de l'année 1997 chez plusieurs catégories de professionnels du réseau de la santé a atteint son apogée en 1998. Grève des médecins, menace de grève des obstétriciens-gynécologues, débrayage spontané des chirurgiens, grève des heures supplémentaires chez les infirmières : le ton était donné pour une année ponctuée de protestations sans précédent dans la communauté médicale. Dès septembre, le ministre Rochon hérite du ressac entraîné par sa décision, prise l'hiver précédent, de transférer le programme québécois de greffes pulmonaires de Montréal à Québec. Après avoir long-temps cru au projet, ce sont cette fois les médecins de l'hôpital Laval de Sainte-Foy, désigné comme centre de transplantation par le ministre quelques mois plus tôt, qui sonnent eux-mêmes le glas du projet en transférant unilatéralement tous leurs patients en attente de greffe à Montréal pour des « raisons médicales ». Ce retour du programme de greffes dans la métropole est perçu dans la population comme un aveu d'incompétence de la part du ministre qui se solde par la victoire de la raison médicale sur le pouvoir politique.

La médecine spécialisée s'essouffle

D'autres problèmes font surface à l'automne, alors que l'impact des programmes de départs à la retraite offerts aux spécialistes de la profession médicale commence à se faire sentir à travers le Québec. Les rangs de la médecine spécialisée ont perdu 384 des leurs depuis l'implantation des premiers programmes. On craint que des pénuries ne fassent surface, notamment chez les anesthésistes – une spécialité médicale déjà très en demande –, les radio-oncologues, les pathologistes, les psychiatres et les obstétriciens-gynécologues.

L'effritement des effectifs se traduit d'ailleurs dès la fin de 1997 par une menace de grève, brandie par les obstétriciens-gynécologues. Confrontés à des hausses spectaculaires du coût de leurs primes annuelles d'assurance-responsabilité, passées de 25 000 $ en 1997 à 29 500 $ en 1998, les médecins accoucheurs déplorent un abandon de la profession par leurs jeunes collègues. Ces derniers refusent de prendre de nouvelles patientes dès le 15 décembre, et menacent de cesser de faire des accouchements dès le 30 janvier si Québec ne révise pas leurs tarifs et n'assume pas une partie des hausses des primes d'assurances. Une « grève » est évitée in extremis, après que le ministre de la Santé se fut engagé à verser cinq millions pour pallier l'augmentation en flèche des primes d'assurances.

En mars, c'est au tour des chirurgiens de l'hôpital Sacré-Cœur de Montréal de ruer dans les brancards. Pour protester contre la façon dont le ministre Rochon dénoue la crise qui sévit dans les urgences de Montréal, les chirurgiens délaissent leurs blocs opératoires toute une journée. Une chose qui s'est rarement vue dans les milieux médicaux à ce jour, les médecins étant plutôt réticents à compromettre, par

quelque moyen de pression que ce soit, les services aux patients. Mais, à ce titre, la donne changera en 1998.

Les omnipraticiens regimbent

Au printemps, les médecins omnipraticiens passeront de la parole aux actes. Ainsi, 1500 d'entre eux se réuniront en journée d'études à Montréal et à Québec pour réclamer que le gouvernement tienne compte des nouvelles tâches que fait peser le virage ambulatoire sur la pratique médicale. Ces derniers réclament plus de 188 millions d'ici 2001 pour que soient mieux rétribués les médecins qui dispensent des soins à domicile ou aux personnes âgées dans les centres d'hébergement. Le gouvernement oppose une fin de non-recevoir à la Fédération des médecins omnipraticiens du Québec (FMOQ), de sorte que ces derniers haussent le ton et choisissent de mettre la clé dans la porte de leurs cliniques. Les services médicaux des CLSC, des cabinets de médecins et des cliniques seront donc interrompus les soirs et la fin de semaine pendant plus d'une semaine. Au terme de deux journées complètes de grève, les 11 et 12 juin, le gouvernement accueillera en partie les revendications des généralistes, en versant 35 millions aux médecins pour l'année en cours. L'ensemble des discussions sur les salaires sera reporté à l'automne.

Les services de pointe ébranlés ?

Les turbulences dans la profession médicale ne s'arrêteront pas là. Dès le mois de mars, les spécialistes soutiennent que certains traitements de pointe ne sont plus disponibles pour leurs patients, faute de ressources. On craint le nivellement par le bas des services de santé et l'effritement de la médecine de calibre universitaire, essentielle à la formation de nouveaux médecins. À l'hôpital pour enfants Sainte-Justine, c'est cette fois la capacité de retenir des médecins spécialistes qui est mise en cause. L'application d'une entente sur l'introduction d'un nouveau mode de rémunération mixte, promise par le ministère de la Santé depuis mai 1997, se fait toujours attendre. Entre-temps, les effectifs se fragilisent et les départs se multiplient chez les ultra-spécialistes, convoités par beaucoup d'autres hôpitaux du Québec, du reste du Canada et des États-Unis. Une cinquantaine de médecins délaissent l'hôpital le 11 juin pour protester contre l'inertie de Québec et arracher une entente écrite au ministre de la Santé, qui permettrait de retenir les spécialistes qui songent à quitter l'hôpital en raison de conditions salariales insatisfaisantes. Au début de l'été, alors que certaines salles d'opération commencent à ralentir leur cadence faute d'anesthésistes, la conclusion d'une entente ferme demeurait toujours incertaine.

Le baroud d'honneur des infirmières

Ce sont les infirmières qui marqueront le dernier coup de cette année trouble entre le ministère et les professionnels de la santé. Dès le 22 mai, les infirmières, qui invoquent l'épuisement de leurs troupes, menacent de cesser d'effectuer des heures supplémentaires pour forcer les hôpitaux à embaucher plus de personnel. Les syndicats infirmiers, qui ont déjà amorcé les négociations sur le renouvellement de leur convention collective, exigent des modifications à leurs contrats de travail et un

engagement des hôpitaux à combler tous leurs postes vacants et à former du personnel. Le tout s'achèvera devant le Conseil des services essentiels, qui forcera le retour au travail des infirmières le 25 mai. Le Conseil imposera toutefois une nouvelle procédure aux hôpitaux, qui sera substituée à celle prévue dans les conventions collectives actuelles pour trancher les litiges relatifs à la charge de travail. Dans le domaine des relations de travail entre l'État et ses fonctionnaires, il s'agit d'un précédent d'importance.

Un réseau secoué par les crises

L'année du verglas

Chaque saison ramène ses hauts et ses bas dans le système de santé. Mais en 1998, ces crises saisonnières prendront une dimension exceptionnelle. Dès l'automne, les premiers engorgements dans les urgences laissent appréhender le pire. La crise du verglas plongera ensuite les établissements de la Montérégie et de la région métropolitaine dans un état précaire, de nombreux hôpitaux devant compter sur les génératrices et les bénévoles.

Des effectifs seront d'ailleurs dépêchés du Saguenay et de plusieurs autres régions pour permettre aux hôpitaux du triangle de glace de fonctionner de façon minimale malgré l'absence de dizaines de leurs employés touchés par le verglas. À l'hôpital du Haut-Richelieu de Saint-Jean et au Centre hospitalier Honoré-Mercier du Réseau santé Yamaska-Richelieu, de Saint-Hyacinthe, la situation atteindra un seuil critique. À tel point que plusieurs directeurs généraux comparent leurs hôpitaux à des camps de guerre. Privés partiellement d'électricité et de chauffage, les hôpitaux accueillent par moments deux fois plus de patients que d'ordinaire qu'ils logent dans des lits de fortune aménagés. Plusieurs patients doivent être transférés vers des hôpitaux montréalais.

La crise des urgences dégénère

Cette première crise sera un terreau fertile pour l'éclosion d'un dérapage sans précédent dans les urgences de la métropole, entraîné par le surplus de patients de la Rive-Sud pris en charge par les hôpitaux de Montréal. Cette situation engendre dans toutes les urgences des délais d'attente et un nombre record de patients. Le 3 février, la crise atteint son point culminant à l'hôpital Maisonneuve-Rosemont. Une patiente est retrouvée morte sur sa civière avant même d'avoir été examinée par le médecin de garde à l'urgence. À ce moment, plus de 63 patients s'entassent dans une urgence qui ne compte officiellement qu'une quarantaine de lits. La situation est alors dénoncée par la communauté médicale, et il s'en suit une tempête médiatique qui heurtera de plein fouet le gouvernement.

Dès le 6 février, le ministre de la Santé ordonne aux hôpitaux de modifier leur fonctionnement pour se mettre en mode d'urgence et suspendre la plupart des chirurgies jugées non urgentes. Le 16 février, le gouvernement débloquera 15 millions pour ouvrir 350 lits afin de désengorger temporairement les urgences des Laurentides, de la Montérégie et de la métropole. À ce moment, plusieurs observateurs relient les misères des urgences aux fermetures draconiennes de lits effectuées au cours des années précédentes. Le ministre Rochon reconnaît la fragilité de la situation, mais en relègue l'entière responsabilité au mode de gestion des administrateurs d'hôpitaux.

De politiques majeures, un bilan législatif dense

En dépit des crises qui ponctuent l'année 1998, on peut sans nul doute affirmer que les douze derniers mois auront permis au ministre Rochon de livrer le plus impressionnant de ses bilans législatifs en carrière. Avec l'adoption de trois projets de loi majeurs, dont une législation antitabac longuement contestée, Jean Rochon bouclera ainsi son passage en politique après avoir mené à terme la plupart des chantiers ouverts en cours de mandat.

La loi antitabac

À l'unanimité des 108 députés présents, l'Assemblée nationale adopte, finalement, le 17 juin 1998, la première loi québécoise contre le tabagisme. Après plus d'une année de reports et de controverses, le ministre Rochon parvient à établir un consensus autour de son fameux projet de loi 444. Alors que les taux de tabagisme atteignent des niveaux records chez les jeunes Québécois, Jean Rochon fait de l'adoption de cette loi une des priorités de son agenda ministériel. Avec sa loi, il espère ramener de 37,5 % à 32 % en 2002 le nombre de fumeurs chez les gens âgés de 15 ans et plus. Parmi les étudiants du secondaire, la proportion de fumeurs est grimpée de 15 à 23 % entre 1991 et 1994, une situation critique qui donne à Québec une forte légitimité pour proposer une loi sévère.

Les milieux culturels et sportifs, qui s'étaient opposés depuis la première heure à une législation limitant le recours à la commandite des fabricants de tabac, ne se rallieront malgré tout qu'à la toute fin au projet ministériel, modifié jusqu'à la dernière minute avant son adoption. Le point le plus controversé, la commandite d'événements culturels et sportifs, a abouti à un compromis offrant aux principaux intéressés deux options pour l'avenir. Les organisateurs d'événements auront finalement le choix entre un programme d'aide compensatoire s'ils abandonnent toute commandite des compagnies de tabac d'ici le mois d'octobre 1999, ou un sursis de cinq ans, sans aucune aide financière.

Quant aux volets moins contestés du projet de loi, ils sont adoptés presque sans modifications, à l'exception des clauses permettant à Québec d'agir sur la composition des produits du tabac. À ce chapitre, le gouvernement québécois ne pourra intervenir que de concert avec Ottawa, afin d'éviter que les fabricants n'aient à produire des cigarettes ayant un goût distinct pour le seul marché québécois. Les autres dispositions de la loi instaurent l'interdiction de fumer dans la plupart des lieux publics, notamment les écoles primaires et secondaires, les établissements de santé, les garderies, les centres commerciaux, les autobus, les abribus et les taxis. La loi prohibe aussi dorénavant l'usage du tabac dans les lieux de travail, sauf dans des fumoirs ventilés. On pourra cependant continuer à griller la cigarette dans les bars, les salles de bingo et les casinos de l'État. Quant aux restaurants, la loi leur accorde un délai de dix ans pour installer des aires « non fumeur » cloisonnées et ventilées.

Somme toute, malgré l'opposition féroce qu'elle a engendrée, la première loi québécoise contre le tabagisme recueillera contre toute attente l'assentiment de la grande majorité des acteurs dans ce dossier, autant des fabricants de tabac, des organismes antitabac et des responsables de la santé publique que des milieux culturel et sportif.

Héma-Québec

Par la création d'Héma-Québec, qui prend ainsi le relais de la Société canadienne de la Croix-Rouge pour l'approvisionnement en sang et en produits sanguins au Québec, le Québec fera cavalier seul dès septembre 1998 en refusant d'intégrer la nouvelle agence canadienne responsable de la gestion du sang, créée dans la foulée du rapport Krever sur le scandale du sang contaminé. Le ministre Rochon soutient que sa décision est guidée par des raisons sécuritaires, et non par des motivations politiques ou économiques. La nouvelle agence québécoise coûtera 125 millions au Trésor québécois, soit 45 % de plus que sa participation actuelle à la Croix-Rouge. Une hausse que le Québec estime justifiée, puisque les provinces qui adhéreront au nouveau système canadien de distribution du sang verront elles aussi leurs contributions augmenter dans les mêmes proportions.

La loi sur les sages-femmes : la fin d'un débat

En adoptant une loi sur la pratique des sages-femmes, le gouvernement Bouchard met fin à un débat vieux de plus de 15 ans dans le réseau de la santé. La loi créant des projets-pilotes en maisons de naisssances

JEAN ROCHON : L'HOMME DE LA CONTROVERSE

Isabelle Paré

En 1998, Jean Rochon aura été, au sein du gouvernement Bouchard, l'homme par qui la controverse arrive. Mais après trois années de réformes continues et contestées autant les unes que les autres, le ministre de la Santé le plus médiatisé de l'histoire du Québec devrait selon toute vraisemblance tirer sa révérence dans l'année qui vient. Un retrait précipité, non pas par une démission, réclamée à de nombreuses reprises par l'opposition libérale, mais par l'imminence d'élections auxquelles Jean Rochon n'a, selon plusieurs observateurs, aucune intention de se présenter. Un départ pressenti donc, à moins que le premier ministre Lucien Bouchard ne lui confie de nouveaux défis et lui réserve une place dans son futur cabinet.

L'architecte de la réforme de la Santé, élaborée dès 1988 dans le fameux rapport de la commission Rochon, bouclera son passage en politique en laissant derrière lui un ministère et un réseau de la santé transformés par plusieurs années de bouleversements intenses. Tout au long de son mandat, amorcé sous le gouvernement Parizeau, Jean Rochon est demeuré égal à lui-même. Même au plus fort de la tourmente, il s'est bâti la réputation d'un homme inflexible, refusant de plier devant le tollé provoqué par ses décisions et celles de son gouvernement. Autant auprès des employés du réseau de la santé qu'auprès de la population, Jean Rochon a conservé l'image d'un politicien froid et distant, intransigeant, au style technocratique. Une image qui est d'ailleurs devenue par moments un boulet aux pieds du gouvernement Bouchard, qui en a pâti à plusieurs reprises.

Tout au cours de l'année, l'opposition a maintes fois tenté d'éclabousser le premier ministre Lucien Bouchard en se servant des dérapages de la réforme de Jean Rochon. Plusieurs sondages ont d'ailleurs illustré la chute subie par l'instigateur de la réforme de la santé dans l'opinion publique. En mars, une enquête Angus Reid révélait que 60 % des Québécois n'avaient plus confiance en Jean Rochon pour gérer le système de santé.

avait reçu l'aval des libéraux en 1990, mais la première maison de naissances n'a vu le jour qu'en 1994, après une bataille rangée entre les sages-femmes et les obstétriciens-gynécologues.

En décembre 1997, le conseil d'évaluation des projets-pilotes, composé de 12 membres, notamment de sages-femmes, de médecins, d'usagères et d'une infirmière, propose à Québec d'aller de l'avant et de légaliser le métier de sage-femme, tant dans les maisons de naissances ou à domicile que dans les hôpitaux. Les accouchements à domicile ne seraient autorisés que si le lieu de résidence de la femme enceinte est situé à moins de trente minutes d'un hôpital. Le rapport du conseil prône aussi la création rapide d'un ordre professionnel pour encadrer pratique des sages-femmes. Le représentant des obstétriciens-gynécologues

Près de 75 % des répondants jugent alors que le ministre Rochon est allé «*trop loin*» dans les compressions imposées aux hôpitaux. Mais Jean Rochon n'en démord pas : sa réforme a permis d'éviter le naufrage du réseau de la santé. N'eût été de l'objectif « déficit zéro » que s'est imposé son gouvernement, les Québécois n'auraient vu que du feu dans sa réforme, plaide-t-il.

L'entrée en scène de Jean Charest à la tête du Parti libéral du Québec relancera les attaques de l'opposition à l'endroit de Jean Rochon au printemps. À tel point, que le premier ministre Bouchard devra à plusieurs reprises se porter à la défense de son ministre en Chambre. À l'Assemblée nationale, il déclarera : «*Il fallait quelqu'un de l'envergure, de la force, de la générosité de Jean Rochon*» pour compléter pareille réforme. Le premier ministre ira même jusqu'à comparer son ministre de la Santé au «*deuxième grand bâtisseur du régime de santé après Claude Castonguay*». En fin d'année, l'omniprésence de Lucien Bouchard aux côtés de Jean Rochon lui donnera par moment des allures de personnalité sous haute surveillance. Le gouvernement annoncera d'ailleurs au début de juin l'injection de 385 millions d'ici 2001 dans le système de santé, afin de réduire les listes d'attente pour les chirurgies importantes dans les hôpitaux et améliorer les services en CLSC. Ce temps d'arrêt dans les compressions, après des resserrements de plus de 1,4 milliard en trois ans, est accueilli comme un baume.

Mais l'image du ministre demeure affaiblie. Lors de cette annonce, qui marque un premier temps d'arrêt dans les compressions survenues depuis l'arrivée des péquistes au pouvoir, c'est d'ailleurs le premier ministre qui tiendra le haut du pavé, répondant, en lieu et place de Jean Rochon, à certaines des questions des journalistes. Malgré plusieurs bons coups et le dépôt de politiques majeures, dont la première loi québécoise antitabac et la création de l'agence Héma-Québec, le ministre Rochon terminera son année politique – peut-être même sa carrière politique – à bout de souffle, miné par une impopularité publique grandissante. Une impopularité devenue de plus en plus lourde à porter pour un gouvernement se préparant à une nouvelle bataille électorale. ●

remet toutefois un avis dissident et propose la poursuite d'études en raison du taux de mortalités à la naissance un peu plus élevé rapporté dans le groupe des accouchements survenus en maison de naissances.

En mars 98, le gouvernement donne suite à ce rapport. Les ministres de la Santé, Jean Rochon, et de la Justice, Serge Ménard, annoncent la légalisation prochaine du métier de sage-femme. Le gouvernement entend permettre rapidement aux sages-femmes de réaliser des accouchements et ordonne la création d'un ordre professionnel dès l'automne 1998. Un appel d'offres sera transmis sans délai aux universités pour que soit instauré un programme de formation de premier cycle pour les sages-femmes. En vertu d'un projet de loi adopté en fin de session, ces dernières pourront conseiller et accoucher les femmes enceintes, prescrire certains médicaments, offrir des cours prénatals, surveiller l'état du fœtus et effectuer des épisiotomies. Enfin, les sages-femmes devront aussi savoir prodiguer certaines mesures d'urgence et voir à la santé de la mère et du bébé jusqu'à six semaines après la naissance.

Malgré l'ouverture d'un champ de pratique jusqu'ici réservé aux médecins, le Collège des médecins a pour la première fois annoncé qu'il rendait les armes et ne contesterait pas la décision de Québec. Reste à voir, une fois les règles de pratique définies par le nouvel ordre professionnel, comment s'élaborera cette nouvelle cohabitation au quotidien entre les médecins et les sages-femmes, à qui les portes des hôpitaux étaient jusqu'ici restées fermées. ○

Les autochtones et Québec reprennent les négociations

JUDITH LACHAPELLE

Les relations cahoteuses entre le gouvernement québécois et les autochtones ont été marquées encore une fois cette année par des épisodes d'ouverture sur la négociation souvent suivis de durcissements de positions tant d'un côté que de l'autre. Non, ce n'est pas en 1998 que le calumet de la paix a été fumé par l'Assemblée des Premières Nations et le gouvernement québécois, mais les échanges ont été nettement plus cordiaux après un gel de deux ans à la suite du référendum de l'automne 1995.

Attendu impatiemment depuis longtemps, le dévoilement de la politique autochtone en avril 1998 par le ministre Guy Chevrette, responsable du dossier, a d'abord sucité des réactions positives de la part des leaders amérindiens, qui ont souligné l'intérêt de cette politique pour le développement économique, la création d'emplois pour les jeunes et la création d'infrastructures communautaires.

La politique a également prévu de déléguer de nouvelles responsabilités aux autochtones, comme la possibilité de prélever des taxes de vente dans la réserve, taxes qui leur seraient ensuite remises pour augmenter leur autonomie financière. Une commission bipartite se pencherait notamment sur la possibilité d'élire des représentants autochtones à l'Assemblée nationale.

Le hic, et ce qui fera que les propositions du ministre Guy Chevrette seront finalement rejetées par les autochtones, c'est que Québec demande aux Premières Nations de tenir compte de l'intégrité territoriale du Québec dans leurs demandes d'autodétermination et d'autonomie gouvernementale. Pour les autochtones, la démarche du gouvernement est claire : il leur demande de reconnaître l'intégrité du territoire québécois et il n'en est pas question, a déclaré Ghislain Picard, le chef de l'Assemblée des Premières Nations du Québec et du Labrador. Ce dernier a déploré l'attitude du gouvernement qui aurait ignoré les autochtones lors des phases d'information et de consultation sur les orientations à retenir. Mais le rejet des autochtones laisse en même temps transparaître une certaine ouverture. Le jour de l'annonce du rejet, les autochtones se sont dits prêts à poursuivre les discussions en cours avec le gouvernement.

Néanmoins, celles-ci ne sont pas rompues. Au cours de l'année 1997-1998, les relations Québec-autochtones se sont améliorées au point que, pour la première fois en 20 ans, un premier ministre québécois s'est rendu dans une communauté crie du Grand Nord pour trouver des solutions aux problèmes socio-économiques de ces Amérindiens. Lucien Bouchard et le grand chef des Cris, Matthew Coon Come, y sont même allés d'une partie de pêche pour faire avancer les négociations. Les discussions avec les Inuits du Nunavit quant à la création d'un gouvernement autonome dans cette partie du territoire ont considérablement progressé, notamment avec l'annonce de la politique du ministre Chevrette, et des accords économiques ont été signés. Les Attikameks ont ensuite signé un protocole avec Québec et Ottawa sur une entente de négociation territoriale. Enfin, les Innus (Montagnais) ont poursuivi les rencontres sur les accords économiques et sur l'autonomie gouvernementale.

Quant aux Mohawks, ils ont été surtout échaudés par l'imposition d'une taxe à la consommation sur les produits du tabac prélevée par les manufacturiers ou les grossistes. Cette mesure a été adoptée par le gouvernement au moment où la contrebande de cigarettes a refait surface dans les réserves de Kahnawake et Kanesatake. Cette fois, pas question pour Québec de fermer les yeux ou de baisser les taxes sur les cigarettes. Le ministre des Finances, Bernard Landry, annonce que, désormais, toutes les taxes sur les produits du tabac

devront être payées au gouvernement québécois, et cela vaut aussi pour les détaillants autochtones. Le chef mohawk Joe Norton a rétorqué que les autochtones allaient instaurer le taxage ou le péage de routes ou de voies ferrées qui traversent le territoire de Kahnawake, en banlieue de Montréal. Une attitude qualifiée de *«positionnement en vue de négociations»* par le ministre Guy Chevrette, qui croyait arriver à désamorcer le conflit en s'assoyant avec le chef mohawk.

Mais le gouvernement n'a pu adopter une position aussi sereine lors du dévoilement par les députés libéraux d'une entente secrète entre Byron Horne, contrebandier de cigarettes et propriétaire du Club Rez de Kahnawake, et le ministère du Revenu. L'entente avait été déclarée illégale en janvier 1996 et a forcé la ministre du Revenu, Rita Dionne-Marsolais, à produire à la dernière minute un nouvel avis juridique confirmant la légalité de l'entente.

Des petits pas, mais des pas quand même, ont été franchis par les autorités gouvernementales et les Premières Nations. Les négociations se poursuivent dans le sens des orientations proposées dans la politique autochtone du ministre Guy Chevrette et il est clair que Québec souhaite que les communautés amérindiennes se prennent en main. Et ces dernières, après des années de revendications, ne sont certainement pas prêtes à laisser tomber, si près du but.

Autres faits saillants de l'année

• La commission Roberge, l'enquête publique chargée de faire la lumière sur la mort des Montagnais Moïse Régis et Achille

Vollant en 1977, a finalement conclu à la noyade des deux hommes. Le commissaire Yvon Roberge a rejeté, comme l'ont fait les autres enquêtes tenues auparavant, la thèse voulant que les deux Montagnais aient été victimes d'un homicide. D'autre part, les Montagnais sont allés jusque devant les tribunaux pour réclamer une compensation de 500 millions d'Hydro-Québec, qui voulait détourner des rivières sur leurs terres ancestrales.

• Les fameux « combats extrêmes » ou « combats libres » des réserves mohawks, toujours interdits par les autorités québécoises parce que tous les coups y sont permis, ont laissé la place à la « boxe libre », plus apparentée au kick-boxing et aux arts martiaux. Dans le passé, la tenue de « combats extrêmes » entraînait l'arrestation des participants, et les responsables de la Commission athlétique de Kahnawake avaient convenu de conclure une entente avec le ministère de la Sécurité publique.

• La réserve de Kanesatake exploite un site illégal d'enfouissement sans être inquiétée par le ministère de l'Environnement et de la Faune. C'est que le MEF voudrait obtenir la collaboration des autochtones avant de s'y rendre pour y faire un rapport. Pendant que les discussions se poursuivent entre les deux parties, les camions continuent toujours de se rendre au dépotoir mohawk puisque le MEF a refusé d'obtenir une injonction pour fermer le site.

• Que s'est-il réellement passé pour qu'avorte une perquisition de la Gendarmerie royale du Canada et du Service de police de la communauté urbaine de Montréal sur le territoire de Kahnawake en septembre 1997 ? Il semble que ce soit le chef Joe Norton qui a fait pression auprès du Solliciteur général du Canada pour empêcher la GRC de pénétrer dans la réserve, et ce même si le corps de police nie avoir subi de telles pressions. Les Indiens étaient au courant de l'imminence de l'opération policière et le chef Norton a déclaré que la communauté, si l'opération avait eu lieu, *aurait été en état de siège* et que la situation aurait été *analogue à celle d'Oka*. La GRC explique de son côté que les policiers ont été avisés la veille de l'opération que leurs suspects avaient été prévenus et qu'il ne valait plus la peine de s'y rendre. ○

L'accident d'autocar des Éboulements, dans la région de Charlevoix, fait 43 victimes
le 13 octobre 1997.

Anne Hébert, la grande dame des lettres québécoises, revient au Québec après avoir passé plus de trente ans à Paris.

L'intégrale des œuvres de la chorégraphe Marie Chouinard a été présentée cette année à la salle Pierre-Mercure.

Guy Cogeval succède à Pierre Théberge comme directeur du Musée des beaux-arts de Montréal.

Pierre Péladeau, fondateur du grand groupe de presse et d'imprimerie Quebecor, meurt le 24 décembre 1997.

Le cinéaste Jean-Claude Lauzon (ci-contre) et la comédienne Marie-Soleil Tougas (ci-dessous) périssent à l'automne de 1997 dans un accident d'avion, au nord du Québec.

Le cinquantenaire du manifeste *Refus global* a été marqué par une exposition des œuvres de Paul-Émile Borduas (au centre sur la photo) au musée d'Art contemporain, de nombreux articles dans la presse et une production de l'Office national du Film.

La difficile syndicalisation des employés de la chaîne McDonald's est l'événement qui a le plus retenu l'attention au chapitre des revendications sociales.

Des assemblées parfois houleuses dans des hôtels de ville de la région ouest de Montréal mettent en évidence les partisans de la partition du territoire québécois advenant une déclaration d'indépendance.

Les déchirements du Rassemblement des Citoyens de Montréal — ci-dessous, les deux candidats successifs à la mairie, Michel Prescott et Thérèse Daviau — ont marqué les débuts de la campagne électorale à Montréal.

David Levine nommé directeur de l'Hôpital général d'Ottawa, fut l'objet d'une vive controverse dans la capitale canadienne.

Jean Doré, qui tente un retour à la mairie de Montréal, accepte de se laisser couper la moustache devant les caméras.

Le maire Pierre Bourque au cours de sa tournée estivale des quartiers de la métropole.

Ex-chef de police de la CUM, Jacques Duchesneau mène une chaude lutte au maire sortant.

Daniel Johnson prend tout le monde par surprise en annonçant son retrait de la vie politique le 2 mars 1998. L'ex-chef du Parti libéral du Québec a consacré 17 ans à la vie publique québécoise.

Bernard Derome n'assure plus la présentation du *Téléjournal* de Radio-Canada, après 27 années dans cette fonction.

Nick Auf der Maur, journaliste et homme politique, meurt le 7 avril 1998.

Le nouveau président d'Alliance Québec, Bill Johnson, lors de son apparition controversée au défilé de la Saint-Jean.

Le premier ministre Lucien Bouchard effectue à la fin du mois de septembre 1997 une visite officielle à Paris. Il y reçoit les assurances habituelles des autorités politiques françaises advenant une accession du Québec à la souveraineté. On le voit ici en compagnie du premier ministre Lionel Jospin.

Le président et copropriétaire de l'équipe de baseball Les Expos, Claude Brochu (à l'avant-plan), multiplie les démarches en vue de la réalisation d'un nouveau stade au centre-ville de Montréal.

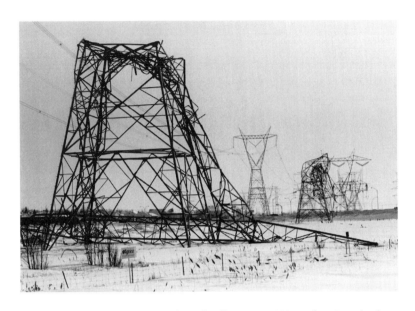

En janvier 1998, des accumulations de verglas allant jusqu'à 100 mm font s'écrouler des pilônes comme des châteaux de cartes et causent des dégats considérables aux arbres à Montréal et en Montérégie. Des centaines de milliers de Québécois sont privés d'électricité pendant plusieurs jours voire plusieurs semaines.

Une scène de rue à Montréal, au plus fort du verglas.

Le premier ministre Bouchard rend visite
aux sinistrés du verglas et supervise au
jour le jour les opérations de secours.
Hydro-Québec, débordée, doit faire appel
à l'armée canadienne et à des équipes
américaines pour remonter son réseau.

Les héros de la crise du verglas : les élagueurs et les monteurs de lignes.

Au printemps de 1998, Jean Charest quitte la direction du Parti progressiste-conservateur à Ottawa pour prendre la succession de Daniel Johnson à la tête du Parti libéral du Québec.

Michel Bélanger (ci-dessus à droite) banquier et conseiller politique de plusieurs premiers ministres québécois, meurt le 1er décembre 1997.

Le ministre des Ressources naturelles, des Régions et des Affaires autochtones, Guy Chevrette, songe à mettre un terme à sa carrière politique au début de 1998. Les dossiers d'Hydro-Québec et des Affaires autochtones le tiennent par la suite très occupé.

La grande mutation du Parti libéral

MARIO CLOUTIER

Le Parti libéral du Québec traverse une transformation profonde marquée par un changement de chef qui s'est avéré déterminant. Le départ de Daniel Johnson et l'arrivée de Jean Charest à la tête de la formation qui a donné naissance à la Révolution tranquille poussent le PLQ vers l'acceptation tranquille du Canada et la fin d'un vieux pari libéral tenu longuement par Robert Bourassa : l'ambiguïté fédéraliste nationaliste.

Homme des gestes simples, des petits combats menés au jour le jour, de la politique du pas à pas, Daniel Johnson n'a jamais privilégié l'éclat comme couleur dans ses actions politiques. Mais ce qui a marqué 17 ans de vie publique ne vaut cependant pas pour la sortie théâtrale du fils de Daniel Johnson et du frère de Pierre Marc. En quittant brusquement la scène politique à 53 ans, le dernier Johnson a surpris tous les observateurs et a fait d'une pierre deux coups : embarrasser deux adversaires placés à deux extrémités du spectre politique qu'il a toujours cherché à éviter : l'appel de la souveraineté du Québec par Lucien Bouchard et le « Canada d'abord et avant tout » de Jean Chrétien.

Les malheurs de Daniel Johnson à la tête du PLQ ont commencé il y a quatre ans, dès son couronnement comme premier ministre

et chef du parti de Robert Bourassa. Cible de rumeurs, de moqueries et même de tentatives de déraillement, sans doute souhaitées par ses pseudo-alliés d'Ottawa qui l'ont bêtement mis de côté dix jours avant l'annonce de son départ en promettant à sa place de remettre coup sur coup au gouvernement Bouchard, M. Johnson aurait pu s'accrocher jusqu'à un prochain scrutin électoral. Il a plutôt procédé, pour une rare fois, à un coup de théâtre qui a pris tout le monde par surprise en ouvrant complètement l'échiquier politique québécois.

Dès l'annonce de cette nouvelle, la tourmente médiatique a pris une telle ampleur que les médias eux-mêmes ont dû se faire autocritiques. Et avec raison. Entre la date de l'annonce de la retraite de la vie politique de Daniel Johnson, le 2 mars 1998, et la conférence de presse annonçant la candidature de Jean Charest à la course au leadership libéral, le 26 mars, les journaux n'ont eu de cesse de supputer sur la succession, certains quotidiens anglophones allant même jusqu'à plébisciter le chef conservateur qui, au début, ne se montrait guère intéressé. Pas une seule journée du mois de mars n'aura passé sans qu'un ou plusieurs chroniqueurs et éditorialistes ne se penchent sur la venue éventuelle de Jean Charest au Québec. En une vingtaine de jours, plus de 60 chroniques et une vingtaine d'éditoriaux, sans compter les analyses de toutes sortes, ont tapissé les plus importants quotidiens québécois, en anglais et en français, au sujet du futur chef de l'opposition officielle.

Le chef conservateur fédéral s'est sagement laissé désirer pendant quelques semaines avant d'annoncer son intention de mener les forces fédéralistes québécoises à la victoire contre les souverainistes de Lucien Bouchard. Il a déclaré avoir *«choisi le Québec»* en s'attaquant dès le départ à *«l'incertitude économique»* entourant le gouvernement en place et en pointant habilement le doigt sur le camouflage éventuel de l'option souverainiste par son adversaire. M. Charest a ensuite sauvé du temps en disant participer à une course au leadership qui n'a jamais eu lieu, malgré les prétendants virtuels qu'étaient Pierre Paradis et Liza Frulla. Ces derniers n'avaient réellement pas plus le choix de se présenter contre M. Charest que M. Charest lui-même n'avait le choix de refuser le leadership libéral.

Transformation de la politique

Au delà d'explications incontournables comme l'importance de l'enjeu – l'avenir du

Canada se jouera au PLQ puisque c'est le seul parti qui peut empêcher la tenue d'un autre référendum sur la souveraineté au Québec – et du traumatisme référendaire planant toujours au-dessus de la psyché canadienne, la réaction médiatique impressionnante entourant Jean Charest s'explique également par le fait de son inscription dans un processus général de transformation perceptible de la politique et de la démocratie québécoise, et plus particulièrement du Parti libéral du Québec.

« Canadien d'abord et avant tout », M. Johnson a tout de même milité à plusieurs reprises en faveur de la défense des intérêts du Québec au sein de la fédération canadienne. Le dernier Johnson représentait mieux que quiconque la vieille dualité libérale nationaliste et fédéraliste, celle que vivait à fond Robert Bourassa notamment. Pris entre les lignes dures souverainiste et fédéraliste, il a tenté d'être, un peu comme son prédécesseur, un leader libéral qui ne crachait pas toujours sur l'idée de la souveraineté. M. Johnson s'est d'ailleurs attiré les foudres des membres et des élus de son parti à la suite de prises de position nationaliste.

Devant cette opposition et l'inébranlable arrogance du parti frère à Ottawa, il n'a pas eu d'autres choix que de se plier au petit manuel du parfait fédéraliste, même s'il le faisait sans grande conviction et sans véritablement marquer des points comme chef de l'opposition officielle à l'Assemblée nationale. Mais déjà, et clairement tout de même, le PLQ, sous sa gouverne, a commencé à changer, ne serait-ce qu'en raison de son leadership malléable, maintes fois contesté de l'intérieur.

Même s'il parlait désormais de reconnaissance et d'interdépendance, le PLQ a éliminé de son programme politique toute référence à l'autonomie du Québec. Il a agi comme catalyseur des faits et gestes des premiers ministres hors Québec autour de la désormais célèbre Déclaration de Calgary, un énoncé de principes qui représente ce qu'actuellement le Canada anglais a de meilleur à offrir au Québec après le déchirement du vote référendaire de 1995. Mine de rien, la transformation du PLQ a commencé avec Daniel Johnson et se poursuit maintenant avec Jean Charest. Il s'agit de la mutation d'un parti fédéraliste mais nationaliste en un parti fédéraliste tout court, comme si le panorama politique québécois ne supportait plus les nuances qui ont longtemps nourri le PLQ.

Jean Charest, leader d'un type nouveau

La politique contemporaine exige en fait l'émergence sur la scène d'une nouvelle sorte de leaders, comme l'a si bien dit le principal intéressé, le nouveau chef du PLQ. L'ancien député de Sherbrooke aux Communes ne croyait jamais si bien dire. Il est l'un des politiciens contemporains québécois qui répond le mieux, et le plus naturellement du monde, aux besoins de concertation et d'ouverture aux particularismes sociaux, une nécessité intrinsèque de la démocratie fonctionnelle que nous vivons aujourd'hui.

«La démocratie fonctionnelle, écrit Jean-François Thuot, *traduit la nouvelle donne entre l'action sociale et le pouvoir politique, en vertu de laquelle le pouvoir est tenu de refléter la société réelle dans l'intimité de ses contours[1].»*

En outre, dans cette société hantée par les intérêts corporatistes et habitée par des citoyens désintéressés, M. Charest possède les qualités d'un meneur qui n'a surtout pas l'air de requérir un engagement autre de la part des citoyens que celui de voter. Aux yeux des fédéralistes québécois, notamment, il possède un réel pouvoir, un charisme sans pareil. Il est celui en qui on peut avoir confiance. Dans les sociétés occidentales, écrit John Ralston Saul, nous vivons *«un besoin désespéré de croire que de résoudre un seul problème pourra résoudre tous les problèmes[2]».*

Contrairement à Daniel Johnson, Jean Charest est un homme politique qui ratisse et qui persuade le plus largement possible. Politicien d'une autre génération, sauveur du Canada pour les uns, fossoyeur du Québec pour les autres, l'ancien chef conservateur s'est amené au PLQ avec une nouvelle approche et dans un nouveau contexte. Même s'il s'esquive constamment quand la question nationale revient à la surface, la vision de Jean Charest ressort toutefois de plusieurs des textes qu'il a écrits au cours des dernières années.

En clair, il croit au Canada comme nation des Québécois, donc à celui de Pierre Trudeau davantage qu'à celui de Robert Bourassa. Dans cette nation égalitaire où le gouvernement central est fort et les provinces sur un pied d'égalité, le Québec a un caractère spécifique qui ne lui confère toutefois aucun pouvoir législatif particulier. Il doit, selon le nouveau chef libéral, participer sous le leadership fédéral à la définition de normes et d'objectifs communs pour l'ensemble des provinces.

M. Charest a également amené avec lui ses collaborateurs conservateurs : conseillers, attachés politiques et futurs candidats. Il n'allait clairement pas abandonner la formation qu'il avait mis quelques années à reconstruire ; il la fusionnerait plutôt à son nouveau parti. L'idée d'une coalition arc-en-ciel a très vite germé dans ce nouveau terreau fédéraliste québécois, un sol qui avait vu le Parti conservateur de Brian Mulroney faire élire une majorité de députés au Québec en 1984. Cette nouvelle alliance est celle d'un éternel compromis en renouvellement constant. Et c'est là que l'effet Charest s'inscrit dans la mouvance politique moderne, celle de la représentativité au détriment de la représentation. À l'ère de la démocratie fonctionnelle, au sein de laquelle les groupes d'intérêt ont presque entièrement pris la place des élus, le chef libéral mène le combat de la concertation. À l'extérieur des murs de l'Assemblée nationale, sur toutes les tribunes, il est celui qui écoute et qui exerce un pouvoir sans lieu propre.

Concertation et conciliation

Dans une démocratie de plus en plus horizontale, Jean Charest peut être considéré comme un *«sujet incertain mais authentique»*, dirait sans doute le politologue Jean-François Thuot. Quand il est entré en politique provinciale, le nouveau chef libéral a bien délimité le cadre de son action. Il n'est pas un sauveur, mais un leader. En politique moderne, le leader est sans nul doute celui qui doit se situer à la convergence de l'écoute des groupes et de l'acceptation du rôle de régulation qui est désormais dévolu à l'État. Comme disait en entrevue un jour Bernard Landry, le gouvernement se doit

d'être de gauche et de droite. Dans une démocratie fonctionnelle, le pouvoir n'est plus autoritaire mais joue constamment les cartes de la concertation et de la conciliation pour rester bien en place.

Avec ses grands sommets économiques, Lucien Bouchard s'en tire tant bien que mal dans cette nouvelle donne politique. Mais encore plus caméléon qu'homme de principes, Jean Charest excelle pour sa part à être partout à la fois, avec tout le monde et en faveur de tous les points de vue.

En fait foi sa toute première bourde politique comme chef libéral qu'il rattrapera très vite, le temps de recentrer son discours un peu plus à droite sans donner l'air d'abandonner sa gauche. Avant même d'être couronné chef du PLQ, M. Charest a en effet évoqué la possibilité qu'un gouvernement du PLQ retarderait d'un an le déficit zéro afin d'injecter des fonds dans le réseau de la santé. La réaction des milieux d'affaires sur ce passage obligé des finances publiques a été telle que le nouveau chef libéral a dû rentrer dans le rang illico.

Cet épisode laisse toutefois craindre qu'il y aurait peu de place dans un gouvernement représentatif libéral pour les groupes et les organismes qui ne contrôlent pas les leviers économiques. Ainsi, quand le Parti libéral tient un colloque spécial sur la santé et la pauvreté, les membres écoutent attentivement. Mais quand, lors du même rassemblement, leur chasseur de têtes officiel, Charles Sirois, leur rapelle que les plus démunis doivent eux aussi travailler et être responsabilisés si nécessaire, ils applaudissent à tout rompre.

Que serait donc un gouvernement Charest au sein de la nouvelle démocratie québécoise, sinon un lieu tantôt anonyme, tantôt fraternel, à l'image du leader lui-même, exerçant un pouvoir invisible, qui se cache constamment pour mieux gérer la complexité ?

«Ainsi, la gestion de la complexité peut susciter l'asservissement à un pouvoir impersonnel, un pouvoir d'autant plus redoutable qu'il est invisible. La rencontre directe avec l'autre peut susciter l'asservissement à un pouvoir cette fois personnalisé, puisqu'il est le produit du face-à-face des acteurs, mais se déployant sur la même ligne d'horizon que le précédent. Pouvoir d'autant plus redoutable qu'il se camoufle en relation sociale conviviale[3].»

Le combat Bouchard-Charest

Plusieurs observateurs ont comparé le prochain combat Bouchard-Charest à une lutte des générations, et ce avec raison. Bien qu'il soit excellent négociateur et ardent partisan de la concertation, M. Bouchard représente en politique des valeurs qui sont plus celles de l'État représentatif, des réalités de l'État omnipotent et autocratique.

Homme d'honneur et de parole, il ne laissera pas tomber les valeureux guerriers qui ont combattu pour des difficiles mais nécessaires réformes. Il défend son ministre de la Santé, Jean Rochon, par exemple, même si le consensus social et les critiques inlassables des libéraux de Jean Charest en font le responsable des lacunes du virage ambulatoire. Malgré tout, le premier ministre croit par-dessus tout que le mérite d'un bon gouvernement saura convaincre les électeurs de le choisir à nouveau pour les représenter.

Or, le mérite et le courage n'ont plus vraiment leur place dans une démocratie fonctionnelle où la représentativité triomphante choisira plutôt de s'intéresser aux besoins pressants, aux idées montantes et aux images qui séduisent plutôt qu'aux travaux éreintants.

Jean Charest représente cette nouvelle tendance, cette réalité politique pragmatique. Il s'amène au Parti libéral en rapatriant des éléments de gauche et de droite, en visant et l'arbre et l'écorce, et entre les deux.

C'est un surfer formidable, un caméléon qui s'adapte ou adapte son discours selon les circonstances économiques, sociales et culturelles ; qui tend la main à tout le monde et qui repasse pour n'oublier personne. Insaisissable, il paraît supporter l'option de la superficialité, selon certains analystes, mais il n'est que mouvance et récupération.

Citant les grands chefs libéraux d'antan, il se les approprie, les vampirise sans vraiment les vider de leur substance, mais en les présentant au goût du jour, en les pliant à sa propre vision. Sa force réside en ce qu'il peut rallier tous les indécis à sa cause, ayant lui-même l'air de l'être un peu beaucoup par moments. Il peut ainsi attaquer de façon incessante le gouvernement sur des dossiers chauds en défendant et les uns et les autres.

Sous son impulsion et ses séances de motivation où chaque député est amené au sein du caucus libéral à se fixer des objectifs face aux membres du gouvernement, le PLQ a transformé la période des questions de l'Assemblée nationale en foire d'empoigne. Visant la Santé et des dossiers à parfum de scandale, les interventions des troupes de Jean Charest ont réussi à semer le doute. Et quand vient le temps de parler Constitution, le chef libéral occulte le sujet. En fait, il dit implicitement que cette question n'est pas à l'ordre du jour. L'important, dira-t-il en entrevue, demeure de «*rallier le plus de gens à une cause commune*» en persuadant les gens.

La mise en veilleuse de la question nationale

En fait, voilà le discours du politicien qui a fait sien le principe de représentativité politique. Dans cette mouvance, la question nationale tient inévitablement un rôle secondaire. À moins que les sondages démontrent un soudain regain d'intérêt pour la souveraineté et la tenue d'un référendum, le nouveau chef libéral ne s'empêtrera jamais volontairement de cette question. Et si le vent tourne réellement, il restera toujours à M. Charest la possibilité de reprendre son discours nationaliste. Il saura fouetter l'ardeur des patriotes avec les «maîtres chez nous» et autres formules réappropriées quand Ottawa exagérera sa mainmise sur les compétences québécoises. En politique contemporaine, M. Charest démontre que l'important n'est

plus de prévoir, mais de savoir accommoder.

Certains analystes voient pourtant peu de différence entre les chefs libéral et péquiste. On y voit deux avocats régionaux, ambitieux et conservateurs aux sens propre et figuré du terme. Paradoxalement, si dans la démocratie fonctionnelle en action les choix se confondent et les intérêts convergent, sur l'échiquier, les choix sur la question nationale seront désormais plus clairs. D'un côté, les souverainistes ; de l'autre, les fédéralistes.

Prenant note de l'aversion de l'électorat pour un référendum sur la souvertaineté, le nouveau chef libéral assume le parti pris d'écarter carrément la question constitutionnelle. Il met fin au fédéralisme nationaliste du PLQ en décidant que la place du Québec au Canada n'est ni une priorité ni un enjeu. Il en a décidé ainsi parce que les électeurs en ont décidé ainsi. Le raisonnement est logique, clair, mais, faut-il le rappeler, les électeurs refusaient de se prononcer lors de la tenue d'un nouveau référendum sur la souveraineté en 1995, quelques mois seulement avant de voter « presque oui ». ○

Notes

1. Jean-François Thuot, *La Fin de la représentation et les formes contemporaines de la démocratie*, Nota Bene, 1998.
2. John Ralston Saul, *The Unconscious Civilization*, The Free Press, 1997.
3. Jean-François Thuot, *ibid.*

Le retour
de la gauche

MICHEL VENNE

Un mouvement politique contre le néolibéralisme est né au cours de la dernière année. Le RAP – Rassemblement pour une alternative politique – n'est pas encore un parti politique mais il aspire pour l'instant à susciter la formation d'une coalition électorale prônant ce qu'il appelle « la souveraineté populaire ».

C'était un bel après-midi d'automne. Quelques jours d'été indien égarés fin novembre 1997. Et pourtant, 600 militants de la gauche sont réunis dans une salle du collège de Maisonneuve, dans l'est de la ville. C'est le rassemblement du ras-le-bol. Le moment qui consacre la rupture entre la gauche et le Parti québécois au pouvoir.

Cette première rencontre fleure un certain enthousiasme et s'ouvre par quelques discours enflammés. C'est le temps de casser des œufs, dit l'écrivain Victor-Lévy Beaulieu tandis que le professeur Léo-Paul Lauzon affirme que la population la moins nantie est politiquement orpheline, laissée à elle-même, abandonnée par les partis, par le patronat, les médias et les intellectuels. Pour lui, le gouvernement du Parti québécois est composé d'hypocrites et de parvenus.

Le PQ avait suscité de grands espoirs dans la gauche, en alliant en un double-objectif la social-démocratie et l'indépendance du Québec. Durant la campagne du référendum de 1995 sur la souveraineté du Québec, le camp du OUI, soutenu par les groupes communautaires et les syndicats, se présentait comme le camp du changement social.

Mais la politique du gouvernement dirigé par Lucien Bouchard en faveur de l'élimination du déficit budgétaire de l'État, la réforme de l'aide sociale ainsi que les compressions dans les services de santé ont déçu ses alliés qui ne voyaient plus dans le Parti québécois qu'un parti comme les autres. Parti québécois, Parti libéral et Action démocratique du Québec dirigée par le jeune Mario Dumont, les trois formations représentées à l'Assemblée nationale, sont les Dupont, Dupond et Dumont de la politique québécoise, disait l'un des leaders du mouvement, Pierre Dubuc. M. Dubuc est le directeur du périodique *L'Aut'Journal* et on lui doit d'avoir lancé dans les pages de sa gazette contestataire au printemps de 1997 la discussion sur la nécessité de regrouper les forces de gauche. Son idée aura fait du chemin. La rencontre de novembre a eu des lendemains.

Dans les mois qui ont suivi cette réunion de novembre, les artisans du Rassemblement pour une alternative politique (RAP) ont tenu une série de colloques régionaux qui s'est terminée par un congrès de fondation, à Saint-Augustin, près de Québec, le 31 mai.

Un mouvement indépendantiste

Le mouvement a été secoué par deux débats en particulier. Le premier a donné lieu à un spectaculaire claquage de portes, en novembre. Une vingtaine de militants sont sortis de la salle dans le sillage de la *passionaria* indépendantiste Andrée Ferretti, qui aurait voulu que le regroupement se déclare carrément indépendantiste.

Mme Ferretti, pour qui le Parti québécois a trahi la cause de l'indépendance, affirmait alors que les néolibéraux péquistes et les gauchistes du RAP étaient devenus soudainement les deux faces d'un même processus d'aliénation des Québécois. La colère aura été inutile puisque le RAP, dans ses statuts adoptés en mai, se dit en faveur de l'indépendance du Québec et lie de façon indissociable la libération nationale et l'émancipation sociale.

Le RAP, cependant, contrairement aux vœux d'un certain nombre de ses artisans, ne formera pas un parti mais restera un mouvement politique. Le RAP ne présentera pas de candidats aux prochaines élections québécoises.

Cependant, il souhaite contribuer à former une coalition électorale représentative de l'arc-en-ciel progressiste souverainiste. Cette coalition circonstancielle serait le prélude à un parti politique éventuellement créé au nom du RAP.

Il reste que le système électoral québécois, uninominal à un tour, favorise le bipartisme. Jusqu'à aujourd'hui, les tiers partis représentant la gauche ont été condamnés à la marginalité. Après avoir vivoté pendant 10 ans sans jamais dépasser le cap des 500 membres, le Mouvement socialiste s'était sabordé en 1991 sans avoir eu la chance de seulement contempler l'élection d'un seul député. Son président, Germain Gauvin, affirmait alors que l'aventure d'un parti centré sur les préoccupations sociales serait extrêmement difficile tant que la question nationale québécoise ne serait pas réglée. Aujourd'hui, la polarisation entre souverainistes et fédéralistes est à son apogée depuis la courte victoire du NON au référendum de 1995.

Le peuple est pour mais garde ses distances

Voilà sans doute le défi du RAP dont le congrès de fondation avait attiré 300 militants à peine après presque une année de promotion intense. Les grandes centrales syndicales ont jusqu'à présent gardé leurs distances.

L'état des finances de l'organisation est précaire, de l'aveu même de ses promoteurs. Pourtant, un sondage Sondagem publié dans *Le Devoir* du 1er mai indiquait que les trois quarts des Québécois trouvent très important ou assez important qu'il y ait au Québec un parti politique de gauche voué à la cause des travailleurs et des plus démunis.

Le RAP voudrait pourtant incarner l'espoir. En témoigne le logo du groupe qui reproduit un soleil stylisé de couleur bleue (représentant la lettre Q pour Québec) qui se lève derrière une colline de couleur verte après une longue nuit de morosité politique.

Le mouvement se donne pour mandat de prendre position, de remettre en question les décisions des dirigeants, d'interpeller le pouvoir, de réconforter les citoyens désabusés, de leur redonner la parole notamment en se mobilisant pour une meilleure répartition de la richesse et une meilleure reconnaissance de la citoyenneté.

Le mouvement prône ce qu'il appelle la souveraineté populaire, notamment en faisant la promotion d'un nouveau mode de représentation électorale proportionnelle ; il veut préciser et promouvoir le concept de revenu décent garanti ; s'enraciner dans l'action politique locale ; soutenir les luttes populaires.

Comme il s'agit d'une coalition, ses orientations sont teintées de différentes tendances. Ces tendances sont écologistes, socialistes, féministes, anarchistes. Il s'agit d'un autre défi du RAP : réconcilier ces tendances pour présenter un visage cohérent et, en quelque sorte, remplacer dans le cœur et l'imaginaire des citoyens la myriade d'organisations déjà bien enracinées et qui, déjà, tiennent le même discours et défendent les mêmes valeurs. ○

Le personnel politique

SERGE LAPLANTE

A • Les parlementaires de la 35ᵉ législature

Abitibi-Est
André Pelletier (PQ)

Abitibi-Ouest
François Gendron (PQ)

Acadie
Yvan Bordeleau (PLQ)

Anjou
Pierre Bélanger (PQ)

Argenteuil
David Whissell (PLQ)

Arthabaska
Jacques Baril (PQ)

Beauce-Nord
Normand Poulin (PLQ)

Beauce-Sud
Diane Leblanc (PLQ)

Beauharnois-Huntington
André Chenail (PLQ)

Bellechasse
Claude Lachance (PQ)

Berthier
Gilles Baril (PQ)

Bertrand
Denis Chalifoux (PLQ)

Blainville
Céline Signori (PQ)

Bonaventure
Marcel Landry (PQ)

Borduas
Jean-Pierre Charbonneau (PQ)

Bourassa
Michèle Lamquin-Éthier (PLQ)

Bourget
Camille Laurin (PQ)

Brome-Missisquoi
Pierre Paradis (PLQ)

Chambly
Louise Beaudoin (PQ)

Champlain
Yves Beaumier (PQ)

Chapleau
Claire Vaive (PLQ)

Charlesbourg
Jean Rochon (PQ)

Charlevoix
Rosaire Bertrand (PQ)

Châteauguay
Jean-Marc Fournier (PLQ)

Chauveau
Raymond Brouillet (PQ)

Chicoutimi
Jeanne L. Blackburn (PQ)

Chomedey
Thomas L. Mulcair (PLQ)

Chutes-de-la-Chaudière
Denise Carrier-Perreault (PQ)

Crémazie
Jean Campeau (PQ)

D'Arcy-McGee
Lawrence S. Bergman (PLQ)

Deux-Montagnes
Hélène Robert (PQ)

Drummond
Normand Jutras (PQ)

Dubuc
Gérard R. Morin (PQ)

Duplessis
Normand Duguay (PQ)

Fabre
Joseph Facal (PQ)

Frontenac
Roger Lefebvre (PLQ)

Gaspé
Guy Lelièvre (PQ)

Gatineau
Réjean Lafrenière (PLQ)

Gouin
André Boisclair (PQ)

Groulx
Robert Kieffer (PQ)

Hochelaga-Maisonneuve
Louise Harel (PQ)

Hull
Robert LeSage (PLQ)

Iberville
Richard Le Hir (indépendant)

Îles-de-la-Madeleine
Georges Farrah (PLQ)

Jacques-Cartier
Geoffrey Kelley (PLQ)

Jean-Talon
Margaret F. Delisle (PLQ)

Jeanne-Mance
Michel Bissonnet (PLQ)

Johnson
Claude Boucher (PQ)

Joliette
Guy Chevrette (PQ)

Jonquière
Lucien Bouchard (PQ)

Kamouraska-Témiscouata
Claude Béchard (PLQ)

Labelle
Jacques Léonard (PQ)

Lac-Saint-Jean
Jacques Brassard (PQ)

Lafontaine
Jean-Claude Gobé (PLQ)

La Peltrie
Michel Côté (PQ)

La Pinière
Fatima Houda-Pepin (PLQ)

Laporte
André Bourbeau (PLQ)

La Prairie
Vacant

L'Assomption
Jean-Claude Saint-André (PQ)

Laurier-Dorion
Christos Sirros (PLQ)

Laval-des-Rapides
Serge Ménard (PQ)

Laviolette
Jean-Pierre Jolivet (PQ)

Lévis
Jean Garon (PQ)

Limoilou
Michel Rivard (PQ)

Lotbinière
Jean-Guy Paré (PQ)

Louis-Hébert
Paul Bégin (PQ)

Marguerite-Bourgeoys
Vacant

Marguerite-D'Youville
François Beaulne (PQ)

Marie-Victorin
Cécile Vermette (PQ)

Marquette
François Ouimet (PLQ)

Maskinongé
Rémy Désilets (PQ)

Masson
Yves Blais (PQ)

Matane
Matthias Rioux (PQ)

Matapédia
Danielle Doyer (PQ)

Mégantic-Compton
Madeleine Bélanger (PLQ)

Mercier
Robert Perreault (PQ)

Mille-Îles
Lyse Leduc (PQ)

Montmagny-L'Islet
Réal Gauvin (PLQ)

Montmorency
Jean Filion (indépendant)

Mont-Royal
John Ciaccia (PLQ)

Nelligan
Russell Williams (PLQ)

Nicolet-Yamaska
Michel Morin (PQ)

Notre-Dame-de-Grâce
Russell Copeman (PLQ)

Orford
Robert Benoît (PLQ)

Outremont
Pierre-Étienne Laporte (PLQ)

Papineau
Norman MacMillan (PLQ)

Pointe-aux-Trembles
Nicole Léger (PQ)

Pontiac
Robert Middlemiss (PLQ)

Portneuf
Roger Bertrand (PQ)

Prévost
Lucie Papineau (PQ)

Richelieu
Sylvain Simard (PQ)

Richmond
Yvon Vallière (PLQ)

Rimouski
Solange Charest (PQ)

Rivière-du-Loup
Mario Dumont (ADQ)

Robert-Baldwin
Pierre Marsan (PLQ)

Roberval
Benoît Laprise (PQ)

Rosemont
Rita Dionne-Marsolais (PQ)

Rousseau
Lévis Brien (PQ)

Rouyn-Noranda-Témiscamingue
Rémy Trudel (PQ)

Saguenay
Gabriel-Yvan Gagnon (PQ)

Saint-François
Monique Gagnon-Tremblay (PLQ)

Saint-Henri-Sainte-Anne
Nicole Loiselle (PLQ)

Saint-Hyacinthe
Léandre Dion (PQ)

Saint-Jean
Roger Paquin (PQ)

Saint-Laurent
Normand Cherry (PLQ)

Sainte-Marie-Saint-Jacques
André Boulerice (PQ)

Saint-Maurice
Claude Pinard (PQ)

Salaberry-Soulanges
Serge Deslières (PQ)

Sauvé
Marcel Parent (PLQ)

Shefford
Bernard Brodeur (PLQ)

Sherbrooke
Marie Malavoy (PQ)

Taillon
Pauline Marois (PQ)

Taschereau
André Gaulin (PQ)

Terrebonne
Jocelyne Caron (PQ)

Trois-Rivières
Guy Julien (PQ)

Ungava
Michel Létourneau (PQ)

Vachon
David Payne (PQ)

Vanier
Diane Barbeau (PQ)

Vaudreuil
Vacant

Verchères
Bernard Landry (PQ)

Verdun
Henri-François Gautrin (PLQ)

Viau
William Cusano (PLQ)

Viger
Cosmo Maciocia (PLQ)

Westmount-Saint-Louis
Jacques Chagnon (PLQ)

Vimont
David Cliche (PQ)

Composition de l'Assemblée nationale
à l'ajournement du 19 juin 1998

Parti québécois	**74**	
Parti libéral du Québec	**45**	
Action démocratique du Québec	**1**	
Indépendants	**2**	Montmorency, Iberville
Vacants	**3**	Marguerite-Bourgeoys, La Prairie, Vaudreuil

B • Les membres du Bureau de l'Assemblée nationale

Composé de députés de la majorité ministérielle et de l'opposition, sorte de conseil d'administration de l'institution, le Bureau exerce une fonction de contrôle et de réglementation. En sont membres :

Jean-Pierre Charbonneau, président
Yves Beaumier, PQ
Michel Morin, PQ
Léandre Dion, PQ
Jocelyne Caron, PQ
Jean Campeau, PQ

Georges Farrah, PLQ
Normand Poulin, PLQ
Cosmo Maciocia, PLQ

Mario Dumont, ADQ

C • Les fonctions parlementaires

Jean-Pierre Charbonneau
Président

Raymond Brouillet
Vice-président

Claude Pinard
Vice-président

Lucien Bouchard
Premier ministre et
président du Conseil exécutif

Jean-Pierre Jolivet
Leader du gouvernement

Pierre Paradis
Leader de l'opposition officielle

Jacques Brassard
Leader adjoint du gouvernement

Jean-Marc Fournier
Leader adjoint de l'opposition officielle

André Boulerice
Leader adjoint du gouvernement

Georges Farrah
Whip en chef de l'opposition officielle

Jocelyne Caron
Whip en chef du gouvernement

Norman MacMillan
Whip adjoint de l'opposition officielle

Solange Charest
Whip adjointe du gouvernement

François Gendron
Président du caucus des
députés péquistes*

Diane Barbeau
Whip adjointe du gouvernement

Jacques Chagnon
Président du caucus des députés libéraux*

Monique Gagnon-Tremblay
Chef de l'opposition officielle

* La présidence des caucus n'est pas une fonction parlementaire au sens du Règlement. Ces renseigne-ments sont donnés à titre d'information.

D • Les présidents des commissions parlementaires permanentes

Jean-Pierre Charbonneau
Commission de l'Assemblée nationale *

Rosaire Bertrand (PQ)
Commission des Affaires sociales

Jacques Chagnon (PLQ)
Commission de l'Administration
publique

Christos Sirros (PLQ)
Commission de l'Économie et du Travail

Yvon Vallière (PLQ)
Commission de l'Agriculture,
des Pêcheries et de l'Alimentation

Marcel Landry (PQ)
Commission des Institutions

Jacques Baril (PQ)
Commission des Finances publiques

Madeleine Bélanger (PLQ)
Commission de l'Aménagement
du territoire

Claude Lachance (PQ)
Commission des Transports
et de l'Environnement

Jeanne Blackburn (PQ)
Commission de l'Éducation

Jean Garon (PQ)
Commission de la Culture

** Le président de l'Assemblée nationale préside
également la sous-commission permanente de la
Réforme parlementaire.*

E • Le conseil des ministres

Lucien Bouchard
Premier ministre
Président du Comité des priorités et
  Président du Comité ministériel des
  affaires régionales et territoriales

Bernard Landry
Vice-premier ministre
Ministre d'État de l'Économie et des
  Finances,
Ministre des Finances, ministre de
  l'Industrie, du Commerce, de la
  Science et de la Technologie et
  ministre du Revenu
Président du Comité ministériel de
  l'emploi et du développement
  économique
Ministre responsable de la région de l'Estrie
Membre du comité des priorités

Pauline Marois
Ministre de l'Éducation et ministre de la
  Famille et de l'Enfance
Présidente du Comité ministériel de
  l'éducation et de la culture
Ministre responsable de la région de la
  Montérégie
Membre du comité des priorités

Guy Chevrette
Ministre d'État des Ressources naturelles,
Ministre des Ressources naturelles,
  ministre responsable du
  Développement des régions, ministre
  délégué aux Affaires autochtones et
  ministre responsable de la Réforme
  électorale et parlementaire
Président du Comité de la législation
Ministre responsable de la région de
  Lanaudière et de la région Nord-du-
  Québec
Membre du comité des priorités

Louise Harel
Ministre d'État de l'Emploi et de la
  Solidarité,
Ministre de l'Emploi et de la Solidarité,
  ministre responsable de la Condition
  féminine et présidente du Comité
  ministériel du développement social
Ministre responsable de la région du
  Centre-du-Québec
Membre du comité des priorités

Louise Beaudoin
Ministre de la Culture et des
  Communications et ministre responsable
  de la Charte de la langue française
Membre du comité des priorités

Serge Ménard
Ministre de la Justice

Jean Rochon
Ministre de la Santé et des Services
sociaux
Ministre responsable de la région de
Québec
Membre du comité des priorités

Jacques Léonard
Ministre délégué à l'Administration et à
la Fonction publique et président du
Conseil du trésor
Ministre responsable de la région des
Laurentides
Membre du comité des priorités

Jacques Brassard
Ministre des Transports et ministre
délégué aux Affaires
intergouvernementales canadiennes
Ministre responsable de la région du
Saguenay–Lac-Saint-Jean
Membre du comité des priorités

Paul Bégin
Ministre de l'Environnement et de la Faune
Ministre responsable de la région de la
Côte-Nord

Rémy Trudel
Ministre des Affaires municipales
Ministre responsable de la région Abitibi-
Témiscamingue

Guy Julien
Ministre de l'Agriculture, des Pêcheries
et de l'Alimentation
Ministre responsable de la région Mauricie

David Cliche
Ministre délégué au Tourisme
Ministre responsable de la région de Laval

Sylvain Simard
Ministre des Relations internationales et
ministre responsable de la Francophonie
Ministre responsable de la région de
l'Outaouais

Robert Perreault
Ministre d'État à la métropole
Ministre responsable de la région de
Montréal
Membre du comité des priorités

Matthias Rioux
Ministre du Travail
Ministre responsable de la région du Bas-
Saint-Laurent et de la région de la
Gaspésie–Îles-de-la-Madeleine

Pierre Bélanger
Ministre de la Sécurité publique

Rita Dionne-Marsolais
Ministre déléguée à l'Industrie et au
Commerce

Roger Bertrand
Ministre délégué au Revenu

Denise Carrier-Perreault
Ministre déléguée aux Mines et aux Terres
Ministre responsable de la région
Chaudière-Appalaches

André Boisclair
Ministre délégué aux Relations avec les
citoyens et ministre de l'Immigration

Jean-Pierre Jolivet
Ministre délégué à la Réforme électorale
et parlementaire, au Développement
des régions et aux Forêts
Leader parlementaire du gouvernement

Chronique de l'Assemblée nationale, d'août 1997 à juin 1998

La COPA

La Conférence parlementaire des Amériques, présidée et organisée à l'instigation du président de l'Assemblée nationale, Jean-Pierre Charbonneau, rassemble à Québec, du 18 au 22 septembre 1997, plus de 750 parlementaires et observateurs venus de 27 pays des Amériques. Les participants ont exprimé la volonté d'encourager le respect et la promotion des principes de la démocratie représentative et participative, ainsi que le respect des droits économiques, sociaux et culturels.

Reprise de la session

Les travaux de la deuxième session de la Trente-cinquième législature reprennent le 21 octobre 1997.

Nouveau leader

L'équipe parlementaire du gouvernement, à la reprise des travaux, est modifiée : Jean-Pierre Jolivet, député de Laviolette, devient leader du gouvernement ; André Boulerice, député de Sainte-Marie-Saint-Jacques, accède au poste de leader adjoint et, au poste de whip en chef, Jocelyne Caron, députée de Terrebonne.

Présentation de nouveaux députés

Élus lors des élections partielles tenues le 6 octobre 1997, Denis Chalifoux (PLQ), candidat dans la circonscription électorale de Bertrand, Michèle Lamquin-Éthier (PLQ), candidate dans la circonscription électorale de Bourassa, Normand Duguay (PQ), candidat dans la circonscription électorale de Duplessis, et Claude Béchard (PLQ), candidat dans la circonscription électorale de Kamouraska-Témiscouata, font leur entrée en Chambre.

Crédits supplémentaires

Le 4 novembre 1997, le ministre des Finances, Bernard Landry, dépose les crédits supplémentaires n° 2 pour l'exercice financier se terminant le 31 mars 1998. Ces crédits découlent de la mise en place de la nouvelle politique familiale telle qu'annoncée lors du Discours sur le budget déposé le 25 mars 1997.

Déclaration sur l'intégrité du territoire québécois

Le 12 novembre 1997, le ministre délégué aux Affaires intergouvernementales canadiennes, Jacques Brassard, fait une déclaration ministérielle dénonçant les tenants d'une stratégie qui consiste à brandir le spectre de la partition du territoire du Québec advenant son accession à la souveraineté. Soutenant que les thèses partitionnistes vont à l'encontre du droit international et de la pratique des États en matière d'accession à la souveraineté, le ministre a rappelé les conclusions auxquelles en sont arrivés les cinq experts en droit international consultés en 1992 par la Commission d'étude des questions afférentes à l'accession du Québec à la souveraineté créée par l'Assemblée nationale. Ces cinq experts sont d'avis que, avant l'accession éventuelle du Québec à la souveraineté, son intégrité territoriale reste fermement garantie en vertu des principes constitutionnels actuellement en vigueur et que le tracé actuel de ses frontières ne peut, par conséquent, être modifié contre le gré de l'Assemblée nationale.

Une chaîne de débats continue

Le 18 novembre 1997, l'Assemblée nationale annonce la mise en service, d'ici un an, d'un réseau de télédiffusion des débats qui s'appellera Réseau d'affaires parlementaires et institutionnelles du Québec (RAPIQ). Ce réseau diffusera les travaux parlementaires de l'Assemblée, mais aussi des commissions, en direct ou en différé, puis d'autres événements en périphérie, comme les conférences de presse, colloques et forums.

Position du gouvernement sur les relations intergouvernementales canadiennes

Le 4 décembre 1997, par l'entremise d'une déclaration ministérielle du ministre délégué aux Affaires intergouvernementales canadiennes, Jacques Brassard, le gouvernement du Québec rend publiques les orientations, en sept points, qui guideront l'action gouvernementale québécoise en matière de relations intergouvernementales canadiennes.

Réforme parlementaire

Le 10 décembre 1997, le président dépose un document intitulé *Réforme parlementaire – Proposition du président de l'Assemblée nationale, M. Jean-Pierre Charbonneau*, une proposition de modifications au Règlement relatives aux thèmes suivants : l'élection du président et des vice-présidents, les procédures d'adoption rapide des projets de loi et des motions, les pétitions présentées par les citoyens à l'Assemblée nationale et les questions orales avec débats. Ce dernier thème vient modifier substantiellement la période des questions et des réponses orales telle que nous la connaissions.

Démission du député d'Argenteuil

Dépôt, le 18 décembre 1997, de la lettre de démission du député d'Argenteuil, Régent L. Beaudet (PLQ), prenant effet le jour même.

Ajournement d'automne

Le 19 décembre 1997, après 30 séances, les travaux de la session d'automne sont ajournés au 10 mars 1998.

Cinquantenaire du drapeau

Hissé pour la première fois le 21 janvier 1958, le drapeau du Québec a 50 ans. Des cérémonies de commémoration prévues en janvier sont annulées à cause de la crise du verglas. Une cérémonie de commémoration du 50e anniversaire du drapeau a lieu au Salon rouge de l'Assemblée nationale le 10 mars 1998.

Reprise de la session

Les travaux de la deuxième session de la Trente-cinquième législature reprennent le 10 mars 1998.

Célébration du 150e anniversaire du principe de la responsabilité ministérielle

Le 11 mars 1998, le président souligne l'entrée en vigueur, il y a 150 ans, du principe de la responsabilité ministérielle. C'est en effet le 11 mars 1848, avec la formation du gouvernement LaFontaine-Baldwin, que s'établit au Québec le premier gouvernement responsable de ses politiques devant la chambre des élus du peuple, qui s'appelait alors l'Assemblée législative du Canada-Uni. Si l'Acte constitutionnel de 1791 permettait la création d'institutions parlementaires, il ne s'agissait, en fait, que des bases d'un véritable régime parlementaire de style britannique, puisque l'Exécutif, le gouverneur et son conseil, n'était pas responsable devant le Parlement.

Crédits

Le 25 mars 1998, le vice-premier ministre et ministre d'État de l'Économie et des Finances, Bernard Landry, dépose les crédits pour l'année financière 1998-1999, qui se montent à 41 842 000 000 $, une augmentation de dépenses de 0,7 % par rapport au dernier exercice financier.

Discours sur le budget

Le 31 mars 1998, le vice-premier ministre et ministre d'État de l'Économie et des Finances, Bernard Landry, présente son troisième Discours sur le budget. Le budget 1998-1999 prévoit notamment un premier surplus des opérations courantes en 20 ans. De plus, le gouvernement maintient les cibles d'un déficit de 1,2 milliard de dollars pour cette année et l'élimination du déficit pour l'an prochain.

Orientations gouvernementales concernant les relations avec les autochtones

Le 2 avril 1998, aux déclarations ministérielles, le ministre d'État des Ressources naturelles, Guy Chevrette, dépose les nouvelles orientations gouvernementales touchant les relations avec les autochtones. Ces orientations sont contenues dans un document intitulé *Partenariat, Développement, Actions*.

Réforme parlementaire

Le 8 avril 1998, le président, Jean-Pierre Charbonneau, dépose un nouveau document qui marque l'étape finale dans le processus de propositions de réforme parlementaire amorcé depuis son entrée en fonction. Dès le 12 mars 1996, le président souhaitait que la réforme parlementaire cesse d'être un rêve sans lendemain et indiquait alors que le Parlement pourrait non seulement être plus respectable, mais aussi plus efficace. Depuis 1996, quelques étapes de cette réforme ont été franchies et mises à l'essai : les nouvelles heures concernant les travaux de l'Assemblée ainsi que l'organisation des commissions parlementaires, qui comporte notamment l'ajout d'une nouvelle commission, soit celle de l'administration publique. Toutefois, l'essentiel reste encore à faire. Voilà pourquoi le président a convenu avec les leaders parlementaires d'un plan de travail comprenant 11 points prioritaires.

Démission de Monique Simard

Le 5 mai 1998, le président dépose la lettre de démission de la députée de La Prairie, datée du 1er mai 1998. Sa décision avait été annoncée par voie de communiqué le 5 avril 1998.

Démission de Daniel Johnson

Le 12 mai 1988, dans un discours empreint d'émotion, le député de Vaudreuil annonce qu'il quitte le jour même son siège à l'Assemblée nationale. Élu pour la première fois à l'Assemblée nationale aux élections générales de 1981, réélu en 1985, en 1989 et en 1994, il est élu chef du Parti libéral du Québec par acclamation le 13 décembre 1993 et est assermenté premier ministre le 11 janvier 1994. Fait unique dans les annales politiques du Québec, Daniel Johnson est le troisième de la famille Johnson à accéder au poste de premier ministre après son père Daniel (1966-1968) et son frère Pierre Marc (octobre-décembre 1985).

L'Assemblée nationale a unanimement rendu hommage à Daniel Johnson pour sa carrière parlementaire de 17 années.

Monique Gagnon-Tremblay, chef de l'opposition

Le 13 mai 1998, la députée de Saint-François devient la première femme à occuper le poste de chef de l'opposition officielle à Québec.

Rapport spécial du Vérificateur général sur la curatelle publique

Le 14 mai 1998, le président dépose un rapport spécial du Vérificateur général à l'Assemblée nationale, portant sur le Curateur public du Québec, duquel il appert que certains citoyens, inaptes temporairement ou de façon permanente, parmi les plus démunis au sein de la société, n'ont pas reçu les services auxquels ils étaient en droit de s'attendre. C'est la première fois que le Vérificateur général dépose un rapport spécial à l'Assemblée nationale. Vu l'importance de ce rapport, le ministre délégué aux Relations avec les citoyens, dans une déclaration ministérielle, affirme que le gouvernement considère comme sérieuse la situation que le rapport décrit, situation qu'il qualifie de désolante et d'inacceptable.

Motion unanime sur David Levine

Le 21 mai 1998, de façon exceptionnelle et de consentement, les groupes parlementaires ont demandé à la présidence de l'Assemblée nationale du Québec de présenter la motion qui suit :

« Que l'Assemblée nationale du Québec dénonce vigoureusement l'intolérance manifestée à l'égard de David Levine à la suite de sa nomination comme directeur général du nouvel hôpital d'Ottawa et qu'elle réitère l'importance de respecter, dans notre société démocratique, le principe fondamental qu'est la liberté d'opinion. » Le président s'exprime seul au nom des parlementaires et la motion est adoptée.

Motion unamine sur l'assurance-emploi

Le 28 mai 1998, l'Assemblée adopte la motion suivante du député libéral de Kamouraska-Témiscouata, Claude Béchard :

« Que l'Assemblée nationale demande au gouvernement fédéral d'utiliser les surplus de l'assurance-emploi notamment pour l'amélioration de la couverture d'assurance des jeunes et des travailleurs saisonniers et pour la création d'emplois par la baisse des cotisations. »

Commission parlementaire sur la Déclaration de Calgary

Les 2, 3, 4, 9 et 10 juin 1998, la commission des Institutions se réunit avec mandat suivant : procéder à des consultations particulières et tenir des auditions publiques sur la Déclaration de Calgary, notamment en ce qui a trait à une future entente-cadre sur l'union sociale, et ce, en regard des droits et compétences de l'Assemblée nationale, du gouvernement du Québec et des revendications historiques de ces derniers.

Nouveau député

Le 10 juin 1998, David Whissell (PLQ), élu lors de l'élection partielle du 1er juin 1998 dans Argenteuil, fait son entrée en Chambre.

Politique des relations internationales

Le 17 juin 1998, dépôt par le président Jean-Pierre Charbonneau du document intitulé *La démocratie parlementaire à l'ère de la mondialisation – Éléments d'une politique de relations parlementaires internationales de l'Assemblée nationale du Québec.*

Par la présentation de ce document, M. Charbonneau veut affirmer, à titre de président, que les relations internationales de l'Assemblée nationale sont nécessaires, dans le nouveau contexte de la mondialisation, à la fois pour permettre aux élus du peuple de mieux remplir leurs fonctions et pour assurer à l'ensemble de la population québécoise une défense et une promotion plus complètes et plus solides de ses intérêts à l'étranger, en somme pour donner à nos concitoyens et concitoyennes les moyens de tirer le meilleur parti de la nouvelle réalité mondiale.

Il veut affirmer aussi que l'autonomie de l'Assemblée nationale lui permet de conduire ses propres relations internationales et qu'il est sain, dans notre démocratie, que le Parlement joue pleinement son rôle et soit un acteur actif et efficace sur la scène internationale, et ceci, dans le cadre de la cohérence nécessaire de l'action des différents organes de l'État québécois.

Il veut affirmer encore que la diplomatie parlementaire est une réalité déjà bien présente sur la scène internationale. Alors que la faculté de convaincre, de négocier, de rassembler tend à jouer un rôle de plus en plus grand comme moyen d'action international, la diplomatie parlementaire se présente comme un facteur international novateur, capable de contributions significatives au bien-être de la communauté internationale. Il soutient que l'heure est venue de comprendre l'importance de cette diplomatie parlementaire, de la soutenir et de l'utiliser pleinement.

Le président affirme que l'Assemblée nationale a, depuis un bon moment déjà, développé un vaste réseau international de relations privilégiées, que ses membres sont fort actifs sur la scène internationale, qu'ils agissent avec dignité et efficacité et que leurs actions sont très rentables économiquement, socialement et culturellement.

M. Charbonneau veut dire enfin qu'il importe maintenant de poursuivre l'engagement international de l'Assemblée avec le sérieux et la crédibilité que peut donner un énoncé de politique, des orientations, des objectifs, des stratégies, un plan d'action, en somme une véritable politique, et que l'Assemblée nationale avait hier, a aujourd'hui et aura demain un rôle à jouer dans l'édification d'une communauté mondiale fondée sur la démocratie, la paix, la justice et la prospérité.

Nouveau Directeur général des élections

Le 19 juin 1998, le premier ministre Lucien Bouchard fait une motion pour que Me Jacques Girard soit nommé Directeur général des élections. À 94, contre 1 (Mario Dumont).

Ajournement d'été

Le 19 juin 1998, après 46 séances et à sa 198e séance, les travaux de la session printanière de l'Assemblée sont ajournés au 20 octobre 1998. ○

Les principales lois adoptées par l'Assemblée nationale du Québec, automne 1997 et printemps 1998

Aux sessions d'automne 1997 et de printemps 1998, l'Assemblée nationale a adopté 86 projets de loi publics. En voici les principaux, avec, entre parenthèses, la date d'adoption ou de sanction par le lieutenant-gouverneur.

Session d'automne 1997

• Projet de loi n° 149, Loi portant réforme du **régime des rentes** du Québec et modifiant diverses dispositions législatives (10/12/97). Cette réforme vise à assurer la pérennité du régime et l'équité entre les générations de cotisants en plus de reconnaître les conjoints de fait.

• P.L. 157, Loi modifiant la Loi de la **sécurité du transport** terrestre guidé (16/12/97). Nouvelles mesures renforçant la sécurité du transport par autobus à la suite de la tragédie routière des Éboulements.

• P.L. 160, Loi modifiant la Loi sur la **sécurité dans les sports** et d'autres dispositions législatives (17/12/97). Ce projet de loi abolit la Régie de la sécurité dans les sports.

• P.L. 161, Loi modifiant de nouveau la Loi sur les impôts, la Loi sur la taxe de vente du Québec et d'autres dispositions législatives (18/12/97). Ce projet de loi de 500 pages et de 756 articles accentue les efforts de lutte contre l'économie souterraine et donne suite à des mesures annoncées dans le dernier budget. Il instaure de nouvelles règles relatives à la **déclaration des pourboires** dans les secteurs de la restauration et de l'hôtellerie, dont le versement obligatoire d'une partie des pourboires, mesures qui entreront en vigueur le 1er janvier 1998. Le projet offre aux employés une protection supérieure en cas de chômage ou d'accident de travail tout en permettant les cotisations au régime des rentes du Québec. Il hausse de plus la TVQ de un pour cent.

• P.L. 164, Loi modifiant la Loi facilitant le paiement des **pensions alimentaires** (9/12/97). Ce projet de loi permet aux débiteurs de verser directement la pension alimentaire aux créanciers en attendant que leur dossier soit pris en charge par le gouvernement.

• P.L. 166, Loi modifiant la Loi sur les **collèges d'enseignement général et professionnel** et d'autres dispositions législatives (19/12/97). Accroissement de la marge de manœuvre pédagogique et administrative des cégeps.

• P.L. 170, Loi modifiant la Loi sur l'**aide financière aux étudiants** (18/12/97). Ces modifications apportent de nouvelles règles pour le calcul du prêt étudiant de même que l'obligation, pour l'emprunteur, d'assumer les intérêts sur le solde des prêts dès le moment où il cesse d'être étudiant.

• P.L. 171, Loi sur le **ministère des Régions** (19/12/97). Ce projet de loi amorce la véritable décentralisation et respecte des engagements électoraux du gouvernement en établissant les Centres locaux de développement (CLD) et les Conseils régionaux de développement (CRD), qui permettront de mobiliser toutes les énergies locales au service de l'emploi.

• P.L. 173, Loi instituant le fonds spécial de financement des activités locales et modifiant la Loi sur la **fiscalité municipale** (18/12/97). Ce projet de loi crée un fonds pour disposer des 375 millions exigés des municipalités pour contribuer à l'effort fiscal.

• P.L. 178, Loi sur l'**abolition de certains organismes** (11/12/97). Mise en œuvre de certaines recommandations du Groupe de travail sur l'examen des organismes gouvernementaux, dirigé par le député de Fabre, Joseph Facal, qui dressait la liste des 204 organismes gouvernementaux et proposait une série d'abolitions et de regroupements.

• P.L. 180, Loi modifiant la Loi sur l'**instruction publique** et diverses dispositions législatives (19/12/97). Ce projet de loi accorde à chaque établissement scolaire des fonctions et pouvoirs jusque-là dévolus à la commission scolaire, notamment en matière de services éducatifs, extrascolaires, de gestion des ressources humaines, matérielles et financières – une réforme, estime l'opposition, qui remet en question la gratuité scolaire –, et établit le fondement légal de l'école de quartier.

• P.L. 183, Loi concernant le **budget de la Ville de Montréal** (18/12/97). Fait unique, ce projet de loi autorise Montréal à adopter un budget qui tient compte d'une augmentation anticipée des revenus et d'une diminution anticipée des dépenses, jusqu'à concurrence de 125 millions, un exercice qualifié de « budget virtuel ».

• P.L. 185, Loi sur l'élection des premiers commissaires des commissions scolaires nouvelles et modifiant diverses dispositions législatives (18/12/97). Ce projet de loi établit les modalités d'exercice du droit de vote pour les nouvelles **commissions scolaires linguistiques.**

Session du printemps 1998

• P.L. 186, Loi sur le soutien du revenu et favorisant l'emploi et la solidarité sociale (18/06/98). Découlant du Livre vert présenté par la ministre d'État de l'Emploi et de la Solidarité, cette **réforme de l'aide** sociale vient compléter le redéploiement des services d'emploi et de soutien du revenu. Elle crée les parcours individualisés vers la formation, l'insertion et l'emploi mettant l'accent sur les mesures actives qui favorisent l'accès à l'emploi tout en préservant la solidarité sociale.

• P.L. 188, Loi sur la distribution des produits et services financiers (18/06/98). Ce projet de loi, qui remplace la Loi sur les intermédiaires de marché, a alimenté bien des débats depuis deux ans. Il complète le cheminement québécois en faveur du **décloisonnement des institutions financières** et vient concrétiser l'avènement de la caisse-assurance.

• P.L. 403, Loi sur la **Grande Bibliothèque du Québec** (17/06/98). Ce projet de loi concrétise un engagement important du gouvernement de doter Montréal d'un outil majeur sur les plans culturel et éducatif. Il prévoit que la GBQ aura pour mission d'offrir un accès démocratique à la culture et au savoir et d'agir, à cet égard, comme un catalyseur auprès des institutions documentaires du Québec.

• P.L. 405, Loi favorisant la **protection des eaux souterraines** (17/06/98). Institue un moratoire, à partir du 18 décembre 1997 jusqu'au 1er janvier 1999, sur l'attribution des nouveaux permis de captage d'eau souterraine, ce qui affecte uniquement les embouteilleurs d'eau.

• P.L. 414, Loi concernant la négociation d'ententes relatives à la réduction des **coûts de main-d'œuvre dans le secteur municipal** (12/03/98). Adopté en séance extraordinaire, ce projet de loi institue des mécanismes de règlement des mésententes qui subsistaient entre les organismes municipaux et les syndicats sur les moyens de réduire les coûts de main-d'œuvre de 6 % dans le but d'économiser 500 millions de dollars.

• P.L. 415, Loi instituant le **Fonds relatif à la tempête de verglas** survenue du 5 au 9 janvier 1998 (22/05/98). Ce fonds est affecté à la gestion et au financement des dépenses exceptionnelles supportées par les ministères et organismes ainsi que les dépenses des différents programmes d'assistance financière mis en place pour compenser les dommages causés par ce sinistre.

• P.L. 417, Loi prolongeant l'effet de certaines dispositions de la Loi sur la **pratique des sages-femmes** (17/06/98). Autorisée depuis 1990 dans le cadre de projets-pilotes, la pratique des sages-femmes sera possible dans les centres hospitaliers dès septembre 1999. Mais entre-temps, la pratique des sages-femmes dans le cadre de projets-pilotes, comme c'était le cas depuis 1990, sera prolongée d'un an, soit jusqu'au 24 septembre 1999.

• P.L. 422, Loi modifiant la Loi sur les cours municipales et la Loi sur les tribunaux judiciaires (17/06/98). On crée par ce projet de loi le poste de **juge en chef des cours municipales** du Québec.

• P.L. 431, Loi sur **Investissement-Québec** et sur Garantie-Québec (12/06/98).

Un des objectifs de ce nouvel organisme est de doubler l'investissement américain au Québec d'ici deux ans.

• P.L. 434, 435, 436, 437, Lois sur les **sociétés Innovatech** du Grand Montréal, Régions ressources, Québec et Chaudière-Appalaches ainsi que du sud du Québec (12/06/98). Ces quatre projets de loi complètent le réseau des sociétés Innovatech en plus de créer une société pour les régions ressources.

• P.L. 438, Loi sur **Héma-Québec** et sur le Comité d'hémovigilance (19/06/98). Héma-Québec est confirmé comme fournisseur, à compter du 1er sept. 1998, en sang et produits sanguins des Québécois.

• P.L. 439, Loi sur l'**Institut national de santé publique** du Québec (19/06/98). S'inscrivant dans la continuité de la réorganisation du réseau de santé, cet institut se voit confier la responsabilité d'administrer les laboratoires publics dont les travaux d'expertise sont utiles à l'ensemble du réseau de la santé.

• P.L. 441, Loi sur l'**Institut de la statistique** du Québec (19/06/98). Ce projet de loi institue Statistiques Québec, organisme qui aura pour mission de fournir des informations statistiques qui soient fiables et objectives sur la situation du Québec sous tous ses aspects.

• P.L. 442, Loi sur le regroupement de certaines sociétés d'État (19/06/98). Faisant suite au Discours sur le budget, ce projet a pour objet la création d'une **super-SGF** par le regroupement sous son aile de Rexfor, Soquem, Soquia et Soquip.

• P.L. 444, Loi sur le tabac (17/06/98). Largement débattu, élément charnière dans la **lutte contre le tabagisme**, ce projet de loi édicte les règles applicables à l'usage du tabac. Il établit les endroits où il est interdit de fumer, prévoit l'interdiction de la vente de tabac aux mineurs, et encadre la publicité et la promotion entourant le tabac, interdisant par exemple toute commandite directe. Mais il prévoit également un délai de transition pour les commandites ainsi qu'un délai afin de permettre aux exploitants de certains lieux de se conformer aux exigences de la loi.

• P.L. 447, Loi concernant certains **équipements de la Ville de Montréal** (19/06/98). Dans l'optique d'aider les finances publiques de la Ville de Montréal, ce projet de loi prévoit le transfert du Biodôme, du Jardin botanique et du Planétarium de Montréal à la nouvelle Société de gestion Marie-Victorin. En contrepartie, la Ville de Montréal peut vendre sa participation dans ces équipements contre une créance de 53,6 millions pour chacune des trois prochaines années.

L'état des partis politiques

1. Rapports financiers des partis politiques pour l'année 1997

Le Directeur général des élections du Québec par intérim, Me François Casgrain, rend publics le 25 mai 1998 les rapports financiers des partis politiques autorisés ainsi que le montant total de la participation de l'État au financement politique québécois pour l'exercice se terminant le 31 décembre 1997.

Le rapport 1997 présente l'état des revenus et dépenses de 16 des 17 partis politiques (le Parti de la loi naturelle n'ayant pas produit d'états financiers à la date de compilation des données). Les 17 partis politiques, leurs instances de même que les candidats indépendants autorisés ont eu des revenus globaux de 11 000 587 $ et ont dépensé 9 474 297 $. Les partis représentés à l'Assemblée nationale (PQ, PLQ et ADQ) se partagent 94,7 % des revenus et 93,8 % des dépenses.

Les contributions des électeurs ont totalisé 6 466 640 $. Les partis ont émis 56 700 reçus, dont 50 368 pour des contributions de 200 $ ou moins. Au total, 6332 électeurs ont fourni des contributions supérieures à 200 $; ces contributions comptent pour 55 % de l'argent recueilli. La contribution moyenne est de 114 $, comparativement à 92 $ en 1996.

L'exercice terminé le 31 décembre 1997 s'est soldé par un excédent des revenus sur les dépenses pour huit des seize formations politiques qui ont produit un rapport financier.

La contribution de l'État au financement politique québécois s'établit à 5 026 965 $ en 1997 et comprend les montants suivants :

• *Allocation versée aux partis politiques autorisés:*

Parti québécois	1 208 497 $
Parti libéral du Québec	866 862 $
Action démocratique du Québec	160 496 $
Autres partis autorisés	54 108 $
Total	2 289 963 $

• *Remboursement effectué aux partis des frais de vérification (maximum 5500$)* 16 485 $

• *Remboursements des dépenses électorales (élections générales du 12 septembre 1994 et partielles en 1996 et 1997):*

Pointe-aux-Trembles, Beauce-Sud, Prévost, Bertrand, Bourassa, Duplessis et Kamouraska-Témiscouata) 208 966 $

• *Crédits d'impôt pour
contributions politiques accordés à
36 694 contribuables pour l'année
d'imposition 1996* 2 511 551 $

Les contribuables participent donc pour près de la moitié des revenus des partis politiques, puisque 45,7 % des revenus des 17 partis autorisés en 1997 provenait des coffres de l'État.

L'allocation que verse l'État aux partis politiques est basée sur le nombre d'électeurs inscrits sur la liste électorale lors de la dernière élection. Un montant de 50¢ est accordé pour chaque électeur inscrit. La somme globale est redistribuée entre les partis en fonction du pourcentage de vote obtenu lors de l'élection du 12 septembre 1994. À titre d'exemple, pour la dernière année, l'ADQ a reçu 160 496 $ de l'État et recueilli des contributions de 97 070 $, le PLQ a reçu 866 862 $ et recueilli des contributions populaires de 2 478 217 $, et le PQ a reçu 1 208 497 $ et recueilli des contributions de 3 816 990 $.

2. Les 18 partis politiques provinciaux autorisés au 30 juin 1998

Action démocratique du Québec
Chef : Mario Dumont

Bloc-pot
Chef : Marc Saint-Maurice

CANADA !
Chef : George Butcher

Option nationale
Chef : Jean Brière

Parti Citron
Chef : Denis R. Patenaude

Parti communiste du Québec
Chef : André Cloutier

Parti de la démocratie socialiste
Chef : Paul Rose

Parti de la loi naturelle du Québec / Natural Law Party of Québec
Chef : Allen Faguy

Parti du peuple du Québec
Chef : Michelle L. Dery

Parti économique du Québec
Chef : Réal Charette

Parti Égalité / Equality Party
Chef : Keith Henderson

Parti innovateur du Québec
Chef : Raymond Robitaille

Parti libéral du Québec/ Québec Liberal Party
Chef : Jean Charest

Parti marxiste-léniniste du Québec
Chef : Claude Brunelle

Parti pour la république du Canada (Québec) / Party for the Commonwealth of Canada (Québec)
Chef : Benoît Chalifoux

Parti pour le respect des droits et libertés individuels au Québec
Chef : Robert Samson

Parti québécois

Chef : Lucien Bouchard

Parti Vert du Québec

Chef : Judith Brown

3. Nomination du nouveau Directeur général des élections, Mᵉ Jacques Girard

Mᵉ Pierre-F. Côté quitte ses fonctions de Directeur général des élections du Québec et de président de la Commission de la représentation électorale le 16 juillet 1997, jour de son 70ᵉ anniversaire, après 19 ans à ce poste.

Entré en poste le 16 juillet 1997, le mandat de Mᵉ François Casgrain se terminait à la mi-janvier 1998, puisque l'article 483 de la Loi électorale prévoit qu'une personne ne peut remplir les fonctions de DGE par intérim plus de six mois.

En décembre 1997, le gouvernement a suggéré le nom de Michel Bouchard, sous-ministre à la Justice, pour devenir le nouveau DGE. Cette candidature, qu'agréait

dit-on Daniel Johnson, a été refusée par le chef de l'opposition officielle.

La loi 407, Loi modifiant la Loi électorale, adoptée le 18 décembre 1997, vint prolonger le mandat du DGE intérimaire jusqu'en juillet 1998, le temps de trouver un candidat acceptable à tous les partis.

À la toute fin de la session printanière, le premier ministre Lucien Bouchard propose que Mᵉ Jacques Girard, directeur des Services juridiques et registraires des partis politiques à Élections Canada, soit nommé DGE, pour un mandat de sept ans à compter du 13 juillet 1998. Mise au vote, la motion du premier ministre recueille 94 votes, contre 1, celui du chef de l'ADQ, Mario Dumont.

Fait cocasse, pour nommer Jacques Girard au poste de Directeur général des élections, le gouvernement doit modifier la Loi électorale car le candidat n'habite pas le Québec et, de ce fait, n'a pas le statut d'électeur au Québec, condition obligée pour occuper la fonction. ◯

Les premiers ministres du Québec depuis 1867

CHAUVEAU, Pierre-Joseph-Olivier	15 juillet 1867	C
OUIMET, Gédéon	27 février 1873	C
BOUCHER DE BOUCHERVILLE, Charles-Eugène	22 septembre 1874	C
JOLY DE LOTBINIÈRE, Henri-Gustave	8 mars 1878	L
CHAPLEAU, Joseph-Adolphe	31 octobre 1879	C
MOUSSEAU, Joseph-Alfred	31 juillet 1882	C
ROSS, John Jones	23 janvier 1884	C
TAILLON, Louis-Olivier	25 janvier 1887	C
MERCIER, Honoré (père)	29 janvier 1887	L
BOUCHER DE BOUCHERVILLE, Charles-Eugène	21 décembre 1891	C
TAILLON, Louis-Olivier	16 décembre 1892	C
FLYNN, Edmund James	11 mai 1896	C
MARCHAND, Félix-Gabriel	24 mai 1897	L
PARENT, Simon-Napoléon	3 octobre 1900	L
GOUIN, Lomer	23 mars 1905	L
TASCHEREAU, Louis-Alexandre	9 juillet 1920	L
GODBOUT, Joseph-Adélard	11 juin 1936	L
DUPLESSIS, Maurice Le Noblet	26 août 1936	UN
GODBOUT, Joseph-Adélard	8 novembre 1939	L
DUPLESSIS, Maurice Le Noblet	30 août 1944	UN
SAUVÉ, Joseph-Mignault-Paul	11 septembre 1959	UN
BARRETTE, Antonio	8 janvier 1960	UN
LESAGE, Jean	5 juillet 1960	L
JOHNSON, Daniel (père)	16 juin 1966	UN
BERTRAND, Jean-Jacques	2 octobre 1968	UN
BOURASSA, Robert	12 mai 1970	L
LÉVESQUE, René	25 novembre 1976	PQ
JOHNSON, Pierre Marc	3 octobre 1985	PQ
BOURASSA, Robert	12 décembre 1985	L
JOHNSON, Daniel (fils)	11 janvier 1994	L
PARIZEAU, Jacques	26 septembre 1994	PQ
BOUCHARD, Lucien	29 janvier 1996	PQ

Vie économique

Le cap de la croissance

GÉRARD BÉRUBÉ

L'économie québécoise a connu, en 1997, sa meilleure croissance depuis 1994. Cette performance a été enregistrée malgré des politiques budgétaires toujours restrictives d'un gouvernement engagé dans une lutte contre les déficits. Et malgré une érosion continue d'un pouvoir d'achat des ménages québécois croulant sous le poids d'un lourd fardeau fiscal. Ces freins étaient toujours en place en 1998, mais une politique monétaire accommodante et les investissements requis pour surmonter la crise du verglas de janvier 1998 devraient permettre à l'économie québécoise de garder le cap de la croissance.

Toujours aux prises avec une croissance inférieure à la moyenne canadienne et un taux de chômage obstinément au-dessus des 10 %, l'économie québécoise paie encore le prix de sa longue marche vers le déficit budgétaire zéro. À cela s'ajoutent les effets du taux d'épargne particulièrement anémique des Québécois qui, combiné à une érosion réelle du revenu personnel disponible, vient amplifier les effets d'un lourd fardeau fiscal. En clair, c'est l'expression de la quadrature du cercle.

Les économistes de la Caisse de dépôt et placement du Québec ont d'ailleurs rappelé que «*le taux d'épargne des ménages* [québécois] *a reculé constamment au cours des cinq dernières années. En 1993, il se situait à 8,8 % du revenu disponible, alors qu'au quatrième trimestre de 1997, il n'était que de* 0,8 %. *En fait, le poids du fardeau fiscal explique en grande partie la faible croissance du revenu disponible. L'année dernière, les transferts aux administrations publiques, dont l'impôt sur le revenu, ont augmenté trois fois plus rapidement que le revenu personnel*».

Et ce n'est pas fini. Dans cette lutte contre le déficit, qui place l'atteinte du zéro à l'an 2000, «*la croissance de l'économie du Québec restera inférieure à la moyenne canadienne en 1998, principalement en raison de politiques budgétaires exerçant encore une fois un frein plus puissant au Québec que dans l'ensemble du Canada. Les effets directs et induits se traduiront par un recul des dépenses publiques en biens et services et par un ralentissement des dépenses des ménages*».

Cette froide réalité n'a toutefois pas empêché l'économie québécoise d'enregistrer une croissance de 2,9 % (contre 3,8 % au Canada), la meilleure performance depuis 1994. C'est donc sous l'impulsion d'une politique monétaire accommodante – l'économie québécoise est particulièrement sensible aux taux d'intérêt en raison de la forte présence de PME dans les aggrégats – que le Québec a pu accélérer sa vitesse de croisière. Une accélération qui s'est également reflétée dans l'emploi, qui a comptabilisé son plus fort taux de croissance en trois ans, et par un regain de confiance. L'emploi a progressé de 1,5 % l'an dernier, contre 0,3 % en 1996, une multiplication par cinq qui a permis au taux de chômage de passer de 11,8 à 11,4 %. Après six mois en 1998, la progression de l'emploi atteignait un rythme annuel de 1,7 % et le taux de chômage revenait à 10,6 %.

Résultats : l'activité a été dominée par une vigueur de la consommation et des dépenses des entreprises en machinerie et outillage. «Cette performance apparaît d'autant plus louable que le recul des dépenses publiques a été prononcé», a souligné la Caisse de dépôt. Les compressions budgétaires aux deux paliers de gouvernement ont continué de freiner la croissance en 1997. Les dépenses gouvernementales en biens et services ont reculé de 2,1 %, tandis que les investissements publics ont stagné. Dans le secteur privé, la demande intérieure a, pour sa part, progressé de 4,3 %. »

Les investissements prendront la relève

Pour 1998, les économistes s'attendent à ce que les dépenses d'investissement prennent la relève d'une consommation essoufflée. Car le relèvement attendu, léger mais réel, des taux d'intérêt et le faible taux d'épargne devraient avoir une incidence plus grande sur le rythme de la consommation que l'amélioration attendue de l'emploi. *«C'est, d'ailleurs, ce qui suggère la croissance des ventes au détail depuis la fin de 1997, qui semble montrer un certain essoufflement»*, selon la Caisse de dépôt. Cette contraction s'est chiffrée à 0,4 %, en rythme annuel, au cours des six premiers mois de 1998.

Même s'il s'agit d'un rythme moindre, l'on parle donc d'une contribution positive des dépenses de consommation. C'est l'optimisme que partagent les analystes de la firme de courtage en valeurs mobilières Lévesque, Beaubien, Geoffrion. *«L'économie québécoise a repris sa progression après avoir perdu de la vitesse au deuxième semestre de 1997. Depuis janvier [1998], 43 600 emplois ont été créés, malgré la suppression de 13 700 postes en mai. En outre, l'économie devrait continuer de croître de près de 3 % au second semestre, malgré la chute du prix des matières premières. La croissance de l'emploi devrait donc se poursuivre, ce qui soutiendra la consommation.»*

Ainsi, afin d'alimenter cette croissance prévue de 2,7 % cette année (contre 3,2 % au Canada), l'économie québécoise va donc, selon un scénario consensuel, puiser le gros de son énergie du côté des investissements des entreprises. D'ailleurs, le Québec devrait trôner au premier rang parmi les provinces canadiennes cette année, après avoir longtemps tiré de l'arrière. Selon les prévisions des économistes du Mouvement Desjardins, pour la seule année 1998, les investissements totaux des entreprises devraient croître de 8,5 % au Québec (contre 5,5 % au Canada), après avoir reculé de 4,9 % en 1997. *«Le Québec*

**Investissement des entreprises privées,
variation annuelle en pourcentage**

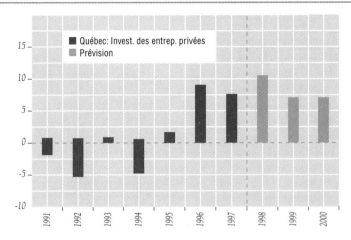

Source: Statistique Canada et la Caisse de Dépôt et Placement.

s'apprête à connaître une recrudescence de grands projets d'investissement, comme il n'en a pas connu depuis la fin des années 1980», selon l'économiste en chef du mouvement coopératif, Gilles Soucy.

La lecture de la Caisse de dépôt et placement du Québec va dans le même sens. «L'absence d'investissements majeurs, tels la construction des alumineries et les derniers grands projets hydroélectriques de la fin des années 1980, a ralenti la croissance des investissements au Québec. Cette faiblesse s'est manifestée dans la construction non résidentielle qui, de 1991 à 1997, a reculé de 5 % en moyenne par année.»

L'institution financière s'est inspirée d'une enquête de Statistique Canada sur les perspectives d'investissement 1998 pour reconnaître également que le Québec occupera la tête du peloton, avec l'Alberta

et Terre-Neuve. «En 1998, les investissements des entreprises seront le principal moteur de la croissance de la demande intérieure.»

«Il s'agirait d'un renversement spectaculaire par rapport à la situation observée en 1997, ont enchaîné les économistes de Desjardins. Les investissements des entreprises n'avaient progressé que d'un maigre 1,2 % au Québec, bien loin des 14,5 % enregistrés au Canada.»

Derrière ce pronostic, il y a certes deux gros projets d'investissement. L'un au Saguenay, soit la construction par Alcan d'une usine d'aluminium de 2,2 millliards de dollars dont l'entrée en production est prévue pour l'an 2000. Il y a également la construction d'une usine de magnésium d'une valeur de 720 millions dans la région d'Asbestos.

Mais le verglas de janvier 1998, une catastrophe naturelle sans précédent au Québec, sera la locomotive. Une locomotive qui agira de concert avec un environnement, celui des exportations, tonifié par le maintien d'une croissance robuste aux États-Unis et par la faiblesse du dollar mais qui devra, en contrepartie, apprendre à conjuguer avec la concurrence des produits offerts par les pays asiatiques plongés en pleine tourmente monétaire.

La crise du verglas qui, à son plus fort, a privé d'électricité près de la moitié de la population québécoise, a certes provoqué le recul – estimé à 2,3 % (sur une base annuelle) – du PIB québécois en janvier. Mais l'effort de reconstruction qui en découle sera stimulant, comme en témoigne la récupération rapide observée en février. *«Bien que la tempête de verglas ait eu un impact négatif non négligeable sur la croissance au premier trimestre, un rebondissement lié au rattrapage de la production se répercutera sur la production du PIB dans les mois qui suivront»*, affirme la Caisse de dépôt. On précise bien qu'Hydro-Québec devra investir quelque 400 millions dans le rétablissement et l'amélioration de son réseau, et 825 millions sur trois ans (dont 250 millions en 1998) dans la construction de nouvelles lignes à haute tension.

L'état des finances publiques inquiète

Ce scénario se profile donc avec, en toile de fond, des inquiétudes quant à l'état des finances publiques québécoises. Si le gouvernement ne cesse de réitérer qu'il maintiendra le cap sur l'an 2000 pour l'élimination du déficit budgétaire, la crise du verglas est venue s'ajouter à la grande volatilité du dollar canadien pour mettre en évidence l'absence de marge de manœuvre du gouvernement.

L'état des finances publiques québécoises permet difficilement d'absorber les imprévus. *«Le gouvernement québécois n'a pas de coussin. Sa marge de manœuvre est inexistante»*, affirme Lise Bastarache, économiste principale à la Banque Royale.

L'économiste en chef de la Banque Nationale, Dominique Vachon, place également les finances publiques comme seule ombre au tableau. Et elle nuance : *«Ce qui n'aide pas, c'est que le fédéral ne redistribue pas. Le fait qu'on ne peut espérer d'allégements fiscaux au Québec va creuser le désavantage fiscal du Québec par rapport aux autres provinces. Il y a également risque d'étouffement du secteur privé, sur une base comparative, un secteur privé qui, au Québec, peut se ressentir de ce manque d'encouragement.»*

Quant à l'effet dollar, les économistes rappellent que la proportion de la dette libellée en devises autres que le dollar canadien peut atteindre 40 % dans les provinces. Et l'économiste du Mouvement Desjardins Yves Saint-Maurice se montre plus sceptique face à la possibilité qu'un dollar canadien à 68 ¢ US (son niveau en juin 98) puisse doper davantage les exportations. *«Cela va contribuer à accroître les profits des sociétés exportatrices mais je ne crois pas qu'il y aura augmentation du volume des exportations. Le dollar était déjà très faible. À 72 ou 75 ¢ US, les entreprises exportatrices évoluaient déjà à un niveau concurrentiel. Je ne pense pas qu'elles vont vendre plus, en volume, avec un dollar à 68 ¢.»*

«Et n'oublions pas qu'il y aura une forte concurrence en provenance des pays asiatiques, qui ont vu leur devise chuter plus fortement que la nôtre.» ○

Des années charnières

JEAN-ROBERT SANSFAÇON

L'année qui se termine et celle qui vient marquent l'aboutissement d'un long et difficile voyage entrepris par le gouvernement du Parti québécois, son premier ministre Lucien Bouchard et son ministre d'État aux Finances et à l'Économie, Bernard Landry, dans le dessein d'assainir les finances publiques de la province. Devancé par la plupart des autres provinces du Canada, dont certaines affichent des surplus budgétaires depuis quelques années déjà, le gouvernement du Québec s'est engagé à équilibrer les comptes avant l'an 2000 et, pour ne pas oublier sa promesse, il a fait adopter une loi en ce sens.

On se rappellera qu'à son arrivée au pouvoir, en 1994, le gouvernement du Parti québécois alors dirigé par Jacques Parizeau héritait d'un déficit de plus de 5,8 milliards de dollars, résultat d'une longue récession dont le Québec mit quelques années à se relever. Par rapport aux revenus de toutes sources, cette année-là, le déficit comptait pour pas moins de 13 % des dépenses de l'État. Il équivalait à la totalité du service de la dette de la province pour cette année 1994-1995. En somme, les revenus totaux du gouvernement du Québec l'autorisaient tout juste à faire face à ses dépenses de programmes et le forçaient à reporter aux générations futures le remboursement entier de ses emprunts présents et passés ainsi que les intérêts dus sur ces emprunts. Une situation intenable.

Il faudra donc attendre la dernière année du premier mandat de ce gouvernement, l'année 1999-2000, pour que les revenus de la province suffisent à couvrir à la fois les dépenses de programmes réguliers de l'État et son service de la dette qui, entre-temps, aura grimpé de 5,8 milliards à 6,2 milliards par année.

Bien sûr, les recettes de l'État ont profité de l'amélioration générale de la conjoncture. Elles ont aussi enregistré une hausse d'un peu plus de 13 % au cours de ces cinq années (de 36,9 milliards en 1994-95 à 42 milliards en 1999-2000). Cependant, cette embellie n'aura pas suffi à combler le fossé du déficit.

Il aura donc fallu entreprendre un vigoureux effort de compressions des dépenses afin d'atteindre l'objectif déficitzéro dans les délais fixés lors d'un sommet des partenaires socio-économiques tenu au printemps et à l'automne de 1996. Sommet au cours duquel l'atteinte du déficit nul avait fait l'objet d'une sorte de troc par lequel le gouvernement arrachait la légitimité politique des gestes à faire pour parvenir au déficit zéro en l'an 2000 en échange du report d'un an d'un autre objectif du même type ayant fait l'objet d'un engagement électoral, celui d'effacer le « déficit des opérations courantes », communément appelé déficit d'épicerie. Une promesse qui paraissait modeste quelques mois avant l'élection, mais qui se révéla fort contraignante en cours de route. D'autant plus contraignante que cette demi-victoire aurait laissé intacte la part du déficit annuel associée aux investissements (1,8 milliard de dollars chaque année) et alourdi d'autant le fardeau déjà excessif de la dette dans les comptes annuels de l'État.

Des données trompeuses

À première vue, l'analyse des documents budgétaires publiés depuis l'exercice financier 1994-1995 est un mauvais révélateur de l'ampleur des compressions effectuées au cours des années. En effet, les dépenses de programmes n'auront diminué que d'un peu plus de un milliard de dollars en cinq ans au Québec pour passer de 36,8 milliards de dollars à 35,7 milliards en 1999-2000. Avec l'approche d'une nouvelle campagne électorale et grâce à une conjoncture somme toute favorable, il est même probable que la réduction n'aura pas atteint le milliard une fois connu le prochain budget qui doit être présenté au printemps 1999.

Mais voilà, ces données sont trompeuses et cachent une réalité à la fois plus complexe et surtout plus douloureuse. Compte tenu de la hausse du coût de la vie et du lancement de quelques nouveaux programmes, dont une politique familiale plus coûteuse que prévu, l'opération aura exigé beaucoup d'énergie, voire de sacrifices, qu'il n'y paraît et suscité des remous profonds, tant parmi les 450 000 employés de l'État que dans l'ensemble de la population sensible à la rumeur médiatique.

Or, cette rumeur s'est intensifiée au fil des jours à cause de situations troubles tels l'allongement des listes d'attente à la porte des salles d'opération des hôpitaux, le débordement des salles d'urgence et les cris de détresse des infirmières, victimes de la réorganisation du réseau et du vaste programme de départs pour la retraite auquel elles avaient elles-mêmes consenti. Consentement arraché par l'État sous la menace d'une loi d'exception, il est vrai, mais qui aurait aussi pu aboutir à d'autres solutions moins pénalisantes pour les employés des grands réseaux publics. En choisissant, en proposant même l'option de la retraite anticipée pour plus de 30 000 employés et l'abolition de plus de 15 000 postes permanents au lieu de privilégier la réduction du temps de travail et du salaire compensée en puisant à même les surplus des caisses de retraite, les grandes centrales syndicales, dont le syndicat des infirmières, acceptaient de facto une augmentation du fardeau de travail pour leurs membres qui, malheureusement, n'y ont vu que du feu.

Les hybrides de l'ère post-inflationniste

Dans l'ensemble, la période que le Québec traverse encore montre jusqu'à quel point les gouvernements éprouvent des difficultés à respecter les contraintes que leur impose un niveau de taxation donné depuis la fin de l'ère inflationniste. En effet, les responsables de la gestion publique sont désormais placés devant l'obligation de confronter l'ampleur de leurs ambitions à la capacité immédiate des contribuables électeurs d'en assumer le coût.

Il est derrière nous ce temps où les dépassements budgétaires des pouvoirs publics n'avaient qu'une importance toute relative, les revenus de l'État augmentant à un rythme plus rapide que la croissance réelle des économies nationales et les dettes accumulées s'effaçant presque aussi rapidement d'elles-mêmes grâce à la magie de l'inflation, cette plaie des entreprises et des épargnants à revenus fixes. Avec la mort de la bête, tous, entreprises, individus, gouvernements, se retrouvent aux prises avec un nouveau et très sérieux dilemme : ou bien trouver de nouvelles sources de revenus originales pour faire face à la croissance régulière des dépenses et pour créer de nouveaux programmes devenus nécessaires ; ou bien s'endetter, tout en sachant que chaque dollar d'emprunt additionnel laissera derrière lui un coût de remboursement qui, à terme, grèvera d'autant la capacité de l'État de maintenir un niveau acceptable de services à la population.

Présentement, au Québec, quelque 16 % des revenus de l'État vont au service de la dette. C'est une proportion certes moindre que pour certains autres gouvernements, dont celui du Canada où elle atteint 28 % des recettes fédérales, mais qui prive tout de même les grands réseaux de services publics de précieux dollars nécessaires au maintien et à l'amélioration de la qualité et de la quantité des services offerts.

Malgré les inconvénients certains de cette vaste entreprise de remise en état des comptes publics, l'opération aura l'énorme avantage de libérer une marge de manœuvre, aussi mince soit-elle, dont il appartiendra au prochain gouvernement de décider de son utilisation. Ce qui ne s'était pas vu depuis plus d'une quinzaine d'années.

Des surplus aussi minces que fragiles

À partir de l'an 2000, si la croissance économique se maintient, le gouvernement du Québec jouira d'une capacité de dépenser excédentaire dont tous les groupes se disputent déjà le privilège.

Malheureusement, l'an 2000 est encore loin en langage de conjoncture économique. L'économie nord-américaine entreprend sa huitième année d'expansion, l'une des plus longues périodes de l'histoire contemporaine. Le ralentissement guette, surtout si la crise qui sévit en Asie depuis plus d'une année maintenant continue de dissoudre son poison asphyxiant dans toutes les économies commerçantes de la planète.

Cette éventuelle phase de ralentissement que personne ne souhaite mais qui reste incontournable pourrait retarder le moment du partage d'un surplus qui n'aurait été qu'un rêve, pour ne pas dire un leurre. Car un tel ralentissement majeur de l'activité, nécessairement accompagné d'une forte décrue des entrées fiscales, ferait pourrir de façon prématurée les fruits de toutes ces années de rigueur. Le seul bon côté de l'affaire, c'est que l'équilibre des finances publiques enfin retrouvé épargnerait au gouvernement en place l'obligation de devoir imposer, à contre cycle, des compressions encore plus intenses que celles des récentes années. Quelle mince consolation pour une population à qui l'on a fait miroiter des lendemains qui chantent !

Autre facteur de réserve à la veille du grand jour : contrairement à la spirale vertueuse née de l'atteinte de l'équilibre au palier fédéral, un succès similaire remporté au Québec ne libérerait pas la même marge de manœuvre budgétaire. La raison est simple, bêtement mathématique : la part des dépenses provinciales consacrée au service de la dette étant largement moindre à Québec qu'à Ottawa, l'éventuel surplus dégagé par la croissance normale des recettes ne sera pas aussi spectaculaire, quelques centaines de millions par année tout au plus, et ira presque entièrement à la croissance régulière des dépenses déjà engagées par les grands réseaux de services publics que sont la santé et l'éducation. Un allègement du fardeau fiscal n'est pas impossible, certes, mais il ne pourra pas concurrencer la générosité désormais permise au gouvernement du Canada.

Dernier élément qui vient relativiser l'ampleur de la victoire attendue : étant donné l'étroitesse du passage qui sera dégagé au lendemain du jour « 0 », on aura raison de se rappeler une époque pas très lointaine, celle de la fin des années quatre-vingt, alors que le gouvernement libéral de Robert Bourassa était parvenu à ramener le déficit du Québec à aussi bas que 1,6 milliard de dollars. Or, il avait suffi à l'époque de quelques mois de récession pour que soient effacés tous les efforts d'une décennie qualifiée communément de « décennie des coupures ».

La mémoire étant une faculté qui oublie, rien n'interdit d'imaginer que l'approche d'une période de surplus budgétaires sera l'occasion d'une surenchère des attentes de la part de tous les groupes d'intérêt de la société, à l'image de ce qui se produit depuis plus d'un an à l'échelle fédérale. Attentes évidemment toutes plus urgentes les unes que les autres, mais aussi susceptibles de relancer le processus de croissance structurelle des dépenses d'un État provincial qui reste, malgré tant d'efforts et un niveau de taxation très élevé, parmi les plus endettés au pays. ◯

Tableau 1
Gouvernement du Québec
Revenus budgétaires (en millions de dollars)

Budget	1993-1994	1994-1995	1995-1996	1996-1997	1997-1998 Résultats préliminaires
Impôts sur les revenus et les biens					
Impôt sur le revenu des particuliers	12 313	12 447	12 907	13 139	14 216
Cotisations au Fonds des services de santé	2932	3300	3694	3768	3886
Impôts des sociétés[1]	1953	2123	2517	2931	3092
Droits de succession	–2	–1	–	–1	–
	17 196	**17 869**	**19 118**	**19 837**	**21 194**
Taxes à la consommation					
Ventes au détail	5583	5436	5620	5219	5658
Carburants	1264	1340	1407	1454	1465
Tabac	288	181	265	283	325
Pari mutuel	5	5	2	–	–
	7140	**6962**	**7294**	**6956**	**7448**
Droits et permis					
Véhicules automobiles	567	500	482	490	642
Boissons alcooliques	102	117	126	123	128
Ressources naturelles[2]	98	157	236	227	363
Autres	135	143	153	156	165
	902	**917**	**997**	**996**	**1298**
Revenus divers					
Ventes de biens et services	486	486	482	510	526
Intérêts	208	235	268	234	257
Amendes, confiscations et recouvrements	1114	719	471	368	363
	1808	**1440**	**1221**	**1112**	**1146**

Budget	1993-1994	1994-1995	1995-1996	1996-1997	1997-1998 Résultats préliminaires
Revenus provenant des entreprises du gouvernement[3]					
Société des alcools du Québec	346	326	351	372	367
Loto-Québec	536	688	806	972	1 002
Hydro-Québec	761	920	422	661	579
Autres	34	248	348	181	50
	1677	**2182**	**1927**	**2186**	**1998**
Total des revenus autonomes	28 723	29 370	30 557	31 087	33 084
Transferts du gouvernement du Canada					
Péréquation	3812	3543	4321	4103	4187
Contributions aux programmes sociaux	–	–	–	2554	1660
Contributions aux programmes de bien-être	2005	2092	2031	–2	–
Autres transferts liés aux accords fiscaux	1743	1880	1689	–38	27
Autres programmes	220	–5	101	102	–208
Total des transferts du gouvernement du Canada	7780	7510	8142	6719	5666
Total des revenus budgétaires	**36 503**	**36 880**	**38 699**	**37 806**	**38 750**

1. Comprend l'impôt sur les profits des sociétés, la taxe sur le capital et celle sur les primes qui en tiennent lieu pour les compagnies d'assurances.
2. Comprend les ressources forestières, minières et hydrauliques.
3. Comprend les dividendes déclarés et la variation des surplus ou déficits accumulés par les entreprises du gouvernement qui sont consolidés, avec comme contrepartie une réévaluation du placement qu'y détient le gouvernement.

Tableau 2
Gouvernement du Québec
Dépenses budgétaires (en millions de dollars)

	1993-1994	1994-1995	1995-1996	1996-1997	1997-1998 Résultats préliminaires
Ministères et organismes					
Assemblée nationale	72	77	77	70	67
Personnes désignées par l'Assemblée nationale	38	86	99	42	40
Affaires municipales	1270	1371	1370	1271	1118
Agriculture, Pêcheries et Alimentation	675	657	659	600	529
Conseil du trésor, Administration et Fonction publique[1]	525	542	515	595	846
Conseil exécutif	40	52	51	38	36
Culture et Communications	443	430	425	433	433
Développement des régions et Affaires autochtones	67	169	159	129	116
Éducation	10 231	10 521	10 524	10 110	9645
Emploi, Solidarité et Condition féminine	3929	4054	4071	4004	3963
Environnement et Faune	290	275	262	247	220
Famille et Enfance	796	828	854	856	996
Finances (excluant le service de la dette)	92	87	81	77	127
Industrie, Commerce, Science et Technologie	396	435	395	312	358
Justice	496	489	455	461	462
Métropole	90	108	116	38	58
Relations avec les citoyens et Immigration	155	149	148	147	143
Relations internationales	100	95	100	83	78

▶

	1993-1994	1994-1995	1995-1996	1996-1997	1997-1998 Résultats préliminaires
Ressources naturelles	436	406	376	346	321
Revenu	557	490	511	631	696
Santé et Services sociaux	13 010	13 137	13 107	12 934	12 616
Sécurité publique	713	718	718	696	989
Tourisme	44	50	44	53	57
Transports	1533	1551	1461	930	994
Travail	72	77	73	71	73
Total partiel	36 070	36 854	36 651	35 174	34 981
Variation de la provision pour pertes sur placements en actions[2]	40	–34	–39	–11	–20
Total des dépenses de programmes[3]	36 110	36 820	36 612	35 163	34 961
Service de la dette (ministère des Finances)	5316	5874	6038	5860	5858
Total des dépenses budgétaires	**41 426**	**42 694**	**42 650**	**41 023**	**40 819**

1. *Les résultats préliminaires 1997-1998 contiennent des provisions permettant des virements à d'autres ministères et organismes entre la date de production des documents budgétaires et la fin de l'exercice financier.*
2. *Provision créée lorsque le déficit accumulé d'une entreprise du gouvernement excède le coût du placement en actions qu'y détient le gouvernement.*
3. *Selon la structure budgétaire 1997-1998, les dépenses de programmes de l'exercice 1997-1998 s'établissent à 34 693 millions de dollars. L'écart de 268 millions de dollars, par rapport aux résultats préliminaires apparaissant au présent tableau, reflète l'impact de la nouvelle politique familiale sur une période de douze mois au lieu de sept mois.*

Tableau 3
Indicateurs fiscaux

	Année fiscale	Revenus % PIB	Dépenses % PIB	Transferts fédéraux % revenus	Services de la dette % revenus	Solde budgétaire % PIB	Dette nette totale % PIB
Canada	1998-99	16,9	11,7	–	4,9	0,0	65,4
Terre-Neuve	1997-98	32,5	33,5	43,0	15,5	-0,2	43,7
Île-du-Prince-Édouard	1997-98	28,7	29,3	34,7	14,3	-0,6	24,6
Nouvelle-Écosse	1997-98	27,9	27,8	40,3	17,2	0,0	43,4
Nouveau-Brunswick	1998-99	25,9	25,8	35,0	13,5	0,1	31,3
Québec	1998-99	17,8	18,2	17,6	18,5	-0,6	42,7
Ontario	1998-99	14,6	15,5	9,2	17,3	-1,2	30,1
Manitoba	1998-99	18,9	18,6	28,4	9,4	0,1	22,2
Saskatchewan	1998-99	19,1	18,8	15,6	13,6	0,4	41,7
Alberta	1998-99	15,2	15,0	8,5	7,2	0,2	6,0
Colombie-Britannique	1998-99	18,9	19,0	9,2	4,3	-0,1	29,0

Source: ACCOVAM, Budget des provinces

Desjardins a dû repenser son leadership

CLAUDE TURCOTTE

Leadership, voilà le thème à retenir sans doute pour résumer en un mot ce que fut la dernière année au Mouvement des caisses populaires et d'économie Desjardins. Au fil des mois, des événements, souhaités ou pas, ont contribué à mettre ce thème en évidence, sous diverses formes et variantes.

En prélude, il y avait eu à la fin de 1996 et au début de 1997 une campagne électorale présidentielle comme on n'en avait jamais vu chez Desjardins. Traditionnellement, le président avait toujours été élu par un « conclave » d'au plus une trentaine de personnes. Toute l'opération se déroulait dans une discrétion absolue. On n'avait aucunement tort de comparer cette élection à celle du choix d'un pape au Vatican.

Cette fois, on a innové en permettant une mise en candidature ouverte. C'est ainsi que Jocelyn Proteau, président de la Fédération de Montréal et de l'Ouest-du-Québec, annonçait qu'il se portait candidat. Claude Béland, le président sortant, offrait à nouveau ses services. Toutefois, le corps électoral demeurait à 31 personnes. M. Béland a remporté la victoire, mais on n'a jamais divulgué comment se sont partagés les 31 votes.

Une brèche avait tout de même été faite dans la formule du conclave hermétique. Un comité qui avait été créé pour revoir le mode électoral applicable à la présidence du Mouvement devait soumettre des propositions qui furent entérinées dès la première séance de l'assemblée générale de la Confédération en mars 1998. En 2000, lors de la prochaine élection présidentielle, le collège électoral sera composé de près de 225 délégués au lieu des 31 actuels. Les électeurs seront en fait les délégués des membres réguliers de la Confédération, c'est-à-dire en provenance des fédérations régionales de la fédération des caisses d'économie.

Une autre innovation importante porte sur l'éligibilité à la présidence. Pourra être candidate toute personne membre d'une caisse Desjardins depuis au moins 90 jours et dont la candidature est appuyée par 10 délégués provenant d'au moins trois fédérations du Québec (ce qui écarte les fédérations des provinces du Manitoba, de l'Ontario et de l'Acadie, lesquelles sont par ailleurs rattachées au réseau québécois). Jusqu'à maintenant, on constatait en pratique que seuls les notables et membres de l'establishment chez Desjardins pouvaient être candidats à la présidence.

Ce changement témoigne de la volonté d'ouverture sur un leadership qui aura puisé à d'autres expériences que celle du monde coopératif. Peut-être faut-il y voir un certain héritage provenant de feu Humberto Santos qui, à la tête de la Société financière Desjardins-Laurentienne, a fait une forte impression sur les dirigeants de Desjardins. M. Santos avait antérieurement fait carrière dans le monde bancaire.

Par ailleurs, la campagne électorale s'étendra dorénavant sur une période de 45 à 55 jours, ce qui facilitera le débat dans un cercle un peu plus étendu que par le passé. La course aux votes se fera auprès de 225 personnes, mais aussi indirectement les aspirants devront avoir au préalable largement l'appui des milliers de dirigeants de caisses qui ne manqueront pas de faire connaître leur opinion à ceux qui auront à voter.

Des caisses restructurées

En février 1997, c'est au niveau local que le leadership s'est manifesté, puisqu'il fallait donner suite aux modifications à la loi des caisses apportées par l'Assemblée nationale quelques mois plus tôt à la demande d'ailleurs du Mouvement Desjardins. Ces modifications portaient sur les structures des caisses, c'est-à-dire le rôle du conseil d'administration de chaque caisse, qui porte davantage sur les orientations

générales que sur les questions administratives. La commission de crédit qui avait été mise en place dès la naissance des caisses disparaissait, puisque l'évolution dans l'organisation des caisses avait permis l'instauration d'équipes professionnelles très compétentes qui sont en mesure d'analyser les demandes de crédit présentées par les membres. Dans plusieurs cas, la commission de crédit, qui tenait sa réunion à des intervalles de deux semaines, entraînait un ralentissement inutile dans l'examen des dossiers. À l'automne suivant, les dirigeants de caisse avaient complété les transformations nécessaires.

Atteinte à la réputation du numéro 2

Le thème du leadership a fait aussi les manchettes à partir du mois de mars 1997 d'une façon inattendue et fort désagréable pour l'un des principaux dirigeants de Desjardins. Jocelyn Proteau a vu sa réputation attaquée à la suite de reportages à la télévision de Radio-Canada. Le président de la fédération de Montréal a cependant été lavé de tout blâme par l'inspecteur et vérificateur général du Mouvement Desjardins à la suite d'accusations portant sur un emprunt hypothécaire pour sa résidence personnelle. M. Proteau a déposé une requête en diffamation de 10 millions contre Radio-Canada, son journaliste et un ex-vice-président de la caisse populaire de Saint-Henri.

Vente de la Banque Laurentienne et décès de Santos

Au cours de la période plus calme de l'été, les dirigeants de Desjardins en ont profité pour réfléchir sur divers scénarios envisagés pour la Banque Laurentienne, dans laquelle le Mouvement détenait une participation de 57,5 %. Le 22 octobre une décision était annoncée. Ces actions allaient être offertes sur le marché pour donner un produit net de 254 millions. Depuis l'acquisition du Groupe La Laurentienne par Desjardins, Humberto Santos avait été le véritable leader dans le repositionnement de ces actifs, dont certains à l'étranger furent vendus, alors que d'autres furent intégrés à la société de portefeuille de l'assurance-vie.

Il n'avait jamais été dans l'intention de Desjardins de conserver la Banque Laurentienne, que plusieurs dirigeants de caisses locales voyaient davantage comme un concurrent qu'un allié. Malheureusement, M. Santos disparaissait trois jours seulement après la vente de cette banque. Cela laissait un trou béant au niveau des cadres supérieurs.

**Autre départ majeur :
John Harbour**

Quelques semaines plus tard surgissait une autre surprise considérable. John Harbour, chef de l'exploitation du Mouvement Desjardins, quittait son poste. Officiellement, on a dit qu'il avait demandé à être relevé de ses fonctions. Sans être très clair sur la question, on a raconté ici et là que M. Harbour, qui avait toujours été un loyal serviteur de Desjardins, aurait demandé de récupérer une partie des pouvoirs que détenait M. Santos jusqu'à sa mort.

Cette demande aurait été refusée, ce qui aurait incité M. Harbour à offrir sa démission,

qui fut acceptée. M. Harbour avait joué un rôle extrêmement efficace lors de l'implantation de la vente d'assurances générales dans les caisses locales. On lui avait confié ensuite l'énorme dossier de la « réingénierie ». Son départ se traduisait par un autre trou béant dans le personnel des cadres supérieurs. En fait, MM. Santos et Harbour occupaient les deux plus importantes fonctions parmi les 44 000 employés de tout le Mouvement Desjardins.

Qu'à cela ne tienne, en même temps qu'on annonçait le départ de M. Harbour, le président Béland faisait part de son remplacement par Rénald Boucher, recruté à la Fédération des caisses populaires de Québec. Michel Therrien devenait pour sa part président de la Société financière Desjardins-Laurentienne, en remplacement de M. Santos. Les deux nouveaux venus connaissent à fond les structures de Desjardins puisqu'ils y travaillent depuis plusieurs années. Leur arrivée dans les dernières semaines de 1997 n'a entraîné aucun changement majeur dans la gestion et les orientations des grandes politiques du Mouvement. Du moins, aucun changement dans l'immédiat.

**Le changement suscite
des inquiétudes**

Il y a eu au cours de cette même année chez Desjardins d'importants exercices de réflexion. En juin avait lieu un colloque des dirigeants pour tenter de dégager une vision commune du réseau des caisses pour l'avenir. En outre, un comité indépendant fut formé pour redéfinir le rôle des organismes de soutien que sont la confédération et les fédérations.

Ces démarches toutefois n'allaient pas suffire pour fournir toutes les réponses aux questions quasi existentielles qu'on se posait dans de nombreuses caisses locales, comme les dirigeants devaient s'en rendre compte aux assemblées générales annuelles de mars 1998. Le président de la caisse populaire de Lévis demandait rien de moins qu'un congrès spécial pour discuter du partage des pouvoirs entre les trois paliers du réseau, soit local, régional et confédéral. Il disait d'ailleurs faire cette requête au nom de 78 caisses locales.

Des délégués de tous les coins du Québec ont en effet exprimé le malaise ressenti au niveau local par suite de l'évolution en cours qui découle à la fois de changements technologiques considérables et d'une ouverture sans précédent des marchés.

Lors de ces assises, Jean-Guy Côté, de la caisse populaire du Complexe Desjardins à Montréal, faisait une déclaration qui avait les allures d'un cri du cœur : «*On enlève la paperasse aux caisses. On crée des centres d'affaires, on confie l'appariement à un autre niveau. Il y a aussi des démarcheurs à un autre niveau que celui des caisses. On installe une centrale téléphonique pour toutes les caisses. On se branche sur Internet et on diminue les services au comptoir. La prochaine étape sera peut-être de regrouper les services aux particuliers pour être plus rentable. Que va-t-on conserver au niveau de la caisse locale?*»

« La réingénierie »

En 1997, 62 caisses ont fusionné leurs activités à travers le Québec, une tendance qui devrait se maintenir, peut-être même s'accentuer pendant cette phase de transition. Le programme de réingénierie pour lequel il faut investir 500 millions sur une période de cinq ans prévoyait au départ l'élimination de 5000 postes dans l'ensemble du réseau, en plus de recycler un nombre important d'employés. Les directeurs de caisses ont dû s'initier à la gestion du changement, en vertu d'un programme unique mené en collaboration avec des universités. Il s'agit en somme d'un virage culturel important qui vise à convertir les caisses locales et leurs employés en une force de vente qui soit la plus redoutable possible. L'enjeu est tout simplement l'avenir de ce mouvement coopératif. Ces transformations provoquent inévitablement des réactions à l'intérieur du réseau, ce qui représente un défi pour les leaders.

Toutefois, les attaques contre les dirigeants de Desjardins sont venues en 1998 de l'extérieur, encore une fois de certains reportages à la télé de Radio-Canada rapportant essentiellement les critiques d'un organisme qui depuis quelques années s'acharne à dénoncer divers agissements dans des caisses ici et là. Au printemps 1998, la polémique a porté sur les frais de service et le traitement des chèques sans provision.

« Les victimes » de Desjardins

Le Regroupement des victimes des caisses populaires a même accusé les dirigeants de mentir et de désinformer les membres des caisses. Après avoir demandé une rétraction qui n'est jamais venue, le Mouvement Desjardins a déposé une poursuite de plus de 2,5 millions. Cette cause et celle déposée par M. Proteau contre Radio-Canada sont pendantes devant les tribunaux. On doit préciser qu'aucun média n'a repris à son compte les accusations portées par Radio-Canada, pas plus que les attaques parfois très virulentes du regroupement.

À l'intérieur du réseau des 1275 caisses locales, on a pris connaissance de ces attaques avec stupéfaction, tandis que la haute direction a semblé pendant longtemps embarrassée, préférant plutôt laisser passer la tempête. À la base cependant, on s'attendait à une riposte qui est finalement venue à la fin de mai dans le cadre d'une allocution devant la Chambre de commerce de Sainte-Foy où le président, Claude Béland, reprochait à Radio-Canada de dépenser beaucoup d'argent pour essayer de dénicher des cas d'exception.

Desjardins n'est plus à l'abri des critiques

Quoi qu'il advienne des poursuites judiciaires, cette polémique semble démontrer que le Mouvement Desjardins, dont les actifs atteignent pour le moment 72 milliards, n'est plus à l'abri des critiques. Quand les caisses étaient logées dans les sous-sols d'église ou dans les cuisines de maisons modestes, il était à peu près impossible ou à tout le moins inconvenant de mettre en doute leur rôle social.

Avec l'évolution socio-économique des Québécois, la fidélité à la caisse paroissiale a grandement diminué, surtout dans les agglomérations urbaines. Désormais, on fait volontiers affaire avec d'autres caisses et même d'autres institutions, qu'elles soient ou pas affiliées à Desjardins. Les relations entre membres et dirigeants de caisse sont en grande partie inexistantes ou à tout le moins anonymes, si bien qu'on ne s'étonne pas que les gens disent, dans un sondage, ne pas voir de différence entre les banques et les caisses populaires.

Les dirigeants du Mouvement Desjardins ont depuis toujours insisté sur la vocation sociale des caisses, mais ils ont en même temps assuré une gestion serrée des avoirs confiés par les membres. Sans cela, Desjardins n'aurait pas pu depuis près de 100 ans accumuler les actifs actuels et développer un tel réseau.

Néanmoins, dans une société où l'individualisme prend beaucoup plus de place dans les valeurs, il est indéniable que cela se répercute dans la vie des caisses de façon parfois très concrète. Par exemple, les frais de services étaient auparavant répartis entre tous les membres, peu importe le nombre de transactions effectuées par les uns et les autres. Désormais, chaque membre doit assumer, seul, les coûts administratifs que ses propres transactions occasionnent. Cela ne manque d'ailleurs pas de provoquer des critiques.

Quoi qu'il en soit, avec 1275 caisses et cinq millions de membres, on pourrait peut-être aussi s'étonner du fait que le nombre de cas d'abus ou de décisions mal avisées ne soit pas plus élevé dans cette institution qu'est devenu le Mouvement Desjardins, c'est-à-dire la plus importante sur le plan financier au Québec. ○

L'industrie du multimédia est en forte croissance

ROBERT DUTRISAC

**Pendant que les grands joueurs des télécommunications raffinent leurs straté-
gies en vue de la prochaine bataille de la large bande, l'industrie du multimédia
au Québec, désormais soutenue par les gouvernements, continue de progresser.
Entre-temps, la concurrence dans la téléphonie locale, autorisée par le CRTC depuis
le 1ᵉʳ janvier 1998, n'est pas encore devenue une réalité concrète. L'heure est
au positionnement.**

En matière de concurrence dans la
téléphonie locale, les choses ne se
sont pas déroulées comme prévu.
Dans sa décision de mai 1997, le Conseil
de la radiodiffusion et des télécommunications canadiennes (CRTC) brisait le
monopole des compagnies de téléphone
traditionnelles dans le service local à compter du 1ᵉʳ janvier 1998. Les nouveaux
concurrents dans la téléphonie interur-
baine, comme AT&T Canada et Sprint
Canada, les câblodistributeurs Vidéotron
et Cogeco, les nouvelles entreprises qui
visent des marchés de niches dans le
marché d'affaires, tous auraient pu lancer
leur service de téléphonie locale. Et ce
n'est pas l'intérêt, ni la volonté qui
manquaient.

Or à l'exception de la société MetroNet
de Calgary, qui tente d'attirer les entreprises situées dans les centres-villes

canadiens, y compris à Montréal, en leur
proposant un service à large bande qui
s'appuie sur la fibre optique, aucun des
concurrents pressentis ne s'est encore
manifesté.

On n'a pas manqué de relever le
manque d'empressement de Bell Canada
et des autres compagnies de l'alliance
Stentor à résoudre les embûches qui
entravaient le déploiement de la concurrence. Mais c'est un problème technique,
importé des États-Unis, qui a fait dérailler
l'échéancier.

Pour que la concurrence dans le service
local puisse se déployer, il faut que les
abonnés des anciens monopoles puissent
changer de fournisseur tout en conservant
leur numéro de téléphone. Devoir changer de numéro pour opter pour les services des nouveaux concurrents représente un frein pour l'abonné et un

argument supplémentaire pour les compagnies de téléphone en place qui veulent garder leurs clients. Les entreprises doivent refaire leur papeterie si elles veulent faire affaire avec Sprint Canada, AT&T Canada ou Vidéotron.

Bref, qui dit concurrence dans le service local dit « tranférabilité » des numéros de téléphone. Et pour arriver à cette fin, des logiciels doivent être mis en place pour que tout le monde puisse s'y retrouver. Ces logiciels sont américains. Or, comme un certain nombre de télécommunicateurs américains, le consortium canadien chargé d'aplanir ces difficultés a choisi un logiciel qui n'a malheureusement pas rempli ses promesses, celui de Perot Systems. Après des mois de tergiversations, le consortium a porté son dévolu sur le seul logiciel de transférabilité qui fonctionne, celui de Lockheed Martin. Avec presque un an de retard, la concurrence dans le service téléphonique local peut enfin voir le jour.

Pas facile pour les concurrents

La partie ne sera toutefois pas facile pour les nouveaux concurrents. Pour diminuer les risques de l'opération, Vidéotron se cherche un partenaire dans la téléphonie. Elle a discuté avec AT&T Canada, notamment. L'heure est aux alliances et au positionnement, partout en Amérique, et les joueurs québécois ne font pas exception.

Deux transactions majeures, la première au Canada anglais et l'autre aux États-Unis, ont modifié la structure de l'industrie et pourraient avoir des répercussions

au Québec, du moins par la force de l'exemple qu'elles portent. Chose certaine, pour des raisons différentes, ces deux annonces ont contribué à augmenter la valeur boursière des câblodistributeurs comme Vidéotron et Cogeco.

La première transaction touche le plus important câblodistributeur canadien, Rogers Communications, qui a vendu sa filiale de télécommunications d'affaires, Rogers Telecom, à MetroNet. Pour une entreprise qui s'apprêtait à se lancer dans la téléphonie locale, vendre sa filiale qui dessert la clientèle d'affaires, la plus susceptible justement de devenir le premier marché auquel on se consacrera, a de quoi surprendre. Il faut toutefois rappeler que Rogers, lourdement endettée depuis l'acquisition du conglomérat des communications Maclean-Hunter, a besoin aujourd'hui d'espèces sonnantes et trébuchantes plus encore que de mirifiques perspectives d'avenir. Comme la transaction s'élève à un milliard, Rogers encaisse un bénéfice de 650 millions sur la valeur comptable de son entreprise. Vidéotron, qui exploite un réseau semblable au Québec, voit la valeur de cet actif quadrupler du fait de la comparaison avec Rogers.

La deuxième transaction, c'est l'achat par le plus important télécommunicateur interurbain des États-Unis, le géant AT&T, du plus grand câblodistributeur américain, Tele-Communications (TCI), pour la rondelette somme de 48 milliards $ US. Cette acquisition confirme l'intérêt des télécommunicateurs de s'appuyer sur l'infrastructure du câble pour déployer les réseaux de demain faits de large bande et de la convergence, prédite depuis longtemps, entre la voix, les images et les données.

Lenteur des câblodistributeurs

En matière de convergence, on peut se demander avec quelle célérité – ou quelle lenteur – les câblodistributeurs comme Vidéotron tireront parti de leur avantage technologique actuel. Ils ont pris un temps énorme avant d'annoncer l'avènement du câble numérique à compter de la fin 1999. Tellement que le CRTC a montré des signes d'impatience. Le numérique permet la multiplication des chaînes dont le nombre est limité par les réseaux analogiques actuels. Pour que les chaînes spécialisées puissent foisonner – plus de 70 nouvelles chaînes ont déposé des demandes au CRTC –, il est essentiel que les câblodistributeurs modernisent leurs réseaux. En dépit de la nouvelle concurrence des satellites au Canada avec ExpressVu et Star Choice, qui s'appuient sur la technologie numérique, les câblos se sont fait tirer l'oreille.

Or cette petite boîte noire numérique qui entrera massivement dans les foyers en l'an 2000 remet en question la capacité de réglementer du CRTC pour promouvoir le contenu canadien. Elle permet aux abonnés de choisir un à un leurs canaux; il sera plus difficile de leur imposer des bouquets de chaînes qu'ils ne regardent guère et pour lesquelles ils sont forcés de payer. Le câble numérique bouleversera les bases économiques des chaînes spécialisées. Pour l'heure, des millions d'abonnés se partagent le coût de ces chaînes : 90 ¢ par mois pour RDI, 60 ¢ pour le Canal D, 30 ¢ pour le Canal

des nouvelles. Qu'adviendra-t-il de ces chaînes quand elles ne pourront plus compter que sur quelques centaines de milliers d'abonnés ? Comment les chaînes canadiennes pourront-elles soutenir la concurrence des chaînes spécialisées américaines financées par des dizaines de millions de câblés américains ?

C'est dans ce contexte particulier que le CRTC revoit l'ensemble de ses politiques concernant la télévision, un exercice qui englobe les télédiffuseurs généralistes, les chaînes spécialisées et les services à la carte. Le CRTC a également annoncé la tenue d'audiences publiques sur les nouveaux médias dont Internet.

Une stratégie claire pour BCE

Maintenant que Jean Monty a pris les rênes tant de Bell Canada que de sa société mère BCE, les deux entreprises ont clarifié leurs stratégies face au nouvel environnement des télécommunications et de l'inforoute.

BCE n'a aucune intention d'imiter AT&T et d'acquérir des entreprises de câblodistribution ni de bâtir de tels réseaux. Bell Canada a d'ailleurs décidé d'abandonner son expérience-pilote d'inforoute par le câble à Repentigny et à London en Ontario. Pour concurrencer les câblodistributeurs, BCE compte sur son service de diffusion par satellites ExpressVu dont elle est devenue l'unique propriétaire. Pour Internet, le conglomérat mise sur le modem d'un meg développé par sa filiale Nortel, de 30 à 50 fois plus rapide que les modems téléphoniques courants. Des nouvelles technologies micro-ondes, capables de fournir une large bande passante, pourraient être également mises à contribution. En attendant que de nouvelles prouesses techniques permettent de diffuser économiquement des signaux de télévision sur un simple fil téléphonique en cuivre.

De plus en plus, Bell se présente comme un guichet unique en matière de télécommunications et de diffusion. La compagnie propose téléphone sans fil et téléphone fixe, Internet et diffusion par satellites. BCE a acquis la totalité des actions de Telesat, la seule entreprise canadienne qui exploite des satellites, et a créé une division pour développer toute une gamme de services satellitaires. Le conglomérat place également ses pions dans le domaine du commerce électronique, avec l'achat de la société Mpact, tandis que Bell fait des incursions dans le multimédia avec le Fonds Bell doté de 12 millions pour financer des sites Web reliés à des productions télévisées.

La fin de l'alliance Stentor ?

Mais le geste le plus marquant de Bell en 1998 fut sans doute la création d'un réseau national à large bande pour desservir la grande entreprise, ce qui conduira à l'éclatement de l'alliance Stentor telle qu'on la connaît. Stentor est une alliance byzantine qui regroupe depuis 1992 les neuf anciens monopoles téléphoniques, dont Bell Canada, et qui constitue déjà un réseau national de télécommunications. Ce réseau a été principalement conçu pour la transmission de la voix, et il est mal adapté aux nouvelles technologies de transmission. Or le nouveau réseau national de Bell, ce sont les télécommunications de l'avenir, basées sur la bande passante et la transmission de données. Stentor n'aura plus qu'une part déclinante de l'action et l'alliance, si elle tient, doit être repensée. Cela est d'autant plus vrai que le réseau national de Bell entre directement en concurrence avec des membres de l'alliance Stentor, au premier chef Telus d'Alberta et BC Tel de Colombie-Britannique.

BCE n'a pas l'intention d'acheter l'une ou l'autre de ces compagnies ni aucun autre membre de l'alliance Stentor qu'elle ne possède pas déjà. Il a d'ailleurs laissé passer l'occasion d'acheter le télécommunicateur montréalais Fonorola, qui a dû se résoudre, après y avoir résisté, à passer sous le giron de Call-Net Entreprises, de Toronto. Montréal a perdu un siège social et le nouvel acquéreur a décimé la haute direction de Fonorola.

Multimédia et masse critique

Souhaitant créer une masse critique dans le domaine du multimédia au Québec, et particulièrement à Montréal, le gouvernement du Québec, sous l'impulsion du ministre d'État de l'Économie et des Finances Bernard Landry, a déployé d'autres mesures visant à appuyer cette industrie naissante. Le gouvernement offre des crédits d'impôts, liés à l'embauche de jeunes, aux entreprises qui s'installeront dans la Cité du multimédia, sise au cœur du Faubourg des Récollets, un secteur historique du Vieux-Montréal. La Cité du multimédia, censée servir à la nouvelle économie, se double d'un projet immobilier tout ce qu'il y a de plus traditionnel auquel participent la Société de développement de Montréal, le Fonds de Solidarité des travailleurs du Québec (FTQ), la Caisse de dépôt et placement du Québec et Investissement Québec.

Selon les données de l'Association des producteurs en multimédia du Québec (APMQ), l'industrie québécoise du multimédia dans son ensemble a connu en 1998 une forte croissance, une performance qu'elle devrait répéter en 1999. On estime que cette industrie compte au Québec quelque 600 entreprises qui emploient 3500 personnes.

La société française Ubi Soft, qui a débarqué à Montréal en juin 1997, emploie maintenant plus de 300 personnes, soit le double de ce qu'elle prévoyait à l'origine. D'autres producteurs français en multimédia ont décidé de s'implanter à Montréal, notamment Infogrammes Entertainment, un des plus grands producteurs français de titres de cédéroms, et M Interactif.

L'industrie québécoise du multimédia commence à se consolider. Ainsi, Intellia, une filiale de Quebecor Multimédia, a fusionné avec Socom Technologies, se hissant au premier rang des producteurs multimédias sur Internet au Québec avec 80 employés et un chiffre d'affaires de huit millions. De son côté, le holding contrôlé par Charles Sirois, Télésystème, a acquis une participation importante dans Public Technologies Multimédia (PTM).

Ce ne sera pas la seule incursion de Télésystème dans le contenu médiatique. Quelques jours après l'annonce de son

investissement dans PTM, Télésystème devenait en juin 1998 le plus important actionnaire du Groupe Coscient, au premier rang des producteurs et distributeurs d'émissions de télévision au Québec. Dotée d'un nouveau président, Guy Crevier, l'ancien président de Télé-Métropole puis du câblodistributeur Vidéotron, Coscient entend développer les marchés étrangers avec énergie et des contenus multimédias liés à ses productions télévisuelles en collaboration avec PTM.

À quand la convergence ?

Annoncée depuis cinq ans, la convergence entre les télécommunications, l'informatique et la télédiffusion semble encore loin. Quelques éléments essentiels à la matérialisation de cette convergence, qui verra la large bande relier les entreprises entre elles et qui viendra jusque dans les foyers, se sont toutefois mis en place.

Nortel témoigne de cette évolution. En juin 1997, la filiale de BCE a acquis Bay Networks, au troisième rang des fabricants mondiaux de matériel informatique de réseaux, une transaction de 13,5 milliards. Cette acquisition renforce la position de Nortel dans la technologie Internet qui pourrait, à moyen terme, remplacer les télécommunications par commutation dont Nortel est le deuxième fabricant mondial derrière l'américaine Lucent Technologies. Certains experts prévoient que l'Internet Protocol devrait remplacer la téléphonie conventionnelle, rendant obsolète une bonne partie de l'infrastructure de commutation des compagnies de téléphone.

Les câblodistributeurs, quant à eux, sont parvenus à s'entendre sur une norme nord-américaine pour le vidéo-compresseur à la base de l'inforoute du câble. Par cette boîte noire transitera Internet, commerce électronique, chaînes de télévision et télévision à la demande, un rêve que caressent depuis le début de la décennie les grands de la câblodistribution américaine mais qui s'est évanoui à maintes reprises. En ce sens, on se rappellera UBI, la tentative avortée de Vidéotron, et la coûteuse expérience-pilote de Time-Warner à Orlando, en Floride. Cette fois semble la bonne, mais on ne verra pas de déploiement à grande échelle de cette inforoute avant 2001 ou 2002. Beaucoup mieux nanties, les compagnies de téléphone ont donc du temps devant elles pour développer une technologie qui arrivera aux mêmes fins. La bataille pourra alors commencer. ◯

Vie culturelle

L'argent du diable et la petite fumée

MICHEL BÉLAIR

Au Québec, comme ailleurs, les « industries culturelles » occupent maintenant le devant de la scène. Souvent même toute la scène. Cette perspective résolument économico-économique rejoint les préoccupations du temps, mais elle a aussi des conséquences fâcheuses. Et en danse comme en théâtre, en musique et en cinéma, dans les maisons d'édition, les musées et les galeries, les compagnies grandes et petites doivent malheureusement en payer le prix... La « petite » culture québécoise ne fait évidemment pas le poids quand on la compare à l'ogre américain et à ses énormes moyens. Lui sera-t-il possible de s'ouvrir au monde tout en préservant son caractère spécifique, petite île ridicule au beau milieu d'un océan anglophone ?

Le fait brut de l'industrialisation qui s'impose dans tous les secteurs de la vie culturelle n'a rien de particulièrement exceptionnel en soi. Une culture vivante mute en permanence, dans un sens ou dans un autre en s'adaptant aux contraintes qui l'entourent. Au Québec, après avoir été longtemps colorée par l'Église et la religion puis par la revendication politique et l'affirmation individuelle, voilà que la culture en général s'est mise à adopter – par réalisme social, faut-il croire – le « comportement » le plus célébré collectivement : elle est devenue une industrie fondée sur le succès et la rentabilité. Ici et maintenant, la culture québécoise a bel et bien pris les proportions d'une industrie en se donnant les moyens concrets de toucher plus de gens. Il lui reste à en assumer les conséquences, aussi passagères soient-elles.

Le phénomène n'est pas que « local », bien au contraire. Désormais, en Occident plus qu'ailleurs, l'industrie culturelle orbite autour de la planète Divertissement. Partout le divertissement s'est imposé comme la nouvelle industrie dominante – surtout depuis qu'on y a greffé ce qu'on désigne par l'euphémisme « communications », comme dans « nouvelles technologies de l'information et des communications » (NTIC). Le divertissement et les communications mènent le monde. Littéralement. Et comme par hasard, les grands « divertisseurs » de ce monde, qui sont américains, se sont à peu près tous payé une entreprise de presse, une chaîne de télé ou encore une entreprise de distribution par câble en transformant de fond en comble le paysage culturel international. Bien entendu, cette toute première place à l'audimètre autant qu'à la Bourse se monnaye à prix fort. Quand on veut divertir et toucher le plus grand nombre, il faut y investir des moyens de plus en plus énormes, « titanic...esques ». La culture est devenue capital de risque – ce qui est assez ironique puisqu'elle l'a quand même toujours été.

L'AMI est une catastrophe

Il y a pourtant un hic : un très gros même. Il se résume en trois lettres d'apparence fort trompeuse : AMI (pour Accord multilatéral sur les investissements). En principe, cette ronde de discussions menées à l'échelle internationale vise à faire disparaître les barrières tarifaires entre les pays. Bravo. Mais sur le plan des industries culturelles, l'AMI est une catastrophe puisqu'il implique à toutes fins utiles la disparition de tout subside gouvernemental « protectionniste » direct ou indirect menant à une production culturelle, quelle qu'elle soit. Évidemment, les Américains sont les seuls à pouvoir jouer ce gros jeu et la menace d'une nouvelle culture internationale à saveur particulièrement américaine est déjà une réalité fort concrète.

D'où de fortes protestations en France pour que l'on inclue une « exception culturelle » dans les discussions.

Ici, le ministère fédéral du Patrimoine semble vouloir aller dans ce même sens de la préservation des valeurs culturelles nationales. Mais en juin dernier, certaines décisions de la ministre Sheila Copps dans des dossiers touchant la retransmission du signal satellite de diffuseurs américains laissaient craindre le pire. Au Québec, c'est la levée de boucliers, bien sûr. L'opposition à l'AMI est unanime, systématique et radicale, on le comprend fort bien puisque la « diversité culturelle québécoise » repose aussi sur l'aide des trois paliers de gouvernement. On dénonce donc vertement ce quasi-complot qui serait dévastateur pour toutes les nations du monde sauf les États-Unis d'Amérique puisqu'il signifierait l'uniformisation et la mort à petit feu de toutes les cultures nationales.

L'opposition unanime à l'AMI ne doit pas toutefois laisser croire à une sorte de front commun permanent des organismes culturels québécois. Ici aussi, le modèle économico-économique s'est malgré tout imposé avec ses contraintes. D'autant plus que c'est un modèle lourd à gérer quand on n'en a pas vraiment les moyens. Il sait faire la place à la nouveauté, oui, mais on le voit dans les grands médias de masse, l'audace n'est souvent possible qu'entourée d'un confortable coussin de valeurs sûres. Le risque « calculé » coûte cher en petites compromissions ordinaires. D'autant plus que, plus ils misent gros, plus les bailleurs de fonds tiennent à récupérer leur mise en « visibilité », c'était couru. De sorte qu'après avoir investi dans le béton des nouveaux équipements culturels au cours des dernières années, on se voit maintenant forcé, pour faire ses frais, d'adopter des variantes du modèle industriel de la production de masse, des économies d'échelle, des campagnes de promotion et des produits dérivés : depuis la grande exposition *Léonard de Vinci* au Musée des beaux-arts il y a quelques années, la commandite ne se gêne plus pour se montrer. Parfois même avec la subtilité d'un gros rouge qui tache. Et qui coule de source.

Peu à peu, il est devenu «normal» donc que l'heure de télévision ne fasse plus que 46 ou 47 minutes et que la guerre des cotes d'écoute définisse la programmation d'un réseau.

«Normal» que les cinéastes d'ici, limités à un marché minuscule en choisissant de ne pas s'établir à Hollywood, apprennent à se plier aux exigences de budgets ridicules pour tourner leurs films.

«Normal» aussi que les grands orchestres et les compagnies de théâtre survivent à peine malgré le succès de leur campagne d'abonnements.

«Normal» que les éditeurs doivent se battre contre des multinationales vendant du livre à rabais comme du poisson surgelé, des aspirines ou des disquettes d'ordinateurs. On n'a plus le choix : le marché décide. Reste à se vendre le mieux possible ; ne serait-ce que pour rembourser la construction de sa salle toute neuve ou de ses nouveaux équipements. La culture, un service public ? Non mais...

Qu'on le veuille ou non, cela provoque certains tiraillements. Certains éclatements

même. À l'échelle québécoise ces nouveaux paramètres se traduisent en conséquences directes sur la structure même de la réalité culturelle.

Une « grappe » dérivant entre l'optimisme et l'asphyxie

Cette nouvelle donne à caractère économico-économique a quelques effets positifs. Ainsi, les compagnies se remettent de plus en plus à parler du public puisqu'elles souhaitent le voir se multiplier de façon exponentielle. Globalement on projette aussi d'augmenter la visibilité des spectacles en améliorant les réseaux de distribution. Personne ne s'en plaindra, surtout à l'extérieur des grands centres de production que sont Montréal et Québec. Cela augure même fort bien pour les années à venir. Mais ça s'arrête là pour tout de suite.

Le modèle économico-économique de la culture a par contre comme conséquence immédiate de fracturer le grand ensemble culturel en divers regroupements d'intérêts. En «grappes», comme se plaisait à rêver un ancien ministre, il n'y a pas si longtemps. La «grappe des industries culturelles» était alors perçue comme une sorte de modèle à atteindre, comme un juste compromis entre les exigences de l'administration de l'État et celles de la création.

Maintenant que le modèle a pris corps et qu'il est devenu réalité, que toute production culturelle doit aussi prouver sa légitimité par sa viabilité économique, on peut prendre un peu de recul et voir la situation dans son ensemble. Le portrait clinique est simple : la grappe des industries culturelles se subdivise en trois grandes sous-grappes d'importance relative regroupant chacune plusieurs secteurs. Presque partout, le diagnostic est sévère, l'état du patient, critique.

On peut isoler d'abord une grappe de couleur orange, structurée autour du concept de « masse ». Ici, par définition, « tous sont atteints », ou presque : c'est la grappe grand public, les ligues majeures. On y retrouve ce grand média de masse qu'est la télévision, qui vit depuis un an ou deux l'amorce d'un émiettement spectaculaire ; on lira un peu plus loin à quel point la fragmentation de la télé, d'une part, et la recherche de nouveaux partenariats, de l'autre, bouleverse ce secteur placé au cœur de la tourmente technologique. S'y amalgament aussi les grandes manifestations culturelles populaires drainant les participants par millions : le Festival international de jazz de Montréal (FIJM), les FrancoFolies de Montréal, le Festival international de musique de Lanaudière, le Festival Juste pour rire et les grands festivals de la région de Québec. Tous ces événements sont financés, à de très rares exceptions près, par l'industrie du tabac... et tous ont vu leur survie menacée par les nouvelles politiques antitabac des différents paliers de gouvernement. La question est préoccupante parce que des millions de dollars et des milliers d'emplois sont en cause. Mais aussi parce que certains cigarettiers jouent ici depuis longtemps un rôle financier extrêmement important permettant à plus d'un organisme culturel de boucler son budget. C'est d'autant plus préoccupant que le mécénat ne fait pas encore

partie de la culture d'entreprise des grandes firmes québécoises. Mais les dés ont roulé, plus personne n'a vraiment le choix ; les échéances sont maintenant connues et il faudra inventer de nouveaux partenariats. Constat général : état d'alerte orange, avec un sentiment d'urgence plus prononcé du côté de l'industrie des festivals.

Un peu à gauche – ô si peu –, on retrouve une grappe à saveur plus traditionnellement culturelle ; sa couleur oscille entre le mauve de l'asphyxie et le rouge foncé de l'état critique. C'est celle des grandes compagnies d'ici. Des organismes culturels prestigieux, reconnus, presque tous subventionnés par les trois conseils des arts ; les grands orchestres, les grandes compagnies de théâtre et de danse, les maisons d'édition de livres et de disques, les petites unités de production de cinéma et de multimédia, les galeries et les grands équipements culturels comme les musées. Dans ces secteurs, qui à première vue ont moins à se soucier de l'argent du diable et de la petite fumée qui peut s'en dégager, on en est aussi à la phase des bouleversements, aux grands changements pour le meilleur et pour le pire.

C'est également le cas des branches périphériques de la grappe, moins développées, moins « officielles », formées par les petites compagnies à la frange de chaque discipline et qui traditionnellement sont « les anticorps culturels » les plus actifs : elles aussi sont soumises à la dictature du budget de fonctionnement rétréci et de la rentabilité au moins partielle. Tout au cours de la dernière année, les questions soulevées par la crise du prix unique dans le secteur du livre et le tumulte entourant la localisation de la future Grande Bibliothèque sont venus illustrer l'agitation et la fébrilité qui secouent le milieu culturel québécois dans son ensemble. Constat général : état d'alerte rouge. Partout un besoin d'air frais.

Reste une autre grappe, d'un vert un peu flou, encore adolescente et mal connue. Elle est presque menaçante tant elle semble destinée à écrabouiller toutes les autres à force de se les incorporer ; elle regroupe les NTIC, les nouvelles technologies de l'information et des communications. Ici, tout semble possible, même les rêves les plus fous. C'est le monde de l'Internet, de l'inforoute et des nouveaux médias. De tous les mariages, de tous les maquignonnages et de toutes les alliances possibles : télévision-ordinateur-micro-ondes, école-Internet-cédérom, téléphone-ordi-journal, télévision-satellite-ordinateur, etc.

C'est un univers en perpétuel éclatement qui déjà occupe un espace considérable dans le quotidien d'un peu tout le monde. C'est l'avenir prévisible. Et l'avenir imprévisible. C'est ici que nos voisins américains ont pris une nette avance en formant d'énormes conglomérats en prévision de l'éclatement de cette super Nova qu'est l'émergence d'un nouveau média à vocation planétaire comme l'inforoute. Constat général : état d'alerte créatrice. Optimisme de mise malgré toute une série de craintes non avouées.

Bref, il ressort de toutes ces pressions diverses qui la forcent à se redéfinir que notre grappe des industries culturelles est en position d'équilibre instable.

Crise de croissance

Ce découpage en grappes n'explique pas tout mais il trace néanmoins un portrait assez fidèle de la situation. Le constat n'est pas seulement négatif. Le cadre est posé, les exigences et les limitations du nouveau modèle sont connues et partout on se creuse déjà les méninges pour prévoir le prochain saut quantique.

Officiellement, bien sûr, les gouvernements considèrent toujours la culture comme une priorité, surtout avec l'AMI qui menace. À Ottawa, le Conseil des arts du Canada (CAC) a vu son assiette budgétaire élargie par le gouvernement central et l'on s'occupe à rattraper le temps perdu. Mais au niveau provincial comme au niveau municipal, les enveloppes culturelles fondent comme neige au soleil en période de restrictions budgétaires et il est à peine possible au Conseil des arts et des lettres du Québec (CALQ), comme au Conseil des arts de la communauté urbaine de Montréal (CACUM), de maintenir sinon de rattraper les niveaux de subvention des années passées.

Les gouvernements édictent plutôt des politiques destinées à encadrer une « gestion saine de la culture ». On a eu droit à plusieurs de ces « politiques » au cours des derniers mois. À Québec, on a livré une politique de l'inforoute et une politique du livre et de la lecture alors que la politique muséale continue toujours de pointer à l'horizon. À Ottawa, on a revu toute la législation touchant les droits d'auteur ; la production télévisuelle et le multimédia se sont vu attribuer de nouveaux moyens, le cinéma en rêve lui aussi.

De son côté, le Conseil de la radio-diffusion et des télécommunications canadiennes (CRTC) se cherche, un peu perdu au milieu de la jungle des canaux spécialisés et de la multiplication des supports de diffusion; l'articulation d'une politique claire et précise devrait toutefois se manifester lors des prochaines audiences sur ces sujets délicats. Tout cela est bien concret. Tout cela permet à un peu tout le monde d'espérer des jours meilleurs. Néanmoins, la grappe des industries culturelles québécoises arbore les symptômes d'une crise de croissance généralisée. Chacune des disciplines la vit de façon différente. Mais partout le constat est le même: chaque sous-grappe a plus ou moins atteint la masse critique qui lui permettrait de respirer à l'aise sans se soucier de savoir si les lendemains chanteront ou non.

Celle des nouveaux médias, par exemple, arrive à peine à sa vitesse de croisière: c'est tout juste si on est en vue du cap de la masse critique nécessaire et suffisante, comme on disait à une autre époque. Le multimédia fait des percées intéressantes et Québec soutient à coups de millions l'implantation de la nouvelle industrie. Mais même si l'ordinateur se répand de plus en plus, on est encore loin du taux de pénétration de la télévision dans les foyers québécois.

Quant au mariage tant souhaité entre la télévision et l'ordinateur, il n'en est encore, après plusieurs ruptures d'alliance dans le dossier de la haute définition, qu'au stade des fréquentations difficiles. Ce n'est pas la WebTV ou le NetPC concoctés par les Américains qui viendront

y changer quelque chose avec leurs coûts d'utilisation nettement prohibitifs ici. Le câble dominera-t-il ce futur marché qu'on dit fort lucratif? La diffusion par satellite réussira-t-elle à s'imposer? Choisira-t-on plutôt le micro-ondes? Personne encore ne peut dire vraiment ce que sera le marché de l'an 2000 ni même s'entendre sur un minimum de standards, condition essentielle à une pénétration massive des nouveaux médias dans le grand public.

Tout le monde au numérique

Chez les câblodistributeurs et les diffuseurs de contenu, on se croise les doigts et on continue d'investir et de consolider ses positions en attendant l'échéance de la déréglementation; tout le monde place ses pions où il peut maintenant qu'on sait que les compagnies de téléphone et même des organismes comme Hydro-Québec pourront aussi offrir leurs services sur le marché. Du côté du Rest of Canada (RoC), on a procédé par vagues d'acquisitions massives, mais ici on s'est montré plus calme, malgré les têtes de pont du réseau Wic déjà installées à Montréal et à Québec, et les gros joueurs comme Téléglobe et Nortel ont plutôt choisi de mettre la main sur des compagnies américaines bien positionnées. Bref, tous les espoirs sont permis mais il n'y a encore aucune véritable raison de se montrer plus optimiste que prudent.

Tout le monde sent bien cependant que l'avenir se joue là. Les médias traditionnels, surtout, qui n'ont même pas le choix et qui se voient forcés d'aller de l'avant à l'aveugle et d'investir dans les nouvelles technologies. La radio, le disque, la télé, les journaux et les industries périphériques qui les supportent – imprimeries et maisons de production de tout type –, tout le monde est passé ou passera incessamment au numérique ; on n'arrête pas le progrès. Mais à travers toutes ces conversions technologiques ayant peu à voir avec les contenus diffusés, qui pourra prédire le sort des imprimés et surtout celui des quotidiens ? Jusqu'à quand pourra-t-on publier les « nouvelles » de la veille déjà traitées par toutes les chaînes de télé, spécialisées ou non, sans privilégier d'abord l'analyse et la mise en perspective ? Les « journaux ordinaires » en ont-ils encore pour longtemps ? Jusqu'ici, personne n'a trouvé de réponse claire. Les tirages des quotidiens continuent de chuter. Et malgré des exceptions notables (*Les Chroniques de Cybérie*, *Multimédium*, *Branchez-vous!*, *Mémento*), la qualité générale des nouveaux médias électroniques ne réussit toujours pas à départager le commérage et la rumeur de l'information vérifiée fondée sur les faits. Pourtant, signe des temps, tous les médias classiques – à une incompréhensible exception près, celle de *La Presse* de Montréal – ont déjà leur site Internet. Au cas où...

« Fidéliser le public »

Notre grappe « à saveur plus traditionnellement culturelle » palpe elle aussi sa masse critique à l'orée de l'an 2000. Partout il est question de « fidéliser le public » et surtout de réussir à trouver le moyen d'augmenter la fréquentation des salles de façon à pouvoir tout simplement continuer à fonctionner. Le discours est

le même dans tous les secteurs à quelques variantes près, l'escalade des coûts de production s'étant fait sentir partout, même dans les compagnies plus modestes œuvrant dans des locaux qui le sont tout autant. Sur la scène théâtrale, par exemple, les questions posées par Raymond Cloutier dans une lettre ouverte au *Devoir* ont ébranlé les structures mêmes du financement et de la diffusion des spectacles en faisant frémir la plupart des grandes compagnies. Le milieu s'est mobilisé. Même le vocabulaire du débat qui a suivi traduisait la perspective économico-économique puisqu'on l'a résumé en parlant de « réduire l'offre » pour « augmenter la demande ».

Au cinéma, au milieu d'une année décevante malgré quelques rares succès populaires, l'aventure des *Patriotes* de Pierre Falardeau s'est poursuivie en soulevant des questions brûlantes touchant tout autant le rôle et les priorités des organismes subventionneurs que leurs orientations politiques. On s'est mis les pieds dans les plats aussi à cause du programme de subvention à deux vitesses alimenté par les câblodistributeurs et qui « gère » le financement des téléfilms et des documentaires pour la télévision.

En musique, on a avancé puis reculé dans le dossier des Conservatoires pendant que le public des concerts continuait de se « stabiliser »... à la baisse et le déficit du prestigieux Orchestre symphonique de Montréal (OSM) de s'accumuler à l'ombre d'une menace de débrayage des musiciens.

En danse, une série de désertions vers les petites compagnies de la nouvelle danse

Situation du secteur culturel dans l'administration publique québécoise, Québec, 1992-93 à 1996-97

	Unité	1992-93	1993-94	1994-95	1995-96	1996-97
Dépenses totales de l'administration publique	'000 $	44 953 000	45 301 000	46 303 000	47 629 000	46 343 000
Dépenses culturelles	'000 $	**730 928**	**696 938**	**675 117**	**660 607**	**651 058**
Part des dépenses culturelles sur les dépenses totales	%	**1,63**	**1,54**	**1,46**	**1,39**	**1,40**
Dépenses culturelles internes	'000 $	375 677	350 308	331 440	343 350	326 375
Part des dépenses culturelles internes sur les dépenses totales	%	0,84	0,77	0,72	0,72	0,70
Revenus de transfert de l'administration publique fédérale	'000 $	55 910	52 147	50 735	47 948	48 106
Recettes culturelles autonomes	'000 $	60 063	59 520	57 207	58 357	53 170
Dépenses culturelles nettes[1]	'000 $	614 955	585 271	567 175	554 302	549 782
Effectif (emplois) de l'administration publique	n	75 530	71 388	68 746	66 854	65 422
Emplois reliés à la culture	**n**	**4 870**	**4 737**	**4 519**	**4 331**	**4 031**
Temps plein	n	3 418	3 283	3 078	3 042	2 738
Temps partiel	n	769	1 061	1 155	905	1 072
À la pige	n	683	393	286	384	221
Part des effectifs culturels sur les effectifs totaux	%	6,45	6,64	6,57	6,48	6,16

1. Dépenses culturelles totales moins les revenus de transfert de l'administration publique fédérale et les recettes culturelles autonomes.

Sources: Bureau de la statistique du Québec, Comptes économiques du Québec, 2ᵉ trimestre 1997.

Bureau de la statistique du Québec, Enquêtes sur les dépenses de l'administration publique québécoise au titre de la culture.

Office des ressources humaines, Portraits statistiques des effectifs régulier et occasionnel de la fonction publique québécoise.

ont ébranlé les Grands Ballets canadiens. Dans les petites salles pourtant, on fait face à des problèmes chroniques de fré- quentation et de diffusion exacerbés par des coûts de production qui influencent la forme même des chorégraphies d'une petite compagnie comme celle de Marie Chouinard : les «petits spectacles» à quelques danseurs sont devenus la norme et les chorégraphies à large déploiement, l'exception. Il faut remonter à la fin des années 60 et au TMN (Théâtre du Même Nom) de Jean-Claude Germain pour saisir à quel point, dans la marge d'un secteur culturel particulier, l'esthétique d'une compagnie est dictée par sa santé économique.

La bataille du livre

Il ne faut pas oublier non plus le livre et l'édition en général qui, toute l'année durant, ont marqué l'actualité par l'urgence qui prévaut dans ce secteur où les grandes surfaces – et les intérêts souvent étrangers qui y sont associés – ont réussi à gruger la maigre part de profit des éditeurs et des petits libraires. Le gouvernement québécois a eu le courage d'édicter une politique globale favorisant d'abord la lecture, mais c'est le milieu qui devra trouver les façons concrètes de s'auto-policer. Reste enfin le secteur des arts visuels, symptomatiquement ragaillardi par tous les événements entourant le 50ᵉ anniversaire du fameux *Refus global* de Paul-Émile Borduas. Oh, la crise des grandes institutions muséales traditionnelles se poursuit, accentuée par le succès des lieux d'exposition consacrés à la culture populaire ; par l'excellence aussi du travail effectué par un petit organisme comme le Centre canadien d'architecture, qui réussit toujours à présenter ses expositions sous un angle original et passionnant. Mais la vigueur de la relève et l'importance que prennent certaines manifes-

tations (le Mois de la photo, la Grande virée de l'art contemporain, *Peinture, peinture, Artifices*, entre autres) semblent indiquer que cette dynamique asphyxiante est loin de caractériser un secteur laissant entrevoir de fort belles choses pour l'avenir.

Le lecteur pourra d'ailleurs se former sa propre opinion sur ce grand «brassage de grappe», en consultant, dans cet ouvrage, la section réservée aux comptes rendus de chacun des principaux secteurs de la vie culturelle. Il y trouvera les moments marquants d'une année finalement assez mouvementée.

Comment tout cela se traduira-t-il concrètement au tournant de l'an 2000 ? Aucune idée...

Mais il reste à souligner en terminant que tout cela se trame à l'ombre de la menace transnationale de l'uniformisation américaine. Oh, ce sont bien sûr de grands mots pompeux ; «menace transnationale», «uniformisation» : on croirait entendre Big Brother se faufiler à l'horizon. Bouh ! Pourtant, il ne s'agit pas de crier au loup. Ou de provoquer un réflexe de panique. Non. Simplement d'insister pour inciter à la vigilance. Répéter que les discussions entourant l'AMI sont fort préoccupantes pour le Québec. D'autant plus qu'elles sont du ressort fédéral. Faut-il souligner aussi que les intérêts des deux gouvernements sont souvent fort divergeants ?

Il y a aussi qu'on ne peut s'empêcher de noter que ces concepts de «transnationalité» et d'«uniformisation» traduisent déjà une réalité plutôt dramatique en cinéma et dans les médias de masse en général où le modèle américain fait des ravages à l'échelle planétaire. Dans ces deux secteurs, on sait déjà que la culture a un prix. Et on commence aussi à s'inter-roger sur la devise dans laquelle il faudra acquitter la facture... ○

La télé dans tous ses éclats

PAUL CAUCHON

Le Québécois moyen a accès à une quarantaine de chaînes de télévision, et le Conseil de la radiodiffusion et des télécommunications canadiennes (CRTC) doit décider si 20 nouvelles chaînes spécialisées s'ajouteront à ce nombre en 1999. Quant à la nouvelle technologie numérique, elle promet qu'on puisse recevoir des centaines de chaînes d'ici trois ans. Avenir possible : l'écoute sera de plus en plus morcelée, émiettée, individualisée, avec une programmation de plus en plus impossible à rentabiliser.

L'émiettement de l'écoute télévisuelle est réel, incontestable. En quinze ans les chaînes conventionnelles francophones au Québec ont perdu 20 % de part d'auditoire. Aux États-Unis, où l'on compte environ 300 chaînes spécialisées, les grands réseaux traditionnels ont vu leur part d'auditoire totale descendre sous la barre du 50 % en 1997-1998. Ce qui veut dire que la moitié de l'écoute allait à des chaînes spécialisées. Au Québec on n'en est pas encore là. Mais des tendances se font jour. Il y a quinze ans, les réseaux conventionnels francophones recueillaient 82 % de l'auditoire total. Le reste allait aux stations anglophones et aux premières chaînes câblées. Personne ne s'inquiétait trop.

En 1997-1998, la part des chaînes traditionnelles francophones avait chuté à 62 %, selon des données compilées au printemps 1998 par le service de la recherche de Radio-Canada. On comprendra donc que, si les canaux spécialisés ont fait la manchette l'année dernière, ils seront encore plus sous les projecteurs en 1998-1999 puisque c'est à l'hiver que le Conseil de la radiodiffusion et des télécommunications canadiennes (CRTC) doit évaluer les 70 demandes de nouveaux canaux qui lui ont été présentées (dont une vingtaine de projets francophones).

Ces nouveaux canaux pourraient entrer en ondes à l'automne 99 ou au tournant de l'an 2000. Mais devant l'avalanche de projets qui lui ont été présentés, le CRTC décidait à l'automne 1997 de reporter d'un an l'analyse de ces dossiers. L'organisme fédéral a justifié sa décision en déclarant que les câblodistributeurs n'étaient pas prêts à accueillir tous ces nouveaux canaux. À l'automne 1997 les câblodistributeurs canadiens-anglais n'avaient même plus assez de place pour loger les nouvelles chaînes. Les câblodistributeurs ont donc accéléré la transformation de leur réseau de distribution mais ils doivent garder un œil dans le rétroviseur : les compagnies de distribution par satellite ExpressVu et Star Choice ont été autorisées en 1997 à distribuer des chaînes et cette année elles entendent mener une guerre sans merci aux câblodistributeurs, en proposant au téléspectateur de nouveaux services mieux ciblés. Câblodistributeurs et compagnies de satellite s'affronteront donc, mais la concurrence sera tout aussi vive entre les chaînes elles-mêmes, qui s'arrachent un téléspectateur sollicité de toutes parts.

Grandes manœuvres en information

Le secteur de l'information télévisée symbolise particulièrement bien les bouleversements concurrentiels actuels. À l'automne 1997 TVA mettait en ondes une nouvelle chaîne spécialisée en information, Le Canal Nouvelles (LCN), sorte de réplique à la poussée du Réseau de l'information (RDI) de Radio-Canada, dont le succès est indéniable. LCN est encore à la recherche de son public, mais pour TVA il est clair que cette chaîne sert de banc d'essai et d'expérimentation, autant pour la technologie numérique que pour le développement de chaînes spécialisées futures.

Le véritable symbole de changement demeure toutefois le grand ménage vécu au printemps 1998 à Radio-Canada. Il fut une époque où la réalité télévisuelle était

claire : Radio-Canada, c'était la grande information ; TVA, le divertissement. Cette époque est révolue. La chaîne privée TVA est parvenue au fil des ans à imposer ses propres bulletins de nouvelles, à la fois sur le plan de la crédibilité et sur le plan des cotes d'écoute. Au printemps 1998, pour la première fois, la liste des dix émissions les plus écoutées au Québec comportait les *Nouvelles TVA* de 18h. Le *Téléjournal* de Radio-Canada de 22h voyant sans cesse baisser son écoute, *Le Point* se voyant dépassé par l'arrivée de Julie Snyder à 22h30 à TVA, Radio-Canada a donné un coup de barre au printemps en annonçant que le présentateur-vedette Bernard Derome quittera le *Téléjournal* de 22h et deviendra cette année le responsable des « événements spéciaux ». Le *Téléjournal* et *Le Point* seront confiés à Stéphan Bureau, lui-même transfuge de TVA où il avait contribué trois ans auparavant à combattre Radio-Canada à 22h. Stéphan Bureau affrontera maintenant Simon Durivage, qui était passé de Radio-Canada à TVA l'année précédente... À observer ce jeu de chaise musicale, on ne peut que conclure que l'information est une marchandise où les plus performants sont à vendre.

L'idée même de confier à Bernard Derome la présentation d'événements spéciaux illustre d'ailleurs une nouvelle tendance en soi, car dans un univers télévisuel morcelé la grande chance des émissions d'information demeure les grands rendez-vous spéciaux où la population conserve l'habitude de se presser contre son téléviseur. Plus que les rendez-vous prévisibles (élections, référendums, budgets), ce sont les rendez-vous imprévus qui attirent le public, dont certains ont marqué 1997-1998 : la mort de la princesse Diana, le tragique accident des Éboulements en octobre 1997, la crise du verglas de janvier 1998.

Ces grands événements permettent aussi de maintenir la télévision rassembleuse et de contrer l'émiettement de l'écoute. Mais ces grands événements apportent aussi de nouveaux problèmes. Car de plus en plus d'observateurs s'interrogent devant la multiplication des heures de diffusion autour d'un grand événement dramatique, devant la répétition *ad nauseam* des mêmes informations jour et nuit, comme on l'a vu dans le cas de la mort de Lady Di et de l'accident des Éboulements. Ces événements représentent le pain et le beurre des chaînes d'information continue comme RDI, et on a assisté en 1997-1998 à une sorte d'effet de contamination de RDI auprès des grands réseaux, les réseaux traditionnels accentuant encore plus la couverture en direct des événements. On peut donc prévoir que la dramatisation des événements en direct sur les grandes chaînes a de belles heures devant elle. Dans un univers télévisuel morcelé, il faut crier plus fort pour se faire entendre.

Autre élément à remarquer dans la foulée des grands changements en information : Radio-Canada veut mieux parier sur ses propres forces. D'abord en développant encore mieux l'information internationale (on ouvre un nouveau bureau en Afrique francophone à l'automne 1998), mais surtout en mettant de l'avant les grands reportages. Jean-François Lépine animera en effet cette année une nouvelle émission de grands reportages et de documentaires, une décision qui va d'ailleurs dans le sens d'une tendance observée depuis deux ans, soit le renouvellement du documentaire et l'intérêt grandissant pour le genre. Quant à TVA, elle tire un trait sur dix ans de *Match de la vie,* le populaire magazine d'affaires publiques présenté par Claude Charron, et elle proposera également un nouveau magazine d'affaires publiques cette année.

De *La Petite Vie* à *Omertà*, de *Diva* à *Paparazzi*

En matière de programmation générale, on reproche souvent aux télédiffuseurs québécois de demeurer conservateurs. Par exemple, de nombreux projets de *sitcom* humoristiques sont prévus pour 1998-99 alors que la télé américaine a tendance à essayer des formes plus novatrices. Pourtant, les émissions québécoises continuent à attirer un auditoire important et la confiance des Québécois envers leur télévision suscite l'envie au Canada anglais.

Le phénomène de *La Petite Vie*, qui attire plus d'un million de téléspectateurs avec des reprises et qui trône au sommet des cotes d'écoute, dépasse l'entendement, mais on peut dire qu'il s'agit de l'ultime émission humoristique, alors que l'humour représente la vache à lait du secteur des variétés depuis une bonne dizaine d'années.

Pour le reste, le Québécois moyen s'est passionné en 1997-98 pour des séries qui abordaient les sujets les plus variés et qui témoignaient d'un ensemble d'intérêts : grande série policière urbaine avec *Omertà*, grande qualité littéraire et psychologique avec *Sous le signe du lion*, rêves et émotions fortes dans le monde de la mode avec *Diva*, suspense avec *Paparazzi*, drame psychologique avec *Le Retour*, saga historique avec *L'Ombre de l'épervier*, bref des variantes autour de formules solides, le système de promotion et de marketing faisant le reste pour susciter l'affection des Québécois envers leurs comédiens et comédiennes préférés.

TVA a continué à fidéliser le téléspectateur en construisant une grille-horaire accrocheuse où chaque émission entraîne la suivante, et en tentant de conserver une relation de forte proximité avec le téléspectateur. Mais cette stratégie est également de mieux en mieux développée par Radio-Canada, qui a pris l'habitude de commencer toutes ses soirées l'année dernière avec un téléroman quotidien, *Virginie*, dont le succès ne se dément pas. La journée de TVA a culminé avec l'entrée en ondes d'un nouveau talk-show, *Le Poing J*, axé sur la personnalité de Julie Snyder et sur l'humour à tout prix plutôt que sur l'entrevue de fond, qui a contribué à la perte d'influence du *Point* à Radio-Canada.

Évidemment, tant Radio-Canada que TVA ont préparé pour cette année des produits-vedettes avec lesquels on espère résister à l'émiettement de l'auditoire. TVA entend particulièrement investir maintenant dans des téléfilms familiaux qui seraient vendus sur les marchés internationaux.

Rêves culturels et rêves de profits

Mais la prochaine année sera surtout déterminante pour les deux autres chaînes francophones, TQS (Quatre Saisons) et Télé-Québec, qui jouent leur survie à des degrés divers.

À l'automne 1997 le nouveau propriétaire de TQS, Quebecor, prenait possession de l'entreprise. À peine trois mois plus tard, le fondateur et président de Quebecor, Pierre Péladeau, qui s'était personnellement impliqué dans l'achat de TQS, décédait des suites d'une crise cardiaque. L'incertitude n'est donc pas entièrement levée sur la survie de la chaîne mais Franklin Delaney, le p.-d.g. de TQS nommé par Quebecor, semble bien en selle : il a renouvelé en profondeur la direction de l'entreprise et il espère toujours maintenir le déficit appréhendé de TQS pour 1998 autour de cinq millions de dollars, conservant l'espoir d'atteindre la rentabilité en l'an 2000.

Mais tout le monde sait que les actionnaires de Quebecor n'attendront pas éternellement. Et en 1997-98 les cotes d'écoute de TQS ont continué de stagner autour du 10 %. Le défi est lourd et plusieurs constatent que si TQS n'arrive pas à décoller, c'est principalement à cause de la force de frappe de TVA. En attendant, à travers la diffusion de nombreux films et d'émissions de services, TQS est arrivée à développer un produit très original, *La fin du monde est à 7 heures*, téléjournal à l'humour décapant qui constituera un pilier de la saison 98-99 puisqu'il sera diffusé à 18h et à 22h.

De son côté, Télé-Québec joue sa tête et ses dirigeants le savent. Chaîne éducative et culturelle pour laquelle le gouvernement québécois verse 54 millions, Télé-Québec est sûrement le réseau qui a le plus souffert de la concurrence des chaînes spécialisées, qui ont grugé son territoire jusqu'à lui laisser à peine 1 % d'audience. Télé-Québec est en restructuration dans le cadre d'un plan de trois ans et le temps commence à presser. En janvier 98 le président de la chaîne, Robert Normand, l'admettait d'emblée : «*Nous étions une télévision innovatrice et nous sommes devenus une télévision conservatrice, qui n'a plus de grands rendez-vous porteurs d'écoute.*» Sous l'impulsion d'un nouveau directeur de la programmation entré en fonction à l'automne 97 en provenance du secteur privé, Télé-Québec joue le tout pour le tout cette année, en proposant une grille-horaire refaite à 90 % qui veut innover et expérimenter.

Il faut ajouter que, malgré les nombreuses critiques adressées aux chaînes québécoises sur la place congrue qu'elles accordent à la culture, Télé-Québec et Radio-Canada se sont toutes deux lancées l'année dernière dans une programmation théâtrale d'envergure, qui permet à chaque chaîne de présenter aux heures de grande écoute trois grandes pièces adaptées pour la télévision, rediffusées ensuite sur l'autre chaîne. Ce programme se poursuit cette année.

La programmation des canaux spécialisés continue pour sa part de susciter la curiosité. À l'automne 1997 quatre nouveaux canaux entraient en ondes, Le Canal Nouvelles de TVA, Canal Vie, MusiMax et Télétoon. Les trois premiers en sont encore à bâtir leur auditoire, mais Télétoon a pris tout le monde par surprise en concurrençant durement Canal Famille que tout le monde voyait bien installé dans le paysage, ce qui démontre bien la volatilité de l'auditoire autour des chaînes spécialisées.

L'argent publicitaire et l'argent fédéral

La multiplication des canaux spécialisés a également amené Canal D à revoir sa programmation. Cette chaîne a amorcé la présentation de séries documentaires sur l'histoire populaire du Québec ; d'abord sur les boîtes à chansons, puis sur l'histoire des cabarets, et enfin en 1998 avec une série de biographies de personnalités québécoises. Mais Canal D, la seule chaîne québécoise de télévision avec TV5 qui ne comporte aucune publicité, demande au CRTC la permission de vendre de l'espace publicitaire, et ce sera un des enjeux à suivre cette année. Là encore Canal D doit s'ajuster à la concurrence effrénée et les dirigeants prétendent qu'ils doivent maintenant augmenter leurs revenus s'ils veulent maintenir une production de qualité.

Il est un autre événement qui symbolise encore mieux le bouleversement du paysage télévisuel : la crise du «fonds des câblos», pour reprendre une expression populaire. Le gouvernement fédéral avait mis sur pied il y a quelques années un fonds d'aide à la production canadienne, et à l'hiver 98 la ministre du Patrimoine, Sheila Copps, confirmait que ce fonds était renouvelé pour trois autres années.

Le Fonds de télévision et de câblodistribution pour la production d'émissions canadiennes (FTCPEC) dispose de 200 millions de dollars qui sont distribués aux producteurs en deux programmes distincts, les deux programmes se

Dans le marché de la grande région montréalaise, le réseau TVA raflait 39 % de l'écoute télévisuelle des francophones à l'automne 1997, Radio-Canada 23 %, TQS 10 % et Télé-Québec 1 %, selon la firme de sondages BBM.

Au printemps 98 TVA raflait 36 % de l'écoute, Radio-Canada 21 %, Quatre Saisons 10 % et Télé-Québec 1 %, toujours selon BBM. La même firme accordait au printemps 1998 13 % de l'écoute aux canaux spécialisés, ce qui représentait 3 % de plus que l'année précédente.

La firme Nielsen analyse de façon plus fine l'écoute des canaux spécialisés, et pour l'ensemble du Québec elle indiquait au printemps que la part des chaînes spécialisées

partageant 100 millions de dollars. Un des programmes est administré par Téléfilm Canada et il permet de juger les projets selon leurs qualités, en procédant à une analyse de contenus. L'autre moitié du fonds, le Programme de droits de diffusion, est géré par un regroupement de l'industrie et des câblodistributeurs, et il distribue les sommes selon le principe du premier arrivé premier servi. Ce système a donné lieu à une véritable crise en avril 1998. Pour bénéficier de la manne, des producteurs ont littéralement campé devant les bureaux fédéraux afin d'y défiler les premiers. Cette crise a principalement secoué le monde canadien-anglais de la télévision car plusieurs séries populaires de fiction outre-Outaouais n'ont pas reçu l'aide promise. Au Québec, ce sont surtout des projets de documentaires qui ont été bloqués, ce qui a menacé la programmation de Télé-Québec pour 1998-1999.

Le FTCPEC veut proposer de nouvelles façons de fonctionner cette année,

mais cette crise a permis de symboliser la boulimie télévisuelle actuelle : avec la multiplication des chaînes, le fonds avait reçu 238 projets, trois fois plus que l'année précédente. Il devient clair que jamais le gouvernement ne pourra subventionner tous ces projets. Pourtant, le CRTC continue d'ouvrir la porte à la création de nouvelles chaînes, suscitant une pression d'autant plus grande chez les programmeurs à l'affût de produits originaux.

Trop d'écran peut nuire à vos yeux

Autre tendance qui s'est manifestée en 97-98 et qui sera évidemment à suivre avec attention cette année : l'influence d'Internet sur la télévision. Les données de Statistiques Canada indiquent que l'écoute de la télévision demeure assez stable depuis dix ans. Mais plusieurs enquêtes préliminaires diffusées l'année dernière tant aux États-Unis qu'au Québec démontrent que les internautes, dont le nombre francophones atteignait plutôt 16 % de l'écoute (et celle des chaînes spécialisées anglophones, 4 % de l'écoute des francophones).

À la lumière de ces chiffres, la direction de Radio-Canada remarquait que l'écoute de la télévision anglophone avait légèrement augmenté pendant l'année, principalement à cause de l'arrivée d'une troisième chaîne anglophone, Global. Conclusion de Radio-Canada : il faut créer le plus rapidement possible de nouvelles chaînes spécialisées francophones pour arrêter l'érosion de l'auditoire francophone. À TVA l'analyse était différente, puisque les dirigeants se félicitaient de maintenir les performances exceptionnelles de la chaîne dans un environnement aussi concurrentiel (au niveau international, la mainmise du réseau sur son auditoire est vraiment un phénomène rare). Mais les dirigeants de TVA admettaient aussi qu'il faut maintenant travailler à fidéliser l'auditoire. Parce qu'on sait bien que l'effritement de l'écoute télévisuelle finira un jour par frapper aussi TVA... ●

(selon les données de 1996, les collections des bibliothèques publiques québécoises permettent un taux d'environ deux livres par habitant, ce qui place de nouveau le Québec au dernier rang de toutes les provinces canadiennes). Pour regarnir leurs tablettes, que le tiers de la population fréquente actuellement, Louise Beaudoin a décidé d'allouer 70 % des nouvelles sommes à l'enrichissement des collections.

Jusqu'en 2001, on prévoit ainsi injecter 13 millions aux bibliothèques municipales et 10 de plus directement à leur pendant scolaire. Ce souffle nouveau permettra l'acquisition annuelle de 1,6 million de nouveaux livres (une augmentation de l'ordre de 50 % la première année par rapport au rythme habituel). Les débats du Sommet sur la lecture et le livre auront permis à la ministre de percevoir l'importance de faire tourner la roue de l'édition québécoise, l'incitant à fixer à environ 30 % le pourcentage minimum d'achat d'œuvres québécoises. D'ici à cinq ans, espère-t-on, les bibliothèques publiques devraient ainsi hausser le ratio des livres par rapport au nombre d'habitants, le faisant passer de deux à trois.

Comment créer des lecteurs

Mais la politique bonifiée, que l'on dévoilait à la fin de juin 1998, n'en a pas fini pour les bibliothèques. Car une fois le livre en main, il faut chatouiller l'intérêt des lecteurs potentiels, le bassin le plus vaste de cette population, toute se trouvant du côté des familles, des écoles et des garderies. Lors du

s'accroît sans cesse, naviguent sur Internet d'abord au détriment de l'écoute de la télévision, et ce avant de réduire toute autre activité – lecture, écoute de la radio, sports, etc. On ignore encore comment cette tendance pourrait affaiblir l'écoute télévisuelle, mais il est certain qu'elle inquiète les dirigeants des réseaux, qui constatent que le public plus jeune, censé représenter le public de l'avenir, leur est moins fidèle, d'autant plus que c'est un public qui s'identifie beaucoup moins à une chaîne en soi, parce qu'il a grandi dans un univers de multiplication des chaînes. Plusieurs observateurs font toutefois remarquer que cette tendance pourrait être contrée par une autre tendance, encore plus lourde : la population en général vieillit... et la population vieillissante consomme beaucoup de télévision.

Pour prévoir toutes les possibilités, les réseaux de télévision se sont eux-mêmes lancés à l'assaut d'Internet. Ainsi, Radio-Canada proposait au printemps 1998 la troisième version de son site Web sur

Internet, un site d'une grande ampleur qui présente même des produits exclusifs, dont une véritable agence d'informations culturelles, et la société d'État se propose de multiplier les projets novateurs en 98-99. TVA a également lancé son propre site Internet au printemps 1998, axé sur la promotion de ses émissions, et le réseau entend particulièrement développer d'ici un an le commerce électronique sur ce site. Pour couronner le tout, les deux frères ennemis sont associés avec Radio-Nord et d'autres partenaires dans un éventuel projet de chaîne spécialisée bilingue consacrée aux nouvelles technologies !

Moses Znaimer, le grand patron de Much Music, gourou de la télévision au Canada anglais, déclare souvent que *«le problème ce n'est pas qu'il y a trop de chaînes de télé: le problème c'est qu'il y a trop de chaînes pareilles»*. Depuis dix ans, 54 chaînes spécialisées sont apparues au Canada, dont onze en français. Tant Radio-Canada, TVA, Astral que Radiomutuel caressent le projet de mettre en ondes des chaînes consacrées à l'économie, à l'histoire, à l'humour, à la justice, à la gastronomie, et ainsi de suite. Le projet le plus attendu demeure le Réseau des arts, un projet de chaîne culturelle présenté par Radio-Canada et dans lequel la chaîne européenne Arte est partenaire à 20 %. Radio-Canada rêve d'en faire un créneau aussi « porteur » que RDI en information.

Cette course aux nouveaux canaux présente plusieurs avantages pour les dirigeants des réseaux : il s'agit ainsi d'amortir les coûts de programmation, d'aller chercher des revenus supplémentaires, d'offrir aux annonceurs un auditoire plus distinct, de maintenir une image de marque et une présence forte tout en empêchant le développement possible de canaux spécialisés américains sur le territoire.

Mais les nouvelles concurrences prendront plusieurs autres aspects cette année. Ainsi, non seulement la guerre commerciale pourrait être activée entre les câblodistributeurs et les compagnies de satellite, mais à l'hiver 1999 un nouveau joueur fera son entrée, Look Télé, un service de câblodistribution par micro-ondes lancé par Téléglobe et qui utilise une nouvelle technologie.

Par ailleurs, l'ensemble de l'industrie de la télévision s'est doté d'une association qui doit gérer l'introduction de la télévision numérique d'ici l'an 2000. Les réseaux américains commencent à diffuser en numérique à l'automne 1998 et les nouveaux récepteurs numériques seront mis en vente tout au long de l'année. Les spécialistes canadiens de l'industrie prévoient que, la première année d'activité du numérique, sa pénétration sera d'à peine 1 % de la population. Mais d'ici une décennie cette part de marché pourrait atteindre 60 ou 70 %. Et le numérique permettra non seulement d'obtenir image et son de grande qualité mais permettra aussi de commander des films ou des émissions à la pièce, ce qui ouvre ultimement la porte à la programmation à la pièce. ◯

accessible et alléchante peu im[portante] moment de la vie.

Pour fortifier tous les maillons [de la] chaîne, il fallait donc que ce projet [de politique] s'adresse non seulement aux école[s, aux] éditeurs et aux libraires, mais bien [à la] famille, aux auteurs, aux bibliothè[ques,] aux divers véhicules d'animation arti[stique] autour du livre, bref à l'ensemble des [acteurs] sans du livre, de la toute première tou[che] de l'écrivain jusqu'à la couverture refer[mée] d'un livre dont on s'est délecté.

Près de la moitié des Québéc[ois] affirment qu'ils ne lisent jamais ou alo[rs] très rarement, qu'il s'agisse d'un livre, d'[un] quotidien, d'une revue ou d'une band[e] dessinée. Ce qui place le Québec bien e[n] deçà de la moyenne canadienne, révélai[t] le ministère de la Culture et des Commu-nications au moment de rendre public son projet de politique.

40 millions aux bibliothèques

Pour balayer ces sombres statistiques de nos registres, le gouvernement cata-pulte donc 40 millions de dollars versés prioritairement au réseau des biblio-thèques scolaires et publiques, et ce au cours des trois prochaines années. Aux premiers 25 millions annoncés lors du discours du budget se sont ajoutés 15 millions de plus, une surprise habilement dévoilée par le premier ministre en plein Sommet sur la lecture et le livre, en avril 1998, un événement qui a permis de discuter le contenu de la politique et qu'a présidé Lucien Bouchard.

La part du lion revient aux biblio-thèques – publiques et scolaires – que la statistique voulait aussi plutôt dégarnie

Sommet, à Québec, certains ont même suggéré qu'on démarre l'éveil à la lecture tout juste quelques heures après la naissance : dans le mémoire qu'elle avait élaboré, l'Union des écrivains du Québec suggérait en effet que soient systématiquement offerts, à l'hôpital, quelques heures après l'accouchement, deux livres : l'un pour le petit, l'autre pour la maman. L'idée n'a toutefois pas été retenue...

Éveil à la lecture, donc. À la garderie – même par l'intermédiaire des grands-parents, une idée évoquée lors des plénières du Sommet et qu'ont retenue les auteurs de la politique –, à l'école aussi, deux des responsabilités de la ministre de l'Éducation, sur laquelle on compte évidemment beaucoup pour la mise en œuvre de ce vaste chantier.

Pour enrayer d'autres constats peu réjouissants – au Québec, 56 % des adultes ont des habiletés « suffisantes » pour satisfaire à la plupart des « exigences de lecture courantes » –, le gouvernement souhaite insister davantage sur les mesures en matière d'alphabétisation, ce qui devrait s'inscrire dans le débat entourant la politique de la formation continue. La politique annonce également la création d'un Observatoire du livre, sorte d'instance « de veille » qui surveillera les tendances du milieu, formée des divers acteurs de l'industrie, et à laquelle le gouvernement donnera l'impulsion financière nécessaire pour démarrer.

Si l'objectif que vise la politique a réussi à rallier la majorité au cours des mois qui ont précédé le dévoilement final des ambitions littéraires du gouvernement, sur certains points des écueils subsistent. Outre le fait que la concertation de plusieurs ministères, organismes, institutions et individus soit nécessaire pour l'articulation réussie d'une telle politique, le milieu essaie tant bien que mal de s'entendre autour d'une façon de solidifier un réseau de librairies affaibli par la concurrence féroce que leur « livrent » les magasins à grande surface depuis peu. Le gouvernement a décidé de ne pas s'immiscer, refusant pour l'heure de légiférer. Les lois du marché prévaudront-elles sur l'esprit protectionniste selon lequel la librairie est un lieu de commerce culturel différent du reste ? Les paris sont lancés.

Prix unique : des discussions inutiles ?

Il suffisait qu'un petit groupe s'accapare une seule des mesures envisagées par la politique du livre et de la lecture, en fasse un tapage repris par les médias, pour qu'on oublie soudainement que les propositions du gouvernement allaient bien au delà du prix unique du livre, chapitre abondamment discuté.

Voilà longtemps déjà que les discussions vont bon train quant à ce fameux prix unique, qui vise essentiellement à permettre aux librairies rattrapées par les affaires d'or des grandes surfaces de souffler un brin. Une fois ce prix fixé par les éditeurs – une façon de faire qu'ont adopté les Français, par exemple –, les détaillants, quels qu'ils soient et surtout quelle que soit l'étendue de leur surface, ne bénéficieraient plus que d'une marge d'environ 10 % pour modifier leur prix à la baisse, ce qui unifierait un peu les pratiques commerciales. Voilà une mesure qui pourrait éliminer des écarts jugés gigantesques – certains ont parlé de 60 % – entre les librairies et les magasins à grande surface tels Club Price, Maxi, Pharmaprix, Wal Mart ou Zellers.

Le coup d'envoi de ces discussions multiples fut donné en avril 1997 lorsque, réunie autour d'une table à l'invitation de la Société de développement des entreprises culturelles (SODEC), l'industrie du livre en entier sonna l'alerte : pour relancer ce secteur coincé par l'erre d'aller des grandes surfaces, besoin était de trouver une façon. L'idée du prix unique germa et fit boule de neige. Sans qu'on en définisse le concept, l'on s'entendait toutefois sur l'urgence de réajuster le tir.

De l'eau coula sous les ponts. Un an plus tard, alors qu'on célébrait la Journée mondiale du livre et que le Sommet sur la lecture et le livre battait son plein, cette même industrie du livre se retrouva autour d'une table, élargie celle-là. On tenta de parler prix unique, mais peine perdue. Loin du consensus, éditeurs, libraires, distributeurs, auteurs, commerçants, consommateurs se retrouvaient exactement au même point, échangeant points de vue et données diverses, donnant ici en exemple la France, là l'Angleterre, mais ne parvenant jamais à trouver consensus.

Formation d'un groupe de travail

Plutôt que de discutailler indéfiniment, le premier ministre Lucien Bouchard profita des derniers moments du Sommet sur la lecture et le livre pour trancher : en créant un groupe de travail composé de représentants des divers maillons de la chaîne du livre, il reportait donc le débat, ne posant qu'une seule condition aux travaux du comité présidé par la tête dirigeante du Groupe Sogides, Pierre Lespérance : qu'on veille à ce que les solutions mises de l'avant ne modifient pas le prix du livre... à la hausse. «*Le livre est déjà suffisamment cher*», conclut le premier ministre, laissant la douzaine de membres du groupe de travail à ses études.

Puisque la mode est au comité et aux études multiples, ledit comité entama ses travaux – ardus, aux dires de plusieurs, les oppositions étant nombreuses – et exigea assez rapidement un sursis supplémentaire pour mener des études sur l'évolution de l'industrie du livre au Québec. Prudente, la ministre de la Culture et des Communications n'avait elle-même pas osé trancher dans le contenu de sa politique, formulant très clairement le vœu que la profession parvienne à un accord, promettant qu'elle réglementerait si besoin était, après l'obtention d'un consensus.

Depuis l'avènement de la Loi sur le développement des entreprises québécoises dans le domaine du livre (loi 51, adoptée au début des années 1980), le Québec peut se vanter d'avoir un véritable réseau de librairies. Pour combien de temps encore ? demandent certains.

En vertu de cette loi, des remises – rabais – de l'ordre de 40 % sont consenties aux détaillants, quels qu'ils soient. Or, les quelque 350 librairies ne sont plus les seules à faire le commerce du livre puisqu'on estime à 5000 le nombre de points de vente (tabagies, pharmacies, grandes chaînes) où il est possible d'acheter de la littérature, des livres pratiques aux best-sellers en passant par le dernier *Astérix*.

Au cœur de ce débat se profile la question de l'offre de services, fort variable d'un endroit à l'autre. Alors que du côté des grandes surfaces, où l'on fait l'emplette du roman de l'heure aux côtés d'une manne de rouleaux de papier hygiénique, la notion de services est absente, chez le libraire du coin, c'est l'inverse : on vous renseignera sur les finesses de tel ou tel autre auteur, vous recommandant au passage la lecture de cet essai ou l'achat de ce nouveau diction-naire. Mais de plus en plus, se plaignent les petits libraires – dont le nombre dimi-nue sans cesse –, les consommateurs viennent bouquiner chez nous, faire le plein d'informations, et traversent de l'autre côté de la rue pour conclure la vente, là où c'est le moins cher.

Le groupe de travail réussira-t-il à trouver une façon de faire qui satisfera le plus grand nombre ? Une première date butoir avait été lancée – la mi-juin – mais n'a pas pu être respectée, faute d'études. Nouvelle tête dans le groupe de penseurs sur la question du prix unique, l'écono-miste Pierre Fortin a déjà évoqué le fait qu'il en était du livre comme de la quin-caillerie ou de la pharmacie, et que l'option du regroupement d'achats ne devait pas être écartée. D'autres, au con-traire, jurent que le livre n'est pas un pro-duit de consommation comme les autres et que les lois du marché ne doivent pas être appliquées comme pour le reste.

Le prix unique, que la France a adopté en 1982, que le Royaume-Uni a décidé d'abandonner en 1997, ne semble pas être la panacée et ne rallie pas l'ensemble du milieu, ce que la politique du livre et de la lecture reflète d'ailleurs très bien par sa volonté affirmée de ne pas s'immiscer dans les discussions. Nous paierons pour les études, a dit la ministre de la Culture et des Communications, mais à vous de trouver les moyens de surnager dans la concurrence.

Un an plus tard, le prix unique ali-mente donc autant les discussions sans que la situation ait guère évolué. Dans une politique aux visées des plus larges, cette question aura peut-être meublé une trop grande partie des discussions. Si la politique essaie par divers moyens d'augmenter l'accessibilité au livre, elle aura trop souvent donné l'impression d'avoir été conçue pour soulager des commerçants voués au livre.

Grande Bibliothèque du Québec : cap sur 2001

D'un côté les grandes idées, de l'autre un projet de construction ambitieux : celui d'un lieu conçu pour le plaisir de la lecture et la protection du savoir. Comme s'il ne suffisait pas de propulser une poli-tique entièrement vouée à la lecture et au livre, une action qui en a étonné plusieurs mais qui illustre l'importance de la culture pour ce gouvernement, voilà que le projet de Grande Bibliothèque du Québec (GBQ) dont on avait abondam-ment parlé refait surface et devient réalité, au point où on décide du lieu et de la date de sa construction.

Le gouvernement de Lucien Bouchard a promis que 75 millions iraient à la contruction de cette GBQ, que l'on dit nécessaire pour permettre un accès démocratique au savoir universel. Plus qu'un édifice central autour duquel devraient se rassembler la population et les amants des mots, cette « grande » bibliothèque devrait étonner par le côté magnanime de ses ambitions, a-t-on promis.

Bibliothèque grand public, mariant les collections de la Bibliothèque centrale de Montréal et de l'actuelle Bibliothèque nationale du Québec, la GBQ servira à *«dynamiser la vie intellectuelle et culturelle du Québec»*, à *«fournir un accès démocratique à une collection nationale et universelle de grande qualité»*, sera *«centrée sur la diffusion des connaissances et de l'information»*, aura *«un effet positif et stimulant sur l'ensemble des bibliothèques québécoises»* et misera *«sur une utilisation exemplaire des nouvelles technologies»*.

Sorte de référence nationale en matière de bibliothèque, et outre le fait qu'elle sera établie à Montréal, la GBQ devrait attirer la clientèle locale, devenir même une façon pour le gouvernement d'intégrer les nouveaux arrivants, servant à la fois de lieu de référence et de centre de prêt.

Après le dépôt d'un rapport sur cette future Grande Bibliothèque – fruit du travail d'un conseil provisoire présidé par Clément Richard –, les langues vont bon train. À la faveur d'une commission parlementaire d'automne, au cours de laquelle la très grande majorité des participants ont donné leur appui au projet, on aura entendu quelques réserves, notamment quant à la crainte que ce mégaprojet n'efface le caractère indispensable de toutes ces autres bibliothèques de quartier, vers

lesquelles l'ensemble de la population, celle de Montréal comprise, continuera de voguer.

Recherche du site idéal

Quelques jours de consultation publique permirent donc à la ministre Louise Beaudoin de revenir à la charge, fin 1997, avec le projet de loi 403, prévoyant la création de la GBQ. Comme la politique du livre et de la lecture avait eu son prix unique pour alimenter le nœud des discussions, c'est sur le choix d'un emplacement idéal qu'ont porté les conversations.

Dans les coulisses, on a critiqué le fait que le Sommet sur la lecture et le livre ait occupé une petite journée dans l'agenda des parlementaires alors que, pour décider du site parfait pour l'érection de la GBQ, on a planifié trois journées entières d'audiences publiques.

Le gouvernement avait au préalable demandé à son bras immobilier, la Société immobilière du Québec (SIQ), de faire la tournée d'une dizaine de lieux potentiellement intéressants pour l'implantation de la GBQ. Parmi les critères évalués, l'accessibilité au site, les retombées pour le milieu choisi, la complémentarité du lieu et, côté plus technique de l'évaluation, les caractéristiques du site, tels la superficie, le potentiel d'expansion, etc.

La SIQ a retenu trois candidatures intéressantes : l'îlot Balmoral d'abord, situé tout près de l'actuelle Place des Arts, puis le Palais du commerce, en plein cœur du Quartier latin – directement branché sur la station de métro la plus utilisée du réseau, Berri-UQAM – et, enfin, le site de la Bibliothèque Saint-Sulpice,

LES ENJEUX POUR LA PROCHAINE ANNÉE

Marie-Andrée Chouinard

• La politique de la lecture et du livre a misé gros en promettant des millions pour l'achat de ressources matérielles, reléguant au second plan l'importance des ressources humaines. La mise en œuvre de cette politique et surtout son succès dépendant de la concertation d'un ensemble d'intervenants très divers, il sera intéressant de vérifier l'articulation de toutes ces énergies autour de mêmes objectifs.

• L'industrie du livre réussira-t-elle vraiment à s'entendre autour d'une réglementation visant à consolider le réseau des librairies sans que le consommateur ne paie le prix de cet imbroglio de nature économique ?

• Un vent d'élections souffle et, outre la possibilité que le gouvernement responsable de cette politique ne soit pas reconduit au pouvoir, les rumeurs veulent que Louise Beaudoin ne soit pas ancrée à son poste de ministre de la Culture. Un successeur poursuivrait-il le travail amorcé ? ●

---

un des complexes reliés à la Bibliothèque nationale du Québec.

Les témoignages entendus lors de ces trois journées d'audiences convergèrent vers un seul et même site, celui du Palais du commerce, mettant en veilleuse l'emplacement que la SIQ avait le mieux noté, l'îlot Balmoral. Trois journées d'audiences et quelques dizaines de mémoires plus tard, la ministre de la Culture et des Communications annonçait que son choix s'était porté sur le Palais du commerce – s'en étonnera-t-on ? –, pour trois raisons essentielles : le Quartier latin, tout à fait propice à l'éclosion du savoir et de la connaissance, l'accessibilité du site (des milliers d'usagers transitent par Berri-UQAM chaque jour) et enfin la « mobilisation du quartier », dont les occupants ont été vifs à vanter les attraits.

Les négociations furent ardues et plus longues que ce à quoi on s'était initiale-ment attendu, mais la SIQ les mena de main de maître : pour un terrain évalué à 8,6 millions de dollars, le gouvernement a donc payé 6,9 millions, alors que le prix exigé au départ par les promoteurs du site du Palais du commerce avoisinait les 7,5 millions.

Une économie de 600 000 $, qui servira fort bien les coûts de construction (75 millions) mais aussi les frais annuels nécessaires au fonctionnement de cette institution de taille, soit 25 millions.

Alors que les libéraux avaient manifesté quelque opposition à des amendements mis de l'avant par la ministre Beaudoin, c'est un vote unanime qui a sanctionné le projet de loi 403 fin juin 1998, faisant de la Grande Bibliothèque du Québec une réalité, du moins dans les registres du gouvernement.

Le directeur idéal

Une seule et même personne tiendra les rênes de l'institution puisqu'il a été décidé que les postes de président et de directeur général de la GBQ ne feraient qu'un. La ministre Beaudoin a promis qu'elle y nommerait quelqu'un qui *«aime les livres»*. À un concours d'architecture succédera la construction de cette déjà célèbre GBQ, où l'on devrait pouvoir mettre les pieds en 2001.

La Ville de Montréal, qui a surveillé de très près le processus de création de cette institution, aura des représentants qui siégeront au conseil d'administration, une façon de symboliser là le mariage des deux bibliothèques. Des protocoles d'entente détermineront de façon claire les modalités de participation financière de la Ville aux frais d'opération de la GBQ : entre la promesse de Québec qu'ils n'excéderaient pas huit millions annuellement et le souhait formulé par certains conseillers municipaux montréalais qu'ils soient nuls – le seul prêt de la collection faisant foi de contribution financière – un juste milieu est à déterminer. ○

Retour sur terre
pour l'inforoute québécoise

BENOÎT MUNGER

Né en 1995 dans l'anarchie, dans l'euphorie de la découverte et des promesses de temps nouveaux, le cyberespace québécois est revenu, au cours de la dernière année, à des considérations plus terre à terre. L'inforoute, la communication en ligne, la vie les deux pieds plantés dans la société de l'information, c'est maintenant du sérieux. Du sérieux pour les pionniers, ces passionnés qui ont été les premiers à utiliser les possibilités extraordinaires d'Internet, du sérieux aussi pour ces organisations, petites et grandes, qui ont décidé avec plus ou moins de succès de faire un saut dans le cyberespace. C'est vrai pour les petits promoteurs comme pour les grands, et, à plus forte raison, pour l'État québécois, qui, après quelques années de tâtonnement plus ou moins efficace, semble vouloir enfin consacrer ses efforts aux bons endroits. Québec vient de cibler la machine gouvernementale en visant un effet d'entraînement sur la population et sur l'industrie.

L e cyberespace québécois, dont on peut dire qu'il est né au milieu des années 90 quand Internet est sorti du cercle étroit des chercheurs et des spécialistes pour éclore dans le public à la faveur de l'introduction du World Wide Web, a d'abord et avant tout été l'affaire d'indépendants.

Plus passionnés que riches et puissants, ils ont créé les premières publications en ligne, les premiers répertoires, les premières agences de placement publicitaire. Pendant que dans les organisations et les entreprises l'on observait sans trop comprendre l'émergence d'un nouveau mode de communication échappant à toute règle connue, ces indépendants plaçaient les premières pierres de cet espace intangible fait d'activités en ligne, de communications interactives, de bits et d'octects.

Avant que les gros joueurs ne se retournent et reprennent le haut du pavé, ces indépendants ont fait leur place et leur modeste chemin. Mais la commercialisation du Web et son intégration dans les activités des entreprises allaient inévitablement placer ces pionniers devant les implacables lois du marché. La passion, aussi noble et stimulante soit-elle, ne suffit plus. C'est l'un des enseignements de la dernière année.

Un événement illustre on ne peut mieux cet état de fait. En octobre 1997, Jean-Pierre Cloutier, auteur et coproducteur, avec Mychelle Tremblay, des *Chroniques de Cybérie*, annonçait qu'il suspendait la publication de ces chroniques, créées en novembre 1994, soit au tout début du Web québécois. *«Au Québec,* écrivait alors Jean-Pierre Cloutier, *les annonceurs des secteurs public et privé et les commanditaires ne sont pas au rendez-vous, du moins pour l'instant, pour assurer la viabilité du modèle économique d'une prétendue industrie québécoise du contenu sur les inforoutes.»* Ce modèle, dont parlait Jean-Pierre Cloutier, est celui d'une inforoute dont la rentabilité dépend principalement des revenus tirés de la publicité et où le contenu est accessible gratuitement. Fort bien, mais encore faut-il que la publicité soit au rendez-vous, ce qui n'a manifestement pas été le cas, du moins pour les *Chroniques*.

Désabusé, mais non découragé, Jean-Pierre Cloutier allait trouver, en Suisse, les ressources dont il avait besoin pour faire renaître ses commentaires hebdomadaires. En avril 1998, il annonçait en effet que ses textes en ligne seraient dorénavant publiés sur le site de *Webdo*, pendant électronique de *L'Hebdo*, magazine d'information de Genève. Au grand plaisir des habitués, pour qui les *Chroniques* étaient devenues avec le temps une source d'information fiable et bien documentée.

De l'espoir

L'expérience des *Chroniques de Cybérie* ne doit pas faire oublier que d'autres indépendants de la première heure ont mieux fait le passage entre la phase artisanale des pionniers et celle de la rentabilité. À cet égard, la progression remarquable de Netgraphe et de la *Toile du Québec*, le premier répertoire de ressources francophones sur Internet, a de quoi entretenir l'espoir.

Créée dans les premiers mois de 1995 par Yves Williams et Chrystian Guy, la *Toile du Québec* a d'abord été un répertoire destiné à aider les francophones à mieux s'y retrouver dans le cyberespace naissant. Un répertoire géré et entretenu en dilettante par deux passionnés, qui y consacraient le temps libre que leur emploi au *Devoir* leur laissait. Jusqu'à ce qu'ils décident, en 1996, de consacrer tout leur temps à la *Toile* et d'en faire une entreprise en bonne et due forme.

Axée autour du répertoire, son navire amiral en quelque sorte, Netgraphe a depuis créé des publications satellites couvrant des secteurs bien précis du cyberespace : *Memento*, un magazine d'information quotidienne, *Mégagiciel*, un répertoire de gratuiciels et de partagiciels et *Comptoir*, un répertoire consacré au commerce électronique.

Associée à Pluricom, une société de capital et de gestion, Netgraphe est véritablement devenue, au cours de la dernière année, une entreprise viable.

En mai, elle faisait un pas de plus en intégrant Imaginor, société éditrice de deux publications en ligne de qualité, *Multimédium*, spécialisée dans l'information sur les nouvelles technologies, et *Économédia*, magazine d'information économique quotidienne. Comme pour Netgraphe, Pluricom est aussi actionnaire d'Imaginor. Avec ses quelque 36 000 visiteurs par jour, plus d'un million par mois, les sites sous la coupe de Netgraphe sont parmi les plus fréquentés au Québec. Seuls *InfiniT*, le site de Vidéotron, et *Sympatico*, celui de Bell, peuvent rivaliser avec la petite société indépendante.

Sur le front de la publicité, Pluricom a aussi joué un rôle capital en prenant le contrôle de Soussy.com, une petite entreprise de représentation publicitaire en ligne créée par Olivier Soussy, un ancien de chez Cossette Communication. Une prise de contrôle qui ne s'est d'ailleurs pas faite sans quelques grincements de dents, les associés de Pluricom, Marc Copti et Normand Drolet, ayant recouru à une injonction pour sortir en quelque sorte Olivier Soussy du portrait. Le litige s'est finalement réglé par une entente à l'amiable entre les intéressés. L'exemple de Netgraphe le montre bien, le cyberespace québécois est véritablement passé, au cours de la dernière année, en mode commercial. Dorénavant, les règles qui régiront le secteur sont celles qui prévalent dans le monde hautement compétitif des affaires. Les temps héroïques des pionniers carburant à la passion et aux beaux principes sont révolus.

Les grands tombent aussi

S'il est une leçon que nous enseigne la très jeune histoire de l'inforoute québécoise, c'est bien que rien n'est acquis et qu'au delà de l'enthousiasme débridé des débuts et des promesses d'un monde meilleur par les seules vertus de la communication en ligne tous azimuts, il y a la réalité implacable d'un monde sonnant au diapason des lois du marché. Et à ce jeu, même les gros trébuchent.

L'expérience vécue par le consortium UBI (pour Universalité, Bidirectionalité et Interactivité), créé à l'instigation du câblodistributeur Vidéotron, qui s'est associé pour l'occasion à d'autres grandes organisations comme Hydro-Québec, Postes Canada, Loto-Québec, la Banque Nationale et la Corporation Hearst, est exemplaire à cet égard.

UBI, on le sait, est une expérience de communication interactive qui devait permettre aux abonnés du câble de bénéficier d'une foule de services en ligne à partir d'un simple téléviseur. Démarré il y a cinq ans à coup de millions (29 pour être plus précis), le projet devait à terme permettre à 1,5 million de foyers de bénéficier de ses services en ligne. À terme, on estimait à 750 millions le coût total du déploiement de cette inforoute réservée aux abonnés du câble.

Pour roder la technologie, Vidéotron et ses partenaires avaient choisi de faire une expérience-pilote dans la région du Saguenay, où l'on comptait dans un premier temps installer des terminaux UBI dans 30 foyers. En septembre, le consortium annonçait que le déploiement expérimental des terminaux s'arrêterait à 20 500, un premier signe qui, au delà de l'optimisme de façade des communiqués de presse, avait des allures de mort annoncée. Ce qui s'avéra en décembre, lorsque le consortium annonçait la fin des haricots et sa dissolution, cinq ans et 29 millions après sa création.

Dans l'opération, les six membres du consortium auront perdu leurs billes. Au premier chef Vidéotron, qui a englouti huit millions dans l'aventure – sans compter la fourniture de biens et de services –, Hydro-Québec et Postes Canada cinq chacun, les autres (Loto-Québec, la Banque Nationale et Hearst) 2,6 millions chacun. À cela, il faut ajouter un montant de cinq millions provenant du Fonds de l'autoroute de l'information, dont une bonne partie avait déjà été dépensée. Comme cette subvention devait être aussi utilisée pour convertir le contenu d'UBI sur Internet, ces cinq millions d'argent public ne sont pas perdus en entier.

En annonçant la fin du projet expérimental, les dirigeants du consortium ont avancé une cause principale, celle d'une technologie trop limitative en regard du développement en parallèle d'Internet. De fait, UBI, qui avait été mis en place au moment où Internet ne faisait pas encore partie du paysage cyberspatial québécois, s'est fait prendre de vitesse. Tenter d'implanter un service interactif fermé alors que des milliers et des milliers de personnes avaient déjà goûté à Internet, à son immensité, son universalité et ses possibilités presque illimitées, tout cela relevait presque de l'impossible.

Changement de cap au gouvernement

Tout le monde s'entend là-dessus : pour que le cyberespace québécois prenne véritablement son envol, pour que son utilisation se généralise et qu'il devienne une vraie place d'échanges en ligne, l'État doit jouer un rôle de catalyseur, de locomotive si l'on peut dire. Jusqu'à la fin de l'année dernière, c'est par l'intermédiaire du Secrétariat de l'autoroute de l'information (SAI) que Québec entendait jouer ce rôle. Créé en 1995 par un gouvernement alors dirigé par Jacques Parizeau, le SAI, qui relevait du ministère de la Culture et des Communications, avait comme mandat de développer une stratégie québécoise de mise en œuvre de l'inforoute et d'en coordonner la réalisation.

Pour ce faire, le SAI avait comme principal outil le Fonds de l'autoroute de l'information (FAI), un fonds de plusieurs dizaines de millions – 20 millions par année pendant trois ans, jusqu'en 1999, qu'on a plus tard porté, à 80 millions échelonnés sur cinq ans – servant à financer des projets principalement consacrés au développement de

---

| LE MULTIMÉDIA EN CHIFFRES
Benoît Munger | **L'industrie du multimédia au Québec :** 200 entreprises, 2500 personnes et un chiffre d'affaires de 75 millions dont 20 % provient de l'exportation. |

L'industrie du livre : 135 entreprises, 1600 personnes et un chiffre d'affaires de 485 millions.

Proportion de titres québécois dans le marché grand public du multimédia : 5 %

Proportion des foyers où l'on retrouve un ordinateur personnel : Québec 28 %, Canada 36 %, Ontario 40 %, Alberta et Colombie-Britannique 43 %, France 13 %, Grande-Bretagne 19 %.

Proportion des ordinateurs personnels dotés d'un modem : Québec 8,2 %, Canada 13 %, Ontario 15 %.

Proportion des Québécois de plus de 16 ans qui ont déjà utilisé Internet : 38 % ●

---

contenus en français. Cette stratégie de mise en œuvre de l'inforoute, le SAI devait la déposer à la fin de 1997. C'était sans compter sur la volonté du gouvernement d'effectuer un coup de barre.

En février 1998, la ministre de la Culture et des Communications, Louise Beaudoin, annonçait la dissolution du secrétariat et l'intégration de son personnel (une quarantaine de personnes) et de ses activités au ministère. Dorénavant, comme l'indiquait alors la ministre, les activités relevant du secrétariat allaient être scindées en deux : le développement de l'inforoute et la gestion du fonds allaient être directement sous la responsabilité du ministère de la Culture et des Communications tandis que le virage informatique de l'appareil gouvernemental relèverait du Conseil du trésor, grand argentier de l'État québécois. Aux yeux de la ministre Beaudoin, le SAI, qui a eu le mérite de déblayer le terrain, avait atteint les limites de son mandat. Pour que le dossier progresse, il fallait que les activités reliées au projet soient mieux intégrées à la machine gouvernementale.

La politique de l'inforoute

Ce changement de cap, qui n'a pas fait de grands remous, allait ensuite être officialisé dans *La Politique québécoise de l'autoroute de l'information*, un énoncé en deux volets qui pose les jalons de ce que sera le déploiement de l'inforoute au cours des prochaines années.

Le premier volet, défini dans un document intitulé *Agir autrement*, a pour cible l'inforoute publique, si l'on peut dire. Pour développer cette info-route, Québec propose de faire reposer son développement sur cinq grands piliers qui sont autant de champs d'intervention.

• Premièrement, la politique propose de mettre l'accent sur l'accès, de géné-raliser l'utilisation de l'autoroute de l'information au sein de la population.

• Deuxièmement, elle suggère d'in-tervenir dans les domaines de l'éduca-tion et de la formation afin de préparer les jeunes générations à l'univers des nouvelles technologies.

• Troisièmement, elle entend contri-buer à construire un tronçon de l'info-route reflétant la culture du Québec.

• Quatrièmement, elle veut faciliter et accélérer la transition de l'économie et favoriser la croissance de l'emploi dans le domaine des nouvelles technologies de l'information.

• Enfin, la politique vise à rapprocher l'État des citoyens et des entreprises.

La politique propose en outre de prolonger le Fonds de l'autoroute de l'information en réorientant ses inter-ventions vers des cibles plus précises.

C'est cependant le second volet de la politique qui risque d'avoir la plus grande influence, puisqu'il concerne le passage de la machine gouverne-mentale d'une culture bureaucratique traditionnelle et très hiérarchisée à une culture de réseau. Autrement dit, il s'agit de mettre en place ce qu'il convient d'appeler l'inforoute gouverne-mentale. À cet égard, la politique veut agir dans cinq domaines prioritaires : l'accès à l'information gouvernemen-tale et aux services publics, la refonte des processus administratifs, l'infra-structure et les services communs, l'encadrement et le soutien, et, enfin, les ressources humaines. Moins visibles et moins flamboyantes que les inter-ventions du premier volet, ces propo-sitions risquent néanmoins d'avoir un grand impact sur le développement d'une inforoute québécoise en raison principalement de l'effet d'entraîne-ment que peut avoir l'État.

Mais le défi est de taille et la route semée d'embûches quand on sait qu'au moins 17 000 fonctionnaires seront touchés par les actions énumérées dans la nouvelle politique. Les nou-velles technologies de l'information coûtent cher au gouvernement. En 1995-1996, l'État a fait des dépenses directes de 734 millions dans ce domaine ; grosso modo, 334 millions dans les ministères et organismes apparentés et 400 millions dans les organismes gouvernementaux, princi-palement dans les domaines de la santé et de l'éducation.

Dans la fonction publique, où 75 % de l'information est encore diffusée sur papier, 85 % des employés travaillent avec un ordinateur personnel ou un terminal. Toutefois, une très petite pro-portion de ces employés ont accès à Internet.Des choses ont pourtant été faites. On estime en effet à 130 le nombre de sites émanant de ministères ou d'organismes gouvernementaux. Au total, quelque 65 000 pages sont accessibles sur le World Wide Web. Les utilisateurs ont maintenant accès aux lois refondues, aux documents parlementaires, aux projets de loi et à une foule d'autres documents de toutes natures. Mais jusqu'à maintenant, le développement de cet embryon d'inforoute gouvernementale s'est fait à la faveur d'initiatives prises ici et là, avec des résultats inégaux. Créer des sites, rendre du contenu disponible, avoir sa vitrine dans le cyberespace était, au fond, la partie facile. La partie vraiment difficile, c'est celle dans laquelle l'État compte enfin se lancer. Celle qui consistera à imprégner la fonction publique d'une culture de réseau ouvert, où les fonctionnaires pourront répondre aux demandes et rendre accessibles les services publics en ligne ; en d'autres mots, rendre l'information vraiment disponible. ⭘

La création plutôt que le répertoire

HERVÉ GUAY

Art en quête de public et non d'auteurs, le théâtre québécois est mal armé pour monter les classiques mais se débrouille mieux en matière de création contemporaine. À ce chapitre, il est aussi sensible aux apports étrangers tandis que le patrimoine dramatique universel résiste encore à la plupart de nos metteurs en scène quand ils s'y frottent. S'agit-il d'un théâtre en crise pour autant? Le comédien Raymond Cloutier a posé la question, y allant de propositions discutables. Reste en filigrane le problème non résolu de la diffusion.

Au théâtre, les saisons se suivent et ne se ressemblent pas forcément. Or, si l'on y regarde de plus près, quelques-unes des tendances qui ont émergé au cours de la saison 1997-98 s'avèrent néanmoins révélatrices des forces et des faiblesses du théâtre professionnel québécois. Un théâtre dont les structures, assez légères dans l'ensemble, semblent se prêter mieux à la création qu'au répertoire.

Dans ce milieu se manifeste en outre une volonté d'ouverture sur les diverses cultures, qui contraste avec d'autres secteurs comme le cinéma où le char d'assaut américain triomphe presque sans coup férir. De ce côté, signalons pour commencer le retour en force de la France sur les scènes québécoises. Un phénomène nouveau puisque peu de théâtres avaient programmé des textes contemporains français ces dernières années. Cet intérêt s'est manifesté d'abord grâce à Bernard-Marie Koltès dont deux textes ont été créés à Montréal cette saison. Mais la Vieille Capitale n'a pas été en reste, qui a présenté *La Demande d'emploi* de Michel Vinaver et *Les Guerriers* de Philippe Minyana. Notons encore une forte présence française lors de la quatrième édition du Carrefour international de théâtre de Québec. Pas moins de quatre spectacles venaient de l'Hexagone, dont une mise en scène soignée de Stanislas Nordey d'une très belle pièce de Jean-Yves Lagarce, *J'étais dans ma maison et j'attendais que la pluie vienne*. Ce regain d'intérêt pour le théâtre français, on le voit, passe d'abord par le texte. Et ce retour au texte, qui se poursuit depuis plusieurs années, n'est pas

RAYMOND CLOUTIER : LE GRAND CIRQUEUX ORDINAIRE

Stéphane Baillargeon

Queneau, le merveilleux Queneau, a forgé le mot «cirqueux» pour parler des gens de cirque, comme on dit théâtreux mais sans le côté péjoratif du terme vieillot désignant les gens qui s'exhibent sans trop de talent sur les planches.

Le rapprochement est d'autant plus à propos avec Raymond Cloutier, un homme de théâtre de grand talent, fondateur et figure dominante du fabuleux Grand Cirque ordinaire au début des années soixante-dix, puis directeur (autoritaire et contesté, paraît-il) du Conservatoire d'art dramatique de Montréal, pendant huit ans, jusqu'en 1995, une institution que le jeune Cloutier avait lui-même quittée avec fracas, comme étudiant, un quart de siècle plus tôt.

En 1998, le trouble-fête a bien affiché la persistance de son amour-haine des institutions théâtrales en critiquant vertement la «situation du théâtre à Montréal», à son sens «bloquée» par une pratique de diffusion sclérosée et inefficace. Raymond Cloutier a lâché sa bombe le 7 mars, dans une longue lettre ouverte intitulée *Le théâtre montréalais est dans un cul-de-sac*, publiée par *Le Devoir*. Dans ce texte (et dans un second publié le 16 avril), Cloutier propose essentiellement deux constats et une solution.

D'abord, il affirme qu'au plus 30 000 personnes (dont 15 000 abonnés) fréquentent les spectacles de théâtre montréalais, soit moins de 1 % des citadins de la grande région mère. Ensuite, il avance que les sept théâtres institutionnels et subventionnés de la métropole (Espace Go, Quat'Sous, Théâtre d'Aujourd'hui, Théâtre Denise-Pelletier, Théâtre du Nouveau Monde, Jean Duceppe et Rideau Vert) sont entraînés dans une essoufflante course à la production qui passe la barre des soixante spectacles, bon an mal an, joués environ 24 fois chacun par des comédiens sous-payés. Finalement, Raymond Cloutier lance l'idée de réduire des deux tiers les productions et de les diffuser au maximum, si possible toute l'année durant, de manière

près de s'éteindre si l'on se fie au succès que remportent pour leur part les auteurs québécois.

En la matière, certains poursuivent sur leur lancée, comme Wajdi Mouawad (*Willy Protagoras enfermé dans les toilettes*) ou Daniel Danis (*Le Chant du Dire-Dire*), tandis que d'autres amorcent la leur dans

l'enthousiasme. Parmi les nouveaux venus qui ont impressionné, il y a certainement Carole Fréchette, qui a vu deux de ses pièces créées en 1998 (*Les Quatre morts de Marie* et *La Peau d'Élisa*). Le comédien, Reynald Robinson, en a aussi surpris plusieurs avec *La Salle des loisirs*, tout comme un jeune auteur de 24 ans, Olivier Choinière, à faire passer à au moins 100 000 le nombre des «spectateurs fidélisés» et à augmenter le plaisir, la qualité et le cachet générés par le jeu.

Pour maximiser ses effets, la critique, comme l'humour, doit respecter une stricte horlogerie, un précis minutage. Le comédien, qui a le sens naturel du rythme, a donc choisi de lancer son pavé dans la mare aux évidences quelques jours avant le début du huitième congrès bisannuel du Conseil québécois du théâtre (CQT), organisé à Montréal les 28 et 29 mars. Le pamphlétaire est devenu la coqueluche des médias pendant quelques jours. Quelques lettres ont appuyé ou critiqué ses observations. Finalement, le congrès sur le thème du théâtre comme «art collectif» a dû ouvrir un espace de discussion autour de l'«affaire Cloutier». Le comédien a lui-même été intégré à la dernière minute comme participant à une des deux tables rondes de la rencontre.

Là comme ailleurs, on a surtout reproché au franc-tireur de développer une logique comptable. L'évaluation du bassin de spectateurs assidus osée par Cloutier n'a pas résisté à l'épreuve des statistiques officielles qui chiffrent autour du million le nombre de billets de théâtre vendus par année. Son obsession pour le fonctionnement des salles à plein régime, à longueur d'année, avec des spectacles populaires, a été assimilée à de la démagogie néolibérale.

Chacun de ces reproches a été soupesé et nuancé en retour par le critique critique. Mais, au bout du compte, la commotion n'a fait son effet qu'un court, très court temps. L'affaire Cloutier est finalement morte de sa petite mort, après avoir tiré un bon coup de semonce. Comme si le milieu théâtral, pourtant réellement aux prises avec de sérieux problèmes de surproduction et de sous-diffusion de ses spectacles, avait préféré le statu quo à la révolution par décret. Comme si la majorité des artistes sous-payés et des administrateurs épuisés de cet «art collectif» s'étaient dit, tiens, que soixante épuisantes créations annuelles valaient mieux que vingt succès tu-les-auras.

Au moins, Raymond Cloutier aura eu l'immense mérite de tenter d'engager la discussion en déclamant tout haut ce qu'une part du milieu répète tout bas, en aparté. Le «cirqueux» a fait son numéro. Un petit tour et puis s'en va... ●

dont *Le Bain des Raines* s'avère l'un des événements d'une année fertile pour ce qui est de l'écriture dramatique. La santé dont jouit la dramaturgie québécoise tranche avec les difficultés qu'éprouvent les metteurs en scène de chez nous quand vient le temps de se colleter au répertoire tant québécois qu'étranger. En effet, on peut compter sur les doigts d'une main les réussites des relectures de classique. Mentionnons quand même la mise en scène d'*Œdipe-Roi* de Wajdi Mouawad, bien reçue par la critique, ainsi que le *Don Quichotte* de Dominique Champagne, qui a fait le plein de public au Théâtre du Nouveau Monde.

L'« affaire » Cloutier

Ce phénomène est sans doute à mettre en parallèle avec le débat lancé par Raymond Cloutier dans les pages du *Devoir* relativement au fonctionnement de nos grandes compagnies théâtrales. Il s'offusque du fait que, lorsqu'une troupe tient un succès, elle n'est pas à même d'offrir des prolongations, puisque les productions s'enchaînent les unes après les autres. Et comme une reprise reportée exige de coûteux débours en promotion, le plus souvent un tel projet est abandonné. Est coupable pour le comédien le système actuel de subventions qui, à son avis, pousse les théâtres québécois à surproduire, sans pourtant s'assurer de la diffusion de leur travail. Résultat : une machine qui s'épuise à multiplier les productions alors que celles-ci ne sont jamais vues que par un nombre infime de spectateurs. Cloutier préconise plutôt une réduction de la production : moins de pièces mais jouées en alternance, sur une plus longue échéance, ce, qui permettrait, selon lui, à un public grandissant et moins élitiste de fréquenter les salles mais aussi aux comédiens de mieux vivre de leur métier.

Les amateurs de théâtre et les gens du milieu ont pris parti pour ou contre les propositions de Cloutier, certains y voyant une solution à des problèmes criants, d'autres dénonçant le simplisme d'une formule voulant régler un problème de demande par une réduction de l'offre.

Une chose est sûre, Cloutier a mis le doigt à sa façon sur une question à laquelle se bute le théâtre québécois depuis une décennie : celle de l'élargissement de son public, lequel passe, de l'avis de tous, par une meilleure diffusion des spectacles. Or, justement, on commence à peine à faire circuler le théâtre de création, là où nos créateurs parviennent le mieux à s'imposer. Et pourquoi en est-il ainsi, pourrait-on se demander ? Sans doute parce que la plupart d'entre eux ont dû faire leurs classes en travaillant avec des moyens limités. La conséquence en est qu'ils ont du mal à fonctionner par la suite au sein d'une institution théâtrale qui, souvent, n'a pas les moyens de ses ambitions. Qu'une grande maison comme le TNM n'ait jamais été financée à l'aune de la mission qui lui a implicitement été confiée en dit beaucoup à ce sujet. Pourtant, il n'y a pas de lumière au bout du tunnel puisqu'au rayon de la diffusion, le gouvernement a justement opté en priorité pour la diffusion des spectacles du TNM, histoire de lui injecter indirectement un peu d'argent.

Ici encore, on met la charrue devant les bœufs. Ce ne sont pas les meilleures productions qui vont tourner, mais la diffusion va servir de vache à lait à une maison qui n'aura rien de plus pour faire mieux ce qu'elle a d'abord à bien faire. Et le théâtre de création, le secteur le plus en santé de notre théâtre, restera confiné aux petites salles de Montréal et de Québec et devra patienter encore avant de trouver le public qu'il mérite. ○

Les arcanes
du moi

ROBERT SALETTI

Marqué par une accalmie sur les plans politique et polémique, le cru 1997-98 des essais québécois aura été celui de l'exploration : des autres et de soi, d'ailleurs et d'ici. Voyages et pèlerinages, migrations intérieures et métissages, métaféminisme et métafiction, tous les moyens sont bons pour aller au delà des apparences que la réalité nous impose.

Pour devenir une expérience à part entière, les lieux doivent être assimilés, digérés, pour transgresser la banalité, on doit les arracher à leur mort quotidienne. D'où l'art, forme privilégiée de la mémoire des lieux, conjonction esthétique de l'espace et du temps. *Venir en ce lieu* de Roland Bourneuf est un essai littéraire qui conjugue la réflexion sur l'espace et le récit de voyage, et qui tente de répondre à la question de savoir ce qui fait que certains paysages nous accueillent et nous absorbent, sont source de méditation et de révélation ou réveillent en nous des souvenirs enfouis. Bref, transfigurés par l'écriture et la mémoire, les lieux sont des moments de bonheur. Composé de vingt-quatre courts chapitres qui représentent autant de pérégrinations, de «stations», dans le chemin de vie d'un intellectuel (l'auteur est professeur et essayiste), *Venir en ce lieu* est une sorte de topographie spirituelle.

Aller en pèlerinage veut dire partir, rompre avec ses habitudes, aller vers un ailleurs nécessaire, une source lointaine, vers un avenir, vers d'autres lieux. À l'origine, le pèlerin était un voyageur, un étranger, celui qui n'avait plus de chez lui et qui en cherchait un. *Un pèlerin à vélo* de Louis Valcke est le journal de voyage détaillé d'un homme d'âge mûr, cultivé, croyant mais non crédule, qui traverse la Belgique, la France et l'Espagne, en route vers Saint-Jacques-de-Compostelle, moins dans le but de rendre gloire au Seigneur que de faire ressurgir tout un pan de l'histoire de la chrétienté et de l'art médiéval.

Rompre avec ses habitudes est aussi ce que fait l'intellectuel engagé qui décide en fin de parcours de jeter un regard rétrospectif sur sa vie, qui cède en quelque sorte à la tentation autobiographique.

La tentation autobiographique

Récit d'une émigration constitue l'autobiographie intellectuelle de Fernand Dumont. Écrits dans le dernier droit de sa vie, avec la conscience aiguë de l'inéluctable fin qui l'attendait, ses mémoires balisent un parcours fait de ruptures et d'exils de soi-même. C'est à travers les bibliothèques et les livres que le réputé sociologue se détache de la culture populaire qui fut celle de ses parents et de son milieu d'origine, qu'il ne reniera jamais, pour « émigrer » vers la culture savante. Tout compte fait, *Récit d'une émigration* contient très peu de révélations, mais c'est l'ouvrage d'un homme qui a beaucoup parlé, beaucoup écrit et beaucoup enseigné, et qui revient sur ses pérégrinations intellectuelles dans l'espoir non d'en faire un bilan au fond impossible, mais d'en montrer les ramifications intimes, les détachements personnels.

D'autres penseurs ont cédé à la tentation autobiographique au cours de la dernière année, quoique de moins criante façon. Dans *Situation de l'intellectuel critique*, Jacques Pelletier s'interroge, non sans nostalgie, sur l'expérience militante et cherche à redorer le blason de l'intellectuel en cette époque de désengagement ou, c'est selon, d'identité plurielle. Il est sans doute symptomatique que, dans la dernière section de son livre, le professeur de littérature de l'UQAM, qui fit partie de plusieurs groupes populaires, organismes étudiants et regroupements indépendantistes ou révolutionnaires au fil des ans, prenne carrément le virage autobiographique. Pourquoi, après Régis Debray et quelques autres (pas assez nombreux à son goût), ne pas raconter son expérience militante, se dit M. Pelletier ?

La fiction de vivre

Pour Régine Robin, l'écrivain est un démiurge : il crée ses personnages, invente sa langue, se crée lui-même dans l'acte d'écrire. De *Frankenstein* au *Horla*, en passant par *Docteur Jekyll et Mister Hyde*, sans parler de Gregor Samsa et de toutes les autres formes claires de clivage du sujet, la littérature, avant la psychanalyse, a ouvert la porte à ces étranges « visiteurs du moi » qui rôdent dans la nuit humaine. Doubles, fantômes et spectres ne sont que les déguisements imaginés par l'écrivain pour que sa vie ressemble à une fiction. Pour l'auteur du *Golem de l'écriture*, la littérature contemporaine joue son va-tout dans ce qu'elle appelle, après d'autres, l'autofiction. Entre Protée et prothèse – pour reprendre un jeu de mots de Serge Doubrovsky –, l'écrivain ne peut plus faire abstraction de la façon dont ce qu'il écrit construit sa vie. En même temps, et au même titre que la biographie, l'autobiographie au sens strict n'est plus possible. Nous sommes à l'ère du pluralisme, de l'identité-palimpseste, à la croisée du biographique et de la fiction. Il n'est donc pas question, comme chez Jacques Pelletier, de témoigner de ses expériences, mais d'ouvrir son moi à l'indécidable et à l'inachevé pour bien marquer que le sens est davantage affaire de détails inattendus, d'excès, de surprises qui mobilisent les affects que de grands cycles comme ceux qui rythment les récits de vie traditionnels.

Écrire, c'est fixer des limites à un gouffre par un récit, nous dit Suzanne Jacob dans *La Bulle d'encre*. Selon cette femme-orchestre de la littérature québécoise, il n'y a plus d'image de synthèse – bonne ou mauvaise –, mais le spectacle de ce vide nous est offert sans arrêt. Nous vivons dans un monde qui a déraciné tous les symboles pour les inclure dans des réseaux où ils circulent, déluges imperméables. L'omniprésent écran – de télé, d'ordinateur, de surveillance – est devenu la fiction dominante. Pendant ce temps, l'œuvre littéraire s'accroche à des bribes de réalité. Pour l'écrivain, le monde est un texte et l'œuvre relève d'un moi intime sans le révéler complètement. Ce n'est pas un hasard si l'essai de Suzanne Jacob s'élabore autant à partir de conversations de la vie quotidienne (ou de ce qui y ressemble), de faits divers de la vie privée (la visite d'un peintre ou d'un réparateur d'ordinateurs, l'histoire d'un enfant qui achève un chat blessé pour lui éviter de souffrir), que de réflexions plus sérieuses. Réalité et fiction sont les indissociables mamelles du moi.

La vie est une fiction, l'art est une façon de vivre. Ainsi pourrait-on résumer la philosophie d'Yves Robillard qui, dans *Vous êtes tous des créateurs,* dénonce la manière dont l'art a été conçu par les critiques et les historiens. Selon le professeur et animateur qui n'a pas oublié les utopies de sa jeunesse, le « pouvoir des fleurs » et Mai 68 – il fut responsable du collectif *Québec underground 1962-1972* et a pris part à maints types de contestation de l'art officiel depuis trente ans –, l'art est avant tout un concept institutionnel lié à la société industrielle et sans portée transhistorique. Or, dans une société façonnée par les nouvelles technologies, sa valeur ne peut plus être absolue. Chacun

doit définir son propre rapport à la matière artistique. Chacun doit devenir son propre créateur.

La tentation méta

Une autre stratégie pour prendre le contre-pied de la réalité pure et simple est de la dépasser. C'est le cas du métaféminisme tel que défini par Lori Saint-Martin dans *Contre-voix,* un essai inspiré des travaux pionniers de Suzanne Lamy. « Méta » pour « après » le féminisme, mais surtout parce que ce préfixe désigne « ce qui englobe », comme dans métalangage, et « ce qui transforme », comme dans métamorphose. La question de fond que pose ce nouveau féminisme – « amélioré » ? – n'est plus seulement : qu'est-ce qu'une femme ? qu'est-ce que l'identité féminine ? mais aussi bien : qu'est-ce qu'un homme ? qu'est-ce que l'identité masculine ? La sexuation de l'écriture devient dans ce métaféminisme une affaire moins militante, plus introspective, plus personnelle.

Peu importe la fenêtre sur le monde qu'elle propose, la littérature ne doit pas perdre de vue les moyens qu'elle utilise pour représenter ce monde, aussi riches et variés soient-ils, et qu'elle est une fenêtre, précisément. C'est pour cela que la prose contemporaine ne cesse de parler d'elle-même tout en parlant d'autre chose. C'est ce double mouvement alternatif mais le plus souvent simultané que Robert Dion explore dans *Le Moment critique de la fiction.* Tout texte littéraire, en son fondement, mêle le fond et la forme. La prose contemporaine le fait de manière plus explicite, presque outrageuse, c'est tout. Robert Dion a remarqué que beaucoup de romans québécois récents mettaient en scène des « interprètes ». C'est comme si le personnage-interprète (joué par des lecteurs, des professeurs, des traducteurs, des critiques, donc des intellectuels se penchant sur le sort du monde) avait remplacé le personnage-écrivain qui a été au centre de la représentation romanesque québécoise depuis la Révolution tranquille, comme l'a bien montré le défunt André Belleau dans

Le Romancier fictif. Pour Robert Dion, cette représentation d'un constant décalage entre la réalité et sa perception ainsi que la nécessité de l'interpréter sont signe que la littérature québécoise est arrivée à maturité.

Peut-être est-ce aussi le cas de l'essai si on en juge par le nombre considérable d'ouvrages fouillant les arcanes du moi pour y interroger le monde, et vice-versa. ○

Les best-sellers, juillet 1997 à mai 1998				
Genre	**Titre**	**Auteur**	**Éditeur**	***Indice**
Roman étranger	*Le Zubial*	Alexandre Jardin	Gallimard	8
	Renaissance	Danielle Steele	Presses de la Cité	3
	Rose Madder	Stephen King	Albin Michel	3
Roman québécois	*Un objet de beauté*	Michel Tremblay	(Leméac-Actes Sud)	4
	Le Petit Prince retrouvé	Jean-Pierre Davidts	Intouchables	4
	Chat sauvage	Jacques Poulin	Leméac-Actes Sud	3
Essais et documents	*Céline*	Georges-Hébert Germain	Libre Expression	3
	Céline Dion, une femme au destin exceptionnel	Jean Beaunoyer	Québec Amérique	3
	Des femmes d'honneur	Lise Payette	Libre Expression	2

* Selon le nombre de parutions sur la liste des best-sellers hebdomadaires de l'Association des libraires du Québec (ALQ).

Portrait de groupe éclaté

BLANDINE CAMPION

La saison littéraire 1997-1998, semblable en cela à celles de ces dernières années, est marquée par une production que l'on sait désormais abondante, explorant tant du point de vue thématique que du point de vue stylistique une gamme très étendue de voies/voix romanesques. De cette foison de textes, que retenir ? Notons d'emblée qu'on ne trouvera point ici de chef-d'œuvre. Et que s'il était possible de réunir à la fois les romanciers qui ont fait paraître leurs œuvres au cours de cette année et les personnages auxquels ils ont donné vie, on verrait alors se former un portrait de groupe éclaté, chatoyant, essentiellement marqué par la diversité et la profusion.

Posons d'abord que ressortent de la production annuelle des œuvres d'auteurs dont le talent n'est plus à prouver et qui ont offert au public des œuvres sinon impérissables, du moins particulièrement attendues, ajoutant ainsi une pierre supplémentaire à des carrières déjà solides. Plusieurs écrivains chevronnés ont en effet choisi de redonner voix à des êtres de papier que les lecteurs ont déjà eu l'occasion de fréquenter et d'apprécier dans leurs œuvres précédentes. C'est notamment le cas de Michel Tremblay qui, avec *Un objet de beauté* (Leméac/Actes Sud) ajoute cette année un volume à ses *Chroniques du Plateau Mont-Royal*. Paru huit ans après le cinquième tome intitulé *Le Premier quartier de la lune*, ce nouvel épisode de la désormais mythique saga familiale est centré sur le personnage de Marcel, à présent âgé de 23 ans, mais tout aussi difficilement en prise sur le réel. Un autre individu torturé, au moi instable, Sylvain Mercier, effectue lui aussi un retour dans *Le Maître rêveur* (XYZ Éditeur) d'André Brochu, roman qui fait suite à *La Vie aux trousses* (1993) et offre une seconde plongée dans l'existence de Sylvain Mercier, qui se découpe en strates temporelles et se joue sur un mode essentiellement introspectif. Enfin, Dany Laferrière propose dans *Le Charme des après-midi sans fin* (Lanctôt Éditeur) un nouveau regard sur les habitants de Petit-Goâve, qu'il avait déjà présentés dans *L'Odeur du café* paru en 1991.

ANNE HÉBERT : LE RETOUR DE LA GRANDE DAME

Blandine Campion

Anne Hébert, la grande dame des lettres québécoises, est de retour. Retour géographique tout d'abord, puisque, après avoir passé plus de trente ans sur le Vieux Continent, l'auteure a décidé de réintégrer ce sol où, sur la rive nord du Saint-Laurent, à Sainte-Catherine-de-Fossambault, elle a vu le jour le 1er août 1916, ce pays dont les images, la présence n'ont jamais cessé de nourrir ses œuvres en prose ou en vers.

Son premier séjour en France, Anne Hébert l'avait effectué en 1954 grâce à une bourse de la Société royale du Canada. À cette époque déjà, son talent de poète était largement reconnu suite à la parution des recueils *Songes en équilibre* (1942) et *Le Tombeau des rois* (1953). Dès 1961, alors que prix et distinctions se succèdent pour elle et qu'elle a publié un premier roman, *Les Chambres de bois,* en 1958, Anne Hébert partage sa vie entre Montréal et Paris, poursuivant une œuvre d'une rigoureuse exigence, donnant ainsi à lire à un public de plus en plus large dont l'admiration ne s'est jamais démentie des textes d'une qualité rare, tels que *Kamouraska* (1970), *Les Enfants du sabbat* (1975), *Les Fous de Bassan* (1982) ou bien *Le Premier jardin* (1988).

Depuis la parution par les éditions du Seuil de son recueil *Poèmes*, en 1960, Anne Hébert a largement contribué à donner en France une visibilité et une légitimité qui faisaient jusque-là défaut à la littérature québécoise. Son œuvre multiple, constituée de poèmes, de romans, de contes, de pièces de théâtre, traduite en de nombreuses langues, a amplement dépassé les frontières de ce pays que la distance géographique lui a permis de dépeindre, d'analyser, de révéler, avec une conscience lucide et un art sans cesse renouvelé.

Au cœur de cette œuvre se trouve l'exploration du drame humain dans toutes ses dimensions, au service de laquelle Anne Hébert a mis sa plume et sa voix. Le pouvoir de la parole,

Cohérence et changement de cap

Sans pour autant revenir sur des figures déjà explorées, d'autres auteurs reconnus poursuivent patiemment et inexorablement l'exploration d'un univers qui leur est propre et qui déploie ses sinuosités sur l'ensemble de leurs romans précédents. Ainsi, dans *Est-ce que je te dérange ?* (Seuil), Anne Hébert reprend, dans une langue toutefois plus familière que celle qu'on lui connaît habituellement, les thèmes qui lui sont

chers : l'enfance, la solitude, la mort et, bien entendu, la puissance de la parole. Cette enfance dont on a du mal à sortir, cette solitude inhérente à l'individu quelle que soit sa situation est aussi caractéristique de Jack, protagoniste du neuvième roman de Jacques Poulin, *Chat sauvage* (Leméac/ Actes sud). Les amateurs retrouveront dans ce texte, outre de nombreux échos des romans antérieurs, une de ces histoires (apparemment) simples dont Poulin a le secret, ainsi qu'un bel hommage à la ville de Québec. Placé sous le thème récurrent de ses poèmes comme de ses romans, est d'ailleurs une fois de plus au centre de sa fiction. Poète avant tout, c'est en effet encore une fois comme romancière qu'Anne Hébert revient cette année avec la publication de son septième roman : *Est-ce que je te dérange?* Si l'auteure a conféré à ce texte une tonalité plus familière que celle à laquelle elle avait habitué ses lecteurs, les amateurs reconnaîtront cependant les préoccupations chères à l'auteure dans l'histoire de Delphine, jeune fille égarée qui a quitté le Canada pour la France et a investi aussi bien l'espace que l'esprit d'Édouard Morel et de son ami Stéphane. Se mêlent donc dans ce roman les motifs de l'enfance difficile, de la solitude, de l'errance et de la mort.

Quant à l'écriture hébertienne, toujours aussi maîtrisée, elle allie dimension romanesque et dimension poétique pour rendre, avec son économie de moyens et sa finesse d'expression habituelle, tout son pouvoir au langage et permettre un dialogue vrai entre des êtres inaptes à vivre. On ajoutera que ce roman s'inscrit dans la droite lignée des précédents et ne dément pas les appréciations laudatives que son oeuvre a values à l'auteure, œuvre à propos de laquelle Albert Legrand écrivait avec beaucoup de justesse : «*De la solitude à la solidarité, de la nuit au jour, de la tentation du silence à la parole nombreuse, de la tentation de la mort à l'affirmation de la vie, de l'exil au royaume, tel nous apparaît le sens profond d'une œuvre enracinée dans le salut du vivant et l'honneur du poète.*»

Anne Hébert est sans conteste l'un des plus beaux fleurons de la littérature québécoise. Sa carrière sans faille est ponctuée par les nombreux hommages que lui a rendus l'institution littéraire d'ici et d'ailleurs et qu'elle a reçus avec sa discrétion et sa réserve coutumières. Ainsi, pour marquer son 80e anniversaire, a été organisé à Paris un colloque qui lui était entièrement consacré : « Anne Hébert, Parcours d'une œuvre ». Un parcours qui, aujourd'hui, revient à ses origines, ce dont on ne peut que se féliciter. ●

signe du hasard, du désir et du destin, le dernier roman en date de Madeleine Ouellette-Michalska, intitulé *La Passagère* (Québec Amérique), prolonge la réflexion de l'auteure sur ces existences où se croisent la grande et la petite histoire, le passé et le présent, l'ici et l'ailleurs, dans une grande lucidité et une conscience aiguë de notre condition moderne.

Si certains auteurs explorent inlassablement le même univers intime, dans une grande cohérence à la fois thématique et stylistique, d'autres préfèrent opérer un changement de cap par rapport à leur œuvre antérieure. C'est le cas d'Arlette Cousture, célèbre auteure des sagas *Les Filles de Caleb* et *Ces enfants d'ailleurs*, qui a décidé pour son nouveau roman de délaisser le genre historique pour aborder un style plus personnel. *J'aurais voulu vous dire William* (Libre Expression) a donc surpris à la fois le public et la critique en présentant une histoire de mal-aimés inscrite dans une narration à trois niveaux qui n'a plus rien de commun avec ce que les lecteurs avaient l'habitude de lire sous la plume de l'auteure.

La moisson romanesque de la saison 1997-1998 recèle d'autre part quelques belles surprises venues du côté des premiers romans, qui laissent entendre que la relève est non seulement assurée mais aussi qu'elle est gage de qualité. Sans parler de changement de cap, Abla Fahroud et Jean Charlebois ont toutefois délaissé temporairement leur genre de prédilection respectif, le théâtre pour la première et la poésie pour le second, afin de se lancer dans l'écriture romanesque. *Le bonheur a la queue glissante* et *L'Oiselière* constituent deux des grands plaisirs de lecture de cette saison. Mais la palme du premier roman va sans doute à Martine Desjardins dont le roman *Le Cercle de Clara* (Leméac) a été unanimement applaudi.

Contes de la folie ordinaire

Entre ces « anciens » et ces « modernes » que sont les auteurs chevronnés et les auteurs de premiers romans, et c'est sans doute là l'un des points forts de cette saison, on rencontre des romanciers qui poursuivent, par un deuxième ou un troisième ouvrage, des œuvres d'une grande exigence, alliant la force du ton à la densité du propos. Mal-aimés, torturés, obsédés, Louis Bapaume, Gatienne, Hélène, Manuel Almeida et Pierre Ovide le sont sans aucun doute. Mais ce que ces personnages partagent avant tout, c'est d'être inscrits dans des romans qui tous peuvent être caractérisés à la fois par une écriture très maîtrisée et par la mise en place d'une grande tension dramatique. *L'Acquittement* (Boréal) de Gaétan Soucy donne ainsi force et poids à l'obsession qui hante Louis

Bapaume, dans une atmosphère où règnent l'étrange et le mystère. Lise Demers, de son côté, dessine au fil des pages de *Doubles vies* (Lanctôt Éditeur) le profil complexe d'une Gatienne prisonnière de son passé et de son silence. La petite Hélène de 15 ans mise en scène dans *L'Île de la merci* (Leméac) d'Élise Turcotte, quant à elle, obsédée par la mort, tente de trouver sa voie dans un univers de violence et de mensonge. De même, la mort rôde dans le Brésil de passion et de déchirement que décrit Pierre Samson dans *Un garçon de compagnie* (Les Herbes rouges), et son protagoniste, Manuel Almeida, deviendra le jouet de la folie d'autrui. Enfin, la *Légende dorée* (L'instant même) de Pierre Ouellette, constitue le livre de Job du pauvre Pierre Ovide, jeté en prison dans une banlieue de Montréal pour cause d'« indésirabilité » et qui crie sa colère vers le ciel.

Pour terminer, il faut mentionner quelques titres qui sont parvenus à se concilier les faveurs à la fois du public et de l'institution littéraire. Est-ce parce qu'un vent de fantaisie, d'humour et d'insolite souffle dans leurs pages? *Pourri comme la gloire* de Jacques Desfossés (premier prix Pierre Tisseyre), *Cristoforo. Récits insolites d'un singulier voyageur* (XYZ Éditeur) de Willie Thomas (Grand Prix du livre de la Ville de Montréal) et *C'est pas moi, je le jure* de Bruno Hébert (prix des libraires) apportent en tout cas la preuve que la veine de l'humour est de plus en plus prisée par des auteurs de talent qui lui confèrent une légitimité qui a tardé à venir. Une raison de plus pour placer l'année 1997-1998 sous le signe de la consolidation. ⭘

Enfin, le changement de la garde

SYLVAIN CORMIER

L'année écoulée aura vu émerger un certain nombre d'artistes qui, jusque-là, se situaient encore dans la marge du show-business. Ils ne règnent pas encore comme les Lemay, Dion et cie, mais ils reçoivent enfin une attention méritée.

Allons-y pour la salve de clichés. Il aura soufflé en 1998 un vent de fraîcheur sur les eaux stagnantes de la chanson d'ici, tombé une pluie neuve et nourrissante sur la terre asséchée des variétés québécoises. Bref, ça bouge enfin au pays des inamovibles, gracieuseté des Dubmatique, Lhasa de Sela et Bran Van 3000, hérauts nouveaux et locaux des genres les plus déterminants de la planète musique. Un salutaire bond en avant des artistes de la marge vers le centre, c'est-à-dire vers un grand public moyennement réceptif à ce changement de la garde, encore et toujours conforté par les radios rassurantes et ses reines de plus en plus régnantes : Lynda Lemay, Luce Dufault, Lara Fabian (triomphatrice en France) et surtout Céline Dion, célébrée jusqu'à la remise des oscars d'Hollywood par sa titanesque chanson-thème du *Titanic* (et trois biographies quasi simultanées).

Le trio Dubmatique, défricheur du rap/hip hop francophone d'ici, a connu un succès tel à l'automne avec son album bien nommé *La Force de comprendre* (120 000 exemplaires au Québec seulement) qu'il a suscité un tas de nouvelles pousses, pour ne pas dire *posses* (les tribus de rappeurs), le printemps venu. Tenants d'un rap doux ou dur, les Nouveaux Prophètes, LMDS (Les Messagers du son), La Gamic, Apogée, La Réplik et autres Rainmen ont tous tenté (et souvent réussi) des percées. Quelque peu tardive, la lame de fond rap n'aura été que plus irrépressible : la programmation des FrancoFolies 1998 incluait une pleine série consacrée aux enfants turbulents de MC Solaar, grand initiateur hexagonal du genre. Les radios, d'abord réfractaires, ont timidement suivi le mouvement.

Pareil émoi dans l'industrie et les médias pour Bran Van 3000, bande à géométrie variable du disc-jockey James Di Salvio. Brillant fourre-tout, la musique de BV3, qui malaxe rock, soul, funk, pop, rap, techno et même country, semble promise au plus bel avenir depuis la signature en licence chez Capitol, géant américain chapeauté par la toute-puissante multinationale EMI. L'année BV3 a ainsi déboulé d'échos positifs en échos positifs, de critiques dithyrambiques dans la presse alternative américaine et française aux showcases prometteurs à Los Angeles et Washington, couronnée par l'inclusion de la chanson *Drinking In L.A.* dans la prestigieuse compilation alternative du *CMJ* (*College Music Journal*). Malgré les très honorables 50 000 disques disséminés à travers le Canada, les radios font encore la sourde oreille à ce collectif inclassable.

Pareillement, le succès remarquable d'une Lhasa de Sela, chanteuse de complaintes mexicaines sortie du Plateau Mont-Royal, aura moins signalé l'ouverture du public aux musiques du monde que confirmé une exception à chérir. Encouragée presque exclusivement par la radio d'État et les stations communautaires, la jeune protégée d'Audiogram a surtout été un cas de bouche à oreille. Le bel accueil fait à son album *La Lhorona* en France (plus de 14 semaines au palmarès de la FNAC au moment d'écrire ces lignes) pourrait bien la consacrer hors Québec avant que le grand public l'embrasse chez nous.

Même en chanson française de registre plus traditionnel, de belles têtes auront émergé cette année, pendant que les Zachary Richard et Daniel Bélanger continuaient d'écouler sans discontinuer leurs disques de l'an dernier (voire de l'année d'avant pour Zachary), et que les vedettes établies Michel Rivard, France D'Amour, Isabelle Boulay et Kevin Parent proposaient de nouveaux et probants opus. Du nombre, mentionnons au moins trois groupes champignons : Basta, Lili Fatale (Prix Félix-

Leclerc aux FrancoFolies) et Ann Victor (vainqueur à L'Empire des futures stars). Ainsi qu'une belle paire d'écorchés vifs révélés par de premiers albums émouvants : le *Téminscaming'* du tout jeune Mario Peluso et l'éponyme du prof rimouskois Jean Rabouin, valeureux quincagénaire dans la foulée d'un Richard Desjardins.

Seule la musique techno et ses variantes drum'n'bass et jungle, souveraines en Europe, n'ont pas encore atteint nos rives, malgré quelques timides essais par les disc-jockeys montréalais. Il faut dire que le rock plus ou moins pesant tient ici encore le haut du pavé, mené en 1998 à Montréal par les groupes de moins en moins underground Grim Skunk et Groovy Ardvaark, et en province par les populaires Noir Silence, Frères à ch'val, Okoumé, Kermess et autres Henri Band. Le succès de la tournée alternative Polliwog, en août 1997, en témoignait haut et fort.

Les spectacles : encore la prudence

Si Diane Dufresne s'est une fois de plus réinventée, proposant fin août 1997 au MAC un événement multimédia à la fois intime et audacieux, les premières notables auront été à nouveau éparses (Judi Richards, Louise Forestier, Lynda Lemay, Noir Silence, Térez Montcalm, Francine Raymond, Jeff Smallwood, Isabelle Boulay, Grim Skunk), la frilosité des dernières années ne fondant que petit à petit. Les salles se remplirent néanmoins, par tous les moyens : programmations anniversaires des 15 ans du Spectrum et des Foufounes électriques, FrancoFolies, divers concours (Granby, Francouvertes, Ma Première Place des Arts, Cégeps Rock, L'Empire...) et, carte maîtresse, les longs séjours des innombrables humoristes (Lise Dion, notamment).

Trois comédies musicales auront fait patienter les masses en attendant le *Notre-Dame-de-Paris* de Luc Plamondon et Richard Cocciante, lancé à Paris dès l'automne 1998 mais pas prévu au Québec avant 1999. Il y eut d'abord i, signée Marc Drouin-François Dompierre, qui ne tint pas l'affiche longtemps, exécutée en toute justice par la critique; puis *Raconte-moi*

Gelsomina, l'adaptation de *La Strada* de Fellini par le trio infernal Claude Dubois-Louise Marleau-Robert Charlebois, qui vécut mieux, quoique sans plébiscite; et enfin la version locale de l'américain *Grease*, divertissement simplet mais très couru. Un bien maigre palmarès, qui aura dénoncé une fois de plus l'indigence du genre au Québec. De sorte que la même sempiternelle question se pose à la fin de 1998 : n'y a-t-il que Plamondon pour rallier critique et public? ○

Rétrospective 1997
Top 40 des ventes francophones

1.	Pigeon d'argile	Kevin Parent	Tacca/Sélect
2.	Luce Dufault	Luce Dufault	Arpège Musique / Musicor / GAM
3.	Cap enragé	Zachary Richard	Audiogram / Sélect
4.	Le Dôme	Jean Leloup	Audiogram / Sélect
5.	Blanc	Sylvain Cossette	Victoire / Sélect
6.	Live à Paris	Céline Dion	Columbia / Sony Musique
7.	Invitez les vautours	Éric Lapointe	Star / Sélect
8.	Pure	Lara Fabian	Arpège Musique / Musicor / GAM
9.	Miserere	Bruno Pelletier	Artiste / Musicor / GAM
10.	Quatre saisons dans le désordre	Daniel Bélanger	Audiogram / Sélect
11.	La Force de comprendre	Dubmatique	Disques Tox / Sélect
12.	Les Grands Succès	La Compagnie Créole	PGC Musique / Sélect
13.	L'Heure J.M.P, Volume 2	Mercedes Band	PGC Musique / Select
14.	L'École du micro d'argent	IAM	Virgin / EMI Musique
15.	Paix, amour et foin	Les Frères à ch'val	Music Bizz / BMG
16.	Tous unis contre le sida/L'album	Artistes variés	Fresq/ Musicor / GAM
17.	Un monde merveilleux	Élizabeth Blouin-Brathwaite	PGC Musique / Sélect
18.	Guitare	Patrick Norman	Star/Sélect
19.	20 ans déjà	Alain Morisod & Sweet People	PGC Musique / Sélect
20.	L'Album du peuple Tome 5	François Pérusse	Zéro Musique / Universal Music
21.	L'Album du peuple Volume 1	François Pérusse	Zéro Musique / Universal Music
22.	Schtroumpfs Party 2	Les Schtroumpfs	PGC Musique / Sélect
23.	Versions Reno	Ginette Reno	Melon-Miel / Sélect
24.	Piège	Noir Silence	Disques M.P.V./ Musicor / GAM
25.	Les Grandes Chansons	Charles Dumont	PGC Musique / Sélect
26.	Les Grandes Chansons & le sentier...	Alain Morisod & Sweet People	PGC Musique / Sélect

▶

27.	Les Grands Succès	Patrick Norman	Star / Sélect
28.	Pour le plaisir Volume 2	Richard Abel	Prod. Abelin / Musicor / GAM
29.	Dans ma chair	Patricia Kaas	Sony Musique / Sony Musique
30.	Mélodies pour toujours	Alain Morisod	PGC Musique / Sélect
31.	Murmures d'histoires	Claire Pelletier	Musi-Art/ Musicor / GAM
32.	40 chansons d'or	Charles Aznavour	EMI / EMI Musique
33.	Les Grands Moments	Michel Sardou	PGC Musique/ Sélect
34.	Huit	Gaston Mandeville	Passeport / Sélect
35.	L'Un et l'autre	Paul Piché	Audiogram / Sélect
36.	Gelsomina: signé Dubois	Claude Dubois	Pingouin / Sélect
37.	Nuits d'amour	Pierre Dumont	Coeur de lion/ Musicor / GAM
38.	Okoumé	Okoumé	Musi-Art/ Musicor / GAM
39.	Les Grandes Chansons d'amour	Artistes variés	PGC Musique / Sélect
40.	Parle pas si fort	Térez Montcalm	Universal Records / Universal Music

Source: Le Palmarès, Montréal.

$$\boxed{\textbf{LA DANSE}}$$

Entre création
et diffusion

ANDRÉE MARTIN

Tout n'est pas rose dans le monde de la danse. D'un côté, les chorégraphes, jeunes et chevronnés, créent des œuvres qui n'ont rien à envier aux artistes européens ou même américains. De l'autre, par contre, les compagnies et les diffuseurs soutenant ces mêmes chorégraphes doivent redoubler d'efforts pour faire reconnaître la valeur de ce travail en marge des marchés commerciaux des arts de la scène. L'année en aura donc été une de succès et d'échecs mélangés ; la danse, si sublime et troublante soit-elle, demeure encore aujourd'hui un art souvent impopulaire.

Malgré une fragilité historique, le milieu de la danse québécoise fait montre d'une vitalité sans précédent dans sa volonté de s'organiser et de faire valoir cet art du corps en mouvement. Avec des stratégies de plus en plus élaborées, comme la mise sur pied d'un réseau de diffusion à travers le Québec appelé *La danse sur les routes du Québec* – un projet sur trois ans parrainé par le ministère de la Culture et des Communications du Québec, dont on pourra voir les résultats véritables d'ici la fin de l'an prochain –, mais aussi des activités de sensibilisation s'adressant aux enfants et aux adolescents, des tentatives de rapprochement avec d'autres formes d'art, comme la participation de l'Agora de la danse au Festival de la littérature, par exemple, cette année les producteurs et leurs acolytes créateurs et diffuseurs ont mis beaucoup d'énergie à mieux faire connaître la diversité et la richesse de la danse à Montréal comme à la grandeur de la province. À ces efforts pour sortir la danse du cercle des aficionados et de l'enclave montréalaise dont elle semble prisonnière depuis plusieurs années, il faut ajouter l'arrivée officielle de la salle Pierre-Mercure parmi les diffuseurs de la danse avec, pour la première fois de sa courte histoire, six programmes différents consacrés à la chorégraphie classique et contemporaine, dont la venue des Ballets classiques de Moscou, le 7 mai 1998.

Même si Montréal n'a pas été le théâtre de grandes premières cette année, quelques compagnies reconnues ont tout de même confirmé leur statut de chef de file avec des

MARIE CHOUINARD :
DES GESTES AU-DELÀ
DU TEMPS

Andrée Martin

Marie Chouinard est à l'art chorégra-phique ce que Réjean Ducharme est à la littérature et Ingmar Bergman au cinéma ; étrange, totale, insondable. Née à Québec en 1955, il faudra attendre 16 ans avant de voir l'artiste arpenter les studios de danse à Montréal. Rêvant d'être comédienne mais se voyant refuser l'entrée à l'École nationale de théâtre et au Conservatoire d'art dramatique, Marie Chouinard se tourne spontanément vers la danse, sans penser y faire véritablement carrière. C'est suite à la création de son tout premier solo *Cristallisation*, en 1978, une commande du festival montréalais Qui Danse, que la chorégraphe et interprète se découvre un goût véritable pour cet art unique du corps.

De cette expérience de création suivront plusieurs performances, mais surtout une première série de 23 solos, des œuvres imprévisibles et audacieuses, toutes indirectement inspirées des nombreux séjours de l'artiste à l'étranger ; de New York à Berlin, de Bali au Népal. À travers ce corpus chorégraphique, Marie Chouinard se révèle avec force et dignité comme l'une des figures les plus singulières, voire à certains moments les plus provocantes du paysage chorégraphique québécois. *Marie Chien noir* (1982), *STAB* (Space, Time and Beyond, 1986), où la danseuse dénudée, le corps peint en rouge et muni d'un système d'amplification sonore, livre une performance primitive et futuriste, tout comme *L'Après-midi d'un faune* (1987), une œuvre particulièrement explicite sur la sexualité masculine, demeurent les moments forts, inoubliables, de cette période de création ; des moments uniques, où l'authen-ticité, l'intégrité et la curiosité de la chorégraphe feront d'elle un être et une artiste à part, intrigante, audacieuse et admirée.

Avec un univers poétique où la danse s'installe comme un art sacré, un art célé-brant l'être humain et la vie dans ce qu'elle a de plus sauvage, de plus profond et de plus organique, Marie Chouinard met en scène un mélange de danse pure et de jouissance corporelle. Pour l'artiste, créer une chorégraphie signifie aussi inventer un monde, le modeler dans ses moindres détails, le rendre réel. Dans cet univers qu'elle

productions valant assurément le détour. C'est surtout et étrangement à l'occasion du Festival Danse Canada, qui se déroulait du 5 au 13 juin 1998 à Ottawa, que se sont révélées les créations les plus intéressantes de la saison québécoise. O Vertigo y présenta avec succès *En dedans*, peut-être la plus

belle œuvre jamais chorégraphiée par Ginette Laurin, tandis que José Navas remporta avec une certaine candeur l'assentiment général avec *One Night Only 3/3*, un trio troublant sur le travestissement et l'éro-tisme. Du côté de la relève, les signes de vitalité demeurent significatifs. S'installant fait naître à chacune de ses créations, le corps demeure un objet véritable de communion, tout comme un outil de dévoilement social, sexuel, extatique même. À travers cette manière d'aborder l'être dansant et le corps, la chorégraphe glisse naturellement du travail de soliste à un travail de compagnie. L'année 1991 verra naître la première œuvre de groupe de celle que plusieurs appellent avec respect la prêtresse de la danse contemporaine. *Les Trous du ciel*, titre énigmatique pour une pièce belle comme les interminables nuits du Grand Nord, dévoile avec gravité et humour les us et coutumes d'une tribu de nulle part, peuplée d'êtres sonores, aussi près de l'humain que de l'animal. Une chorégraphie libre et singulière, à l'image des habitants de ce vaste pays qui s'étend sans fin au-delà du 60e parallèle.

Malgré le succès significatif de cette création pour sept danseurs, c'est *Le Sacre du printemps*, créé deux ans plus tard, qui installe définitivement Marie Chouinard parmi les grands de la danse contemporaine québécoise. En visitant l'une des œuvres musicales les plus célèbres de tout le répertoire du vingtième siècle, la chorégraphe au regard perçant est consacrée à l'unanimité par le public et la critique du monde entier ; de la Belgique à l'Italie, de Taïwan – où le spectacle sera présenté avec orchestre – à Israël. Dans cette pièce, la vie y est plus que présente et la danse, d'un souffle d'une rare puissance, envoûte et déroute le spectateur quelque peu médusé. Ici, pour la première fois de toute sa carrière, l'artiste nous met en face de la virtuosité débordante du corps, vertige d'un flot incessant de mouvements viscéraux où la colonne vertébrale devient le pilier visible et palpable de la vie humaine.

L'Amande et le Diamant (1996), troisième et dernière création en date de la chorégraphe, se fait plus complexe, et parfois plus secrète, mais consacre avec la même force le pouvoir sensuel, voire sexuel, du corps en mouvement. En célébrant l'érotisme dans toute sa poésie et sa sensualité, l'artiste réaffirme son goût pour un art de l'intime et du désir, tel qu'elle l'avait clairement démontré dans son *Après-midi d'un faune*. Conjuguant ainsi passé et présent, Marie Chouinard se tourne aujourd'hui vers l'avenir, laissant derrière elle une trace indélébile dans le domaine des arts de la scène, par sa manière personnelle et insolite de présenter l'intelligence infinie du corps humain. ●

lentement dans le panorama de la danse actuelle, Estelle Clareton et sa pièce *Présage de pluie*, Maryse Poulin avec *Le Bal secret* et Dominique Porte avec *Sept gouttes et des poussières* ont surpris le public de l'Espace Tangente avec des œuvres inventives, uniques et rigoureuses.

De Marie Chouinard à Jean-Pierre Perreault

L'un des événements les plus audacieux jamais vus dans l'histoire de la danse au Québec est sans nul doute la présentation par la compagnie Marie Chouinard, du 27 janvier au 21 février 1998 à la salle Pierre-

Mercure, de l'intégrale des œuvres de groupe de la chorégraphe. Pour la première fois, une artiste osait l'impossible en décidant de mettre sur scène pour une période de quatre semaines, et en alternance, les trois grandes créations de son répertoire, *Les Trous du ciel* (1991), *Le Sacre du printemps* (1993) et *L'Amande et le Diamant* (1996). Si la compagnie escomptait une plus grande fréquentation de la salle – 7500 spectateurs au total, soit un taux de fréquentation de seulement 63 % –, elle ne compte cependant plus le nombre de répercussions, directes et indirectes, de cette présentation sans précédent. En plus de voir presque doubler par le Conseil des arts du Canada le montant de son aide au fonctionnement – passant par là de 95 000 $ à 170 000 $ –, le quotidien français *Libération* consacrait à la chorégraphe une pleine page dans son édition du 21 février. Un fait plutôt rare pour une artiste québécoise.

De son côté, fière récipiendaire du Grand Prix 1997 du Conseil des arts de la Communauté urbaine de Montréal (CACUM), la compagnie des Grands Ballets canadiens (GBC) célébrait cette année ses quarante ans d'existence avec entres autres la création de séries thématiques – menant à une augmentation significative de 53 % des abonnements annuels –, la présentation de la nouvelle création de Ginette Laurin, *Le Funambule*, et un programme hommage aux Ballets russes de Diaghilev.

Ailleurs, avec un budget amputé de 30 %, le Festival international de nouvelle danse (FIND) a eu du mal à maintenir le cap. En proposant une programmation nettement moins prestigieuse que dans les années antérieures, avec l'Espagne et le Portugal comme pays à l'honneur et un grand nombre de reprises d'œuvres montréalaises, le FIND a eu quelques difficultés à convaincre le public de la valeur de cette édition.

En Écosse

La Fondation Jean-Pierre Perreault a été parmi les compagnies les plus présentes dans le paysage chorégraphique québécois cette année. Avec « Les Éphémères », en automne 1997, réunissant des dizaines d'interprètes pour trois cycles de création et de spectacle, une série de cinq représentations pour les jeunes de niveau secondaire dans le cadre des matinées scolaires organisées par l'Agora de la danse en novembre 1997, et la reprise, en avril 98, des *Années de pèlerinage* à l'Espace Go, une œuvre délicate et intense sur le couple, jamais le public d'ici n'aura eu autant l'occasion de se familiariser avec l'univers sombre et urbain du chorégraphe.

Si le dernier passage de la Fondation à l'Espace Go ressemble beaucoup à un échec – les neuf représentations au programme n'ont attiré en tout que 753 spectateurs –, l'hommage rendu à Jean-Pierre Perreault lors du Festival New Moves de Glasgow, en Écosse, en février 1998, a obtenu une attention soutenue de la part du public. La présence du chorégraphe, à travers la présentation de la pièce *Les Années de pèlerinage* et d'une exposition rétrospective des dessins et peintures de l'artiste, constituait l'événement majeur de ce festival en y attirant 4352 spectateurs et visiteurs. ○

Une terre
encore fertile

LOUISE LEDUC

Un petit pas en avant, deux petits pas en arrière. En musique classique, dans les grandes institutions, l'année 1997-1998 aura été celle de la stagnation et des valses-hésitations. Las de cette parenthèse, les plus ambitieux commencent à aller voir ailleurs.

En juin, les musiciens de l'Orchestre symphonique de Montréal sonnaient publiquement l'alarme. À défaut de salaires concurrentiels, l'exode des musiciens vers des orchestres étrangers, déjà entrepris, allait s'accentuer. Plus qu'une simple stratégie syndicale pour accélérer des négociations piétinantes en vue d'une nouvelle convention collective, cette rare sortie publique des musiciens de l'OSM trahissait une inquiétude et un malaise certains.

De fait, depuis trois ou quatre ans, l'OSM a perdu une quinzaine de musiciens aux mains d'orchestres américains. Quoique le déplorant, la direction n'est pas en mesure de retenir ses troupes par de mirobolants salaires : le déficit de la dernière saison dépasse encore le million et la nouvelle fondation destinée à sortir l'institution du gouffre démarre lentement. Le salaire de Charles Dutoit n'est certes pas étranger à ces déficits chroniques, mais il

correspond à ceux de chefs d'orchestres comparables. D'ailleurs, comment évaluer son talent et son réseau de contacts, si précieux à l'OSM ? Sans lui, comment cette institution aurait-elle pu à l'automne 1997 faire venir la pianiste Martha Argerich et la mezzo-soprano Cecilia Bartoli ? Le bras droit de Charles Dutoit depuis trois ans, le chef d'orchestre Jacques Lacombe, l'a bien compris : dans le jet-set orchestral, il faut du talent, mais surtout un nom et une aura. Et *exit* Lacombe, depuis l'automne 1998 au pupitre de la Philharmonie de Lorraine, dans la ville de Metz.

Crise existentielle
et chaise musicale

Pendant ce temps, crise existentielle à l'Orchestre métropolitain, désormais orphelin de son mécène. Bien sûr, les goûts musicaux très arrêtés de Pierre Péladeau ont longtemps enserré l'OM dans un carcan très... Beethoven. Tout de même, du vivant du « patron », l'OM gardait bien son cap. Pierre Péladeau disparu, il s'en est en effet fallu de peu – quelques voix supplémentaires au conseil d'administration – pour que l'orchestre prenne le virage populaire et ne troque Mozart et Mahler pour des musiques de films et autres airs populaires. Quant à l'Orchestre symphonique de Québec, difficile de juger de la saison 1997-1998. Au total, pas moins de sept chefs d'orchestre ont défilé au pupitre, histoire d'évaluer chacun des candidats aspirant au poste de maestro.

Bien loin de tous ces tracas et remous, l'Opéra de Montréal continue de remplir sereinement ses salles en jouant d'extrême prudence. Qu'on en juge par les titres offerts au cours de la dernière saison : *Faust*, *Madama Butterfly*, *Le Nozze di Figaro*, *Il Trovatore*, *Manon Lescaut* et *La Cenerentola*, ainsi que *La Voix humaine*, présenté, dans ce dernier cas, à la Cinquième salle de la Place des Arts. En l'absence d'une réelle vision scénographique, le genre n'a pas été renouvelé et c'est bien là le moindre souci de l'Opéra de Montréal, conscient qu'une bonne partie de son public ne demande encore qu'à entendre pour une première fois les grands classiques.

L'industrie du disque et l'édition

La fragilité et la saturation du marché du disque classique mondial ont été durement ressentis au Québec. Pendant qu'Atma doit enregistrer des disques comme *Les oiseaux chantent Noël* et qu'Analekta parvient difficilement à rester à flot, les musiciens québécois les plus prolifiques prennent de plus en plus part à ce qu'il est

convenu d'appeler la ruée vers l'Est. De partout au monde, les musiciens accourent vers Prague, Saint-Pétersbourg ou Budapest où, pour une croûte de pain, les orchestres vous enregistrent à la queue leu leu un disque beau, bon, pas cher. De la soprano colorature Natalie Choquette au prolifique compositeur de musique de films Milan Kymlicka – un Yougoslave pourtant bien établi au Québec depuis 30 ans – en passant par le compositeur Philippe Leduc, tous ont emprunté la même route logique, celle de la rentabilité.

À ce jeu, l'OSM est doublement perdant : non seulement rate-t-il des contrats d'enregistrement, mais il subit en plus le ressac de la fragilisation d'étiquettes bien établies. Depuis 17 ans, l'OSM détenait en effet un contrat d'exclusivité avec la prestigieuse étiquette anglaise Decca. Devant l'émiettement du marché, noyé des mêmes symphonies enregistrées encore et encore et vendues pour moins de 6 $, Decca a dû faire un sérieux ménage et se spécialiser désormais dans l'art lyrique. Et tant pis pour l'OSM...

Aucune institution n'échappe aux restrictions budgétaires, pas même le prestigieux réseau des conservatoires de musique, mis sur pied en 1942 par Wilfrid Pelletier. En 1997-1998, jamais ce réseau ne sera-t-il passé plus près de disparaître.

Dans un premier temps, la ministre de la Culture et des Communications, Louise Beaudoin, a tenté d'imposer des frais de scolarité à tous les étudiants de conservatoires, des niveaux préparatoires à universitaires. La remise en question du principe fondateur des conservatoires, sa gratuité, souleva une levée de boucliers, puis une volte-face de la ministre. Doré-navant, convenait-elle, seuls les étudiants les plus avancés devraient délier les cordons de leurs bourses. Ce n'était là que la pointe de l'iceberg, l'intention ultime étant la fusion complète des conservatoires de Montréal et de Québec à des facultés universitaires et ce, dès la rentrée automnale 1998. Il n'en fallut pas davantage pour semer la panique chez les étudiants et chez les professeurs, sauvés in extremis, cette fois... par la réalité. De la théorie ministérielle à la pratique, il y eut un pas : jamais les locaux ne seraient prêts à temps. Nouvelle volte-face au cabinet de la ministre de la Culture et des Communications. Simple partie remise ? À suivre...

L'espoir, tout de même...

Sombre tableau que ce survol de l'année musicale au Québec ? Si l'argent manque, l'essentiel demeure : une relève de qualité, avec à sa tête les prometteurs Karina Gauvin, soprano, et Yannick Nézet-Séguin, un chef de chœur à l'assaut des ligues majeures. Les Violons du Roy de Bernard Labadie, de leur côté, ne triomphent plus qu'à Québec ; ils ont été littéralement portés en triomphe au prestigieux festival Mostly Mozart de New York en août 1997.

Bon an, mal an, Montréal assiste aussi à au moins une création d'opéra, sur des circuits parallèles. L'année 1997 n'aura pas fait exception, grâce à Chants libres et *Yo soy la desintegración*, imaginé et chanté par la soprano Pauline Vaillancourt. Plus que le résultat, il faut surtout souligner ici l'audace et l'ambition.

Toujours du côté de la création, sou-lignons aussi un lieu de plus en plus réputé en la matière, le Théâtre La Chapelle, à Montréal. Des festivals entiers de musique électroacoustique et de musiques impro-visées s'y déroulent et attirent un public grandissant d'habitués. Le Conseil québé-cois de la musique, lui, a plus que jamais su rallier ses troupes par la présentation d'un premier gala destiné à honorer les plus méritants, comme le fait l'ADISQ ou le Conseil québécois du théâtre. De même, la mise en ondes prochaine par Jean-Pierre Coallier d'une nouvelle station radio consa-crée à la musique classique a aussi insufflé un certain dynamisme à un milieu encore frileux à toute commercialisation.

Contre vents et marées, entre les con-traintes budgétaires et le coût du risque, le Québec demeure donc une terre musicale-ment fertile. Alimentée par des artistes locaux talentueux et par le passage des grands musiciens de réputation internationale, que ce soit à l'OSM, au Club musical de Québec ou au Festival international de Lanaudière, on y cultive encore patiem-ment l'éclosion de nouveaux talents. En attendant plus. ○

Un grand élan de vitalité

BERNARD LAMARCHE

Tout n'est pas rose dans le monde québécois de l'art contemporain. Les sources de financement se tarissent. Le marché des ventes reçoit de timides appuis. La sempiternelle rengaine de la « crise » de l'art contemporain a refait surface, dans une version cependant moins agressive que celle qui a rugi en France, confondue avec celle plus réelle du financement de l'art. Néanmoins, oubliez l'image de milieu moribond que l'on se figure dans les officines. L'art contemporain au Québec a réellement connu dans les douze derniers mois un élan de vitalité. Si l'on tient compte de la démultiplication des projets de qualité, cela augure un avenir vigoureux.

Après l'événement *Panique au Faubourg*, organisé à l'été 1997 par la galerie Quartier Éphémère, visant à revitaliser la zone largement désaffectée du faubourg des Récollets à Montréal, la galerie Optica poursuivait à l'automne l'effort d'inscrire l'art dans la sphère sociale avec l'exposition *Sur l'expérience de la ville*. L'événement signalait du coup les vingt-cinq années d'existence du centre d'artiste, ce qui en fait le plus ancien organisme du genre au Canada. Du côté de l'art dans la ville, un des événements de l'été 1998 est sans contredit *Artifice 98*, dont le premier volet avait connu une réception critique phénoménale en 1996. Occupant des locaux disponibles du centre-ville de Montréal, l'exposition réunissait les travaux de près de cinquante artistes, essentiellement de Montréal et de Toronto.

La dimension de l'art dans la ville était une des rares tendances non représentées dans l'exposition *De fougue et de passion* réunissant 22 artistes à l'automne 1997 au Musée d'art contemporain de Montréal (MACM). Depuis dix ans que le musée n'avait pas produit d'efforts concertés pour tâter le pouls de la jeune création, les attentes envers l'exposition de l'année à Montréal ont pris un essor tel que l'affaire (du point de vue de la critique) tombait à plat, peu de temps après l'ouverture. La jeune création, bien réelle et s'imposant de plus en plus, aux prises avec l'aura du musée, semblait plus prudente qu'à l'habitude, lorsque vue dans des lieux moins officiels. Avec le recul, il devient clair qu'un des enjeux soulevés par cette aventure mouvementée concerne l'importance relative des musées en général dans le processus de reconnaissance de la nouvelle pratique artistique. À voir ces artistes minimiser les risques en produisant de véritables « machines » d'art contemporain plutôt que d'affirmer une encore possible autonomie face à l'establishment muséal, la question délicate se pose de la destination des œuvres comme moteur externe de la création.

À Québec, au chapitre des anniversaires, le centre La Chambre blanche imitait Optica en célébrant ses vingt ans de réalisations, de même que la revue *Inter*, centrée sur la performance, qui fêtait aussi le cap passé des vingt printemps.

L'année de la photographie

À Montréal comme à Québec, la photographie aura pris une place dominante. Tout d'abord, avec ses quarante-neuf expositions, le Mois de la photo de Montréal (MPM), à sa cinquième édition, proposait une véritable ruée sur l'image photographique. Propulsé par son exposition de prestige, *Photographie & Immatérialité* (en deux volets : *Images mentales* et *Les Incorporels*), le généreux événement faisait se côtoyer tous les types de manifestations photographiques, et de tout calibre. À Québec, la photographie s'est retrouvée à l'avant-scène, avec le longissime *L'Année photographique à Québec*. Organisé par le centre de diffusion et de production de la photographie Vu, le programme s'allongeait sur huit mois et convoquait plus de 35 artistes. Le thème, *Trois fois trois paysages*,

explorait en photographie les diverses modalités de la notion de territoire. La programmation comprenait aussi un volet extra-muros.

Mais deux rendez-vous annuels des Montréalais ont cette année pris de nouveaux traits estimés aptes à rendre plus efficaces la visibilité et la diffusion de l'art. Le Centre international d'art contemporain, de Montréal abandonnait en mars l'organisation des Cent jours d'art contemporain, qui existaient depuis 1985, pour mettre sur pied la Biennale de Montréal, dont la première édition se tenait à l'automne 1998, avec ses 70 artistes invités. La transformation permettait de fusionner pour un seul événement les budgets de deux années d'opération, question de donner un souffle nouveau au modèle, qui n'arrivait plus, au fil des années, à soulever le même enthousiasme qu'à ses premiers pas. La Grande Virée de l'art contemporain, gracieuseté de l'Association des galeries d'art (AGAC), troquait son circuit d'autobus de la rentrée automnale pour un événement gigantesque, *Peinture peinture*, auscultant les nouveaux développements d'une forme d'art contestée : la peinture abstraite. Quelque 80 artistes dans le volet principal tenu à l'édifice Belgo à Montréal et plus de 250 artistes au total à travers le Québec et à Ottawa dans plus de 25 lieux de diffusion (galeries, musées, galeries universitaires, etc.) se sont associés pour donner un phénoménal bilan de la création picturale abstraite québécoise. On y faisait état de la vétusté de l'opposition classique abstraction/figuration, en montrant des frontières très perméables entre ces deux types de pensée.

Borduas et le *Refus global*

Peinture peinture se positionnait comme plusieurs autres dans le sillage du cinquantenaire largement célébré du mythique manifeste *Refus global* publié en 1948 par Paul-Émile Borduas et le groupe des Automatistes. La commémoration avait ceci de nécessaire que plusieurs événements s'y rattachant cherchaient à reconstruire selon de plus justes lorgnettes l'édifice hagiographique et le mythe autour de Borduas. Outre *Le Devoir,* qui publiait le 6 mars 1998 un cahier spécial soulignant l'anniversaire sous la signature d'une quinzaine de spécialistes, le MACM exposait la presque totalité des œuvres du fonds Borduas dont il est le dépositaire. La radio de Radio-Canada produisait de son côté vingt heures d'émissions à ce sujet sous le titre *Du Refus global au village global,* pour souligner l'importance de ce jalon de la modernité québécoise auquel les revues *Études françaises* et *Vie des arts* ont consacré un numéro spécial.

Du côté des musées, la saison du Musée des beaux-arts de Montréal (MBAM) a été marquée autant par sa programmation – on retient l'excellente *Exilés et émigrés: les Artistes européens qui ont fui Hitler* – que par le départ de son directeur Pierre Théberge, parti au début de l'année 1998 prendre les rênes du Musée des beaux-arts du Canada. Quiconque a suivi les activités de l'institution montréalaise peut associer le règne de Théberge, ponctué de nombreux bons coups, à une ère d'expositions blockbusters qui a mené à la déconvenue en 1995 avec le duo *Beautés mobiles* et *Paradis perdus: L'Europe symboliste.* Malgré la réception critique très favorable de *Paradis*

perdus, l'échec aux guichets forçait l'adoption d'un plan de restrictions. La nomination de Guy Cogeval, ancien directeur du Musée national des monuments français, qui avait participé en tant que commissaire à *Paradis perdus,* était annoncée le 9 avril 1998. Parmi ses objectifs, Cogeval entend défendre l'art contemporain québécois que l'ancienne direction avait partiellement laissé en plan. À l'enseigne des blockbusters et d'expositions visant à donner le tournis aux guichets, il est à noter qu'au MBAM, Astérix est allé rejoindre Tintin et Snoopy au panthéon des vedettes de la bédé. Les ronflantes rétrospectives de Rodin au Musée de Québec et de Giacometti au MBAM ont animé l'été qui se termine. À des lieues de ces mégamanifestations, le Centre canadien d'architecture, un des chefs de file de la muséologie au Québec, clôturait son vaste cycle d'expositions le Siècle de l'Amérique avec *L'Architecture du réconfort: les parcs thématiques de Disney* et *Surface du quotidien: la pelouse en Amérique.*

Soulignons enfin que la question de la relève aura également retenu l'attention. La galerie du centre Saidye Bronfman y allait de la troisième édition de l'Entrespace, événement d'été conviant jeunes commissaires et jeunes artistes à faire leurs preuves. Le Musée d'art contemporain de Montréal (MACM) contribuait au débat avec *De fougue et de passion* en voulant dégager au sein des acteurs importants et pertinents de la scène artistique québécoise une nouvelle génération d'artistes apportant une contribution originale et prometteuse pour l'avenir, alors que le Mois de la photo de Montréal (MPM) contenait l'habituel *Aspects de la relève québécoise et canadienne.*

Il faut remarquer également l'émergence de jeunes commissaires comme Marie-Josée Jean, responsable d'un des volets importants du MPM (*Les Incorporels*), depuis nommée directrice de l'événement. Par ailleurs, sans pouvoir les nommer tous ici, de très jeunes artistes ont fait remarquer leur présence toute l'année, de même que dans *Peinture peinture* et *Artifice 98* (dont les commissaires ne sont pas tous très vieux), sans que ces événements soient voués exclusivement à la relève. De fait, cette dernière gagnera toujours à s'imposer d'elle-même sans qu'on lui rive les épaules au plancher de la reconnaissance prématurée. Cette année, elle aura gagné beaucoup. ○

Des espoirs, un scandale, une menace...

ODILE TREMBLAY

Tout semblait vouloir converger vers une relance de notre septième art national. L'année qui vient de s'écouler était celle où plusieurs bons cinéastes lançaient leurs derniers films, fort attendus, qui promettaient de dynamiser un cinéma n'ayant pas donné ses meilleurs fruits depuis plusieurs crus. En bref, l'espoir était grand de voir poindre des œuvres de grande qualité susceptibles de rayonner à l'étranger. Hélas...

Hélas! les attentes furent en grande partie déçues. Si *La Déroute* de Paul Tana sut plaire à certains critiques et se mérita un succès d'estime, ce film abordant des conflits de générations chez des Québécois d'origine italienne ne gagna guère la faveur du public. *Le Cœur au poing* de Charles Binamé, œuvre urbaine dans la lignée d'*Eldorado*, fut moins populaire que le précédent Binamé. La coproduction France-Québec de Jacques Leduc, *L'Âge de braise*, donnant la vedette à Annie Girardot, un portrait de fin de vie, fut accueillie tièdement. Ni *Nô* de Robert Lepage ni *Le Violon rouge* de François Girard ne furent retenus au Festival de Cannes où les films québécois n'étaient représentés en mai dernier que par *Un 32 août sur terre* de Denis Villeneuve, poulain de l'écurie Frappier chez Max Films. Ce *road movie* aux belles images manquant

toutefois de fond, de dialogues solides et apparaissait tissé sur une trame très mince. Reste à voir comment se comportera l'autre rejeton de Frappier, *2 secondes* de Manon Briand.

Eh non, Cannes 1998 ne vit pas poindre sur la Croisette la renaissance du cinéma québécois. Notre septième art persiste à se chercher, sans trouver la couleur qui fut sa force au cours des années 60. Les films d'Hollywood occupent 85 % de nos écrans. Le public comme les créateurs doivent se repositionner en conséquence, c'est-à-dire soit s'en aller à contre-courant de l'Amérique en misant sur l'originalité, soit copier avec moins d'argent les formules des voisins du Sud.

Le succès phénomène de l'année qui s'achève ne vint pas des œuvres d'auteur devant lesquelles le public s'est fait tirer l'oreille, mais d'une comédie populaire, à mon avis mal ficelée au demeurant, à laquelle les Québécois se sont massivement identifiés. J'ai nommé *Les Boys* de Louis Saia, record de recettes aux guichets (5 800 000 $) pour une œuvre québécoise ; les ventes de vidéocassettes dépassaient pour leur part les 11 000 unités.

Ironie du sort, la SODEC, l'institution culturelle québécoise, n'a pas investi directement dans cette production grand public, jugeant que le film pouvait fort bien se tirer d'affaire sans les sous du Québec. Il n'en fallait pas plus pour que la SODEC, jugée élitiste, se voit taxée d'avoir perdu contact avec le public et de financer uniquement des œuvres dont personne ne voulait. Vilipendé par une partie de la critique, plébiscité en salle, ce « film de gars », qui mettait en scène plusieurs vedettes masculines du petit écran dans une histoire de ligue de hockey de garage, a misé sur une écriture télévisuelle, des clichés de société, des figures connues. Une formule de toute évidence gagnante. À preuve, le tournage du film *Les Boys 2* fut mené rondement, en France, après le succès du premier film. Connaîtra-t-il le même succès ? En général, les suites sont moins populaires que le premier maillon de la chaîne. À suivre.

Un messie très attendu sur fond de scandale

L'année s'est mise sous le signe de l'attente et de l'espoir. Espoir qu'un nouveau fonds du long métrage soit voté à Ottawa, ce qui insufflerait de l'argent neuf dans une industrie endémiquement sous-financée. En février 1998, la ministre du Patrimoine Sheila Copps, lançant un document de réflexion sur le cinéma canadien, laissait

planer la possibilité qu'un tel fonds naisse sous peu.

Dans le milieu du cinéma, on espère que cette source de financement sera du même ordre que le fonds télé : 100 millions environ, avec une proportion importante au film québécois. Des producteurs comme Roger Frappier estiment que le cinéma québécois ne peut être compétitif sur la scène internationale que s'il produit une vingtaine de films par année. Un rêve qui pourrait se concrétiser avec l'apport de fonds nouveaux.

En tout cas, si ce fonds du long métrage vient au monde dans le champ fédéral, on ignorait encore aux dernières nouvelles si le Québec pourrait l'endosser avec des mesures parallèles. Louise Beaudoin, la ministre québécoise de la Culture, avait émis la possibilité que des redevances soient directement perçues sur le billet de cinéma (20 ¢ par billet), ce qui aurait permis de renflouer les coffres du long métrage québécois en y insufflant 11 millions supplémentaires. Vain espoir, puisque cette éventualité suscita la colère des exploitants de salles, qui répondirent par la bouche de leurs canons en promettant la guerre si une telle taxe leur était imposée. La ministre de la Culture dut reculer sur ce point.

Petit scandale, sur le front fédéral, il apparut que Téléfilm Canada avait dès le début de l'année 1997 dépensé tous les fonds consacrés au long métrage, alors que quatre échéanciers sont prévus tout au long du calendrier annuel. Cette crise répondait à celle du fonds des câblos venue secouer l'industrie télévisuelle. Des appels à la démission du directeur de Téléfilm, François

Macerola, furent lancés en provenance surtout du camp anglophone, mais aux dernières nouvelles il demeurait en selle, appuyé il est vrai par les producteurs québécois, soucieux de le voir mettre sur pied son fonds du long métrage et craignant que son départ ne renvoie le projet aux calendes grecques.

Hollywood tourne à Montréal

Alors que l'industrie du long métrage ne connaît pas au Québec sa période la plus dynamique, les tournages de films américains vont ici bon train. Et cette industrie s'est imposée dans la métropole à une vitesse folle. En 1992, il n'y avait pas de tournages de films américains à Montréal. Aujourd'hui, ils occupent le tiers de la tarte, générant 130 millions sur 565 de recettes de tournages. 1998 est une année charnière en cette matière puisqu'aux films américains se sont ajoutés les tournages de séries télé prestigieuses, comme *Soldier of Fortune*, qui échappait à Vancouver au profit de Montréal.

Cette manne n'est pas sans inquiéter les producteurs québécois. Les techniciens, de plus en plus sollicités par les productions étrangères, sont moins disponibles pour les films nationaux, les équipes plus difficiles à constituer. De plus, les Américains gonflent les prix en location de services comme en salaires aux techniciens. Si les tournages étrangers permettent à l'industrie du film de demeurer florissante chez nous, ils changent aussi la donne. Il suffit qu'Hollywood adopte encore plus la métropole québécoise pour qu'on manque bientôt de studios, de ressources pour répondre à la demande. En bref, le milieu est appelé à se repositionner s'il ne veut pas que Montréal devienne, comme Vancouver et Toronto, un centre de tournage du cinéma américain au détriment de son industrie nationale. ⃝

Tableau 1
Structure de financement[1] selon le type de production, Québec, 1996-97

Source de financement	Long métrage de fiction $	%	Court et moyen métrage de fiction $	%	Documentaire $	%	Télévision $	%	Total $
A. Investissements	**39 870 935**	**30,9**	**2 346 511**	**55,7**	**13 241 294**	**47,7**	**77 064 831**	**27,0**	**132 523 571**
SODEC	2 991 700	7,5	430 900	18,4	1 186 124	9,0	940 000	1,2	5 548 724
Téléfilm Canada	11 254 629	28,2	225 000	9,6	3 412 895	25,8	18 583 139	24,1	33 475 663
ONF	–	–	–	–	585 193	4,4	–	–	585 193
Producteur(s)									
Investissement	3 341 923	8,4	634 326	27,0	2 867 484	21,7	14 060 387	18,2	20 904 120
Crédits d'impôt du Québec	19 174 672	48,1	557 690	23,8	4 712 363	35,6	40 655 563	52,8	65 100 288
Télédiffuseurs français	100 000	0,3	–	–	26 000	0,2	–	–	126 000
Télédiffuseurs anglais	350 000	0,9	–	–	108 661	0,8	130 000	0,2	588 661
Mini-traité	410 000	1,0	–	–	–	–	280 000	0,4	690 000
Distributeurs	24 792	0,1	–	–	4 876	0,0	–	–	29 668
Autres sources et commandites	760 358	1,9	498 595	21,2	190 900	1,4	1 097 086	1,4	2 546 939
Avances spéciales	1 251 533	3,1	–	–	126 298	1,0	760 201	1,0	2 138 032
Apports nets d'investisseurs privés	211 328	0,5	–	–	20 500	0,2	558 455	0,7	790 283
B. Différés	**384 525**	**0,3**	**192 131**	**4,6**	**219 832**	**0,8**	**272 350**	**0,1**	**1 068 838**
Scénaristes, réalisateurs, producteurs, techniciens	384 525	100	192 131	100	209 332	95,2	272 350	100	1 058 338
Maisons de service	–	–	–	–	10 500	4,8	–	–	10 500
C. Autres apports	**12 855 715**	**10**	**674 654**	**16**	**7 454 266**	**26,9**	**46 878 456**	**16,4**	**67 863 091**
Crédits d'impôt du Canada	8 036 761	62,5	159 633	23,7	1 632 847	21,9	17 871 602	38,1	27 700 843
ONF	32 175	0,3	77 668	11,5	198 209	2,7	–	–	308 052

Source de financement	Long métrage de fiction		Court et moyen métrage de fiction		Documentaire		Télévision		Total
	$	%	$	%	$	%	$	%	$
Conseil des arts du Canada	37 000	0,3	–	–	156 500	2,1	–	–	193 500
Prêts et commandites	459 917	3,6	288 600	42,8	1 247 846	16,7	6 878 857	14,7	8 875 220
FTCPEC	–	–	101 918	15,1	2 231 269	29,9	14 499 761	30,9	16 832 948
Autres sources	4 289 862	33,4	46 835	6,9	1 987 595	26,7	7 628 236	16,3	13 952 528
D. Préventes	**54 231 877**	**42,1**	**162 211**	**3,8**	**6 297 459**	**22,7**	**105 513 956**	**36,9**	**166 205 503**
Télédiffuseurs français	100 000	0,2	70 971	43,8	4 555 846	72,3	57 970 245	54,9	62 697 062
Télédiffuseurs anglais	–	–	5 000	3,1	736 801	11,7	452 600	0,4	1 194 401
Télédiffuseurs hors Québec	1 688 715	3,1	71 440	44	520 629	8,3	18 603 361	17,6	20 884 145
Distributeurs	5 715 613	10,5	14 800	9,1	308 612	4,9	7 729 182	7,3	13 768 207
Exportateurs	5 700 250	10,5	–	–	47 000	0,7	2 564 680	2,4	8 311 930
Distributeurs étrangers	41 027 299	75,7	–	–	128 571	2,0	18 193 888	17,2	59 349 758
Part canadienne total A à D	**107 343 052**	**83,3**	**3 375 507**	**80,1**	**27 212 851**	**98**	**229 729 593**	**80,4**	**367 661 003**
E. Coproducteurs	**21 586 888**	**16,7**	**840 394**	**19,9**	**545 708**	**2,0**	**55 837 199**	**19,6**	**78 810 189**
Investissement des coproducteurs	21 586 888	100	840 394	100	545 708	100	55 837 199	100	78 810 189
Financement total[2]	**128 929 940**	**100**	**4 215 901**	**100**	**27 758 559**	**100**	**285 566 792**	**100**	**446 471 192**

1. *Excluant les productions non admissibles au programme québécois de crédits d'impôt.*
2. *Pour 30 longs métrages de fiction, neuf courts et moyens métrages de fiction, 66 documentaires et 113 productions télévisuelles.*
Source: SODEC.

Tableau 2
Panorama statistique de l'industrie cinématographique, 1993-1996[1]

	Québec	Canada[2]	Australie	Belgique	Danemark	États-Unis	France	Pays-Bas	Royaume-Uni	Suède
Production										
Longs métrages pour les cinémas[3]										
1993	31	31	23	30	14	461	152	16	52	29
1994	32	44	29	15	17	575	115	16	73	32
1995	21	38	18	0	13	631	141	18	78	26
1996	31	53	25	12	20	735	134	18	124	27
Exploitation										
Nombre de films distribués (primeurs)										
1993	310	–	259	444[4]	152	440	396	205	236	203
1994	351	–	252	518[4]	151	420	407	237	277	208
1995	328	–	253	477[4]	151	370	397	239	284	194
1996	345	–	278	518	183	421	391	254	264	203
Écrans										
1993	364	1742	940	409	310	25 737	4243[5]	425	1890	1169
1994	392	1727	1028	421	309	26 586	4295[5]	423	1969	1177
1995	446	1808	1137	423	313	27 805	4365[5]	435	2019	1176
1996	501	1902	1264	440	322	29 690	4519[5]	440	2166	1165
Assistance ('000 000)										
1993	17,3	73,7	52,8	19,2	10,2	1244,0	132,7	15,9	114,4	16,0
1994	18,6	78,8	68,0	21,2	10,3	1291,7	124,4	16,0	123,5	15,9
1995	19,0	83,8	69,9	19,2	8,8	1262,6	130,2	17,2	114,6	14,9
1996	20,9	87,5	74,0	21,2	9,9	1338,6	136,3	16,8	123,8	15,4
Population totale ('000 000)										
1993	7,2	28,7	17,7	10,1	5,2	257,6	57,5	15,2	58,2	8,7
1994	7,3	29,1	17,8	10,1	5,2	261,5	57,8	15,3	58,4	8,7
1995	7,3	29,4	18,1	10,1	5,2	261,6	58,1	15,4	58,6	8,8
1996	7,4	29,7	18,3	10,2	5,3	266,9	59,2	15,7	59,8	9,0
Indice de fréquentation										
1993	2,4	2,6	3,0	1,9	2,0	4,8	2,3	1,0	2,0	1,8
1994	2,6	2,7	3,8	2,1	2,0	4,9	2,2	1,0	2,1	1,8

	Québec	Canada[2]	Australie	Belgique	Danemark	États-Unis	France	Pays-Bas	Royaume-Uni	Suède
1995	2,6	2,8	3,9	1,9	1,7	4,8	2,2	1,1	2,0	1,7
1996	2,8	2,9	4,0	2,1	1,9	5,0	2,3	1,1	2,0	1,7
Nombre d'entrées annuelles par écran										
1993	47 278	42 323	56 170	47 012	32 903	48 335	31 275	37 341	60 508	13 670
1994	47 406	45 635	66 148	50 452	33 327	48 586	28 964	37 778	62 737	13 492
1995	41 085	46 331	61 478	45 483	28 169	45 409	29 828	39 502	56 761	12 670
1996	40 145	45 980	58 544	48 207	30 727	45 086	30 162	39 503	57 156	13 219
Recettes réalisées par les films nationaux (%)										
1993	2,8	0	7,0	0	15,9	–	34,8	4,1	2,5	14,7
1994	3,9	–	10	1,1[6]	21,4	97	28,3	0,6	8,8	15,2
1995	2,9	0	4,0	1,3	8,3	97	35,2	7,6	4,2	20,4
1996	2,7	–	8,0	2,5	17	97	37,3	5,4	6,6	18,0
Recettes réalisées par les films américains (%)										
1993	84,5	–	78,0	75,8[6]	74,1	–	57,6	89,3	94,2	72,8
1994	84,5	–	80,0	72,4[6]	67	97	61,3	90	90,2	70
1995	84,3	–	–	69,8	82	97	54,0	82	90,1	65,4
1996	87,0	–	–	73,7	67	97	54,7	84,1	91,8	67,5

1. *Certaines données antérieures peuvent avoir été révisées.*
2. *Données de Statistique Canada incluant le Québec pour les années 1992-93, 1993-94, 1994-95 et 1995-96.*
3. *60 minutes et plus (incluant les coproductions).*
4. *Primeurs et reprises.*
5. *À partir de 1993, il s'agit d'écrans de salles actives et non de salles autorisées.*
6. *Années fiscales 1992-93 et 1993-94.*

Compilation: SODEC.

Sources: Bureau de la statistique du Québec, Statistique Canada, Australian Film Commission, Direction de l'audiovisuel, Communauté française de Belgique, Observatoire européen de l'audiovisuel, Danish Film Institute, MPAA, American Film Market Association, The Canadian Motion Picture Distributors Association, Centre national de la cinématographie (France), Nederlandse Federatie voor de Cinematografie, British Film Institute Handbook, Swedish Film Institute.

Montréal
et sa
région

La longue marche vers le pacte fiscal

KATHLEEN LÉVESQUE

Les finances de la Ville de Montréal ont pris l'allure d'un gouffre financier au cours de l'automne 1997. Montréal vit une bien triste première : l'adoption d'un budget non équilibré, orchestrée par le gouvernement du Québec. Ce problème de 125 millions s'ajoute toutefois aux conséquences appréhendées du rôle d'évaluation et au manque à gagner dans les opérations courantes. La solution tant attendue, le pacte fiscal, est promise pour l'an 2000.

L a Ville de Montréal se retrouve dans une situation historique sur le plan de ses finances.

En novembre 1997, l'administration du maire Pierre Bourque dépose un budget déficitaire pour 1998 sous la supervision du gouvernement du Québec. Ce budget comporte un manque à gagner de 125 millions, ce qui correspond à une réduction de 6 % des coûts de la main-d'œuvre pour 72 millions et une augmentation des recettes à hauteur de 53 millions. Pour permettre l'adoption de ce budget dont 7 % est virtuel, le gouvernement adopte une loi donnant le pouvoir à Montréal de revoir son budget si nécessaire.

Dans l'opposition, on crie à l'indécence, d'autant plus que le maire Bourque se dit heureux de ne pas alourdir le fardeau des contribuables puisque le budget est une quasi-copie de celui de 1997, soit 1,828 milliard.

Les débats au conseil municipal menant à l'adoption de ce budget sont particulièrement vigoureux. Les élus de l'opposition, qui détiennent la majorité, risquent de provoquer une crise financière s'ils rejettent le budget de l'administration. La volte-face de trois conseillers municipaux de l'opposition en faveur de M. Bourque lui permettra de faire adopter le budget 1998 à l'arraché.

Montréal débute donc l'année 1998 en traînant un boulet de 125 millions à ses pieds. Au même moment, le premier ministre Lucien Bouchard s'engageait à faire le ménage à Montréal, soulignant que *«le problème ne se réglera pas dans une campagne électorale municipale»*. M. Bouchard promettait alors de tenir un sommet socio-économique montréalais dans un prochain mandat pour relancer la métropole.

Contribution syndicale

Contraints de revoir à la baisse leurs conditions de travail, dans le cadre du transfert gouvernemental de responsabilités aux municipalités (375 millions), les syndicats s'entendent finalement avec la Ville de Montréal. Mais plutôt que de procéder à une réelle récupération de 6 % des coûts de la main-d'œuvre, les parties ont convenu d'utiliser 42,3 millions dans les surplus générés par la caisse de retraite des employés. Si cette façon de faire a permis une réduction substantielle de un milliard sur le déficit actuariel de deux milliards, elle n'oblige toutefois pas les fonctionnaires montréalais à faire un effort direct comme l'exigeait à l'origine le gouvernement du Québec.

D'ailleurs, les syndicats obtiennent à travers ces négociations des sommes forfaitaires équivalant à 2 % de leur salaire versé à compter d'août 1999. Ce boni sera intégré aux échelles salariales en 2001. Les syndicats font également d'autres gains. Les cols bleus voient leur horaire de travail réduit d'une heure pour s'établir à 35 heures par semaine, les pompiers bénéficient désormais d'un plancher d'emplois et les cols blancs ainsi que les professionnels reçoivent deux jours supplémentaires de congé pris pendant les Fêtes.

La contribution syndicale a permis de résorber une partie des 125 millions de manque à gagner budgétaire.

Vers un pacte fiscal permanent

Montréal devra patienter jusqu'en 2000 avant de voir le pacte fiscal tant réclamé prendre forme. Bien que le gouvernement du Parti québécois ait pris l'engagement électoral de conclure avec Montréal un pacte fiscal permanent et récurrent, la promesse est maintenant liée à une réforme générale de la fiscalité municipale qui a été enclenchée en juin 1998.

Ce changement fait suite au transfert de responsabilités aux municipalités du Québec totalisant 375 millions, annoncé au printemps 1997 et mis en place en janvier 1998. En contrepartie, le gouvernement a consenti à apporter des correctifs de fond au système fiscal actuel.

D'ici à ce que la réforme soit mise en place, Montréal bénéficiera d'une aide financière provisoire lui permettant d'équilibrer son budget. La contribution gouvernementale s'élève à 53,6 millions pour 1998, 1999 et 2000. La Ville de Montréal doit toutefois se soumettre à un régime surveillé de redressement de ses finances.

Un organisme de gestion des quatre équipements scientifiques montréalais (Biodôme, Insectarium, Planétarium et Jardin botanique) a été créé. Montréal y conserve le contrôle majoritaire. Un partenaire public à déterminer partagera avec Montréal la gestion du nouvel organisme. Québec ne versera aucun denier public; il garantira plutôt le prêt de 160,8 millions que contractera le partenaire public pour l'achat d'une part des actifs évalués à 451 millions.

L'aide annuelle de 53,6 millions s'ajoute aux 26,4 millions dont bénéficie déjà Montréal depuis deux ans à titre de soutien ponctuel (compensations pour les droits sur les divertissements ainsi que l'accès à la taxe sur les télécommunications, le gaz et l'électricité).

Cette somme de 53,6 millions permet

pour 1998 d'effacer le déséquilibre budgé-taire de 125 millions.

Déficit technique

Pour la troisième année d'affilée, la Ville de Montréal a enregistré un déficit technique comblé à même les réserves, produisant ainsi un surplus d'exercice artificiel de 9,2 millions. C'est ce que révèle le bilan financier pour l'année 1997 rendu public en avril 1998.

Les états financiers démontrent que Montréal a dépensé 42,4 millions de plus qu'elle n'a encaissé de recettes. Pour assurer l'équilibre auquel est assujetti Montréal comme l'ensemble des municipalités de la province, l'administration du maire Pierre Bourque a puisé 51,6 millions principale-ment dans ses réserves, qui agissent comme une police d'assurance.

Quant à l'année budgétaire 1998, elle connaît des ratés dès le printemps. Un manque à gagner de 29 millions apparaît dans les opérations courantes, causé par une baisse des recettes et une hausse des dépenses par rapport aux prévisions budgétaires.

Un ralentissement marqué du nombre des contraventions payantes constitue le principal élément de ce déséquilibre. Il manque 19,4 millions dans ce poste budgétaire. En juin 1998, 7634 contraven-tions ont été émises par le Service de police de la Communauté urbaine de Montréal alors qu'un an plus tôt on en comptait 13 210.

Nouveau financement des immobilisations

En octobre 1997, la Ville de Montréal a adopté une nouvelle politique quant au financement à long terme de ses projets d'immobilisations en les payant de plus en plus comptant. Ce plan fait suite aux exigences du ministre des Affaires munici-pales, Rémy Trudel, quant à la gestion financière de travaux pouvant être amortis sur plusieurs années. Au printemps 1997, le vérificateur de la Ville de Montréal avait jugé *«qu'actuellement, plusieurs règles comp-tables et de saine gestion sont transgressées»*. Alerté, le ministre Trudel avait dès lors réclamé plus de rigueur.

Le gel du rôle d'évaluation

Dès l'automne 1997, la Ville de Montréal et la Communauté urbaine de Montréal (CUM) réclament du gouvernement du Québec de geler le prochain rôle d'évaluation foncière dont le dépôt était prévu pour septembre 1998.

Le rôle d'évaluation, qui établit la valeur de chaque maison, commerce, édifice à bureaux, institution et industrie, et qui sert de base de perception des taxes muni-cipales, démontrait une baisse allant jusqu'à 40 % de la valeur des immeubles non résidentiels. Cette situation laissait présager en contrepartie une hausse moyenne de 10 % du compte de taxes des petits propriétaires. Pour la seule municipalité de Montréal, ce rôle d'évaluation représentait une menace financière de 56,1 millions.

Ce n'est qu'en juin 1998, après plusieurs mois d'analyses réalisées par un groupe de travail, que le gouvernement règle la question. Le ministre Trudel refuse de tran-cher et remet plutôt entre les mains de la CUM le pouvoir de geler le rôle d'évalua-tion pour éviter un transfert du fardeau fiscal ou de l'appliquer dès 1999 avec des mesures d'atténuation. La première option

LA BATAILLE POUR LA MAIRIE DE MONTRÉAL
Kathleen Lévesque

La Ville de Montréal entre officiellement en campagne électorale en septembre 1998 avec trois candidatures majeures qui se disputent la mairie de la métropole. Mais la bataille a commencé dès l'hiver 1998. Le maire sortant, Pierre Bourque, essaie d'obtenir un deuxième mandat malgré quatre années au pouvoir fortement controversées, l'ancien maire Jean Doré tente un retour en traînant derrière lui l'image d'un dépensier et l'ex-chef de police Jacques Duchesneau cherche à incarner le changement.

Mise en place stratégique

Début 1998, les noms de candidats potentiels pour la mairie de Montréal circulent à grande vitesse. Un brouillard politique plane au-dessus de Montréal. Mais au printemps, tous les pions se mettent en place.

Jean Doré a annoncé en décembre 1997 qu'il était prêt *«à servir de nouveau les Montréalais»*, mais dans un parti politique autre que celui qui l'avait conduit au pouvoir en 1986 et en 1990 et qui était le Rassemblement des citoyens de Montréal (RCM). Au même moment, il lançait une invitation à la communauté montréalaise pour la création d'une vaste coalition. Il fait finalement le saut fin avril à bord d'un nouveau véhicule, Équipe Montréal.

Après des mois de rumeurs, le directeur démissionnaire du Service de police de la Communauté urbaine de Montréal, Jacques Duchesneau, fait son entrée dans l'arène politique. Il dirige une nouvelle formation politique, Parti Nouveau Montréal.

Entre-temps, Thérèse Daviau, chef du RCM, abandonne son parti, invitant ses alliés à rejoindre les rangs de M. Duchesneau.

La députée libérale Liza Frulla est fortement sollicitée. Après avoir entretenu le mystère pendant tout l'automne 1997, elle tranche la question à la mi-février et opte pour la politique provinciale qu'elle quittera quelques mois plus tard. Le conseiller municipal indépendant, Pierre Gagnier, fonde Action municipale Montréal, espérant offrir un

est choisie le 25 juin par le comité exécutif de la CUM.

Une des conséquences directes de cette décision est la hausse des taxes scolaires. Le gel du rôle d'évaluation entraîne une perte de 15 millions en subvention de péréquation pour le Conseil scolaire de l'île de Montréal, qui a adopté une augmentation de 5 %, le taux de taxe passant ainsi de 31,375 ¢ par tranche de 100 $ d'évaluation à 32,956 ¢.

Embauche d'un directeur général

À un an des élections du 1er novembre 1998, l'administration montréalaise a pris tremplin à Mme Frulla. Dans les semaines suivantes, il fera disparaître la nouvelle bannière et travaillera auprès de Jacques Duchesneau.

L'ancien bras droit de Jean Drapeau, Yvon Lamarre, réfléchit également à la possibilité de refaire le saut en politique municipale, mais rapidement il décide de rester loin de l'hôtel de ville et se range derrière un nouveau venu, Conrad Sauvé.

Ce dernier, président du conseil d'administration de la Régie régionale de la santé et des services sociaux de Montréal-Centre, rate son lancement, pris d'un malaise en plein discours public. Deux semaines plus tard, le 1er mai, il se retire, reconnaissant ne pas faire le poids.

Précampagne

Dès le début de l'été 1998, les principales forces politiques sont clairement établies. Malgré un mandat marqué par des difficultés financières majeures et une chute de sa crédibilité politique à la suite d'une longue série d'accusations pour du financement illégal à son parti Vision Montréal, Pierre Bourque est toujours en selle et mène bataille. Depuis l'hiver, le maire sortant multiplie ses activités auprès des électeurs, faisant valoir un bilan qui a épargné aux contribuables des hausses de taxes. Au fil de ses visites sur le terrain, il semble accumuler des points et n'est plus le perdant que ses adversaires croyaient.

Jacques Duchesneau connaît un départ de campagne fort tumultueux. Bénéficiant de larges appuis dans la communauté d'affaires, son organisation politique se met toutefois en place dans un certain chaos. Le responsable du financement au Parti Nouveau Montréal est congédié, le recrutement de détracteurs du RCM soulève les critiques, la résurgence d'une vieille histoire d'abus de pouvoir de Jacques Duchesneau alors qu'il était policier soulève des interrogations mais, surtout, un manque de préparation sur le plan des idées politiques marque le congrès de fondation de juin 1998.

Jean Doré, de son côté, suscite vraisemblablement un enthousiasme moindre – il se classe deuxième dans les sondages, derrière M. Duchesneau – mais il choisit à dessein de miser surtout sur l'équipe qui l'entoure. Il se montre assez discret pendant la tourmente qui ébranle son adversaire Duchesneau. Le congrès de fondation d'Équipe Montréal en

▶

un virage d'importance au chapitre de la philosophie de gestion. Le maire Pierre Bourque a laissé tomber la *«vision organique»* qu'il défendait jusqu'alors et a procédé à l'embauche de Gérard Divay à titre de directeur général de la Ville.

Cette volte-face a été perçue comme un aveu d'échec par les élus de l'opposition au conseil municipal. Chose certaine, après avoir éliminé cette fonction lors de son arrivée au pouvoir en novembre 1994, M. Bourque est revenu à une structure permettant d'établir une certaine distance entre les champs d'action administratif et politique. De fait, la nouvelle direction générale ne relève que du comité exécutif ;

juin constitue le moment fort de cette précampagne pour M. Doré, qui part en lion avec des idées claires sur la relance de Montréal.

MM. Bourque, Duchesneau et Doré attendent septembre pour présenter leur plate-forme électorale. Mais d'entrée de jeu, les trois aspirants à la mairie prônent la décentralisation administrative des services municipaux.

L'effritement du RCM

Le Rassemblement des citoyens de Montréal (RCM) a vécu une crise politique majeure qui s'est étendue de l'automne 1997 jusqu'au printemps 1998.

Le branle-bas a éclaté en novembre 1997 alors que le président du RCM, Michel Lemay, a tenté de faire instaurer le suffrage universel pour choisir le candidat à la mairie et de reporter le congrès à l'investiture. L'objectif officiel de la proposition était de permettre une mobilisation politique, assurant au candidat à la mairie du RCM et au programme qu'il aurait à défendre un appui solide.

Mais voilà, deux groupes de militants, l'un soutenant la candidature de la conseillère municipale Thérèse Daviau, et l'autre, moins important, derrière le conseiller municipal Michel Prescott, détectent là un *«détournement de démocratie»* pour privilégier le retour

▶

tous les directeurs des services municipaux dépendent dorénavant de la direction générale.

Ce changement a été fortement encouragé par le gouvernement du Québec, qui garde un œil attentif sur la gestion de Montréal. C'est au printemps 1997 que l'administration Bourque avait demandé des modifications à la Charte de la Ville donnant la possibilité de rebrousser chemin.

Dès son entrée en fonction, le nouveau directeur général a rapidement imposé une fusion des services permettant d'économiser au moins deux millions par année. La restructuration que M. Bourque avait mise en place en 1994 s'était effectuée sans planification et sans études d'impacts financiers.

Tarification des services

Depuis le début de l'année 1998, la Ville étudie la possibilité d'instaurer pour 1999 une tarification des services municipaux. Il pourrait s'agir d'une tarification à taux fixe, ou tarification fiscale, de certains services comme l'eau, le ramassage des ordures et le déneigement, ainsi que de frais variant selon l'utilisation, ou tarification non fiscale, pour les services de culture et de loisirs.

Dès l'an prochain, les contribuables pourraient ainsi voir retirer de leur compte de taxes les sommes habituellement dévolues à certains services qu'ils devraient payer en parallèle. Selon l'estimation municipale, cette façon de faire possède l'avantage de stabiliser une partie des revenus provenant des taxes, les mettant ainsi à l'abri des fluctuations des valeurs foncières.

de l'ancien chef Jean Doré. Une guerre fratricide explose dans une agressivité verbale hors du commun. C'est la cascade de démissions. Le clan de Thérèse Daviau gagne la partie et s'assure la mainmise sur le RCM.

Des démissionnaires fondent Réseau Montréal, un mouvement politique qui rejoindra Jean Doré dans les mois suivants.

Mme Daviau et M. Prescott entreprennent la course au leadership, une première au RCM depuis sa fondation en 1974. Thérèse Daviau est élue chef et candidate à la mairie lors du congrès de la fin mars 1998. Mais un mois après avoir pris le contrôle du parti, elle remet sa démission dans la disgrâce. Depuis des mois, ses organisateurs discutent ouvertement une alliance avec l'équipe de l'ex-chef de police, Jacques Duchesneau, qui lance sa campagne le 29 avril. Mme Daviau justifie son départ fracassant par une supposée absence de volonté de changement au sein du parti. Du même souffle, elle évoque la possibilité de se rallier à M. Duchesneau ; mais bientôt, sa crédibilité écorchée et son manque de loyauté dénoncé, Thérèse Daviau annonce qu'elle se retire définitivement de la politique municipale.

Le RCM demeure, avec à sa tête Michel Prescott, mais il se retrouve sur la voie de service, déclassé par ses nouveaux concurrents. ●

Selon les chiffres du ministère des Affaires municipales, la tarification ne représente que 2,6 % des recettes totales de taxes à la Ville de Montréal alors qu'à l'échelle de la province, ce taux atteint 22,9 %. En comparaison, les autres municipalités sur l'île de Montréal encaissent 11,8 % de leurs recettes totales par la voie de la tarification.

Le contesté voyage en Chine

En pleine crise du verglas en janvier 1998, la population montréalaise apprend que le maire Pierre Bourque travaille bénévolement pour le gouvernement de Chine à titre d'expert-conseil en horticulture en vue de la tenue des floralies internationales du printemps 1999. M. Bourque se trouvait à Bei Hai avant d'in-terrompre son voyage pour rentrer à Montréal à cause du verglas.

Le maire a soulevé des doutes par ses nombreuses volte-face. Il avait d'abord indiqué qu'il était parti en vacances dans le Sud. Lorsque la véritable destination fut connue, il a soutenu qu'il avait payé lui-même ses frais de transport et d'hôtel alors que le gouvernement chinois a tout assumé pour lui et pour un haut fonctionnaire de la Ville agissant comme interprète. M. Bourque s'est d'abord défendu en tranchant que sa collaboration avec la Chine était de nature strictement privée pour ensuite affirmer qu'un tel voyage contribuait au rayonnement international de Montréal.

Des débats houleux ont éclaté au conseil municipal mais ce n'est qu'à la mi-juin 1998 que l'histoire a pris fin. Pour la première fois dans l'histoire de l'hôtel de ville montréalais, la Commission d'éthique des membres du conseil municipal a été convoquée pour savoir si oui ou non M. Bourque s'était placé en conflit d'intérêts. Mais la controverse sera rapidement étouffée. Avant même que la Commission n'ait pris connaissance du dossier, un membre élu de l'équipe Bourque a déposé une proposition de rejet de la plainte, jugée irrecevable et frivole. Les membres de l'opposition siégeant à la Commission se sont retirés et les débats sont ainsi tombés à l'eau.

La vente de l'hippodrome

La vente de l'Hippodrome de Montréal, qui à l'été 1997 avait provoqué une deuxième série de démissions au sein de l'équipe du maire Pierre Bourque, Vision Montréal, est finalement conclue.

Pour y parvenir, l'administration Bourque a levé les conditions qu'elle avait pourtant posées, dont le désenclavement du secteur de l'hippodrome par la construction d'infrastructures routières. De ce côté, tout stagne puisque le maire de Côte-Saint-Luc maintient son opposition au prolongement du lien routier Cavendish.

Les élus de l'opposition, qui détiennent la majorité au conseil, ont eu beau s'insurger contre la transaction commerciale – six votes majoritaires ont été enregistrés au cours de l'année pour rejeter l'entente –, le mandataire de la Ville dans le dossier, la Société d'habitation et de développement de Montréal (SHDM), a procédé à la vente avec l'appui du comité exécutif, qui avait légalement le dernier mot dans le dossier.

La Société pour la promotion de l'industrie des courses de chevaux (SPICC) a donc pris possession du site pour une somme globale de 37,7 millions.

Administrer dans l'adversité

Pierre Bourque devra s'accommoder de l'adversité au sein du comité exécutif jusqu'à la fin de son mandat. Dans la crainte de perdre la mainmise sur le comité exécutif, le maire s'est désisté de sa contestation judiciaire concernant la destitution de deux membres du comité exécutif devenus ses opposants.

La requête devant la Cour d'appel cherchait à faire reconnaître que le conseil municipal, qui détient le pouvoir de nommer les membres du comité exécutif, a par conséquent celui de les destituer. Or, l'administration Bourque a fait volte-face au moment où la cause était entendue, le 17 décembre 1997, après avoir vu sa majorité basculer du côté de l'opposition quatre mois auparavant.

Cet imbroglio politique avait pris naissance en janvier 1997, alors que Pierre Bourque était sous enquête du Directeur général des élections du Québec pour une présumée manœuvre de financement illégal à Vision Montréal et qu'il a tenté d'évincer Pierre Goyer et Sammy Forcillo pour renforcer son autorité. Mais voilà, les deux élus ont répliqué par la voie des tribunaux et ont été maintenus dans leurs fonctions.

Entre-temps, Pierre Bourque a cherché le soutien du gouvernement du Québec pour modifier la loi constitutive de Montréal et ainsi obtenir le pouvoir de contrôler le comité exécutif, mais en vain.

Tumulte chez les pompiers

L'année a été particulièrement mouvementée à l'Association des pompiers de Montréal où un conflit de travail a pris une pente dangereuse au début de l'automne 1997. L'escalade des moyens de pression du syndicat soulève l'indignation mais aussi des interrogations quant à la sécurité des citoyens.

Des menaces de mort et un appel à un second « week-end rouge » ont été lancés sur le réseau de télécommunications interne du Service de prévention des incendies de Montréal. Des actes de sabotage, dont des boyaux d'incendies perforés, ont également été commis. Et c'est sans compter les dommages causés au matériel (des autocollants sur les camions, par exemple). Après une tentative d'arbitrage, le conflit prendra fin dans le cadre des négociations générales avec l'ensemble des syndicats pour la récupération de 6 % des coûts de la main-d'œuvre. La paix syndicale est assurée jusqu'en 2001.

Sentence d'emprisonnement

Le président du syndicat des cols bleus, Jean Lapierre, et le numéro deux syndical, Denis Maynard, ont été condamnés en octobre 1997 à six mois de prison ferme pour avoir organisé l'émeute de l'hôtel de ville en septembre 1993. Le juge Serge Boisvert de la Cour du Québec a tranché qu'*«une sentence autre que l'incarcération ne saurait refléter la gravité des crimes commis et l'aspect dissuasif et d'exemplarité vu les postes occupés par les accusés»*. Les deux leaders ont toutefois décidé d'en appeler de cette décision. Des huit cols bleus accusés dans cette affaire, six ont été déclarés coupables. ◯

Le surplace du Grand Montréal

BRIAN MYLES

La région du Grand Montréal est revenue à la case départ à l'aube des élections provinciales et municipales. Regroupement de trois services de transport, élargissement de la Communauté urbaine, fusion de municipalités : voilà autant d'hypothèses majeures évoquées au cours des quatre dernières années et qui ne se sont jamais concrétisées. Le Grand Montréal peut-il s'articuler en métropole véritable ?

La dernière année d'activité municipale dans la région de Montréal fut porteuse de messages dont la teneur conflictuelle était déjà connue. En dépit de leur cohabitation difficile, la centaine de maires de l'agglomération ne supportent pas que le gouvernement québécois s'immisce dans leurs affaires.

Le nouveau ministre d'État à la métropole, Robert Perreault, en a eu la preuve lorsqu'il a proposé en octobre 1997 de regrouper les trois sociétés de transport de la Rive-Sud (STRSM), de Laval (STL) et de la Communauté urbaine de Montréal (STCUM) en une seule.

À Laval et à Longueuil, les maires Gilles Vaillancourt et Claude Gladu se sont braqués contre le ministre « montréaliste ». Sauf en matière de fiscalité, la plupart des élus locaux s'accommodent bien du statu quo. À preuve, personne n'a pleuré la mise

au rancart de la Commission de développement de la métropole, qui aurait dû réunir autour d'une même table 107 municipalités pour discuter d'aménagement du territoire, de transport, de développement économique et de la gestion des déchets.

En contrepartie, Québec est peu enclin à imposer des changements. En moins de trois ans, le ministre des Affaires municipales, Rémy Trudel, est passé d'un discours dur de « fusions » à un plus souple de « regroupement des services » en ce qui concerne les 29 villes de l'île de Montréal.

De son côté, le ministre Perreault a retiré de l'agenda les deux écueils politiques potentiels que représentaient la fusion du transport et la Commission de développement de la métropole. Au sein du conseil des ministres, essentiellement composé de députés de la banlieue de Montréal et des régions, la nature même des réformes à entreprendre ne semble pas faire l'unanimité.

La région de Montréal ne recule pas. Mais c'est à hue et à dia qu'elle avance, comme en témoigne la synthèse des débats ayant eu cours au sein des principales institutions composant le paysage métropolitain.

L'Agence métropolitaine de transport (AMT)

Sous la tutelle du ministère d'État à la métropole, l'AMT a poursuivi son travail d'unification des réseaux de transport par la voie de projets concrets : maintien de la ligne de train de banlieue Blainville/gare Jean-Talon jusqu'en août 2000, ajout de places de stationnement incitatifs et de voies réservées, et harmonie tarifaire dans un rayon de 55 km à partir du centre-ville de Montréal.

L'intégration tarifaire constitue le prélude à l'implantation de cartes à puce pour la vente des titres et la perception des recettes à l'échelle régionale. L'AMT tire les ficelles de ce projet qui devrait se concrétiser d'ici la fin de 1999. Le secteur privé sera à coup sûr mis à contribution, toutes ces puces nécessitant des investissements de 90 millions de dollars.

Ces réalisations n'ont cependant pas mis l'AMT à l'abri de la controverse. Robert Perreault, ministre d'État à la métropole, a indirectement remis en question l'Agence lorsqu'il a abordé l'épineuse question de la fusion de la STCUM, de la STL et de la STRSM. La banlieue a toujours contesté la création de l'AMT, une « tutelle gouvernementale ». Les maires de Laval et de Longueuil ont bien fait comprendre au

ministre qu'ils jugeaient l'existence de l'Agence futile dans une perspective de fusion du transport. En 1998, la contribution de la STRSM et de la STL au fonctionnement de l'AMT oscillait autour de six millions de dollars. À l'inverse, la STCUM recevait 9,5 millions. Cette réalité économique alimente la contestation.

L'AMT risque maintenant de se retrouver au cœur du jeu partisan qui s'amorce à l'échelle provinciale. Le prochain gouvernement, quel qu'il soit, devra décider s'il abolit ou non l'organisme. En principe, l'AMT doit retourner sous le contrôle des élus locaux le 1er janvier 1999. Si l'Agence survit aux élections, elle poursuivra son œuvre de conversion des automobilistes au transport public. L'objectif de la p.-d.g., Florence Junca-Adenot, reste inchangé : accroître l'achalandage de l'autobus, du métro et du train de banlieue de quelque 50 000 déplacements d'ici 2007.

Commission de développement de la métropole

Lancés par Serge Ménard en 1996, mis sur la glace par Robert Perreault en janvier 1997, les débats entourant la création d'une Commission de développement de la métropole illustrent l'inconsistance des politiques gouvernementales et l'incapacité des élus locaux à s'entendre.

L'organisme mort-né devait entre autres accoucher d'un cadre d'aménagement destiné à freiner l'étalement urbain, ce qui a déplu à la banlieue. Après une série de consultations, le ministre Perreault a tout simplement abandonné l'idée. Avec Rémy Trudel, il s'est avancé sur l'élargissement de la Communauté urbaine de Montréal à

Longueuil et à Laval et sur la fusion des services de transport de ces trois pôles. Cette volte-face est significative. Pour Serge Ménard, député de Laval-des-Rapides, l'agglomération englobait 107 municipalités, de Montréal aux villes de la troisième couronne. Mais pour Robert Perreault, représentant les électeurs de la circonscription de Mercier, sur l'île de Montréal, le cœur de la métropole bat autour de Laval, Longueuil et les 29 villes de la CUM.

La volonté de Robert Perreault de concentrer l'activité de son ministère «*au cœur de la région métropolitaine*» n'a cependant pas donné les fruits escomptés. La fusion du transport ne se fera pas – du moins d'ici les élections provinciales – et les discussions sur l'élargissement de la CUM semblent au point mort.

Communauté urbaine de Montréal (CUM)

Le 15 avril 1998, les élus locaux siégeant à la CUM prenaient un vote crucial : pour ou contre le renouvellement du mandat de Vera Danyluk à la présidence de l'organisme. L'ancienne mairesse de Mont-Royal a triomphé, mais les débats entourant ce vote en apparence anodin ont cristallisé les profondes divergences d'opinion entre les élus de l'île au sujet de la CUM.

C'est de la Conférence des maires de la banlieue de Montréal (CMBM) qu'est venue la principale opposition au renouvellement du mandat de Mme Danyluk. Le groupe voulait faire de la présidence un poste à temps partiel comblé par un des élus siégeant à la CUM, ramener la durée du mandat de quatre à deux ans et confier des pouvoirs étendus au directeur général.

Les élus devaient en quelque sorte choisir entre deux visions bien distinctes de la CUM : une coopérative de services, tel que le préconise la Conférence des maires, ou un forum de discussions et de prises de position à l'échelle régionale, notamment en matière de fiscalité, de démographie et de développement économique, tel que le souhaite Mme Danyluk. Elle s'est inquiétée des messages envoyés par l'État – transfert fiscal, fusion du transport, élargissement de la CUM – et des réponses contradictoires fournies par ses homologues. Ces derniers doivent avoir une position commune pour « affronter » le gouvernement, croit-elle, d'où la nécessité de renforcer la CUM plutôt que de la diluer. Un fait demeure au-delà des discours : le pouvoir d'intervention de la CUM s'est constamment érodé au cours des dernières années, les élus sabrant sans relâche dans les dépenses. Les contributions des 29 villes de l'île au financement de la CUM sont passés de 897 millions de dollars en 1993 à 858 millions en 1998.

La CUM, encore méconnue du public après 29 ans d'activité, ne semble pas au bout de sa crise existentielle. La Conférence des maires de la banlieue risque de revenir à la charge avec sa notion de « coopérative de services ». Mme Danyluk et ses supporters devront pour leur part proposer des pistes de réformes à la hauteur de leurs ambitions.

La CUM devra aussi se positionner par rapport à Laval et à la Rive-Sud immédiate. C'est le virage réalisé par le ministre Perreault au sujet de la Commission de développement de la métropole et les rumeurs d'élargissement de la CUM qui le commandent. Les nécessaires réflexions portant sur le leadership régional et sur la nature même de la CUM (coop ou agora) seront lancées de l'intérieur au lendemain des élections municipales de novembre 1998.

Conférence des maires de la banlieue de Montréal (CMBM)

L'organisme regroupant 27 municipalités de l'île de Montréal a tenté d'accroître son influence sur la scène politique régionale en attaquant sur trois fronts.

• Primo, la CMBM a proposé une réforme majeure de la Communauté urbaine de Montréal qui aurait eu pour effet d'en affaiblir le rôle politique. La vision défendue par la Conférence des maires – la CUM doit être une coopérative de services – a servi d'élément déclencheur aux hostilités contre Vera Danyluk. Cette réforme ratée est à l'origine des trois mois de discussions houleuses qui ont entouré le retour de Mme Danyluk à la présidence du comité exécutif de la CUM.

• Secundo, la Conférence des maires de la banlieue a quitté l'Union des municipalités du Québec (UMQ) dans le cadre des négociations entourant le transfert fiscal de 375 millions de dollars du gouvernement vers les villes, insatisfaite de l'allure des négociations. En septembre 1997, quelque 5000 banlieusards brandissaient les pancartes dans le cadre du « rallye du non », une manifestation qualifiée de *« front commun historique »* par Georges Bossé, maire de Verdun et président de la Conférence des maires de la banlieue. En fin de compte, les villes membres de la CMBM ont reçu une facture de 56 millions.

Sur une base individuelle, 21 municipalités ont entrepris de contester la facture devant les tribunaux.

• Tertio, conséquence de son retrait de l'UMQ, la Conférence des maires de la banlieue a entrepris des démarches pour être reconnue comme un interlocuteur valable auprès du gouvernement dans les grands dossiers. L'État québécois privilégie deux interlocuteurs : l'UMQ et l'Union des municipalités régionales de comté du Québec (UMRCQ). La CMBM, forte du poids de 759 000 citoyens de la banlieue, voulait sa place autour de la table. Le ministre des Affaires municipales, Rémy Trudel, a rejeté cette demande, craignant un affaiblissement des deux grandes unions municipales. M. Trudel a plutôt suggéré à la Conférence des maires, dont le rôle historique fut de faire contrepoids aux élus de Montréal au sein de la CUM, de réintégrer le giron de l'UMQ.

Le président de l'UMQ, Mario Laframboise, a d'ailleurs souhaité que le monde municipal puisse être représenté par une seule union au Québec d'ici l'an 2000. Selon lui, l'UMRCQ et la CMBM pourraient trouver leur place au sein d'une UMQ transformée en fédération. Mais pour Georges Bossé, la rupture avec l'Union des municipalités est définitive. Il compte maintenant s'adresser au « supérieur » de M. Trudel, le premier ministre Lucien Bouchard, pour l'obtention d'un statut particulier.

Ministère des Affaires municipales

Rémy Trudel a jeté un pavé dans la mare municipale en juillet 1997 en suggérant

QUELQUES ENJEUX POUR LA PROCHAINE ANNÉE	• Laval, Longueuil et les villes membres de la Communauté urbaine de Montréal sont considérés comme le cœur de la région par

Brian Myles

• Laval, Longueuil et les villes membres de la Communauté urbaine de Montréal sont considérés comme le cœur de la région par Québec. La CUM pourrait être élargie, les services de transport fusionnés et certains services mis en commun dans le but de consolider ce cœur.

• Le gouvernement va inciter à la mise en commun de services, à défaut de fusions de municipalités, sur l'île de Montréal.

• Le régime fiscal municipal devrait être revu à la suite des travaux de la commission sur la fiscalité locale. En principe, une attention particulière doit être portée aux villes-centres, et surtout à Montréal.

• Les élections provinciales et municipales viendront à coup sûr bouleverser le paysage politique. ●

que la CUM soit élargie à Laval et à Longueuil par souci de *«renforcement de la région de Montréal»*.

La proposition a reçu un accueil mitigé. À Laval comme à Longueuil, les maires Gilles Vaillancourt et Claude Gladu ont fermé la porte à la CUM élargie de manière tranchante, craignant une augmentation des coûts. M. Vaillancourt s'est même dit prêt à tenir un référendum sur la question. Dans sa lecture des faits, Laval est en avance sur toutes les villes de la région en raison de la fusion des 16 villes et villages de l'île Jésus il y a plus de 30 ans. CQFD : l'élargissement serait un recul pour ses citoyens. Le maire Vaillancourt renvoie ainsi la balle à l'île. Selon lui, il faut d'abord fusionner des municipalités au sein de la CUM avant de penser à en élargir le champ d'action.

À Longueuil, le maire Claude Gladu et une quarantaine d'élus de la Rive-Sud immédiate ont porté la réflexion plus loin. Ils ont suggéré de créer une nouvelle

région administrative, celle de la Rive-Sud, pour établir un meilleur rapport de force dans leurs relations avec Laval, les villes membres de la CUM et le gouvernement du Québec. À l'heure actuelle, Longueuil et ses voisines appartiennent à la Montérégie, une vaste région administrative qui s'étend sur 11 000 km^2 et regroupant des municipalités urbaines et agricoles ayant peu de choses en commun.

En mars 1997, dans le cadre du colloque charnière *La CUM et les nouveaux enjeux métropolitains*, le ministre Trudel a réitéré sa position : Laval et Longueuil doivent prendre part à toute redéfinition de la CUM. La Commission de développement de la métropole étant abandonnée, il semble que la Communauté urbaine – sous une forme ou une autre – sera appelée à jouer un rôle de premier plan dans la réorganisation politique éventuelle de la région.

M. Trudel persiste par ailleurs à croire que des services pourraient être regroupés entre différentes municipalités, que ce soit

LA NOUVELLE DONNE MUNICIPALE

Brian Myles

Des élections en bonne et due forme ont eu lieu dans 275 villes et villages à travers le Québec le 2 novembre 1997. Coup d'œil sur la nouvelle donne municipale autour de Montréal.

Laval: Gilles Vaillancourt a profité de la division du vote entre ses deux principaux adversaires, Daniel Lefebvre (2e) et Marie-Josée Bonin (3e), pour se faufiler à la mairie de l'île Jésus pour un troisième mandat. L'opposition est cependant plus vigoureuse qu'elle ne l'était avec trois conseillers de l'Équipe lavalloise nouvelle et deux d'Option Laval. M. Vaillancourt s'impose comme l'un des hommes forts de la politique municipale à l'échelle du Grand Montréal. Avec le maire d'Anjou, Luis Miranda, il tente depuis le printemps de convaincre Québec d'autoriser la construction d'un pont reliant Laval et l'autoroute 25, à Montréal.

Verdun: À l'heure où le gouvernement québécois aborde la question des fusions municipales, les Verdunois habitant l'île des Sœurs ont élu deux conseillers «autonomistes» dont le but avoué est de se séparer de Verdun. L'île des Sœurs, deviendra-t-elle une ville à part entière? Georges Bossé, réélu maire, n'y croit pas du tout. M. Bossé, dont le parti contrôle six sièges sur dix au conseil, a minimisé le poids politique des autonomistes, Robert Isabelle et Catherine Chauvin. Ces derniers envisagent de tenir un référendum sur la question de l'autonomie au cours de leur mandat.

Lachine: Promettant de *«faire plus avec moins»*, William McCullock a obtenu de justesse la confiance de l'électorat lachinois. Cet ancien conseiller municipal connaît cependant

par l'entremise de la CUM ou non. À preuve, Verdun et LaSalle ont regroupé en janvier 1998 leurs services de prévention des incendies et quatre autres municipalités de l'est de l'île (Saint-Léonard, Montréal-Nord, Anjou et Montréal-Est) songent à en faire autant. Dans la foulée, 300 000 $ ont été mis à la disposition des villes de la CUM pour financer des études sur la mise en commun des services.

Ministère d'État à la métropole

C'est en août 1997 que Robert Perreault, ancien conseiller municipal du Rassemble-ment des citoyens de Montréal et actuel député de Mercier, est devenu ministre d'État à la métropole.

En octobre de la même année, le nouveau ministre s'avançait sur un terrain glissant, annonçant son intention de fusionner la STL, la STCUM et la STRSM. Histoire de faire passer la pilule, il promettait par la suite des économies d'une centaine de millions de dollars aux villes concernées grâce à des réductions de services, une tarification à distance, l'augmentation des droits d'immatriculation et de la taxe sur l'essence. Les municipalités de l'île de Montréal auraient bénéficié de 80 % des économies une année mouvementée à la mairie. Il est impliqué dans un affrontement avec le conseil municipal et le directeur général au sujet du remboursement des dépenses effectuées par les employés et les élus. À la demande du maire, Québec a décidé d'enquêter sur les procédures administratives suivies par Lachine en la matière.

Ailleurs au Québec

Les élections de novembre 1997 ont laissé entrevoir l'insatisfaction de l'électorat à l'égard de la classe politique municipale. Bon nombre de maires ont été remerciés par les électeurs tandis que d'autres ont été réélus de justesse. À Québec et à Sainte-Foy, c'est carrément l'opposition qui dirige (voir l'article de Rémy Charest dans le Panorama des régions). Le transfert fiscal de 375 millions de dollars du gouvernement Bouchard aux municipalités y est-il pour quelques chose?

Mais il y a source de plus grande inquiétude : dans 463 des 789 municipalités en scrutin, le maire a été élu par acclamation, c'est-à-dire sans opposition. Trois fois sur cinq, une seule personne se sentait interpellée par le défi de la politique dans une municipalité donnée. Pire, 14 municipalités sont sans maire, personne n'ayant voulu du poste. Les projets de fusion ont par ailleurs entraîné le report des élections dans 37 localités.

La démocratie municipale est-elle en santé? La deuxième vague d'élections municipales, le 1er novembre 1998, permettra de le vérifier alors que Montréal, Longueuil, Trois-Rivières et les autres se choisiront des dirigeants. ●

escomptées. Mais la deuxième couronne n'allait pas être en reste. M. Perreault suggérait de prolonger le métro à Laval et remettait aussi en question l'existence de l'impopulaire Agence métropolitaine de transport (AMT).

La STL, la STCUM et la STRSM dépensent annuellement 957 millions de dollars. Ces sociétés sont financées par les villes à partir de taxes levées sur les valeurs foncières. Ainsi, la STCUM tire 40 % de ses revenus de la quote-part des villes membres de la Communauté urbaine. Cette proportion grimpe à 44 % dans le cas de la STRSM et à 48 % pour la STL. La fusion et les nouvelles sources de financement auraient permis de *«libérer le champ foncier»*, pour

reprendre une expression du ministre Perreault.

Un comité ministériel formé du ministre Perreault et de ses homologues Bernard Landry (Finances), Rémy Trudel (Affaires municipales) et Jacques Brassard (Transports) a pris le dossier en charge. La fusion devait se faire dans l'espace de quelques mois.

Dans un premier temps, Robert Perreault a estimé les économies brutes résultant du regroupement entre 25 et 30 millions. Les élus de la Rive-Sud ont été les premiers à contester ce chiffre. Étude à l'appui, ils soutenaient que les coûts d'exploitation de la STRSM grimperaient de 15 millions. Devant la Chambre de commerce de la Rive-Sud, en janvier 1998, le ministre gonflait les économies résultant de la seule fusion à 55 millions. Une étude préparée par les trois sociétés de transport ramenait finalement ces économies à 8,3 millions.

Finalement, en mars 1998, la fusion des trois sociétés de transport était reportée, le conseil des ministres préférant aborder la question dans une perspective plus large. Le Parti québécois a décidé d'attendre le jugement du peuple avant de s'attaquer plus à fond aux problèmes de Montréal et sa région. La fiscalité, la réorganisation des municipalités, la fusion du transport et la réforme de la Communauté urbaine de Montréal devraient être à l'ordre du jour au lendemain des élections.

Déjà en décembre 1997, lors du bilan de la session parlementaire à Québec, Lucien Bouchard a évoqué la nécessité d'une *«opération de salut public pour Montréal»* et même la tenue d'un sommet Montréal s'il est élu premier ministre. Avant tout, il faut résoudre le problème des finances de Montréal, a-t-il dit. La présidente du comité exécutif de la CUM, Vera Danyluk, y a vu la promesse *«arrogante»* d'un gouvernement qui a lui-même *«semé la pagaille dans le monde municipal»* en transférant des factures.

À l'aube de la tourmente électorale, la commission sur la fiscalité locale, mise sur pied par le ministre Trudel, entre en scène. Les travaux de cette commission, qui étudiera à fond le régime fiscal municipal, devraient servir de base à la conclusion d'un nouveau pacte fiscal entre Québec et les municipalités pour l'an 2000. ○

Les Expos
toujours en sursis

JEAN DION

L'affaire des Expos de Montréal traîne en longueur. Ce qui devait se régler pour l'été 98 a finalement été remis à l'automne, dans un climat d'incertitude. Le stade au centre-ville, cher à Claude Brochu, est-il un rêve réalisable?

L'année 1998 aura été, pour les Expos de Montréal, celle du sursis. Au 30 juin, date limite initialement fixée par les dirigeants de l'équipe pour décider d'aller de l'avant avec la construction d'un nouveau stade à ciel ouvert au centre-ville ou de vendre la franchise à des intérêts américains, tout restait encore à jouer, et seul le fait que les Expos allaient demeurer à Montréal pour la saison 1999 était établi avec certitude.

Une dizaine de jours avant l'échéance, le président et copropriétaire des Expos, Claude Brochu, a en effet annoncé son report de trois mois, jusqu'à la fin de septembre. Officiellement, l'équipe a fait valoir qu'elle avait été «trop ambitieuse» en se donnant seulement un an pour dénicher 100 millions auprès du secteur privé; il s'agit là de la somme minimale à amasser avant de demander l'appui des différents ordres de gouvernement pour en arriver au total de 250 millions considéré comme nécessaire à la construction du nouveau

stade. Dans les faits, les résultats décevants de la campagne de vente – 40 loges d'entreprise réservées sur une soixantaine, moins de 5000 droits de sièges écoulés sur un objectif de 18 000, moins de 40 millions amassés en tout – et, est-on en droit de penser, la difficulté de trouver un acheteur éventuel ont certainement pesé lourd dans la balance.

La public boude

Il a d'ailleurs été beaucoup plus question de ce nouveau stade que de ce qui se passe dans l'actuel Stade olympique au cours de l'année. Les amateurs ont continué d'ignorer largement les Expos, une équipe dégarnie qui s'est délestée pendant la morte saison, comme c'est devenu son habitude, de ses meilleurs et plus coûteux éléments; Pedro Martinez, gagnant du trophée Cy-Young remis au lanceur par excellence de chacune des deux ligues de baseball majeur, et quatre autres joueurs réguliers (Mike Lansing, David Segui,

Henry Rodriguez et Darrin Fletcher) ont ainsi fait leurs valises, replongeant le club dans le processus de « reconstruction » qui le caractérise depuis la grève des joueurs de 1994.

À la mi-saison 1998, les Expos se trouvaient déjà à plus d'une vingtaine de parties de la tête dans la division Est de la Ligue nationale, donc virtuellement éliminés, et avaient attiré moins de 11 000 spectateurs en moyenne par match local.

M. Brochu a toutefois déclaré à plusieurs reprises que le rendement de l'équipe tant sur le terrain qu'aux guichets n'avait aucune influence sur le projet de nouvel amphithéâtre de 35 000 places, qui ouvrirait ses portes au début de la saison 2001.

Les efforts de diminution de la masse salariale des Expos – qui est passée à neuf millions de dollars US, de loin la plus faible des ligues majeures –, a-t-il ajouté, sont au contraire inévitables s'ils veulent conserver la moindre chance de survivre à Montréal, en attendant les revenus accrus qu'offrirait le nouveau stade et qui leur permettraient de se rapprocher de la rémunération moyenne du baseball et, conséquemment, de garder leurs meilleurs joueurs et d'être plus compétitifs sur le plan sportif.

Formation d'un comité de soutien

Mais comme sur le losange, la lutte a été ardue hors du terrain, dans les cercles où se trouve le nerf de la guerre.

Malgré les représentations de M. Brochu et ses interventions sur de nombreuses tribunes, et malgré l'optimisme indéfectible dont ce dernier faisait publiquement étalage, les choses paraissaient stagner jusqu'en

mars, au moment de la formation d'un comité de soutien – baptisé « Opération 2001 » – composé de trois hommes d'affaires en vue : Serge Savard, ancien directeur général du Canadien de Montréal maintenant associé au Château Champlain, Jean Coutu, propriétaire de la chaîne de pharmacies qui porte son nom, et Lynton « Red » Wilson, p.-d.g. des Entreprises Bell Canada.

Quelques semaines plus tard, fin avril, d'autres gros noms se joignaient à un « comité d'honneur » : Laurent Beaudoin (Bombardier), John Cleghorn (Banque Royale), Charles Bronfman (Seagram), André Caillé (Hydro-Québec), ainsi que des dirigeants d'entreprises telles Alcan, Imasco et Lavalin – presque tous, cependant, étaient absents à la conférence de presse convoquée pour annoncer leur adhésion à la cause. Et M. Brochu faisait part au même moment de la création d'une vingtaine de sous-comités dont les présidents respectifs seraient chargés de solliciter les entrepreneurs de leur secteur d'activité. Des dirigeants de la Banque de Montréal, de Télévision Quatre Saisons, de Standard Life, de Labatt, de Pharmaprix et de la Société des alcools du Québec, entre autres, ont accepté de prêter leur concours.

Labatt promet 100 millions

Selon la direction des Expos, d'ailleurs, c'est pour permettre aux responsables de ces sous-comités de compléter leur travail que l'échéance du 30 juin a été reportée. M. Brochu a aussi tenu à souligner que les 100 millions à récolter auprès du secteur privé devaient l'être pour l'an 2001 et non pour l'automne 1998 ; parallèlement, une entente conclue fin mai avec la Brasserie Labatt, en vertu de laquelle l'entreprise versera 100 millions aux Expos sur 20 ans à compter de 2001 – dont 40 millions pour que l'éventuel complexe porte le nom de « Parc Labatt » –, a donné un coup de pouce, mais cette somme, a-t-on précisé, ne servira en aucun cas à la construction du nouveau stade.

En fait, l'équipe ne cherchait donc dans une première étape, toujours en cours à l'été 1998, qu'un engagement de participation qui servirait de base au lancement de la seconde phase, publique celle-là, de financement.

Un soutien public contesté

À cet égard, l'horizon reste flou. Au premier chef, les citoyens ont une approche contradictoire et fataliste quant à un appui à l'érection d'un nouveau stade, entre autres considérations.

Selon un sondage réalisé début mai par la firme Sondagem pour le compte de Télé-Québec, du *Devoir* et du *Soleil*, 72 % des Québécois s'opposaient alors à un soutien financier au sport professionnel en général, et 74 % se disaient en désaccord avec l'idée que l'État accorde un traitement fiscal particulier aux équipes de la Ligue nationale de hockey, qui caressent des ambitions similaires à celles des Expos ; en revanche, pas moins de 63 % des gens interrogés croyaient que, peu importe leur opinion personnelle, le gouvernement fédéral se plierait quand même à quelques-unes des revendications des propriétaires de la LNH.

La classe politique, de son côté, est demeurée plutôt fraîche face au projet des Expos. À quelques mois des élections

municipales à Montréal (novembre 1998), le maire Pierre Bourque a tout juste indiqué que, s'il devait y avoir consentement d'avantages fiscaux, ceux-ci devraient faire l'objet d'une compensation par le gouvernement du Québec.

À Québec, le premier ministre Lucien Bouchard a souligné à plusieurs reprises qu'il n'était pas question d'investir de l'argent dans un stade au moment où l'on ferme des hôpitaux. Et à Ottawa, les opinions étaient réservées alors qu'un sous-comité de la Chambre des communes étudiait l'ensemble du dossier du financement du sport professionnel au Canada ; son rapport était attendu à l'automne.

Le plaidoyer de Claude Brochu

Témoignant devant les parlementaires en mai, M. Brochu a donné à entendre qu'une aide publique était essentielle à la survie des Expos. «*Dans la mesure où le club est un actif pour le pays, génère des revenus, crée des emplois et génère des recettes fiscales importantes pour le gouvernement, c'est probablement raisonnable qu'une partie de ces recettes, pour en faire plus, soit investie*», a-t-il dit, évoquant un allégement du fardeau fiscal de l'équipe. «*On ne peut pas avoir le service de la dette, les taxes foncières, les taxes à la consommation, les taxes sur le capital, les charges sociales, le taux de change, tous ces éléments, et espérer compétitionner. C'est impossible.*»

L'attitude des Expos, qui ont refusé tout du long de préciser la nature de l'appui espéré sous prétexte que la chose était «*prématurée*», n'a pas manqué d'en agacer plusieurs. Claude Brochu a bien évoqué

QUELQUES
EXPLOITS

Jean Dion

Champion du monde des pilotes de Formule 1 en 1997, Jacques Villeneuve a vécu un calendrier 1998 aussi frustrant que le précédent avait été triomphal. L'écurie Williams à laquelle il appartient, équipant ses voitures de moteurs Mecachrome après que Renault se fut retiré de la course automobile, s'est beaucoup moins bien adaptée aux modifications aux règlements – dimensions des véhicules – apportées par la Fédération internationale de l'automobile que ses rivales McLaren et Ferrari, de sorte que Villeneuve s'est retrouvé le plus souvent en milieu de peloton lors des épreuves.

Après huit Grands Prix sur 16 inscrits au calendrier, Villeneuve ne s'était classé dans les points, soit parmi les six premiers, que cinq fois, et n'avait pu faire mieux qu'une quatrième place à Saint-Marin et en France. À mi-parcours, il totalisait 11 points contre 50 et 44 respectivement pour Mika Häkkinen (Finlande, McLaren) et Michael Schumacher (Allemagne, Ferrari).

Les médaillés de Nagano

Les Jeux olympiques d'hiver de Lillehammer, en 1994, avaient vu les athlètes québécois

quelques exemples, comme une émission d'obligations à intérêts non imposables ou le principe d'une surtaxe dite « dédiée » sur les chambres d'hôtel, mais il n'a jamais formulé de propositions concrètes. Tout au plus a-t-il rejeté du revers de la main, souvent avec une certaine impatience, le mot «*subvention*», lui préférant celui d'«*investissement*»; on sait que les Expos font valoir que les retombées de la présence d'une franchise de baseball majeur à Montréal sont telles que l'injection de fonds publics équivaudrait, selon les mots du président, à «*donner une piastre pour en avoir dix*».

La LNH en demande

L'hypothèse d'une diminution des charges fiscales a par ailleurs été au premier plan d'une autre présentation devant le sous-comité des Communes, faite celle-là par les dirigeants des équipes canadiennes de la LNH (Montréal, Ottawa, Toronto, Calgary, Edmonton et Vancouver).

Ceux-ci considèrent que le fardeau qu'ils assument les menace au pire de faillite et donc de déménagement, au mieux de perdre toute possibilité d'être vraiment concurrentiels face aux formations américaines; par exemple, le Canadien de Montréal, selon son président Ronald Corey, paie à lui seul trois fois plus de taxes que les 20 franchises des États-Unis réunies.

Au cœur de tout ce débat se trouve évidemment le taux de change élevé, qui désavantage considérablement les équipes canadiennes contraintes de payer leurs joueurs en dollars américains. Mais le s'offrir la part du lion des médailles remportées par le Canada, soit neuf sur 13. À Nagano, en février 1998, l'histoire fut sensiblement différente.

Les Québécois sont ainsi rentrés du Japon avec cinq médailles, pendant que le Canada enregistrait sa meilleure performance de l'histoire avec 15 podiums. Les favoris tels Myriam Bédard (biathlon), Jean-Luc Brassard (ski acrobatique, bosses) et Nicolas Fontaine (ski acrobatique, saut), voire l'équipe de hockey masculin qui comptait quatre Québécois, ont déçu, mais de nouveaux visages sont apparus.

Annie Perreault, de Rock Forest, a remporté l'or au 500 mètres du patinage de vitesse courte piste ; Éric Bédard, de Sainte-Thècle, le bronze au 1000 m ; Bédard, François Drolet et Marc Gagnon faisaient partie du quatuor médaillé d'or au relais 5000 m ; Perreault, Christine Boudrias, Isabelle Charest et Tania Vincent ont décroché le bronze au relais 3000 m ; enfin, l'équipe de hockey féminine médaillée d'argent comptait cinq Québécoises en son sein, soit Thérèse Brisson, Nancy Drolet, Danielle Goyette, Manon Rhéaume et France Saint-Louis, en plus de l'entraîneur adjoint Danielle Sauvageau. ●

véritable nœud du problème réside dans le mouvement qui s'est dessiné aux États-Unis au cours des cinq dernières années et en vertu duquel les magnats du sport professionnel, incapables de contrôler eux-mêmes la spirale inflationniste des salaires et profitant du statut de monopole de facto des ligues, exigent, sous la menace d'un déménagement, de nouvelles installations, des conditions d'exploitation préférentielles et des exemptions fiscales spéciales.

À ce jour, pas moins d'une quarantaine de villes américaines – deux tiers de toutes celles qui comptent une équipe d'un des quatre circuits majeurs ! – ont été touchées par le phénomène et, dans l'écrasante majorité des cas, les pouvoirs publics se sont rendus aux demandes qui leur avaient été faites.

Il en résulte une inégalité de ressources critique pour une industrie dont le produit même est une concurrence la plus intense possible entre ses composantes. Il en résulte

aussi la nécessité, pour les moins bien nantis, de chercher des appuis auprès des gouvernements afin de se renflouer. Ces appuis pourraient toutefois s'étioler à court terme : au moment d'écrire ces lignes, les citoyens des quatre dernières villes ou régions des États-Unis à être consultées par référendum avaient rejeté tout soutien financier public à la construction d'un nouveau stade ou à l'« importation » d'une équipe, et comme le marché du baseball majeur, qui compte maintenant 30 franchises, est au bord de la saturation, les ultimatums lancés par les propriétaires courent le risque de tomber à plat.

Telle était bien, à l'été 1998, la situation des Expos de Montréal : d'un côté, les réticences locales à se joindre à une aventure qu'une bonne partie de la population assimile à du gaspillage ; de l'autre – malgré l'assurance donnée par Claude Brochu qu'il pourrait vendre l'équipe *«demain»* pour 250 millions $ US –, l'incertitude réelle quant à un acheteur éventuel. Et quelques semaines pour se décider.

Les Alouettes au centre-ville

Les déménagements étant à la mode, les Alouettes de Montréal, de la Ligue canadienne de football, ont eux-mêmes transféré leurs pénates pour la saison 1998. Et ils doivent en partie à... la musique de s'être trouvé un nouveau domicile.

Les Alouettes, recréés en 1996 après une éclipse d'une dizaine d'années, éprouvaient des problèmes aux guichets depuis leur renaissance. En 1997, ils avaient attiré moins de 10 000 spectateurs par match local en saison régulière lorsque, devant accueillir le match de demi-finale de la division Est en novembre, ils furent « expulsés » du Stade olympique par le groupe irlandais de rock U2, qui y présentait un concert le même week-end.

Les Alouettes ont donc décidé de disputer la rencontre au stade Molson de l'université McGill, sur les flancs du mont Royal. Ce stade contient 18 000 places, et 16 200 amateurs s'y sont réunis pour assister à une victoire contre les Lions de la Colombie-Britannique. L'équipe ayant particulièrement apprécié l'ambiance, la proximité des estrades et du terrain, la situation au centre-ville – et le loyer... –, elle a décidé de s'y installer en permanence. Le premier match de la saison 1998 au stade Molson a eu lieu le 9 juillet. O

Panorama
des régions
du Québec

Délestage tapageur ou décentralisation tranquille ?

SERGE CÔTÉ

En apparence, le monde municipal et régional a été bousculé, en 1997-98, comme il l'avait rarement été auparavant. Pourtant, sous le délestage budgétaire qui a fait tant de bruit au cours de l'année écoulée, se profile un autre réalité : des outils nouveaux pour l'action locale et régionale sont apparus, signes d'une décentralisation à la pièce qui serait le nouveau visage d'une politique régionale pragmatique.

L'année 1997 et l'année 1998 ont été marquées par des chambardements dans les structures locales et régionales responsables de l'aménagement, du développement et de la gestion du territoire au Québec. Le contexte de contraction des finances publiques a servi de toile de fond à ces changements et a causé des frustrations chez plusieurs acteurs institutionnels impliqués dans ces changements. Les prochaines années diront si ces orientations auront été fécondes. Au terme de ces modifications, les localités et les régions du Québec se trouvent en possession de nouveaux outils pour assurer leur développement sans que l'on puisse toutefois parler de ressources financières plus abondantes qu'auparavant.

On a pris l'habitude de désigner par le terme de « régions » les sous-ensembles d'un ensemble politique plus vaste. On recourt tantôt à un découpage administratif, tantôt à un découpage fonctionnel : il n'y a pas d'uniformité dans la façon de concevoir les régions. Par convention, dans le présent texte, on donnera priorité au découpage administratif en 17 régions. Toutes les localités québécoises, du plus petit village à la métropole, font partie d'une région.

Des territoires diversifiés

Les conditions d'existence sont diversifiées selon les territoires. On peut laisser de côté les indicateurs comme les niveaux de revenu et le rapport emploi-population qui servent souvent à classer les régions : ces indicateurs ne font qu'illustrer des grands paramètres, mais ne donnent pas le pouls de ce qui se passe sur le terrain. Quelques exemples puisés dans la vie régionale feront mieux comprendre que des chiffres certaines des dynamiques à l'œuvre dans les régions.

• Sur le plan économique, la création d'emplois fait partie de tout programme d'action régionale. La gestion des outils qui soutiennent l'activité économique peut cependant se présenter de façon fort différente selon les régions. Le gouvernement fédéral a décidé il y a quelque temps de se départir de la responsabilité des ports et aéroports et de les remettre à des structures émanant des différents milieux. Non sans difficultés, Aéroports de Montréal a relevé le défi, pris des décisions qui ont été parfois impopulaires, comme le déplacement des vols intercontinentaux de Mirabel à Dorval, et, grâce à une taxe de 10 $ par personne à l'embarquement, a trouvé des ressources supplémentaires lui permettant d'exercer ses nouvelles responsabilités. La Gaspésie, elle, qui possède plusieurs ports et aéroports, est appelée à en assumer la gestion. À terme, il semble difficile de tous les maintenir en bon état. Certains devront peut-être fermer, ce qui affaiblira le territoire dans ses capacités de développement.

• Sur le plan culturel, le gala annuel de la *Soirée des masques,* qui donne beaucoup de visibilité télévisuelle aux artisans du théâtre, a voulu en 1998 rendre hommage aux productions non métropolitaines. Comme il n'y avait pas de caméras pour capter en direct en dehors des grands centres, plusieurs artistes ont protesté. Problème typique des régions non métropolitaines : les ondes et le câble leur apportent les chaînes du monde entier, mais il leur est très difficile, même ponctuellement, d'être présentes sur ces réseaux.

• Sur le plan social, l'intégration des jeunes est partout une préoccupation, mais ce qu'il est convenu d'appeler « l'exode des jeunes » est souvent souligné comme caractérisant les régions non métropolitaines.

Des « factures » pour alléger le déficit ?

Le climat de la dernière année a été caractérisé par les hauts et les bas de la poursuite du déficit zéro par le gouvernement du Québec qui s'est engagé dans des opérations de délestage en commandant des compressions et en envoyant des « factures » à divers niveaux du secteur public et parapublic, aussi bien dans les ministères et agences gouvernementales que dans les maisons d'enseignement post-secondaires, les commissions scolaires, les établissements de santé et de services sociaux, les municipalités, etc. Dans le cas des administrations municipales, de semblables exercices concernant la voirie locale en 1993 et les services de la Sûreté du Québec en 1996 avaient laissé un souvenir amer. Le retour des « factures » (500 millions de dollars qui se sont transformés en 375 à la fin du processus) a été très mal accueilli et a donné lieu à des dénonciations cinglantes.

Pourtant, ces exercices de rationalisation budgétaire comportaient d'autres finalités qui sont passées quasiment inaperçues. Ainsi, parmi les modalités envisagées pour arriver à la récupération visée, on a vu apparaître des propositions comme le transfert aux Municipalités régionales de comté (MRC) de la gestion des édifices scolaires, faite jusque-là par les commissions scolaires, ou de l'organisation du transport scolaire, responsabilité jusque-là exercée par le ministère des Transports. En plus de permettre à Québec de réaliser certaines économies, ces nouveaux arrangements auraient remis des responsabilités aux MRC qui auraient pu, dans le cas du transport, en profiter pour offrir le service à d'autres catégories de personnes que les élèves. L'Union des municipalités régionales de comté et des municipalités locales du Québec (UMRCQ) était prête à l'été 1997 à faire une négociation en ce sens avec le gouvernement, mais le projet a été écarté à cause de l'opposition des commissions scolaires et des grandes municipalités regroupées au sein de l'Union des municipalités du Québec (UMQ) ainsi que des objections de plusieurs municipalités membres de l'UMRCQ. La remise de responsabilités qui devait accompagner le délestage ne s'est pas faite et le dossier des 375 millions s'est finalement résumé à une contribution à un fonds spécial en attendant un futur pacte fiscal avec les municipalités. Donc, seul a prédominé l'aspect financier de l'opération.

Des fusions pour réduire les coûts ?

Un autre dossier irritant pour les municipalités a été celui des fusions. En mai 1996, le ministre des Affaires municipales Rémy Trudel a fait l'annonce d'une politique dite de « consolidation des communautés locales » qui visait, dans une première phase, à proposer des fusions à 400 municipalités avec l'objectif d'en ramener le nombre à 175. Les fusions ont aussi été à l'ordre du jour dans le monde scolaire, où le nombre de commissions scolaires a diminué de moitié en 1998. Il en est de même dans les établissements de santé : des hôpitaux ont fermé ou fusionné en 1997 et plusieurs centres d'accueil ont été intégrés à des Centres locaux de services communautaires (CLSC) ou à des hôpitaux au cours des deux dernières années. Dans tous ces cas, la rationalisation budgétaire était le principal mobile des fusions.

Pour en revenir aux municipalités, les fusions, à l'été 1998, ne sont pas encore réalisées. Elles demeurent des propositions dont la discussion cas par cas n'est pas terminée. La majorité des élus municipaux, qu'ils appartiennent à l'UMQ ou à l'UMRCQ, ont fait savoir qu'ils voulaient bien parler de fusion, mais à condition qu'il s'agisse d'un processus volontaire et non imposé. La proposition de Québec comprenait des incitatifs pour les municipalités qui s'engageraient dans des projets de fusion et des pénalités (sous forme de non-accès à des programme de subventions) pour celles qui refuseraient les fusions. Tout au long de l'année 1997 et de l'année 1998, des réticences se sont exprimées à la fois sur l'objectif lui-même et sur la manière d'y arriver. D'un point de vue de technocrate, on pourra toujours considérer qu'il y a trop de municipalités et que leur déploiement actuel engendre de l'inefficacité. Ce point de vue n'est pas toujours partagé par les représentants locaux. Une de leurs préoccupations majeures est de se mettre à l'abri des augmentations de taxes, de préserver l'identité locale partagée par les citoyens qu'ils représentent et... de sauvegarder leur base de pouvoir, toutes choses qui peuvent être mises en péril lors d'une fusion.

Les réponses aux propositions de Québec furent très diverses : certaines municipalités ont accepté de discuter fusion ; d'autres ont plutôt mis de l'avant des projets d'ententes intermunicipales pour gérer des services en commun ; dans d'autres cas, des contre-projets de fusion ont été mis de l'avant : ainsi, dans la MRC de Pabok, au lieu de passer de dix municipalités à quatre selon le plan de Québec, un bloc d'élus a fait la proposition de passer de dix à une seule ! Des contextes particuliers ont amené d'autres intervenants à faire des propositions inédites, comme celle de communauté insulaire aux Îles-de-la-Madeleine : un préfet élu au suffrage universel, flanqué de huit conseillers élus eux aussi, dirigerait un conseil qui prendrait la place de la MRC et des huit municipalités existantes, du moins dans leurs attributions actuelles ; à Fermont, on a proposé de réunir sous une même administration intégrée la municipalité, la MRC, les soins de santé, les écoles et de se retirer de la commission scolaire de la Côte-Nord ; d'autres municipalités, enfin, ont opposé un refus catégorique aux projets de fusion de Québec.

La fronde des banlieues des grandes villes

L'une des sources les plus farouches de résistance aux fusions est venue des municipalités de banlieue des villes de Montréal et de Québec. Alors que la phase 1 du programme de fusions du ministre Trudel ne concernait que des municipalités rurales, la question de la fusion de certaines municipalités avec les villes-centres de leur agglomération (phase 2 du plan ministériel) a été évoquée et a suscité un tollé dans les villes de banlieue. Aux relations tendues entre les unions municipales, UMQ pour les grandes municipalités et UMRCQ pour les petites municipalités, s'est ajoutée une nouvelle ligne de clivage dans le monde municipal, ligne passant cette fois à l'intérieur de l'UMQ entre les villes de banlieue et les autres. Les municipalités membres de la Conférence des maires de banlieue de Montréal se sont même retirées de l'UMQ, l'occasion prochaine n'étant toutefois pas le dossier des fusions, mais plutôt celui des « factures ». Dans ce dossier, la ligne de clivage restait toutefois la même, étant donné que Québec avait décidé d'alléger le taux de la facture pour certaines municipalités, dont les villes-centres, alors qu'il était de 6 % pour les autres.

Des tensions de même nature se sont exprimées dans le projet de Commission de développement de la métropole que le ministre Ménard, titulaire depuis juin 1996 du nouveau ministère de la Métropole, caressait pour la grande région de Montréal. Une loi, votée au printemps 1997, institue cette commission, mais il a été impossible dans le reste de l'année 1997 ou en 1998 de mettre en place la structure prévue, certaines villes de banlieue effectuant un blocage systématique. S'il y a un accord minimal sur la nécessité d'une instance de coordination dans la région métropolitaine, il n'y a aucun consensus sur le caractère obligatoire ou optionnel de l'adhésion à cette instance, sur la nature décisionnelle (ce que souhaite la partie ouest de la région) ou consultative (ce que souhaite la partie nord de la région) des orientations qui y seraient éventuellement prises ou même sur le territoire qu'il serait souhaitable d'inclure dans la commission.

Au point de départ, le ministre Ménard voulait fusionner cinq régions administratives en une seule (Montréal, Laval, Montérégie, Laurentides, Lanaudière), reconstituant ainsi sans s'en rendre compte la maxi-région « 06 » de la fin des années soixante ; il fut question à titre de contre-proposition de ne couvrir que le territoire de la Communauté urbaine de Montréal, de Laval et de la MRC Champlain (Longueuil et les environs) sans modification des régions administratives respectives auxquelles se rattachent ces territoires.

On peut parler d'une certaine cacophonie dans ce dossier. En mai 1998, certains élus de la banlieue sud de Montréal sont même allés jusqu'à réclamer la création, à même la Montérégie, d'une nouvelle région administrative qui pourrait être désignée comme région de la Rive-Sud, ce qui ne ferait qu'ajouter au caractère variable de la géométrie métropolitaine !

Une décentralisation embryonnaire

Le dossier de fusions et l'épisode des « factures » doivent certes être interprétés dans le contexte de la poursuite du déficit zéro. Cependant, cette façon de l'aborder n'épuise pas la signification de ces événements. Un autre fil conducteur les relie. On ne peut en effet écarter l'intention de préparer le terrain pour des restructurations à venir axées sur des remises de responsabilités aux instances locales et régionales.

La décentralisation qui a fait l'objet d'un livre blanc à la veille du référendum de 1995 ne pouvant être mise en place d'un seul coup, le choix est fait de s'en rapprocher par petites touches successives, à la pièce et dans un ordre qui est celui que les circonstances permettent. Les milieux locaux et régionaux ont manifesté à plusieurs reprises, au cours des dernières années, leur intérêt pour la décentralisation, notamment lors d'audiences publiques comme celles de la Commission Bélanger-Campeau en 1990 et des Commissions sur l'avenir du Québec en 1995. Toutefois, les remises de responsabilités avancées par Québec (par exemple, remise effective de la voirie locale en 1993 et remise proposée du transport scolaire en 1997) n'ont jamais bien été accueillies par une partie des autorités locales. Des municipalités fusionnées, en plus de coûter moins cher à gérer et de requérir moins de subventions du central, seraient de meilleurs réceptacles pour l'exercice de nouvelles responsabilités. Les étapes ultérieures d'un décentralisation tranquille sont donc escomptées dans les actions de l'État québécois.

Une nouvelle politique et de nouveaux outils

Québec a mis de l'avant de nouvelles orientations en matière d'action régionale avec la publication en mai 1997 d'une *Politique de soutien au développement local et régional* et l'adoption en décembre 1997 d'une Loi sur le ministère des Régions. Dans ces documents, le choix est fait de consacrer les territoires des MRC comme territoires privilégiés d'intervention. Les nouveaux Centres locaux de développement (CLD), qui épousent pour l'essentiel le découpage territorial des MRC, se voient confier un mandat de soutien économique, mandat que le législateur a délibérément choisi, malgré les demandes pressantes de l'UMRCQ, de ne pas remettre aux entités constituées que sont les conseils de MRC, même si ces derniers participeront aux conseils d'administration des CLD et les financeront en partie. Garder les CLD distincts des MRC permet d'intégrer d'autres acteurs que les acteurs municipaux, par exemple ceux de l'économie sociale, au fonctionnement des CLD.

Du côté du gouvernement fédéral, les deux organes par lesquels il intervient sur le terrain ont connu peu de changements dans leurs activités. Les Sociétés d'aide au développement économique (SADC), au nombre d'une cinquantaine au Québec, ont continué à faire de l'animation économique et à gérer des fonds d'investissement destinés aux entreprises. Un nouveau volet concernant les jeunes

entrepreneurs s'est ajouté en octobre 1997. De son côté, le Bureau fédéral de développement régional-Québec (BFDRQ) effectue une certaine coordination de l'action largement autonome des SADC ; il mène également diverses interventions comme le soutien à des parc de haute technologie, par exemple celui de Saint-Hubert dans la banlieue sud de Montréal, et la participation au Fonds Techno-région Québec/Chaudière-Appalaches. Le BFDRQ a le statut d'agence gouvernementale. Son nom est devenu en mars 1998 Développement économique Canada pour les régions du Québec, Développement économique Canada (DEC) en bref. L'action des SADC et de DEC ne fait pas l'objet d'une coordination formelle avec les instances gérées par le gouvernement du Québec, même si dans certaines micro-régions les structures fédérales et québécoises travaillent de concert.

Les territoires MRC, nouveaux lieux d'intervention

Le choix par le gouvernement du Québec des territoires MRC comme lieux d'intervention soulève plusieurs questions. Une question d'ordre sémantique d'abord.

Les territoires MRC constituent désormais pour le gouvernement du Québec le niveau local de développement. Cela constitue un nouvel usage du vocable « local », usage qui n'est pas sans conséquence. Jusqu'ici, le mot « local » avait tendance à désigner des initiatives prenant place dans des localités singulières de dimensions restreintes (municipalités rurales, quartier des villes). Il faudra s'habituer à ce que le terme « local » ait aussi le sens de « micro-régional » et soit désormais applicable à des territoires regroupant de multiples localités (plus de 20 pour la plupart des MRC). L'expression « développement local » qui avait le sens « d'actions plus ou moins spontanées des groupes et des individus pour améliorer à la base leurs conditions d'existence » signifiera désormais en plus le soutien institutionnel dans le cadre micro-régional aux initiatives entrepreneuriales de développement économique. Ce nouveau sens du mot local aura sans doute comme conséquence de reléguer un peu dans l'ombre ce qui se passe dans les petites municipalités et de légitimer l'intermunicipal comme niveau approprié pour l'action locale.

La question des fusions de MRC (distincte de celle de la fusion des municipalités locales) est indirectement soulevée par l'adoption de la nouvelle politique. Indirectement, parce que, nulle part dans la loi ne voit-on mention du nombre de MRC. Toutefois, à plusieurs reprises, il a été question dans les propos de hauts dirigeants politiques d'une réduction du nombre de MRC. La plupart du temps, il s'est agi de ballons d'essai qui ont été rangés aussi rapidement qu'ils avaient été lancés, mais leur apparition périodique est symptomatique.

Depuis leur création, il y a un peu moins de 20 ans, il n'y a pas eu, à toutes fins utiles, de changement dans le nombre de MRC, ni dans leurs frontières. Les citoyens des régions rurales s'identifient,

dans plusieurs cas, à leur MRC en tant que territoire de proximité et retoucher à la carte des MRC viendrait brouiller ces appartenances. Aussi, l'idée de fusions de MRC n'est-elle pas populaire dans le monde municipal. Le principal argument invoqué par les défenseurs des fusions est la petite taille de certaines MRC. La population d'une quarantaine de MRC ne dépasse pas 25 000 habitants. Ces petites MRC, en raison de la faible capacité fiscale des municipalités qui les composent, sont vues comme moins aptes à gérer les services qui pourraient leur être confiés. C'est en ce sens que la question des fusions est indirectement présente dans la nouvelle politique.

Une autre question que pose l'adoption de la nouvelle politique est celle du déplacement de ressources du palier régional, lieu d'action des Conseils régionaux de développement (CRD), au palier infra-régional, le territoire MRC. On peut se demander si, à terme et dans la mesure où d'autres fonctions ou services seront appelés dans l'avenir à se structurer selon le même découpage, cette nouvelle importance accordée aux territoires MRC ne viendra pas rendre superflue la présence du palier régional. À court terme, les CRD ne sont pas menacés toutefois. Leur existence est confirmée dans la loi et leurs attributions y sont décrites explicitement : concertation entre les partenaires de la région, établissement d'un plan stratégique identifiant les axes et priorités de développement pour la région, administration d'ententes conclues avec le gouvernement ou des ministères.

QUELQUES ENJEUX DE LA DÉCENTRALISATION TRANQUILLE

Serge Côté

• L'économie et l'emploi sont à l'avant-scène de l'implantation des CLD. D'ambitieux objectifs de création d'emplois sont mis de l'avant. Bien sûr, la création d'emplois n'est pas une tâche futile, mais il y a des risques à trop miser sur ce seul objectif. Risque d'abord de déception si les objectifs élevés ne sont pas atteints ; risque ensuite de négliger d'autres aspects du développement régional. L'Association des régions du Québec, qui regroupe tous les CRD du Québec, faisait valoir en Commission parlementaire que le projet de loi sur le ministère des Régions cantonne le ministère *dans le champ de l'économie et de l'emploi, et même plus particulièrement dans celui de l'entrepreneuriat, alors qu'à notre avis le développement régional est multidimensionnel*.

• Un second enjeu concerne la région de Montréal. Les efforts pour trouver une structure régionale appropriée sont dans l'impasse et on ne voit pas trop comment y arriver dans l'avenir, étant donné les divergences profondes qui existent entre les acteurs sur le territoire. À ce premier problème s'en superpose un second. La volonté de faire un effort particulier pour Montréal a amené Québec à créer en 1996 un ministère de la Métropole. L'application des politiques régionales-locales sur le territoire métropolitain a été revendiquée par le ministre de la Métropole qui a obtenu

Dispositif majeur de la nouvelle politique, les CLD constituent à partir d'avril 1998 une nouvelle instance dans le paysage des organismes publics qui ont pour mandat de soutenir le développement. Leur existence est prévue dans la loi. Leur mandat est essentiellement d'offrir des services d'aide à l'entrepreneuriat, d'élaborer un plan local d'action pour l'économie et l'emploi et d'agir comme comité consultatif des Centres locaux d'emploi (CLE). Pour ce dernier élément du mandat des CLD, il faut tenir compte d'une autre restructuration de grande envergure qui touche le ministère de l'Emploi et de la solidarité. Dans le sillage de l'entente Québec-Ottawa sur la main-d'œuvre, le gouvernement du Québec procède à l'intégration de certains services comme le placement et la formation professionnelle dans lesquels l'appareil fédéral, hormis la responsabilité qu'il conserve dans le domaine de l'assurance-emploi, n'exerce plus de responsabilités importantes sur le territoire québécois. La carte des points de service du ministère québécois qui s'occupe désormais de l'emploi a été organisée de telle façon qu'elle recoupe grosso modo, à l'instar des CLD, les territoires des MRC. Ceci renforce la prégnance du découpage déjà en place et ajoute un organisme « local » de plus à la liste des services dispensés sur une base territoriale.

gain de cause, ce qui fait que depuis mai 1997 les CRD de Laval et de l'Île de Montréal relèvent du ministre de la métropole tandis que ceux des autres régions relèvent du ministre des Régions. Cet arrangement n'est pas des plus heureux.

• Autre enjeu relatif à la décentralisation : les structures qui la portent doivent-elles relever exclusivement de personnes élues ou y a-t-il lieu de confier également des responsabilités à des non-élus ? Le monde municipal et de nombreux observateurs avec lui ont le réflexe de n'accorder de crédit qu'aux élus pour exercer des responsabilités d'ordre public. Les élus ne portent-ils pas l'auréole sacrée de l'imputabilité et ne sont-ils pas le meilleur rempart de la démocratie contre la technocratie ? Cette vision conduit à des diagnostics du genre : ne devraient siéger à un organe comme la Commission de développement de la métropole que des maires ; ou encore, le soutien à l'économie et l'emploi aurait dû être confié à une instance comme le conseil MRC. Cette position semble difficile à tenir si l'on veut impliquer des groupes d'intérêt, des associations, des regroupements communautaires, en somme des acteurs qui ne prennent pas part à la politique municipale.

• Enfin, un enjeu important de la décentralisation concerne son caractère octroyé. Pas plus la création des MRC en 1979 que la mise en place des CLD en avril 1998 n'ont procédé d'une poussée de la base. La décentralisation fait partie des revendications des acteurs régionaux, mais ses modalités de concrétisation sont entièrement entre les mains des gouvernements supérieurs. •

Une nouvelle orientation qui devra faire ses preuves

Le ton qui est donné à l'organisation territoriale par la mise en place des CLD et des CLE est particulier. L'inspiration entrepreneuriale qui sous-tend l'implantation des CLD fait de l'initiative des individus et des groupes le noyau dur du développement des territoires. Mettre au point des idées commercialisables, être en mesure de les concrétiser et savoir en tirer un bénéfice deviennent les critères du succès en matière de développement, y compris dans le secteur dit de « l'économie sociale ». D'autres dimensions de la vie collective devraient aussi être prises en compte dans de futures structurations de services au niveau micro-régional.

L'application des politiques de main-d'œuvre par les CLE se présente comme un champ d'action inédit au niveau micro-régional. Si ce niveau semble convenir à des fonctions comme le soutien aux individus en voie d'insertion au travail, on peut se demander si c'est le niveau territorial le plus approprié pour certaines autres fonctions comme la formation de la main-d'œuvre. Chose intéressante, le ministère de l'Emploi et de la Solidarité disposant de ressources mobilisables relativement plus abondantes que celles d'autres ministères, cela assure que le réseau des CLE sera relativement bien doté en personnel et en budget pour faire un travail de dynamisation des milieux.

Décentralisation à la pièce

Sur fond de rationalisation budgétaire, des pas sur la voie d'une décentralisation tranquille ont été franchis depuis deux ans. Les territoires MRC, désormais désignés comme niveau local de l'action territoriale, auront été consacrés comme réceptacles de nouvelles responsabilités à exercer. Le soutien à l'entrepreneuriat, via les CLD, et les services de main-d'œuvre, via les CLE, s'ajoutent depuis peu au rôle d'aménagement du territoire, d'évaluation foncière, de gestion des déchets et d'animation de la vie micro-régionale déjà joué par les MRC et au rôle de pourvoyeurs de fonds d'investisse-ment des quelque 80 Sociétés locales d'investissement de développement de l'emploi (SOLIDE). Quelles seront les responsabilités (transport?, gestion des équipements scolaires?, etc.) dont l'exercice dans l'avenir se fera dans ce cadre micro-régional et à quelle vitesse se mettront-elles en place? Il est probable qu'une décentralisation tranquille se poursuive à mesure que certains dossiers accapareront l'attention des dirigeants et du public. On ne peut effacer l'image d'une décentralisation à la pièce et presque sans

visage qui s'attache à ce genre de processus.

La coordination avec les autres niveaux se pose inévitablement. D'abord avec le niveau des municipalités locales, régies par le principe de l'élection directe, qui restent dotées de responsabilités importantes et qui offrent des services à la population. Le vent de fusions que Québec a déclenché n'est pas bien accueilli partout et on ne voit pas encore bien ce qui en résultera : selon que les municipalités restent nombreuses et petites ou deviennent peu nombreuses et plus structurées, l'harmonisation de leurs actions ne se présente pas de la même façon. Il peut même survenir, comme les difficultés de la métropole le montrent, des situations paralysantes. Le rapport entre le niveau micro-régional (« local » dans le langage de la nouvelle politique) et le niveau régional se pose également. Au niveau régional, les CRD, où l'on retrouve des élus désignés par d'autres instances ainsi que des membres socio-économiques, sont investis de fonctions de planification et de concer-tation. Interviennent également des directions régionales de ministère et des organes spécialisés comme les Unités régionales de loisirs et de sports, les Conseils de la culture et les Conseils régionaux de l'environnement. ○

Abitibi-Témiscamingue

Il y a 100 ans, l'Abitibi devenait québécoise

CAMILLE BEAULIEU

L e samedi 13 juin 1998, les cloches des églises abitibiennes ont sonné à la volée pour marquer le centenaire de l'annexion de la région par le Québec en 1898. Les Abitibiens ont aussi célébré récemment le cinquantenaire de la première bibliothèque publique d'Abitibi-Témiscamingue, mise sur pied à Rouyn-Noranda en 1938. Enfin, il ont reçu au cours de l'année la première exposition collective organisée par des artistes cris en territoire blanc. Les derniers mois ont vu, aussi, et malgré les protestations de plusieurs régionaux, la fin du moratoire sur l'augmentation des charges pour train routiers sur les routes d'Abitibi et du Lac St-Jean.

Colloques, expositions, dépliants, vignettes télévisées, cérémonies protocolaires et festivités en tous genres, les Abitibiens ont marqué à leur façon le centenaire de l'annexion de leur région au Québec. Jusqu'à 1898 l'Abitibi appartenait aux Territoires du Nord-Ouest. L'annexion est survenue au terme d'un chassé-croisé de 25 années de pourparlers entre Ottawa, Québec et Londres.

Le remplacement en 1896 des conservateurs par les libéraux de sir Wilfrid Laurier à Ottawa, fruit des remous de la pendaison de Louis Riel en 1885, a fortement favorisé la nécessaire entente fédérale-provinciale à cette fin.

Ironiquement, ce qui est révélateur d'une région très jeune, le centenaire serait passé inaperçu n'eût été la vigilance de l'historien Lucien Gravel qui peaufinait justement une anthologie de pièces d'archives sur l'annexion de l'Abitibi. Sans son intervention, les sociétés d'histoire, le Conseil régional de la culture (et les historiens abitibiens aussi, reconnaît un peu dépité l'archéologue et président de la Société du patrimoine, Marc Côté) de même que les municipalités auraient passé un été bien ordinaire et sans histoire.

La première bibliothèque

C'est à l'instigation de quelques citoyens volontaires pour jouer les bibliothécaires bénévoles qu'est née en 1948 la première bibliothèque publique d'Abitibi-Témiscamingue, celle de Rouyn-Noranda. Au départ l'institution logeait dans une petite école, offrant en tout et pour tout mille volumes très majoritairement anglais, langue de l'élite, commerçants et cadres d'entreprises, de l'époque. La vaste majorité, colons, mineurs et commerçants, était pourtant francophone.

Le revirement aujourd'hui est saisissant. L'aïeule de toutes les bibliothèques de la région fonctionne maintenant avec un budget annuel frisant le million de dollars. La région a bien pris sa revanche ; on trouve aujourd'hui près de 80 bibliothèques publiques en Abitibi-Témiscamingue, qui ensemble ont effectué un million cent mille prêts en 1997. Deux fois la moyenne québécoise par habitant.

Exposition d'artistes cris

La toute première exposition jamais organisée par les communautés cries en territoire blanc a regroupé 80 œuvres de 16 artistes : peintres, graveurs, sculpteurs ou artisans, aux Promenades du cuivre de Rouyn-Noranda à l'orée de l'hiver 1998.

Les gros canons de la culture crie : Virginia Pesemabeo Bordeleau, Peter Crow, Charlotte Dixon, Tim Wiskeychan, etc. ont patiemment initié les visiteurs à leurs méthodes traditionnelles ou personnelles de travail : collages d'imprimés sur peinture, collages d'écorces, ou encore bernaches en brindilles de mélèzes.

La plus revendicatrice et la plus politisée des artistes cris, Glena Matoush de Mistassini, a pris la vedette par l'originalité de ses sujets. Ainsi, une toile en hommage à son arrière-grand-père, le

chef Yellowhead, dont les restes ont récemment été exhumés sous un restaurant McDonald's de Toronto.

Rupture d'une coalition

C'est à la surprise générale que les Abitibiens ont rompu au printemps 1998 la coalition les liant au Saguenay-Lac-St-Jean et à la Haute-Mauricie.

Front commun qui jusque là s'était opposé avec succès à l'intention de Québec d'augmenter de 59 à 62,5 tonnes métriques les charges permises des trains routiers sillonnant les routes de ces régions.

De guerre lasse, peut-être, le Conseil régional de développement de l'Abitibi-Témiscamingue s'est finalement rangé à la thèse gouvernementale. Le Conseil de concertation et de développement du Saguenay-Lac-St-Jean, lui, poursuit le combat.

Une étude de la firme Raymond, Chabot Municonsult, prédit que l'extension à ces régions de la réforme des charges pour trains routiers, entrée en vigueur en 1997 dans le reste du Québec, risque de compromettre la rentabilité du réseau ferroviaire, la survie de plusieurs usines et d'entraver l'implantation de nouvelles entreprises.

On prédit que le chiffre d'affaires du rail diminuera de 10 %, que les bénéfices d'exploitation chûteront de moitié. L'augmentation des charges, prédit l'étude, signifiera 5 % plus de camions dans ces régions. La route 169 au Saguenay-Lac-St-Jean – 13 100 camions de plus par année, soit 17 % – serait la plus affectée par la réforme ; suivie de la 117, entre

Montréal et l'Abitibi : 11 600 camions supplémentaires (9 %).

Les réseaux ferroviaires de ces régions avaient failli disparaître dans les remous de la privatisation du CN en 1995. Ce n'est que grâce à des compressions volontaires de 30 % des salaires qu'on y a développé depuis des réseaux secondaires appelés CFIL (chemins de fer d'intérêt local).

Québec souhaite étendre l'augmentation des charges permises à ces régions pour généraliser l'utilisation de véhicules plus performants et moins dommageables pour le réseau routier. Les régionaux cohabitent déjà difficilement avec un trafic de camions intense sur des routes simples à deux voies.

La question n'est pas seulement d'intérêt régional puisque ces camions avec leurs chargements de bois, de métaux, d'acide sulfurique ou de produits pétroliers, vont se retrouver, que ce soit au début ou à la fin de leur périple, sur les artères de Québec ou de la région métropolitaine.

○

Centre-du-Québec

Un nouveau-né qui se cherche

GÉRALD PRINCE

Le Centre-du-Québec, le 17e et dernier-né des territoires administratifs, n'a pas encore trouvé son élan, mais s'y applique avec enthousiasme et... certaines chances de succès. Formée en juillet 1997 par la scission de l'ancienne région 04 (Mauricie-Bois-Francs-Drummond), la nouvelle région bénéficie de l'expérience acquise pendant les 30 dernières années de sa cohabitation avec la Mauricie, mais y ajoute un train de nouveautés qui en font un tremplin pour l'avenir.

La nouvelle région n'est pas dotée d'une capitale unique, mais de trois pôles distincts qui se partagent les directions régionales des ministères et les responsabilités :

• à Drummondville, échoit la direction de la région ;

• à Victoriaville, loge le sous-ministre responsable ;

• les autres services sont répartis par consensus entre Nicolet, Bécancour, Plessisville, etc.

Un nouvel organigramme a été dessiné pour administrer ce territoire qui compte 225 000 personnes dans cinq municipalités régionales de comté (MRC) : celles de Drummond, de Nicolet-Yamaska, de Bécancour, d'Arthabaska et de l'Érable. Le Conseil régional de concertation et de développement est géré par 32 membres, dont 19 élus (maires, préfets et députés) et 13 représentants de la population, désignés par leurs pairs et provenant d'autant de tables sectorielles, portant sur les jeunes, les aînés, les loisirs, etc. Autre originalité, chacun des 65 comités (13 par MRC) doit compter au moins une femme.

Jamais au Québec n'est-on allé aussi loin dans la consultation de la base de la population, affirme Daniel McMahon, maire de Nicolet et président du CRCD : en effet, environ 1000 personnes sont impliquées directement dans la création de cette nouvelle structure et ont déposé, en juin dernier, leur rapport de planification stratégique pour trouver les tendances du développement régional. Cela en vue de la signature de l'entente-cadre avec le gouvernement du Québec.

Pas encore d'esprit d'appartenance

Tout aussi valable que soit ce cheminement, il n'insuffle pas encore d'esprit d'appartenance : personne (ou si peu) ne proclame à tout vent qu'il réside au Centre-du-Québec, comme le font pour leur région les Beaucerons, les Gaspésiens, les Saguenéens, etc.

Cette lacune émane aussi d'un phénomène presque unique au Québec : la région ne compte aucun organe d'information important qui la couvre entièrement : une frontière invisible se dresse à la hauteur de l'autoroute 20 (Jean-Lesage). Ceux qui demeurent au nord s'alimentent aux télévisions, journaux et

radios de Trois-Rivières, ceux du sud, de Sherbrooke. C'est ainsi que les Nicolétains ne savent pas ce qui se passe à Drummondville, pas plus que la population de Victoriaville ne connaît les événements intéressants de Bécancour. Chaque ville importante compte bien son hebdo ou sa radio, mais la diffusion est surtout locale. Des démarches sont en cours pour trouver une solution, comme, par exemple, une page uniforme à toute la région qui serait publiée dans les hebdos locaux.

Des ressources propres

La région peut cependant compter sur des ressources propres, qui la typent avantageusement, par rapport aux autres territoires du Québec : l'importance de l'agriculture laitière et de l'élevage, le foisonnement des petites et moyennes entreprises dynamiques, etc. Par exemple, la région compte, et c'est l'une des seules en dehors des grands centres, son commissariat de développement international qui conseille les entreprises en matière d'exportation.

Ces facteurs réussiront-ils à insuffler un esprit régional de bon aloi? M. McMahon le pense, qui admet du même coup qu'il faudra quand même un peu de temps pour y parvenir.

En un an, beaucoup de chemin a été franchi, au point que la nouvelle région se fait remarquer à l'extérieur par sa force de concertation. Ses nouveautés administratives soulèvent également l'intérêt des autres régions.

Mais de là à éviter encore de se faire confondre avec la Montérégie (pendant la tempête de verglas), l'Estrie (pendant les inondations printanières) ou la Mauricie (dans de très nombreuses circonstances), il y a une marge : c'est tout un défi à relever

et une occasion propice à se retrouver en cohésion pour le quart de million de « Centriennes » et de « Centriens ».

O

Chaudière-Appalaches

Le taux de chômage le plus bas du Québec

PIERRE PELCHAT

L a dernière année en Chaudière-Appalaches a été marquée par une forte reprise de l'emploi, contrairement à d'autres régions plus à l'est. Ainsi, entre mars 1998 et le même mois de l'année précédente, 3900 nouveaux emplois ont été créés dans cette région administrative, selon l'enquête sur la population active de Statistique Canada.

Durant ce temps, le taux de chômage a chuté de 9,5 à 7,6 %, le plus bas niveau de sans-emploi au Québec. À moins que la crise asiatique ne finisse par ralentir l'économie aux États-Unis, on estime que cette poussée devrait se maintenir dans un proche avenir. Toutefois, cette croissance pourrait être moins forte.

Les exportations des entreprises semblent avoir été la principale raison de cette augmentation de l'emploi dans la région. Les industries de la Beauce, de Lotbinière, de Bellechasse, de Montmagny

ont été particulièrement actives sur les marchés d'exportations, principalement chez nos voisins du Sud.

Forte poussée des exportations

Sur le territoire de la Nouvelle-Beauce seulement, les exportations des entreprises manufacturières ont connu une augmentation de 32 % en 1997 comparativement à l'année précédente. Les ventes hors-Canada de ces industries sont passées de 220 à 290 millions. Cette activité fébrile du côté des ventes à l'étranger est due à la prise de conscience de l'étroitesse des marchés traditionnels, à la relative faiblesse du dollar canadien et à la mondialisation des marchés.

Les progressions les plus importantes ont été constatées dans les secteurs des produits métalliques (+100 %), des produits minéraux non métalliques (+100 %) et du cuir et du textile (+66 %). À lui seul, le secteur de la transformation alimentaire a augmenté ses exportations de 54 millions. D'autre part, les secteurs qui vendent le plus à l'étranger ont été celui du bois et des meubles dont les exportations représentent 46 % du chiffre d'affaires, celui du cuir et du textile (32 %) et de l'imprimerie et de l'édition (28 %).

Par ailleurs, les investissements des entreprises de Nouvelle-Beauce ont fléchi de 8,3 % en 997 en comparaison avec l'année précédente. Des investissements de 33,2 millions ont été réalisés l'an dernier à Sainte-Marie et les environs. Au chapitre de la création d'emplois, le bilan net de 1997, soustraction faite des emplois perdus, montre que la MRC compte 383 emplois de plus dans les entreprises manufacturières dont 358 dans le domaine de la transformation alimentaire.

Selon Développement et Ressources humaines Canada, on constate dans certains endroits une pénurie de personnel spécialisé. Ce manque de main-d'œuvre serait même la cause de retard dans les investissements d'entreprises en Chaudière-Appalaches.

Par ailleurs, la performance économique dans la région est meilleure que celle des régions plus à l'est. Toujours selon Statistique Canada, la Gaspésie et les Îles-de-la-Madeleine ont perdu 1800 emplois, principalement à temps partiel, entre mars 1997 et mars 1998. Dans le Bas-St-Laurent, le nombre d'emplois a diminué de 300 tandis qu'au Saguenay–Lac-Saint-Jean, le recul était encore plus prononcé. On y a relevé une perte de 2200 emplois et le taux de chômage s'y est maintenu à 17 %.

Le pouvoir change de main

Tout comme ailleurs au Québec, le secteur de la santé a connu en 1997 et au début de 1998 d'importantes turbulences avec des centaines d'abolitions de postes. La Régie de la santé et des services sociaux de Chaudière-Appalaches a annoncé un plan afin de fermer 450 lits de soins de longue durée dans les centres d'accueil de la région.

Ce ne sont pas toutes les MRC qui ont été touchées par ces compressions dont une partie des économies devait être réinvestie dans le développement des services de maintien à domicile. En appliquant la norme de 4,3 lits par 100 personnes âgées de 65 ans et plus, les MRC de Lotbinière, de la Beauce, de Montmagny, de l'Amiante, de Bellechasse, se sont retrouvées avec un surplus de lits. À l'inverse, celles de Desjardins et des Chutes-de-la-Chaudière ont un manque chronique de lits pour personnes âgées depuis plusieurs années.

La nouvelle politique de la Régie n'a pas passé comme une lettre à la poste. Des centres d'accueil et des foyers ont dû être fermés dans Lotbinière, en Nouvelle-Beauce. Dans Bellechasse, la volonté de réduire de moitié le nombre de lits à Saint-Michel a soulevé tout un tollé. Les réunions publiques du conseil d'administration de la Régie régionale ont attiré des centaines de mécontents qui ont pourfendu les politiques gouvernementales et principalement le ministre Jean Rochon.

Pendant ce temps, la Régie, de concert avec le gouvernement québécois, a confirmé l'ajout de nouveaux lits de soins de longue durée dans les MRC de Desjardins et des Chutes-de-la-Chaudière, conformément au principe d'équité intrarégional de répartition des ressources.

Ces changements ont débuté peu de semaines après l'élection en mai 1997 d'un nouveau conseil d'administration à la Régie régionale de la santé et des services sociaux. La coalition des MRC dites du littoral a réussi en quelque sorte à prendre le pouvoir à cette distance. Elle a fait élire 11 de ses représentants sur une possibilité de 18. Ainsi, la MRC de Desjardins compte quatre représentants, celles de la Nouvelle-Beauce, de Lotbinière et des Chutes-de-la-Chaudière, deux chacune.

Durant les trois années précédentes, c'est l'alliance de Saint-Georges, Thetford-Mines et Montmagny qui avait fait la pluie et le beau temps à la Régie régionale. Certains décisions des administrateurs ont été très controversées et ont créé de vifs ressentiments ailleurs dans la région.

Après une première annonce par le gouvernement de la fin des compressions dans la santé et d'une deuxième concernant un ajout de ressources dans des domaines bien définis, le secteur de la santé en Chaudière-Appalaches qui compte près de 10 000 employés espère bien reprendre son souffle.

○

Côte-Nord

Quelques bons investissements et plus de BPC

STEEVE PARADIS

Dans la grande région de la Côte-Nord, un des dossiers majeurs au niveau économique concerne le secteur de Ragueneau, un village situé à une vingtaine de kilomètres de Baie-Comeau. La compagnie forestière Kruger y a érigé une scierie de 90 millions de dollars, à la fine pointe de la technologie. La nouvelle usine, nommée Scierie Manic, produit environ 100 millions de pieds mesure de planche (PMP) annuellement et emploie au total environ 400 personnes, dont 325 en forêt.

L'implantation de l'usine a cependant donné lieu à une vive compétition entre Ragueneau, Pointe-aux-Outardes et Baie-Comeau pour savoir laquelle de ces localités accueillerait Kruger. Les trois villes ont fait leurs offres à la compagnie. Baie-Comeau a d'ailleurs devancé les travaux d'infrastructures de son nouveau parc industriel afin d'être l'heureuse élue, mais Kruger a finalement opté pour Ragueneau, à cause de la proximité du chemin forestier de la compagnie Donohue et de la disponibilité d'un terrain facilement aménageable. Aux dires du maire de Ragueneau, Georges-Henri Gagné, Kruger a aussi choisi cette localité pour faciliter le maillage avec ses deux autres scieries nord-côtières récemment acquises, Scierie Jacques Beaulieu de Saint-Paul-du-Nord et Scierie HCN de Forestville.

Curieusement, l'arrivée de Scierie Manic a aussi suscité la grogne de plusieurs sans-emploi de la région de Ragueneau : ils se disaient oubliés par la compagnie lors de l'embauche. Ils se sont d'ailleurs manifestés à la fin de l'année en barrant pendant quatre jours la route qui donne accès à l'usine pour faire clairement connaître leur mécontentement. La compagnie a mis fin à leurs manifestations en obtenant une injonction permanente. Les deux parties se sont rencontrées pour tenter de trouver une solution. Selon les chiffres de Kruger, 21 des 83 travailleurs en usine proviennent de Ragueneau et 31 employés sont de Baie-Comeau.

Investissement dans l'Iron Ore

Mais l'investissement le plus important au niveau industriel a été fait par la compagnie australienne North Resources, qui a acquis pour 230 millions de dollars américains 60 % des intérêts de la Compagnie minière IOC (Iron Ore) de Sept-Îles. North a investi dans une entreprise en bonne santé, qui compte sur des marchés bien établis en Amérique du Nord et en Europe et qui a grandement contribué à la fondation de la ville dans les années 50.

Au moment de l'acquisition au début de 1997, North Resources songeait consacrer de 100 à 150 millions supplémentaires à la réouverture et la modernisation de l'usine de bouletage de IOC. Au moment de sa fermeture en 1981 pendant la crise du fer sur la Côte-Nord, l'usine procurait du travail à 350 personnes. Sans le clamer ouvertement, la compagnie prévoyait toutefois que le nombre d'employés réembauchés serait moindre. Au début de 1998, le projet n'avait pas encore vu le jour.

Avec cet investissement majeur, l'avenir de la compagnie minière IOC à Sept-Îles est pratiquement assuré pour de longues années. L'entreprise dispose de réserves connues de fer d'une durée de 20 ans et vient de signer d'importants contrats de fourniture de boulettes avec les compagnies américaines Bethleem Steel et National Steel, ses deux ex-actionnaires. North Resources a racheté les 38 % de Bethleem et les 22 % de National pour devenir actionnaire majoritaire de IOC.

La triste affaire de la jeune Piuze

Du côté des faits divers, la mort d'une jeune fille de 12 ans, Marie-Claude Piuze, en février, à l'urgence du Centre hospitalier régional de Baie-Comeau, a alimenté les discussions. L'adolescente, qui s'était rendue à l'hôpital pour des problèmes respiratoires, est décédée deux heures après son arrivée d'un syndrome de détresse respiratoire. L'enquête du coroner Jacques Bérubé a révélé que le médecin qui a traité la jeune fille, le docteur Pierre Boutet, a donné une quantité beaucoup trop grande de sédatifs et intubé Marie-Claude de manière incorrecte.

Témoignant à l'enquête, les infirmières qui ont assisté à la scène et plusieurs collègues du docteur Boutet ont été pratiquement unanimes à dire que le médecin n'a pas procédé de la bonne manière lors du traitement de la malheureuse victime. Le docteur Boutet a déclaré au coroner qu'il ignorait qu'il donnait une dose de cinq à 10 fois trop forte de sédatif, alors que l'infirmière qui l'assistait a juré s'être assurée que le médecin voulait bien cette quantité, surtout qu'elle n'avait jamais préparé une dose aussi forte dans un cas d'intubation.

Un urgentologue et expert en toxicologie a également affirmé au coroner que la quantité de sédatif administrée à Marie-Claude Piuze étaient suffisante pour provoquer son arrêt respiratoire et éventuellement son décès. Tout au long de l'enquête, les parents de la jeune fille étaient anéantis par ces révélations. La mère, qui songe d'ailleurs à intenter une poursuite judiciaire contre le docteur Boutet, a crié à l'euthanasie de sa fille.

Le Collège des médecins du Québec a finalement réagi à cette enquête en juin 1998. L'organisme a suspendu le docteur Boutet de la pratique de la médecine pendant quatre mois et d'autres sanctions pourraient suivre.

Élimination des BPC

Après presque 10 ans de péripéties de toutes sortes, la saga des BPC entreposés à Baie-Comeau a finalement connu son dénouement en 1997. Débarqués en août 1989 au quai de Baie-Comeau malgré le mécontentement général de la population et des élus, 30 conteneurs renfermant 410 000 tonnes métriques de matières contaminées aux BPC avaient été conduits au site de la centrale hydroélectrique Manic 2, à une trentaine de kilomètres de Baie-Comeau. Ces conteneurs provenaient du tristement célèbre incendie d'un entrepôt de matières contaminées aux BPC à Saint-Basile-le-Grand.

Les conteneurs ont dormi plusieurs années avant que le ministre de l'Environnement de l'époque, David Cliche, donne le feu vert au projet d'élimination en juin 1995. Le précédent gouvernement libéral s'était pourtant engagé en 1989 à ce que le séjour des BPC à Baie-Comeau ne dépasse pas 18 mois! Malgré le coup d'envoi du ministre, les travaux de destruction n'ont démarré qu'en août 1996 pour se terminer en février de l'année suivante, en raison de nombreux problèmes de fiabilité de l'incinérateur.

Au total, plus de deux millions de tonnes de matières contaminées ont été détruites par Cintec Environnement. En plus des 410 000 tonnes de Saint-Basile-le-Grand, plus de 1,7 million de tonnes ont pris le chemin de l'incinérateur en provenance de propriétaires privés. De ce nombre, 550 000 tonnes appartenaient à Hydro-Québec. Ces propriétaires ont été d'ailleurs fortement invités par le ministre Cliche à faire détruire leurs BPC à Manic 2. Seule la céréalière Cargill de Baie-Comeau, avec ses sept tonnes, a fait bande à part.

Le Comité de vigilance Manicouagan, un groupe de citoyens spécialement formé pour vérifier le bon déroulement des opérations, a respiré d'aise seulement lorsque l'incinérateur mobile a quitté la région à l'été 1997. Les travaux de restauration du site se sont étendus jusqu'en octobre 97. Cette histoire aura finalement entraîné une facture de 75 millions de dollars aux contribuables...

○

Est-du-Québec (Bas-Saint-Laurent et Gaspésie)

De bons augures

CARL THÉRIAULT

Le Bas-Saint-Laurent et la Gaspésie sont perçues comme des « régions-ressources » vivant essentiellement de l'industrie agricole, forestière, des pêcheries et du tourisme.

Cette image, bucolique à certains égards, colle toujours à la peau des Bas-Laurentiens et des Gaspésiens. Mais cette photo est en train de changer. La dernière année aura été, à cet égard, de bon augure.

L'aménagement en Gaspésie d'un des plus grands parcs d'éoliennes au monde, le démarrage d'un programme de recherche innovateur en biotechnologie à Rivière-du-Loup ou l'offensive déterminée du groupe QuébecTel de Rimouski dans le marché des télécommunications et du multimédia sont des signes avant-coureurs du virage qui se prépare.

Les hauts taux de chômage persistent. Si le Bas-Saint-Laurent s'en tire tant bien que mal avec un taux oscillant autour des 15 % grâce à la présence de nombreuses PME, la Gaspésie a plutôt plongé vers les 25 %, particulièrement affectée par la crise du poisson de fond. L'agriculture et la forêt ont presque atteint leur limite de développement alors que les pertes d'emplois ne se comptent plus dans le secteur des pêches.

L'enjeu de la démographie

Le principal enjeu de cette région est presque devenu, à moyen et à long moyen terme, celui de la démographie, en décroissance continue depuis les années 50.

Selon le Bureau de la statistique du Québec, le Bas-Saint-Laurent glissera sous la barre des 200 000 citoyens en 2001, et des 100 000 pour la Gaspésie pour des baisses respectives de 8 % et 6 % de leur population entre 1991 et 2001 avec, comme conséquence, un affaiblissement de la représentation politique de ces régions.

Un contexte qui a déjà fait perdre à l'Est-du-Québec un comté sur la carte électorale fédérale. À l'Assemblée nationale du Québec, il s'en est fallu de peu.

La stabilisation des populations liée à la croissance de l'emploi des PME représentera l'un des principaux défis de ces deux régions qui comptent de moins en moins sur le support des gouvernements pour prendre leur place dans la nouvelle économie après l'arrêt des grands plans de développement régional.

Les dix prochaines années seront déterminantes autant pour la réorientation de cette économie que pour l'avenir de plusieurs petites communautés rurales presque en voie de fermeture... silencieuse ; un contraste avec la disparition planifiée par les technocrates québécois d'une dizaine de localités gaspésiennes au tournant des années 1970 qui avait soulevé la colère de la population.

Technologies de l'avenir

L'économie du Bas-Saint-Laurent et de la Gaspésie est toujours basée sur les ressources naturelles. Au Bas-Saint-Laurent, 40 % des emplois du secteur de la transformation sont redevables de l'industrie forestière.

Mais plusieurs initiatives sont à souligner au plan technologique au cours des douze derniers mois. Rivière-du-Loup est entrée dans le siècle biotech. La compagnie Premier Tech s'est lancée dans un audacieux programme de recherche de près de 25 millions destiné à la mise au point de produits spécialisés en biofiltration des eaux industrielles et des eaux usées des résidences isolées ainsi que de produits en biotechnologie à des fins horticoles. Un impact économique total évalué à 115 millions.

À Rimouski, les nouvelles technologies, du côté de l'informatique et des télécommunications, prennent de plus en plus d'importance. Le groupe QuébecTel (chiffre d'affaires de 300 millions), joue plus que jamais dans les ligues majeures dans le secteur des télécommunications autant du côté de ses services internet que de celui de l'intranet. Il s'agit de l'une des deux grandes entreprises du territoire avec l'usine de Bombardier à La Pocatière qui tourne à plein régime.

La compagnie rimouskoise développe aussi des produits multimédias à caractère éducatif distribués sur le marché francophone européen.

Toujours dans la capitale du Bas-Saint-Laurent, une entreprise exportatrice, Phillips-Fitel, qui fabrique de la fibre optique, a lancé un projet d'investissement de 14 millions et Programmation Gagnon de Rimouski est le leader québécois pour les logiciels utilisés par les municipalités.

L'énergie du vent

En Gaspésie, plus particulièrement, dans l'axe Matane-Cap-Chat, le plus important parc éolien jamais construit au Canada, et l'un des plus importants au monde, verra le jour. 133 éoliennes généreront de l'énergie propre dès décembre 1998 à Cap-Chat (76 éoliennes), et décembre 1999 à Matane (57 éoliennes) dans un projet nécessitant un investissement de 160 millions. En soi, une attraction touristique qui, dans quelques années, pourrait devenir aussi courue que le célèbre Rocher Percé.

Au même moment, des chercheurs de l'Université du Québec à Rimouski (UQAR) dressent la carte des vents de l'Est du Québec dans la perspective de développer une source énergétique qui ne soulèvera aucune contestation environnementale.

Au Bas-Saint-Laurent, l'expérience de l'aménagement d'une forêt modèle se poursuivra jusqu'en 2002. Là aussi, on ne lutte plus contre les grandes compagnies forestières comme dans les années 1970.

Les responsables travaillent plutôt en collaboration avec un géant de l'industrie, comme Abitibi-Consolidated, de laquelle des métayers louent des espaces forestiers dans une optique d'aménagement intégré, tant de la matière ligneuse comme ressource que de la faune, de la chasse et de la pêche.

Les derniers mois ont aussi été marqués dans le Bas-Saint-Laurent par une dure guerre entre les environnementalistes et le milieu agricole à propos de l'implantation de porcheries. Une lutte gagnée finalement par les producteurs porcins jusque sur les marches du Palais de justice.

Au début de l'automne 1997, un quatrième traversier, le catamaran CNM Evolution qui fait la navette entre Rimouski et Forestville, s'est joint aux nombreux services interrives déjà disponibles à l'est de Rivière-du-Loup. Aux Îles-de-la-Madeleine, un nouveau lien maritime, le Madeleine, a pris la relève du Lucy-Maud Montgomery.

Les pêches, tout de même

En Gaspésie, l'état des pêcheries fait dans les extrêmes et les contradictions. Des crabiers « millionnaires », d'un côté, et des pêcheurs au poisson de fond, de l'autre, qui espèrent toujours le retour de la ressource. Ce qui ne serait pas en vue avant une génération selon les experts dans ce domaine.

L'insécurité financière a amené les Madelinots à occuper pendant une dizaine de jours les bureaux régionaux de Pêches et Océans qui a finalement accouché d'un nouveau plan d'aide aux pêcheurs... pour qu'ils changent de métier !

Les revenus tirés de l'industrie de la pêche ont malgré tout été en croissance depuis dix ans alors que l'emploi a chuté. De 18 600 en 1988, le nombre d'emplois totaux dans la pêche s'est retrouvé sous la barre des 15 000 en 1995.

La moyenne annuelle de la valeur des débarquements entre 1994 et 1997 a été de 140 millions alors que pour la décennie précédente – bien avant l'imposition du moratoire sur la morue et le sébaste en 1993-94 – cette moyenne a été bien inférieure à ce chiffre, sauf pour une année.

Les ventes totales des espèces transformées au Québec sont passées de

210 millions en 1988 à 275 millions en 1994 pour faire un bond à 322 millions en 1995, les Japonais ayant mis le prix fort pour avoir sur leurs tables le précieux crabe des neiges.

La Gaspésie pourra peut-être se reprendre, après plusieurs expériences négatives, dans le créneau de l'aquiculture qui semble vouloir repartir sur des bases plus solides.

L'état des pêches gaspésiennes fait souvent oublier que le secteur de la transformation du bois (papier journal, sciage...) est trois fois plus important au plan économique.

Fait nouveau, le produit touristique gaspésien est maintenant menacé par les campagnes de marketing plutôt agressives des provinces maritimes, plus particulièrement du Nouveau-Brunswick.

Malgré tout, la Gaspésie possède le seul méga-projet industriel de l'Est du Québec, la cimenterie CIMBEC de Port-Daniel, de 350 millions, qui veut exporter l'essentiel de sa production vers la côte est américaine. La première pelletée de terre était prévue pour l'été 1998.

Une autre perspective

Il y en a des projets novateurs dans le Bas-Saint-Laurent et la Gaspésie – parfois uniques au Québec – qui donnent à ces régions une autre perspective d'avenir au plan social et économique.

Les efforts devront durer assez longtemps pour transformer cette économie encore trop liée à la présence des ressources naturelles.

Le Conseil régional de concertation et de développement du Bas-Saint-Laurent devrait rendre publique en cours d'année une stratégie de développement des nouvelles technologies de l'information et des communications. Un plan d'action qui pourrait donner un coup d'accélérateur à cette portion de la nouvelle économie pour que, du virage, on puisse passer au premier droit.

○

Estrie

Les hauts et les bas de l'amiante

MICHEL MORIN

Il aura fallu une bonne dizaine d'années, voire davantage, avant que ne s'estompe la phobie de l'amiantose. Les travailleurs ont revendiqué, l'industrie s'est défendue, les tribunaux ont tranché. Mais c'était sans compter sur l'effet pervers qu'aurait cet épisode à l'échelle mondiale.

L'industrie de l'amiante n'allait pas être au bout de ses peines. Particulièrement en Estrie où deux mines sont exploitées, l'une à Asbestos, l'autre à Thetford Mines. La fin d'une lutte annonçait le début d'une autre.

Avant que le syndrome ne s'installe vraiment, l'industrie allait connaître un répit avec l'ouverture du marché asiatique. Atout appréciable pour l'exploitation du minerai, particulièrement à Asbestos. S'appuyant sur ce nouveau débouché, la mine J.M. Asbestos annonçait la réalisation de sa phase souterraine, un projet de 125 millions.

L'optimisme a eu tôt fait de s'estomper. Un bruit s'était mis à courir : certains pays devenaient de plus en plus hostiles à l'utilisation de l'amiante. La nouvelle fatidique devait tomber : la France annonçait un bannissement complet de l'amiante sur son territoire. L'onde de choc risque maintenant de se répercuter dans toute la communauté européenne, en dépit des protestations du Canada, du Québec et de toute l'industrie.

En mai, reconnaissant que les démarches diplomatiques n'aboutissaient à rien, le Canada décidait de formuler une plainte auprès de l'Organisation mondiale du commerce. Le règlement final ne viendra que dans un an, voire 18 mois.

Le seul espoir auquel s'accroche l'industrie est que le renvoi devant l'OMC aura un effet de moratoire. Et avant que le procès ne soit entendu, on espère que toutes les preuves scientifiques qui seront présentées pourront rassurer les autres pays utilisateurs.

Comme une mauvaise nouvelle ne vient jamais seule, le marché asiatique s'est soudainement mis à vaciller, engendrant une remise en question de l'extraction souterraine que caressait J.M. Asbestos. Il en va de la survie même de cette activité économique, rendant précaire l'emploi des 700 travailleurs d'Asbestos.

Planche de survie

C'est sur cette toile d'incertitude que Métallurgie Noranda lançait, toujours à Asbestos, la construction d'une usine d'extraction de magnésium à partir des résidus miniers de J.M. Asbestos. Baptisé

Magnola, le projet est colossal : 750 millions d'investissement, devant créer 350 emplois permanents. En cours de construction, pas moins de 1000 travailleurs s'y affaireront. Le début des opérations industrielles est prévu pour milieu de l'an 2000.

On se l'imagine, une telle annonce a déclenché une véritable frénésie en Estrie. Outre les retombées directes du projet Magnola, cette manne venue du ciel, diront certains, permettra à de nouveaux sous-traitants de garnir en région leurs carnets de commande. Pas moins de 60 millions sont à distribuer sous forme de contrats.

Voulant en faire profiter au maximum les entrepreneurs de la grande région de l'Estrie, tous les commissaires industriels ont même mis sur pied un comité dit de « maximisation » des retombées de Magnola.

Bien que les voiles de l'optimisme aient été gonflées au maximum à la suite de cette annonce, les écologistes, Greenpeace en tête, ont émis un bémol bien senti sur ce projet en regard de la qualité de l'environnement. Il faut dire qu'ils ont pu compter sur des arguments solides, la commission d'étude du Bureau des audiences publiques en environnement (BAPE) décrétant que Magnola avait échoué au test en matière d'environnement.

La production excessive d'organochlorés et l'usage d'hexafluorure de soufre, un important gaz à effet de serre, constituaient en outre pour la commission d'étude du BAPE des objections majeures. Tant et si bien que l'organisme ordonnait à Magnola de refaire ses devoirs.

Ce qu'elle a fait. à la satisfaction du gouvernement, sans convaincre pour autant les écologistes du bien-fondé des modifications proposées. La partie de bras de fer qui devait s'amorcer entre tenants et opposants du projet n'a jamais eu lieu. Ou si peu. Parce que le gouvernement du Québec, convaincu de la nécessité de ce projet industriel et rassuré quant à la protection de l'environnement, l'a autorisé par décret.

Une ligne contestée

Cette ligne dure gouvernementale, ont interprété certains, allait de nouveau être adoptée quelques mois plus tard, cette fois à propos de la construction d'une ligne de 735 kv entre le poste Des Cantons et Saint-Césaire.

Or, l'adoption de décrets donnant le feu vert à Hydro-Québec, sans que la société d'État ne soit tenue à une consultation publique, a provoqué son lot de colère. La résistance s'est rapidement organisée. De plus ou moins structurée qu'elle était au début, l'opposition s'est grandement raffermie quand la société d'État a procédé, sans autorisation préalable, à la coupe d'arbres sur des terrains privés, dans la MRC du Val-Saint-François.

Bien qu'Hydro-Québec ait reconnu son erreur, tout comme Guy Chevrette, le ministre des Ressources naturelles, cette bourde a eu pour effet de fouetter les troupes en région. Tellement que le chef libéral, Jean Charest, toujours d'accord avec la construction d'une nouvelle ligne pour améliorer la fiabilité du réseau hydro-électrique, a senti le besoin de proposer un autre tracé, tout en réclamant lui aussi la tenue d'une consultation publique.

Aux besoins énergétiques se substitue maintenant le débat politique. Et sur ce plan, la rentrée d'automne risquait d'être chaude.

O

Lanaudière

La paralysante dualité Nord-Sud

ANDRÉ LAFRENIÈRE

Créée par décret ministériel vers la fin du premier régime péquiste, peu de temps avant les élections de 1985, la région de Lanaudière en est encore à se chercher. Où se situe son unité ? Qui a vraiment à cœur cette région qui en contient deux ?

Car au fond, c'est bien de ça qu'il s'agit : la région de Lanaudière est si vaste que sa population se connaît mal et a très peu d'atomes crochus. Que l'on soit de l'originale région de Lanaudière – celle du Nord – ou que l'on vive dans le Sud populeux, dans la partie où il a fallu quasiment tordre des bras pour former une région administrative – car il fallait une population suffisante – Lanaudière n'existe que sur papier, ou presque. Et cette dynamique explique le reste.

De grandes distances

La dualité Nord-Sud ne s'est jamais démentie avec les années. Au point où, par exemple, il y a très nettement un type de vie au Sud – c'est la banlieue-dortoir de Montréal ou encore de Laval – et une autre façon de vivre au Nord, traditionnellement très autonome, avec ses institutions propres, ses entreprises, sa structure politique plus rurale.

Il est courant que les grands organismes régionaux, comme le Conseil régional de développement ou encore la Régie régionale de la santé et des services sociaux, convoquent les médias du Sud à une conférence de presse et ceux du Nord à une autre. C'est que les distances sont grandes et prohibitives en termes de coûts.

Il n'existe d'ailleurs aucun média qui couvre tout Lanaudière. Un peu comme si les journaux dits régionaux ne s'occupaient au fond que des gens qui vivent dans leur zone d'influence. Inutile de songer à créer des alliances entre un journal du Sud et un autre du Nord pour faire passer des idées. On n'en est pas là.

Une belle expérience... sans lendemain

Il y a quelques années, le journal *L'Artisan* (dirigé par Jacques Dupuis, ex-maire de Repentigny et ex-président du CRD) et le journal *L'Expression* de Joliette (de l'éditeur Jean-Pierre Malo) avaient tenté l'expérience en créant un nouveau journal mensuel dont le contenu tenait forcément plus de celui d'une revue que d'un journal d'information. On pariait qu'en faisant découvrir à des populations disparates certaines réalisations remarquables d'autres Lanaudois, on en arriverait à soulever suffisamment de curiosité pour commencer à créer cet essentiel sentiment d'appartenance. Encore là, l'intérêt n'y était pas. Les coûts étaient si importants, en regard notamment de retombées publicitaires minimes, qu'ils ont eu raison de cette belle expérience sans lendemain.

Les médias électroniques sont encore plus fragiles à ce niveau. Lanaudière compte deux stations de radio qui lui sont propres : CFNJ 99,1 FM, dans la région de Saint-Gabriel-de-Brandon et 103,5 FM, à Joliette. La première est de type communautaire, ce qui peut expliquer son faible rayonnement ou sa faible audience ; la deuxième est commerciale, transformée depuis peu en coopérative et dont les moyens sont plus évidents.

D'ailleurs, depuis quelques mois, la radio de Joliette a ouvert un bureau de vente à Repentigny et y délègue régulièrement un journaliste aux séances du conseil municipal. Il semble que les retombées publicitaires soient bonnes, mais cette tentative reste toutefois, on le voit, une goutte d'eau dans l'immensité lanaudoise.

La bataille de Guy Chevrette

Un autre élément digne de mention au sujet de Lanaudière est ce qu'on peut appeler la bataille des sièges sociaux. C'est cette question qui était au cœur de la menace de démission du ministre Guy Chevrette, au début de l'année.

L'exemple du siège social de la Régie régionale de la santé et des services sociaux est mémorable. À l'époque où Jacques Parizeau était premier ministre et député de L'Assomption, plusieurs belles promesses avaient été faites au Sud. Le bail du siège social de la Régie régionale, alors à Joliette, venait à terme. Le Sud était sur un pied d'alerte pour obtenir ces bureaux et le Nord a dû travailler fort. Guy Chevrette a dû mettre tout son poids politique dans la balance pour remporter cette victoire. En contrepartie, le Sud obtiendrait un hôpital et un cégep. Pour l'hôpital, un comité a récemment proposé qu'il soit ambulatoire, de manière à épargner des sous. Pour le siège social du tout nouveau Cégep régional de Lanaudière, la bataille faisait rage à l'été de 1998 entre Repentigny au Sud et Joliette au Nord.

Il est vrai que le gros de la population de Lanaudière habite au Sud et qu'il y manque des services publics dont une bonne partie sont concentrés au Nord, à Joliette, capitale régionale historique de Lanaudière.

Mais justement, puisque Joliette n'est plus la plus grosse ville de Lanaudière – on n'y parle que très épisodiquement de fusion de la ville et de ses banlieues, au grand dam de la mairesse de Joliette, Mme Danielle Laferrière –, Joliette estime qu'elle doit préserver ses acquis... et, on le sent bien, Guy Chevrette n'a plus, au sein du gouvernement, le poids qu'il y a déjà eu.

« Le Nord ne fait pas le poids »

Au plan commercial, l'idée même de région unique connaît ses guerres ouvertes. À preuve, le maire de Mascouche, Richard Marcotte, qui déclare candidement que le Nord ne fait pas le poids. C'est qu'il a consacré la majeure partie de son premier mandat à développer des infrastructures propres à accueillir les plus importantes entreprises commerciales. Maintenant que cela est fait, Mascouche n'a plus qu'à se pencher pour récolter les millions, au moment où passe la manne.

Cette dynamique, qui passionne les élus et quelques rares journalistes, touche peu la population, il faut bien l'avouer. Un peu comme lorsqu'arrive une catastrophe naturelle quelque part dans le monde, on s'y intéresse un peu, puis on oublie vite. Et Lanaudière n'a jamais su développer un réel sentiment d'appartenance. Au point où plusieurs disent maintenant de façon courante qu'il existe une région Lanaudière-Nord et une autre, Lanaudière-Sud. Deux régions dans une qui, dans une certaine mesure, se nuisent probablement plus qu'elles ne s'aident à croître.

○

Laurentides

De GM à Tremblant ou de l'inquiétude à l'optimisme

HENRI PRÉVOST

Le 15 septembre 1997, Mirabel perd son statut de principal aéroport international de Montréal au profit de Dorval. Les mois suivants ne donneront pas lieu à la catastrophe économique appréhendée par certains. Mais le spectre de la mort de Mirabel continue de hanter la région des Laurentides où, par ailleurs, une autre menace pointe à l'horizon : la fermeture de l'usine General Motors.

Le transfert à Dorval des vols réguliers diminue considérablement l'activité à Mirabel, où le nombre de passagers chute de 40 % d'un seul coup. Le recul dépasse même 50 % dans le cas du transport-cargo, pourtant une des voies d'avenir de Mirabel, selon Aéroports de Montréal (ADM).

L'impact sur l'emploi demeure difficile à mesurer. On estime que le tiers des 5000 travailleurs de Mirabel ont été transférés à Dorval. Une centaine auraient été mis à pied. Le plan d'action d'ADM n'en évalue pas moins à 2500 le potentiel de nouveaux emplois d'ici cinq ans.

La Commission Tardif, chargée par Québec d'identifier des pistes d'avenir pour Mirabel, recueille une quarantaine de mémoires. Son président, Guy Tardif, constate qu'en dépit de son caractère national, le dossier aéroportuaire ne semble susciter d'intérêt que dans la région des Laurentides. Et d'ailleurs, outre le comité de citoyens du Front Mirabel qui poursuit sa campagne, la plupart des autres défenseurs de l'aéroport finissent par se rallier, à regret, à la décision d'ADM, pour chercher plutôt des solutions de rechange.

Une zone défiscalisée ?

Dans son rapport déposé en juin 1998, la commission propose diverses mesures, à la fois prévisibles et réalistes, susceptibles de relancer l'activité à Mirabel.

Elle incite notamment les gouvernements à créer autour de l'aéroport une « zone dérogatoire » où les nouvelles entreprises profiteraient d'avantages fiscaux importants. Elle recommande en outre la mise en place d'une société formée d'intervenants de la région et chargée de développer cette zone défiscalisée.

Québec, Ottawa et ADM devraient y consacrer six millions par année.

De son côté, ADM maintient le cap sur son orientation contestée et compte toujours sur le marché des vols-vacances nolisés (charters), même si elle se heurte à la contestation judiciaire entreprise par les transporteurs Royal et Canada 3000, qui veulent maintenir certains de leurs vols à Dorval.

La société aéroportuaire annonce aussi quelques projets d'envergure limitée, comme l'implantation d'un centre de formation du personnel d'Air Transat et l'expansion des activités de Bombardier-Canadair. D'autres sources font état de pourparlers en vue de l'implantation d'un casino à l'aérogare.

Au-delà de l'éternel débat aéroportuaire, Mirabel défraie la manchette en juin 1998 alors que s'y produit le premier écrasement de ses 22 ans d'histoire : les 11 occupants du petit appareil qui y tentait un atterrissage d'urgence périssent.

L'usine de GM encore en sursis

La « bataille » de Mirabel perdue, la population des Laurentides devra de toute évidence se mobiliser pour une autre cause. Dix ans après avoir été sauvée in extremis par l'octroi du mandat mondial de fabrication des Camaro et Firebird, l'usine General Motors de Boisbriand se retrouve de nouveau en sursis.

D'une capacité de production de 200 000 voitures, le gigantesque complexe n'a fabriqué en 1997 que 92 000 unités de ces modèles en perte de popularité. Jadis le plus important employeur industriel des Laurentides, avec quelque 3400 travailleurs, GM-Boisbriand fonctionne au ralenti avec la moitié moins de personnel.

À deux ans de l'échéance de son mandat, l'usine ne semble plus figurer dans les plans d'avenir de la multinationale, aux prises avec une surcapacité de production, en plus de devoir faire face à l'été 98 à une grève prolongée dans ses usines des États-Unis. Le syndicat des Travailleurs canadiens de l'auto tire de nouveau la sonnette d'alarme et Québec confirme sa préoccupation. Le premier ministre Lucien Bouchard soutient même qu'il se rendra à Détroit, s'il le faut, pour sauver GM-Boisbriand.

L'exemple de la Kenworth

En présentant à GM une *«proposition d'affaires innovatrice»*, comme le dit le ministre d'État aux Finances Bernard Landry, les gouvernements espèrent une issue aussi fructueuse que dans le cas de Kenworth, le fabricant de camions de Sainte-Thérèse.

Irrémédiablement condamnée en 1996 par sa maison-mère Paccar, cette usine survivra finalement grâce à un investissement de 107 millions annoncé à l'automne de 1997, qui en fera l'une des plus «sophistiquées» dans son domaine en Amérique du Nord. Ottawa et Québec y contribueront 25 millions en prêts sans intérêts. Les travaux sont en marche en vue d'une réouveture en 1999. On estime qu'au moins la moitié des 850 ouvriers reprendront alors le travail.

Les difficultés de Novabus

Toujours dans l'industrie du matériel de transport, l'usine d'autobus Novabus de Saint-Eustache vit une période d'incertitude. Dorénavant dans le giron de la multinationale Volvo, qui en a fait l'acquisition en 1997, l'entreprise fait face à d'importantes fluctuations de son carnet de commandes qui la force à de fréquents arrêts de production touchant ses quelque 350 travailleurs.

Phénomène inverse par contre chez Bell Textron à Mirabel, qui s'apprête à franchir le cap des 2000 employés à la suite de l'acquisition de la division des hélicoptères de la société Boeing. Après un lent démarrage fort critiqué au milieu des années 80, Bell semble enfin avoir trouvé un rythme à la hauteur des espoirs de la région.

Tourisme en effervescence

À l'autre extrémité des Laurentides, et dans le secteur du tourisme cette fois, c'est la station Tremblant qui continue de s'imposer comme un puissant levier économique régional, sous l'impulsion irrésistible d'Intrawest.

Après avoir investi 467 millions en cinq ans, Tremblant entreprend une seconde phase de développement qui nécessitera des dépenses de même envergure. On prévoit même déjà une phase III dotée d'un autre budget d'un demi-milliard.

Une étude de la Société de développement économique des Laurentides démontre que la station, qui a attiré deux millions de visiteurs en 1997 et où travaillent 1200 personnes, profite non seulement à son environnement immédiat, mais aussi à l'ensemble de la région.

Comme une réponse à l'engouement suscité par Tremblant, deux autres fleurons de l'industrie touristique régionale, l'hôtel Mont-Gabriel et le Chantecler de Sainte-Adèle, dont l'étoile avait quelque peu pâli, passent aux mains de nouveaux propriétaires qui en préparent la relance.

Parallèlement à ce tourisme haut-de-gamme, le parc linéaire du P'Tit Train du Nord, qui emprunte les 200 km de l'ancienne voie ferrée du CP entre Saint-Jérôme et Mont-Laurier, voit sa popularité monter en flèche. Pas moins d'un million d'amateurs de vélo y étaient attendus pour sa troisième saison d'été, en 1998. On envisage maintenant de prolonger ce sentier de villégiature vers le sud, en parallèle avec le chemin de fer qui, pour sa part, a retrouvé sa vocation initiale avec l'instauration d'un train de banlieue reliant Montréal à Blainville.

○

Mauricie

Le virage économique de la nouvelle Mauricie

MARC ROCHETTE

Depuis le 30 juillet 1997, la scission officielle de l'ancien territoire administratif 04 a donné naissance à la nouvelle Mauricie, sur la rive nord du Saint-Laurent. Au même moment, la section Bois-Francs/ Drummond devenait la région Centre-du-Québec (voir plus haut).

Or cette subdivision est survenue dans une période où la zone métropolitaine de Trois-Rivières enregistrait un taux de chômage record.

Déjà fouetté par les défis de cette reconfiguration territoriale, le caucus des députés de la nouvelle Mauricie décidait donc dès l'automne de tenir des assises régionales sur la situation de l'économie et de l'emploi.

Parallèlement, le premier magistrat trifluvien, Guy LeBlanc, organisait un forum sur le renouveau économique du Grand Trois-Rivières. Le choix du coq comme symbole de cette dernière initiative était tout désigné : l'heure était effectivement au réveil et à la fierté.

Des entrepreneurs isolés

Mais d'abord, le diagnostic. *«L'importance historique de la grande entreprise à production primaire et la présence d'hommes forts, tels que Maurice Duplessis ou Mgr Georges-Léon Pelletier, ont non seulement* *bloqué longtemps l'entrepreneuriat en Mauricie, mais aussi disloqué le tissu économique au point que les nouveaux entrepreneurs se trouvent trop souvent seuls pour soutenir leur développement»*, affirme sans détour Pierre-André Julien, professeur à l'Université du Québec à Trois-Rivières (UQTR) et titulaire de la chaire Bombardier en gestion du changement technologique dans les PME.

Ce spécialiste considère que l'esprit du « chacun pour soi » continuera de freiner l'essor de la région s'il n'y a pas la mise en place de différentes complicités économiques entre, par exemple, les entreprises manufacturières, les institutions financières, les chercheurs, les conseillers et les politiciens et ce, pour multiplier les réseaux comme il en existe des dizaines dans les régions dynamiques du Québec.

Car, selon ce spécialiste, qui est l'auteur, entre autres, de l'ouvrage intitulé *Le développement régional: comment multiplier les Beauce au Québec*, la multiplication d'entreprises à forte croissance passe avant tout par une concertation systématique entre différents acteurs aux expertises diverses, de façon à échanger de l'information complexe technologique, commerciale ou concurrentielle afin de réduire l'incertitude ou, du moins, mieux la contrôler.

Projet de technopole

Or, le projet d'une technopole de la Vallée du Saint-Maurice, réunissant chercheurs et industriels, s'inscrit dans une telle perspective. Dans ce comité, les gens d'affaires se joignent aux représentants des institutions postsecondaires et des différents centres de recherche et développement pour créer des entreprises et des emplois à partir des travaux de recherche des universitaires, faciliter les transferts de technologies des collèges et universités vers l'industrie et s'assurer que la recherche scientifique s'inspire des besoins des entrepreneurs.

La technopole entend ainsi se développer autour de deux pôles, soit les agglomérations de Trois-Rivières et Shawinigan.

Technologies environnementales, métallurgie, pâtes et papiers, électrotechnologie et électrochimie, sous-traitance de haute technologie pour l'industrie du transport terrestre, nautique et aéronautique, de même que technologies de communication et de l'information : voilà autant de secteurs d'activités sur lesquels la technopole veut concentrer ses efforts.

Lentement mais sûrement, la Mauricie, sans négliger l'apport de ses grandes usines papetières, ni ignorer la fragilité qu'un tel lien comporte (on n'a qu'à penser au dernier conflit chez Abitibi-Consolidated qui touchait trois divisions seulement dans la région), amorce donc le virage de l'économie du savoir et du travail en commun.

Quant à la renommée de la région de Trois-Rivières comme capitale mondiale des pâtes et papiers, elle sera reconfirmée par l'implantation d'un banc d'essai qui, au coût de 31 millions, se consacrera au développement de produits de couchage pour l'industrie papetière.

Économie sociale

Pendant qu'elle flirte avec le réseautage à saveur technologique, la région se distingue déjà par l'effervescence avant-gardiste de son économie sociale. D'ailleurs, ce n'est pas un hasard que le colloque national sur les pratiques novatrices dans ce domaine ait eu lieu à Trois-Rivières en 1998.

Au même moment, un heureux réveil s'est produit sur le plan de la main-d'œuvre. L'opération Impact-Emploi aura permis de lever le voile sur ce paradoxe voulant que dans une région au taux de chômage élevé, il existe néanmoins des postes vacants et des intentions d'embauche.

Impliquant à la fois les réseaux provincial et fédéral ainsi que les différents médias qui ont fait connaître gratuitement les besoins des employeurs, cette vaste offensive aura atteint son objectif d'arrimer l'offre et la demande de main-d'œuvre. Résultat ? C'est un total de 895 emplois qui auront été comblés sur les 974 postes signifiés pendant un mois.

De plus, la même campagne aura été marquée par la participation de plus de 1000 personnes à une journée d'ateliers sur la recherche d'emploi.

Or, ce vent de mobilisation aura traversé le pont Laviolette pour atteindre Drummondville.

Sur une période de deux jours, près de 5000 chercheurs d'emploi se sont rendus à l'incubateur industriel de l'endroit pour y rencontrer une cinquantaine d'employeurs désireux d'embaucher 1133 personnes.

Au-delà des objectifs de placement, ce gigantesque marché de l'emploi aura permis à Emploi-Québec d'identifier les problèmes de recrutement et de cibler les mesures gouvernementales adéquates pour y remédier.

Réveil du tourisme

À cela vient finalement s'ajouter le réveil du tourisme au Centre-Mauricie, dans la circonscription du premier ministre du Canada, Jean Chrétien, avec la venue de la Cité de l'Énergie, à Shawinigan, et la construction d'infrastructures hôtelières majeures dont un centre des congrès. Encore là, la nouvelle région mauricienne présente un défi de taille : définir un visage touristique propre à la Mauricie des années 2000.

Montérégie

L'hiver noir de 1998

DENIS POISSANT

Entrant dans leur adolescence – la région a été nommée ainsi en 1985, ses habitants ont donc 13 ans – les Montérégiens ont vécu des bouleversements majeurs, de la crise du verglas à la crise d'identité.

Une année de remous, une année de contradictions : au moment où jamais la solidarité n'a été si forte dans cette région qui a enfin reconnu ses propres contours dans la glace, aidée par les médias qui l'ont décrite comme un triangle – qui ressemblait plus à un parallélogramme... – survient ce débat sur la Rive-Sud qui veut faire bande à part.

«C'est paradoxal, parce que la crise du verglas a créé un intérêt plus grand pour la Montérégie au Québec, et surtout cela a unifié les gens de la région, qui se sont sentis un peu plus montérégiens», a fait remarquer le maire de Brossard et président de la Société montérégienne de développement, Paul Leduc.

Trois ou quatre semaines dans le noir, devant un foyer qui crépite, à parler de génératrices et de ces foutues piles AA introuvables, ça crée des liens. Entre élus. Entre membres de la famille (bien sûr mononcle a conté la même *joke* plate 20 fois, et il y avait ce petit monstre de neveu, enfin...). Entre

voisins. *«À part de se dire bonjour quand ils tondent leur gazon, beaucoup ne se connaissaient pas du tout, et là ils ont vécu chez un et chez l'autre»*, raconte le maire de Saint-Jean, Miroslaw Smereka.

L'effritement du tissu social

Saint-Jean a été la plus durement touchée. Plus de 3600 personnes en centre d'hébergement sur une population de 37 000. Une micro-société en vase clos. Il a fallu trimer dur pour maintenir le couvercle sur la marmite. Mais impossible d'éviter les débordements : panique, détresse, conflits conjugaux. *«Ça nous a permis de constater tous les problèmes sociaux qu'on pouvait avoir au Québec»*, signale M. Smereka, qui a fait état de la situation devant le commission Nicolet : l'état de dépendance de plusieurs personnes de l'assistance-sociale, *«tous ces enfants qui prennent du Ritalin, on n'en revenait pas»*, et cette fameuse désinstitutionnalisation.*«On a découvert, en cognant à toutes les portes, 100 personnes vraiment dans le besoin que le système de santé ne connaissait pas, qui sont tombées à travers les mailles du filet!»*

Cette crise du verglas a aussi mis en lumière un problème dont on a peu fait état : l'effritement du tissu rural. Les petits villages, qui ont perdu leur pouvoir décisionnel au sein des MRC et des commissions scolaires élargies, ne savaient plus où donner de la tête pour secourir les sinistrés plantés dans le fin fond des rangs de campagne, isolés.

L'économie s'en remet

Économiquement, on craignait le pire. Un sondage CROP en février faisait état de 5000 entreprises en danger. Mais celles-ci se sont *«craché dans les mains»*, selon l'image du président de la Chambre de commerce du Québec, Michel Audet.

«Finalement les conséquences n'ont même pas été d'un demi de un pour cent du PIB, la plupart des emplois perdus ont été récupérés parce que les carnets de commande des entreprises étaient déjà très bons, dit-il. *Il faut dire que la Montérégie est une région extrêmement dynamique, il y a beaucoup de PME, et des travailleurs autonomes aussi, dont plusieurs ont eux-mêmes des employés.»*

Malgré les poches de pauvreté importantes à certains endroits (Longueuil, Lemoyne, même au sein des prospères paroisses agricoles de Saint-Pie et Sainte-Madeleine, près de Saint-Hyacinthe), le chômage se situe entre 8 % et 9 %, moins que la moyenne québécoise. C'est en Montérégie que la population (1,2 million) a fait le plus grand bond en avant de 1991 à 1996 : 57 000 personnes. Même chose pour les emplois depuis une décennie : 89 300 de plus, dont 64 000 de 1993 à 1997.

«On a vécu des heures d'angoisse en mars, mais sur le plan indutriel, ça roule à *plein régime, le chômage est à 6,5%»*, signale le directeur général de la Corporation de développement économique et industriel de la région de Saint-Hyacinthe, Mario De Tilly. Les quelque 500 chercheurs scientifiques plantés dans cette sorte de Silicon Valley agricole, où ne cessent de pousser les industries de pointe, ont résulté en des investissements de 85 millions en 1997, et de plus de 100 millions en 1998.

Dans l'ensemble, ça va

Plus près de Montréal, à Saint-Hubert, un parc de haute technologie de 1000 acres offre de grandes promesses autour de la zone aéroportuaire. L'aéroport qui s'est spécialisé dans la clientèle d'affaires attire déjà les vedettes de sport et de cinéma (près des pistes, on retrouve les Studios Cité Ciné) qui préfèrent atterrir à quinze minutes de Montréal.

À Granby, les bonnes nouvelles s'accumulent : les perspectives d'emploi sont parmi les meilleures au Québec, et l'administration municipale a annoncé en grande pompe l'éradication totale de la dette pour l'an 2000 (elle était de 71 millions en 1993), ce qui permettra une baisse de taxe majeure de 40 %.

La Montérégie se porte donc bien dans l'ensemble. La Rive-Sud qui veut sa propre région ? Ailleurs, on s'en moque pas mal. *«Que ça s'appelle les îles Mouc-Mouc ou la Montérégie 1999 inc., qu'est-ce que ça change? C'est juste des régions administratives pour permettre de mieux les gérer»*, dit Mario De Tilly, de la corporation de développement de Saint-Hyacinthe. *«C'est un discours strérile et puéril, ça n'intéresse aucune industrie.»*

Le verglas? On en parle presque comme du bon vieux temps. «*Oui, on va s'en souvenir longtemps de cette année-là*», dit le maire de Saint-Jean, M. Smereka. «*Quand je vais entrer en centre d'accueil, je vais conter mes histoires de guerre!*»

Mais le sirop d'érable...

Même les agriculteurs, tout compte fait, ont peu perdu dans tout ça : 4591 porcs, 150 000 volailles, 175 000 alevins, 20 000 poissons, 780 lapins, 15 vaches et 3 312 609 litres de lait.

Seule ombre au tableau, une très grosse : les producteurs de sirop d'érable. Pour bon nombre d'entre eux, c'est la catastrophe, surtout qu'ils ne savent toujours pas de quelle façon le gouverne-ment leur viendra en aide. Huit millions d'entailles affectées, trois millions de perdues. Des rêves se sont écroulés.

«*Je n'ai plus une érablière, j'ai une terre à bois*», confie Daniel Thibault, de Roxton Pond, en montrant au loin son plus gros, son plus beau, son plus vieux de 400 ans qui ne produira plus.

Mais il ne désespère pas, même si à peine 3000 de ses 12 000 entailles pourront, peut-être, donner un peu d'eau ces prochaines années. Il veut vendre. Ce sera difficile. «*Je commence à penser à une autre job, une "shoppe", la construction, j'ai tout fait. Ça dépend des jours comment on "file", mais qu'est-ce que vous voulez, faut garder le moral. La vie continue.*»

○

Nord-du-Québec
Un développement qui profite aux populations autochtones

MARTIN CHIASSON • NATHALIE TRUCHON

Beaucoup de mouvement dans le secteur forestier en 1997-98 dans la région Nord-du-Québec. Tout d'abord en juin 97, le premier ministre du Québec, Lucien Bouchard, vient dans la région pour inaugurer la toute nouvelle usine de bois de sciage, Nabakatuk, située dans la réserve amérindienne de Waswanipi à quelque 130 kilomètres à l'ouest de Chibougamau.

Implantée au coût de 7 millions, l'usine emploie, un an plus tard, 43 travailleurs dont 39 d'origine crie. Sa capacité de production annuelle est d'environ 25 millions de pieds mesure de planche, ce qui assure notamment un approvisionnement supplémentaire en fibre à la compagnie Domtar.

Pour le premier ministre Bouchard, le député de la circonscription d'Ungava,

Michel Létourneau et le ministre responsable de la région Nord-du-Québec, Guy Chevrette, la réalisation de cette usine en territoire cri fait partie d'un projet global qui consiste à développer cette région par l'intermédiaire d'un partenariat entre les populations d'implantation récente, les autochtones et les Inuits.

Investissement majeur à Quévillon

La petite localité de Lebel-sur-Quévillon, qui compte tout près de 3000 habitants et qui est située à 262 kilomètres à l'ouest de Chibougamau, a vu son usine de pâte et papier Kraft injecter 250 millions pour moderniser ses installations et du coup consolider quelque 420 emplois.

De son côté, la scierie Domtar de l'endroit investissait une somme de 17 millions à ses installations pour ainsi maintenir 145 emplois.

À Chibougamau-Chapais

Du côté de Chibougamau et Chapais, les deux plus grosses scieries indépendantes de la province de Québec, les Chantiers de Chibougamau et Barrette-Chapais, qui procurent ensemble de l'emploi à tout près de 1200 travailleurs, y sont également allées d'investissements importants afin de se maintenir à flot dans la compétition féroce qui règne dans ce domaine.

Les Chantiers Chibougamau qui procurent de l'emploi à 675 personnes, ont investi quelque 15 millions en 1997 dans la modernisation de leur usine de sciage et l'implantation d'une toute

nouvelle usine d'aboutage. Cette nouvelle usine, la deuxième construite par les Chantiers au coût de 8 millions, est entrée en opération en janvier 1998 et a créé 40 nouveaux emplois. Elle a permis à l'entreprise de se lancer dans la fabrication de poutrelles, élément très en vogue présentement dans le domaine résidentiel. Les Chantiers Chibougamau sont ainsi devenus les deuxièmes producteurs au Canada de semelles de poutrelles après l'usine Maboco de Saint-Prime au Lac-St-Jean.

Un sous-ministre dans la région

Par ailleurs, l'année 1997-98 dans la région aura été marquée par la nomination de Christian Dubois au poste de sous-ministre adjoint rattaché au secrétariat au développement des régions. La présence d'un premier sous-ministre adjoint dans la région Nord-du-Québec permettra entre autres de mettre en œuvre la nouvelle politique de soutien au développement local et régional lancée par le gouvernement de Lucien Bouchard.

De plus, le nouveau sous-ministre, par ses fonctions, devient l'interlocuteur du Conseil régional Nord-du-Québec et des trois instances qui le composent soit : l'Administration régionale crie, le Conseil régional de développement Kativik et le Conseil régional de développement de la Radissonie. Il préside également depuis peu, la Conférence administrative régionale qui regroupe les responsables des ministères et organismes gouvernementaux œuvrant dans la région Nord-du-Québec.

L'industrie minière

Si les nombreux projets miniers annoncés en 1997 et 1998 se concrétisent au cours des prochaines années, la région Nord-du-Québec entreprendra l'ère nouvelle avec beaucoup d'optimisme.

Le secteur minier, moteur économique essentiel à la région Nord-du-Québec, a grandement souffert de l'insuffisance de travaux d'exploration minière pendant les dernières années. La ressource naturelle est bien présente, mais la difficulté à trouver le financement nécessaire pour le prouver et l'exploiter a mené à la fermeture de plusieurs propriétés.

Parmi celles-ci, Portage et Cooper Rand, appartenant à Ressources MSV, employeur majeur pour les populations de Chibougamau et Chapais. À l'automne 1997, la fermeture de ces mines, due à l'épuisement des réserves, a entraîné la mise à pied d'une centaine de travailleurs. Au mois de mai 1998, la direction de Ressources MSV confirmait le financement de 40 millions du projet Copper Rand 5000, sur lequel elle misait depuis longtemps. La phase de production devrait se poursuivre sur une période de 10 ans, fournissant ainsi de l'emploi à quelque 175 travailleurs.

Une autre mine, Troilus, située à 180 kilomètres au nord de Chibougamau est entrée en production à l'été de 1996. Propriété de Corporation Minière Inmet de Toronto, cette mine à ciel ouvert produit de l'or et du cuivre. En 1998, elle a bénéficié d'un investissement de 11,8 millions pour l'agrandissement de son usine et l'achat de nouveaux équipements, entre autres. Sa capacité de production est passé de 11 000 à 15 000 tonnes par jour.

La région Nord-du-Québec peut également compter sur le projet Bell Allard de la mine Noranda à Matagami. Elle doit entrer en exploitation en décembre 1999 et contribuera au maintien de 250 emplois dans la municipalité.

Nickel et vanadium

Outre l'or et le cuivre, le nickel et le vanadium font maintenant partie du langage courant du secteur minier de la région.

La première mine de nickel à voir le jour au Québec est celle de la Société minière Raglan, filiale de Falconbridge. Elle est située à Nunavik dans l'extrême Nord. Grâce à ce projet de grande envergure, 406 travailleurs sont sur place. Quatre-vingt d'entre eux sont d'origine inuit et proviennent des villages de Salluit et de Kangiqsujuak. Pas moins de 570 millions ont été investis sur le territoire inuit.

Par ailleurs, des travaux d'exploration ont mené à la découverte d'un dépôt de vanadium situé à quelques kilomètres seulement de la ville de Chibougamau. La durée de vie de la mine est estimée à plus de 40 ans, avec une capacité de production variant entre 6000 et 8000 tonnes par jour. Toutefois, plusieurs étapes restent encore à franchir avant d'en arriver à la phase des opérations.

L'étude de préfaisabilité n'était pas encore réalisée en mars 1998, faute d'investisseurs. Cette seule phase entraîne des coûts de 5 millions. La mise en exploitation n'est prévue que pour l'an 2002. Environ 150 travailleurs seraient mis à contribution.

O

Outaouais
Les francophones unis dans une lutte épique

PAUL GABOURY

La solidarité des francophones de la grande région d'Ottawa-Hull s'est cristallisée comme rarement dans le passé au cours de la lutte épique pour empêcher la fermeture de l'hôpital Montfort, le seul établissement de langue française de l'Ontario.

Cette région pourtant est familière des tiraillements interrives, ce qui en fait, à l'ombre du parlement canadien, l'une des régions du pays les plus complexes au plan géo politique.

L'annonce en 1997 de la fermeture de l'hôpital Montfort par la Commission de restructuration des soins de santé de l'Ontario mise sur pied par le gouvernement ontarien conservateur de Mike Harris, aura soulevé un tollé sans précédent au sein de la francophonie de la région, et de la province. Du jamais vu depuis la fameuse bataille contre le règlement 17, au début du siècle, qui interdisait l'enseignement en français dans les écoles de l'Ontario.

SOS Montfort, le comité issu de la communauté et présidé par Gisèle Lalonde, une militante francophone de longue date surnommée la « femme de fer » de la francophonie ontarienne, aura livré un combat impitoyable. Il a transformé le débat en une affaire nationale qui aura jetté dans l'embarras le gouvernement libéral de Jean Chrétien, incapable de résorber la crise.

Devant l'ampleur de la controverse, le gouvernement conservateur a finalement décidé de ne pas fermer les portes de l'établissement, mais il a tout de même décrété la fermeture de l'urgence et de plusieurs programmes, ce qui compromet la survie de la formation des professionnels de la santé. Les médecins francophones risquent maintenant d'être contraints de poursuivre leur formation dans un milieu bilingue, où tout se déroule le plus souvent en anglais.

Une ferveur rarement vue

Le sort de l'hôpital n'est toujours pas réglé, mais jamais les francophones d'ici n'avaient démontré depuis le début du siècle autant de ferveur pour défendre leur langue et une institution symbolisant leur longue lutte pour la défense de leurs droits.

Pour les francophones vivant sur la rive québécoise de l'Outaouais, l'hôpital Montfort est un lieu familier puisque depuis longtemps cet établissement fait partie du réseau d'hôpitaux ontariens où ils sont dirigés ; la raison en est que les services hospitaliers de l'Outaouais québécois ne répondent pas à tous leurs besoins.

Le gouvernement québécois injecte désormais plus d'argent dans les deux hôpitaux de l'Outaouais québécois, qui viennent d'être fusionnés en un seul établissement, ce qui permet de rapatrier désormais une plus grand partie de la clientèle de patients québécois.

Il reste toutefois encore beaucoup à faire, notamment dans des services spécialisés qui ne sont pas encore disponibles. Dans pareils cas, les patients doivent être dirigés vers Ottawa ou Montréal.

Problème d'identité

Si la question des soins de santé constitue une des principaux dossiers à avoir fait la manchette au cours de la dernière année, l'Outaouais québécois a fait une sorte d'examen de conscience, un bilan de ses forces et de ses faiblesses.

À la suite du Sommet sur l'économie et l'emploi de l'automne 1996, les leaders de l'Outaouais ont dû se rendre compte qu'ils ne faisaient pas nécessairement le poids face aux autres régions du Québec.

Au-delà de la partisanerie politique, tous les leaders de la grande région ont conséquemment accepté de participer à un forum sous l'égide de l'Université du Québec à Hull. La rencontre a permis d'identifier des solutions pour résoudre ce problème d'identité et de manque de leadership de la région sur l'échiquier québécois.

Les Jeux de la Francophonie

Les francophones du monde entier auront d'ailleurs les yeux tournés vers la région pour la présentation des Jeux de la Francophonie. La région d'Ottawa-Hull a en effet été choisie comme site des Jeux en 2001. Ils seront alors en mesure de mieux comprendre la complexité de cette région où les francophones auront réussi à vivre en français, à proximité d'une capitale fédérale où ils sont souvent obligés de travailler en anglais pour gagner leur pain et leur beurre, malgré la Loi des langues officielles garantissant leurs droits dans les institutions fédérales.

Les gouvernements fédéral et québécois ont d'ailleurs donné un aperçu des problèmes complexes auxquels la région est souvent confrontée lorsque vient le temps de s'organiser. La bataille des compétences et la surenchère de chaque gouvernement pour devancer l'autre a connu son apogée lors de la préparation de ces Jeux de la Francophonie.

Ottawa et Québec ont joué dur dans ce dossier, et même le choix de la candidature d'Ottawa-Hull comme ville hôtesse n'a pas été un choix facile.

À un certain moment, Québec a aussi menacé de se retirer de ces Jeux parce qu'Ottawa l'avait écarté de l'organisation. Après de longues négociations, les deux gouvernements se sont finalement entendus pour collaborer à la présentation des Jeux qui auront lieu à Hull et dans la capitale fédérale.

Mais on pourrait dire que les Jeux de la Francophonie auront encore une fois démontré à quel point les deux gouvernements sont à couteaux tirés... même si finalement ils ont bien été obligés de s'entendre.

O

Québec

Entre les motards et les Olympiques

RÉMY CHAREST

Malgré la défaite cuisante de la candidature de Québec dans la course aux Jeux Olympiques d'hiver de 2002 et la désillusion profonde qui avait suivi, 1998 aura été l'année de relance du dossier olympique, cette fois pour les Jeux de 2010. Forte de la recommandation de Sports internationaux, corporation qui avait hérité du surplus laissé par le comité de candidature de Québec 2002, la Ville de Québec décidait, en février 98, de revenir dans la course, avec en tête les leçons de l'effort précédent.

Plusieurs questions qui avaient considérablement affaibli la candidature de 2002 semblent en effet vouloir disparaître pour cette deuxième tentative québécoise.

Déjà, au chapitre du leadership de la candidature, le comité s'est trouvé un porte-parole de calibre en la personne du docteur Fernand Labrie, connu dans la région et à l'échelle internationale pour ses recherches sur le cancer.

Peut-être en partie grâce à la personnalité de ce président, la question de l'appui des citoyens de la région à la candidature semble déjà moins litigieuse. Tout d'abord, la mairesse de Sainte-Foy,

Andrée Boucher, a déjà déclaré qu'elle ne s'opposerait pas à cette seconde candidature, alors qu'elle avait été le catalyseur de l'opposition aux Jeux de 2002. Le comité de candidature et les élus municipaux de la région ont également assuré qu'un référendum sur la question serait tenu, afin de vérifier la popularité des Jeux de façon plus convaincante que par simple sondage.

Finalement, autre grand point faible de la candidature de Québec 2002, la création au cap Maillard, à Petite-Rivière-Saint-François, d'une piste de ski du calibre nécessaire à la tenue de l'épreuve de descente masculine pourrait être réalisée avant le vote du Comité International Olympique sur les Jeux de 2010, vote prévu pour 2003.

Les tergiversations nombreuses autour de la création de cette piste avaient été une des principales épines dans le pied de la candidature québécoise, une question que le ministre des Affaires municipales, Rémy Trudel, promettait de résoudre en injectant 10,4 millions de dollars pour sa réalisation... tout en attendant un investissement équivalent de la part du gouvernement fédéral.

Avant même le vote de l'Association olympique canadienne, qui déterminera si Québec passe à l'étape internationale de sa candidature, le dossier était donc déjà en mouvement. Selon un sondage effectué par le comité de Québec 2010, l'appui de la population se chiffrait à 59 %, les inquiétudes demeurant toutefois importantes quant à la possibilité d'un déficit olympique.

Des maires minoritaires

En novembre 1997, les populations de Québec et de Sainte-Foy montraient à leurs maires sortant qu'ils devraient peut-être envier la popularité du projet olympique. Réélus respectivement pour un troisième et un quatrième mandat, Jean-Paul L'Allier à Québec et Andrée Boucher à Sainte-Foy se retrouvaient toutefois tous deux minoritaires au conseil municipal, bien que de façon très différente d'une ville à l'autre.

À Québec, le maire L'Allier se retrouvait en effet devant une opposition divisée, huit conseillers de son parti, le Rassemblement populaire, se retrouvant face à neuf conseillers du Progrès civique, deux du tout nouveau Parti des Citoyens de Québec et un indépendant. Et les divisions de l'opposition ne devaient aller qu'en s'accroissant lorsque, en mars, le chef du Progrès Civique, Martin Forgues, devenait conseiller indépendant après avoir claqué la porte de son parti qui venait de l'accuser de conflit d'intérêts, entraînant deux autres conseillers à sa suite. Après plusieurs crises internes au cours des dernières années, l'ancien parti du pouvoir, du temps des maires

Gilles Lamontagne et Jean Pelletier, ne semble plus que l'ombre de lui-même.

Mᵐᵉ Boucher tient bon

À Sainte-Foy, le renversement était encore plus marquant. Avant les élections, la mairesse Boucher ne faisait face qu'à un conseiller indépendant, Jean Normand, et maîtrisait pleinement les séances du conseil municipal. Ne pouvant plus compter, après novembre, que sur deux conseillers de son parti, Action Sainte-Foy, face à huit conseillers indépendants, la mairesse vit des citoyens mécontents manifester bruyamment leur opposition lors des premières séances du nouveau conseil, passablement désordonnées.

Connue pour son tempérament batailleur, Mᵐᵉ Boucher devait toutefois répliquer fortement aux conseillers indépendants, qu'elle entraînait entre autres sur le terrain juridique en les accusant d'irrégularités électorales. Derrière ses allures monumentales, l'hôtel de ville érigé à grands frais par la mairesse de Sainte-Foy est ainsi devenu un lieu passablement animé.

Un coup de force contre les Hell's

Si la litanie des commerces incendiés par cocktail molotov et des règlements de comptes en pleine rue et en plein jour a continué de s'allonger dans la guerre que se font les Rock Machine et les Hell's Angels, le dossier aura surtout été marqué, dans la région de Québec, par un coup d'éclat policier.

Le 21 novembre 1997, l'escouade Carcajou de la Sûreté du Québec procédait en effet à la saisie du repaire des Hell's Angels à Saint-Nicolas, sur la Rive-Sud de Québec. Profitant de nouvelles dispositions légales qui permettent la saisie d'un local où se déroulent des activités criminelles, les policiers mettaient la main sur cette véritable place-forte, un coup de force plutôt humiliant pour ce puissant groupe de motards.

Craignant de voir les Hell's Angels reconstruire chez elles, de nombreuses villes de la région adoptaient rapidement des règlements empêchant la création de bunkers sur leur territoire. S'étant déplacés vers Saint-Étienne-de-Lauzon, les Hell's s'y trouvèrent rapidement sous surveillance, tandis qu'au début juin, une tentative d'installation de sympathisants de ce groupe à Lac-Saint-Charles, au nord de Québec, était rapidement contrée par un règlement municipal leur interdisant l'accès aux lieux, un ancien bar qu'on avait entrepris de fortifier.

Si les nouvelles dispositions légales ont prouvé leur utilité, il leur reste toutefois à prouver leur permanence. Des contestations légales par les groupes de motards devraient venir tester les limites de ces nouvelles dispositions.

Un conflit de plus pour la STCUQ

Ce n'est pas d'hier que les relations de travail sont tumultueuses à la Société de transport en commun de la Communauté urbaine de Québec (STCUQ). Mais l'épisode de cette année se distingue, en comparaison avec les grèves passées, par son caractère soudain et confus.

Le 18 mars 1998, les citoyens de la région se réveillaient en effet pour apprendre que les services d'autobus de la STCUQ étaient à toutes fins utiles réduits à néant, entraînant du coup de sérieux problèmes de circulation aux heures de pointe.

Les mécaniciens de la Société avaient en effet, au cours des deux jours précédents, signalé des problèmes mécaniques sur la quasi-totalité de la flotte. Incapable de préciser quels pouvaient être la portée de ces problèmes, la direction invoquait la sécurité des usagers et laissait les autobus au garage.

Les mécaniciens, de leur côté, déclaraient être surchargés de travail et à court de ressources pour assurer le bon entretien des véhicules. La Société de l'assurance automobile du Québec, appelée pour faire ses propres inspections, voyait ses évaluations contestées par le syndicat. L'imbroglio persistant, le service de la STCUQ mit plusieurs semaines avant de revenir à la normale. Et si le service a repris, des changements profonds dans le ton des relations de travail – l'incident a été soumis à l'attention d'une commission d'enquête – sont toutefois loin d'être chose faite.

Un salon en suspens

En septembre 97, le Salon du livre de Québec marquait un grand coup en combinant ses activités à une toute nouvelle Foire du livre de sciences humaines et sociales. Avec quelque 40 000 visiteurs, quantité de visiteurs de prestige et une forte couverture médiatique, le Salon et son directeur général Denis LeBrun réussissaient non seulement à donner un sens nouveau à ces rassemblements annuels du monde du livre, mais aussi à donner une visibilité inédite au monde du livre scientifique, des essais et de la philosophie.

Dans les mois suivants, ce grand succès devait toutefois être pris dans la tourmente d'une violente querelle entre la société du Salon et l'Association nationale des éditeurs de livres (ANEL). Cette dernière, par la voix de son vice-président Pascal Assathiany, s'opposait fortement au déplacement du Salon de Québec vers l'automne – avant 1996, l'événement avait toujours été présenté au printemps – invoquant l'épuisement des troupes, prises presque chaque semaine de l'automne par un salon ou un autre. Le Salon du livre, de son côté, rétorquait qu'il lui était impossible de ramener l'événement au printemps, surtout parce que la présence universitaire nécessaire à la tenue de la Foire ne pouvait être assurée à cette époque.

Malgré des tentatives d'arbitrage de la SODEC et de la ministre de la Culture Louise Beaudoin, les négociations entre les parties ne donnèrent aucun résultat, chacun restant fermement sur ses positions. Résultat, le Salon du livre annonçait en février qu'il mettait fin à ses activités vu l'impossibilité de tenir l'événement dans les circonstances jugées appropriées.

Au cours du printemps, le ministère de la Culture partait à la recherche d'une équipe capable de relancer le salon, mandat confié fin juin à un groupe dirigé par l'historien, éditeur et ex-ministre de la Culture, Denis Vaugeois.

Le nouveau château du roi Arthur

Finalement, le petit monde radiophonique de la capitale a vécu un grand bouleversement en janvier dernier, alors qu'André Arthur passait de son château-fort de CHRC, sur la bande AM, à CJMF-FM pour une émission du midi. Annoncée en novembre, la transaction permettait à la station de voir passer son auditoire global de 165 000 auditeurs au printemps 1997 à 255 000 en 1998, les émissions du «roi» Arthur et de Robert Gillet, animateur du matin, détenant chacune la première position pour leur case horaire. Un retour vers les sommets pour le FM 93, dans un format bien différent de la formule rock qui avait assuré son succès au début des années 80.

Saguenay – Lac-Saint-Jean

Une économie en convalescence

CAROL NÉRON

La région du Saguenay – Lac-Saint-Jean entrevoit la lumière au bout du tunnel après une décennie de revers économiques à répétition et de cruelles remises en question, qui ont mis le moral de sa population et de ses entrepreneurs à rude épreuve.

À cet égard, 1997 aura été révélatrice à plus d'un titre ; en fait, cette année pourrait marquer la fin d'un cycle de revers qui a vu le jour avec la récession de 1982 et qui a sans doute atteint son point culminant en 1990.

L'espoir en des jours meilleurs persiste et pourrait devenir permanent. D'abord, parce qu'Alcan, la multinationale de l'aluminium qui a permis au Saguenay – Lac-Saint-Jean de s'inscrire définitivement dans l'ère industrielle au début du siècle, a finalement décidé, après dix ans d'études et d'analyses pointues, d'investir 2,2 milliards de dollars dans la construction d'une usine à Alma, qui sera l'une des plus modernes au monde.

La rumeur concernant l'intention de cette compagnie d'aller de l'avant avec son projet a commencé à circuler avec insistance à partir de l'automne 1997, avant de prendre forme définitivement à la toute fin de l'année. L'annonce officielle de l'investissement a été faite au mois de février 98 et a suscité un vent d'enthousiasme rarement vu ces dernières années dans la région.

La nouvelle vigueur des PME locales, un constat qui a pris toute sa signification en 1997 et qui est en train de s'inscrire définitivement dans les analyses des spécialistes de l'investissement, suscite également de nombreux espoirs. Avec une stratégie axée résolument sur la transformation et la technologie de pointe, la petite et moyenne entreprise du Saguenay – Lac-Saint-Jean peut enfin revendiquer son indépendance face à la grande industrie.

Les écueils restent nombreux

L'horizon économique comporte tout de même quelques nuages, même s'il commence à se dégager sous l'impulsion d'Alcan ; comme bien d'autres évoluant dans son créneau, l'entreprise est sortie passablement secouée de la crise de l'aluminium (1992-96) alors que les Russes inondaient le marché avec un métal de qualité inférieure

Parmi les nuages, il faut compter ce taux de chômage toujours anormalement élevé, qui se situait en mai 1998 à 13,4 % dans l'axe Chicoutimi-Jonquière, la plus importante concentration de population du Saguenay – Lac-Saint-Jean. À l'échelle régionale, le taux de chômage est de 15,3 %, ce qui représente un niveau supérieur par rapport à 1997 (14,6 %).

Au plan national, seulement Terre-Neuve et la région de Trois-Rivières devancent Chicoutimi-Jonquière.

L'exode des jeunes, provoqué par le peu d'emplois spécialisés disponibles, associé à la dénatalité, continue de représenter une source d'inquiétude majeure pour les démographes.

L'effet positif des inondations

Outre la concrétisation du projet d'Alcan à Alma, deux facteurs déterminants ont contribué à la remise en forme de l'économie du Saguenay–Lac-Saint-Jean dès les premiers mois de 1997.

Les travaux entrepris dans la plupart des villes du Saguenay après les inondations catastrophiques de l'été 1996 ont donné lieu à la mise en place de chantiers importants et qui se sont étendus sur une période suffisamment longue pour inscrire l'économie dans un mouvement de relance.

Les divers programmes de rénovation lancés par les compagnies papetières qui forment, avec l'aluminium, la base de l'économie de la région ont également joué un rôle déterminant dans le l'émergence du phénomène.

Les performances de la grande industrie et de la PME n'arrivent pas, malheureusement, à compenser pour la perte des emplois, une tare récurrente qui hypothèque lourdement l'économie de la région depuis la fin de la décennie 70. L'élément qui pourrait changer cet état de fait réside dans la PME et la manière dont elle se prépare à négocier le virage du 21e siècle.

Les analystes estiment que, pour peu que la petite et la moyenne entreprise de la région continuent de s'orienter vers la transformation et la haute technologie, l'économie locale pourrait enfin aspirer à un avenir plus serein.

Cet espoir est notamment symbolisé par Microvel, une PME installée depuis peu à Jonquière et qui pourrait effectuer à l'automne 98 une percée mondiale significative dans le créneau des petites voitures électriques. Environ 400 emplois directs seraient ainsi créés par cette entreprise, qui vise les imposants marchés chinois et africains.

Enfin, au chapitre des nouvelles PME en voie d'expansion, la région mise beaucoup sur Alumiform de Chicoutimi, Panneaux MDF de La Baie et Pyrovac de Jonquière. ○

Index des principaux noms cités et des principaux thèmes

○